깊숙이 파고드는

DEEP INTO

놀토랑 장편소설

동아

깊숙이 파고드는

초판 1쇄 인쇄일 | 2021년 4월 12일
초판 1쇄 발행일 | 2021년 4월 21일

지은이 | 놀토랑
펴낸이 | 박성면
펴낸곳 | (주)동아

출판등록 | 제406-3960100251002007000071호
주소 | 경기도 파주시 문발로 115, 세종대학교출판부 206호
전화 | (031)8071-5201
팩스 | (031)8071-5204
E-mail | bear6370@hanmail.net

정가 | 12,800원

ISBN 979-11-6302-476-7 (03810)

깊숙이 파고드는

놀토랑 장편소설

DEEP INTO

동아

목 차

1. 판도라의 상자 · 7
2. 폭풍 전야 · 37
3. 어둠의 끝 · 75
4. 허공을 맴도는 진심 · 105
5. 불가능한 충동 · 130
6. 쓸데없는 오기 · 155
7. 공허한 분노 · 183
8. 관심의 온도 · 205
9. 잠깐의 변덕 · 235
10. 다시 시작되는 운명 · 255
11. 깊이 파고드는 열망 · 291
12. 약속의 무게 · 327
13. 단 한 번의 부정 · 358
14. 외로운 짐승 · 383
15. 그대로의 마음 · 411
16. 멈추지 않는 고통 · 438
17. 사랑이란 것 · 470

1. 판도라의 상자

눈에 비친 것은 설원처럼 희디흰 천장, 그리고 간간이 요동치는 새카만 머리카락이었다. 선명한 흑백의 대비는 마주하자마자 시선을 남김없이 빼앗았다.

시야가 흔들릴 때마다 그의 머리카락 끝에 맺힌 물방울이 뚝뚝 떨어졌다. 뺨에도, 어깨에도 흩날리는 물방울은 지독히도 강렬한 열을 품고 있었다. 순간순간 온몸이 타들어 가는 느낌은 결코 착각이 아닐 터였다.

턱 끝까지 차오른 숨이 버거웠다. 입 안 가득 맴도는 신음을 천천히 바깥으로 흘리며 혜수는 살며시 시선을 내렸다. 그 순간, 땀에 젖은 어깨와 근육이 잘 잡힌 가슴팍이 기다렸다는 듯 시야를 잠식했다.

"기분이 어때?"

"응……."

상념을 깨는 짓궂은 질문은 너무나도 유혹적이었다. 차마 그 어깨를 꽉 끌어안고, 부드러운 살갗에 손톱을 박지 않으면 안 될 정도로.

그와의 거리가 한결 가까워지면서 아찔한 숨결이 눈앞에서 마구 뒤엉켰다. 찌걱찌걱, 하고 음탕한 물소리와 섞인 교성이 끊임없이 허공을 맴돌았다. 힘 있게 파고든 성기를 무의식적으로 조이며 혜수는 허리를 뒤틀었다. 여러 갈래로 주름이 그려진 시트는 마침내 바닥으로 떨어졌다.

위도, 아래도 전부 질척질척하게 젖어 가고 있었다. 머리끝에서 발끝까지, 하나도 남김없이 깊고 깊은 늪 속으로 침잠하는 것 같았다.

"……하으, 윽……. 주혁 씨……."

쾌감을 견디다 못해 그의 이름을 부른 것은 역효과였다. 그럴수록 오히려 강도를 더해 가는 마찰음만이 날아가기 직전의 이성을 일깨웠다. 허리를 꼿꼿이 세운 주혁은 한층 격하게 그녀의 안으로 밀고 들어왔다.

제일 민감하게 반응하는 곳만을 교묘하게 자극하는 통에 질 내벽이 한결 녹진녹진해지는 느낌이었다. 마치 아랫배 안쪽이 영원히 꺼지지 않는 불꽃으로 태워지는 것 같은 기분이었다.

열로 점철된 단단한 살덩어리가 안쪽을 거듭 들쑤셨다. 그 음란한 과정을 견디는 것은 결코 쉽지 않았다. 아니, 애당초 그럴 필요가 없다는 것처럼 약간의 여유도 없이 희열이 밀려들었다.

혜수는 엉덩이에 힘을 실어 주혁을 받아들이고 또 받아들였다. 무심코 쳐든 다리 끝에서는 발가락이 꿈틀거렸다. 계속해서 부딪치며 결합하는 부분에서는 묘한 마찰열이 피어올랐다. 뜨겁고 뜨거워서 견딜 수 없을 만큼.

"……윤혜수."

"흐읏……."

끊임없이 귓가를 울리는 나직한 울림, 거침없이 전해져 오는 야릇한 떨림, 그리고 쉼 없이 몰아치는 심장의 두근거림은 이미 몸에 익을 대로 익은 것이었다. 혜수는 주혁의 어깨를 껴안은 손에 힘을 실었다.

부부로서 함께 밤을 보낸다. 그것은 일종의 의무이자 권리이기도 했다. 아무것에도 마음을 줄 수 없는 자신에게 주어진 단 하나의 특혜.

그동안은 그 특혜를 마음껏 즐겼다. 온몸에 새겨지는 주혁의 흔적을 좇으며, 꼭꼭 숨겨 놓았던 울분과 설움을 토해냈다. 그러지 않고서야 좀처럼 버틸 수 없었으므로.

그와 살을 맞대고 있는 이 순간이 아니라면 스스로의 존재 가치를 확인할 길이 있을까. 아마도 없다고 장담할 수 있었다.

"오늘따라 적극적인데."

"아, 응…… 놀리지, 마요……!"

"하긴. 당신은 원래 이러는 걸 좋아하지."

"주혁 씨, 읏……."

가볍게 코웃음을 치던 주혁이 문득 동그스름한 어깨에 연거푸 입술을 맞추었다. 촉촉하게 젖은 입술이 존재감을 과시하는 것과 동시에 찌릿찌릿한 전율이 등줄기를 휘감았다.

"흑, 으……!"

머릿속 어딘가에서 요란한 신호가 울렸다. 이 남자를 원한다고. 이 남자가 필요하다고. 간절하게 원하고, 절실하게 탐하면서 몸속 깊은 곳까지 꿰뚫는 쾌락을 기다리고 또 기다리는 것이다.

그 아득한 사실을 일깨우는 입술은 그 무엇보다도 충실하게 목적에 부합했다. 어느덧 어깨를 넘어 목덜미에 내려앉는 숨결은 뜨겁게 젖어 있었다.

"좋은 얼굴이네."

입술의 감촉을 쏙 빼닮은 손끝이 뺨을 살짝살짝 얼렀다. 자신이 지금 어떤 표정을 짓고 있는지는 보지 않아도 뻔했다. 틀림없이 고도의 흥분과 극도의 쾌감으로 흥건하게 얼룩져 있을 터였다.

순간적으로 몰려오는 수치심에 저도 모르게 눈이 질끈 감겼다. 너무나도 당연한 반응이었다. 강제적으로 시야가 차단되면서 그 특유의 섹시한 체향이 한층 짙게 풍겨 왔다.

폐 끝까지 숨을 깊이 들이마시는 찰나, 머릿속에서는 새빨간 경고등이 켜졌다. 삽시간에 전신을 점거하는 감각은 쾌락도, 쾌감도 아니었다.

정말로 이래도 될까. 이렇게 마냥 들썩이는 허리를, 한껏 벌어진 다리를 모른 척 내버려 두어도 괜찮을까.

한없이 음란한 분위기에 취해서 칼날처럼 차가운 현실을 외면하고, 욕망의 노예가 되어 버려도 상관없을까.

그는…… 윤혜수를 사랑하지 않는다.

처음부터, 줄곧.

* * *

납보다도 무거운 침묵은 오늘도 유효했다. 명희는 언제나 그랬던 것처럼 아무런 반응 없이 거실로 걸어갔다. 투명 인간 같은 스스로의 존재감을 느끼며 혜수는 속눈썹을 내리깔았다.

"……."

정물은 말이 없다. 아니, 말해서는 안 되었다. 그저 공간을 구성하는 부속품일 뿐, 그 어떤 흔적을 남기는 것도 불가능하니까.

정물은 정물답게 제자리에 있어야 마땅했다. 답답한 마음에 잠시 방 밖으로 나오는 것조차도 주변의 눈치를 보면서 쭈뼛거려야 했다. 저자세를 고수해야 하는 이유는 딱히 없었다. 원래 그렇게 규정지어진 삶이었다.

"오늘 들어온다던 가구는 어떻게 됐지?"

"네, 관장님. 문제없이 준비 중입니다."

"좋아. 그럼 그건 됐고……."

거실에 휘몰아치는 냉기는 시어머니인 명희의 것만이 아니었다. 시누이인 수연도, 저택 관리인도, 고용인들도 전부 철저하게 단 한 사람만을 외면했다. 두 사람이 이야기를 나누는 광경을 물끄러미 지켜보던 혜수는 이내 고개를 돌렸다.

감정을 지닌 인간이 무감각한 정물이 되려면 얼마만큼의 시간이 필요할까. 알고 싶지 않았던 사실은 기어코 차디찬 비수가 되어 살에 깊숙이 박혀버렸다.

이렇게 되기까지는 3년이면 충분했다. 목적에 따른 결혼은 자그마치 천일에 가까운 시간을 지옥으로 만들었다. 모두 한마음 한뜻이 되어 혜수를 벼랑 끝으로 몰고 갔고, 과연 언제 추락할지 흥미진진하게 지켜보고 있었다.

"……그렇게 하도록 하지."

"알겠습니다."

가벼운 코웃음과 함께 돌아선 명희에게서는 여전히 한기가 뿜어져 나오고 있었다. 그녀의 말 한마디, 숨소리 하나하나에 극도로 긴장하는 단계는 지났어도, 그 대신 형언할 수 없는 허무에 휩싸여야 했다.

가슴 한가운데가 뻥 뚫린 것 같은 공허는 숨조차 쉬기 힘들 만큼 어마어마한 절망을 불러왔다. 바닥을 가늠할 수 없는 수렁에서 허우적대는 기분이라고 표현한다면 적절할까.

그렇지만 이제는 이런 감정을 느끼는 것조차 사치일지도 모르겠다. 혜수는 두 눈을 꼭 감았다. 눈 밑에 감기는 뜨거운 감각에, 저도 모르게 짓뭉개지는 마음을 실감하며.

"……."

금세 형체 없이 문드러진 마음은 아프지도 않았다. 아니, 아플 수 없었다. 그러기에 3년은 너무나 긴 시간이었으므로. 마냥 철없던 소녀가 현실을 깨닫기까지는 그리 오랜 시간이 필요하지 않았다.

눈을 감은 채로 장승처럼 서서 머뭇거리는 것에도 한계는 있었다. 슬슬 방으로 돌아가려던 찰나, 명희가 문득 제 곁에 멈추어 섰다. 그리고 정말 놀라운 일이 벌어졌다.

"잠깐 할 말이 있다."

"저……한테요?"

"그럼, 여기 너 말고 누가 또 있니?"

뜻밖의 요구는 명백히 자신을 겨냥하고 있었다. 얼음보다도 싸늘한 눈빛이 정수리에서부터 전신을 관통했다. 곧이어 안방으로 따라 들어오라는 턱짓이 이어졌다. 그 순간, 살갗에 확 끼치는 소름의 존재감은 컸다.

'뭐지……?'

영문을 알 수 없는 부름이었다. 난데없이 말을 걸어 온 것도 모자라 심지어 직접 불러들이다니. 지금껏 전례가 없었던 일이었다. 명희는 본래 공식석상이나 주혁의 앞이 아니면 혜수에게 말을 걸기는커녕 눈조차 마주치지 않았다. 무시와 멸시, 질시가 공존하는 삶이 당연했건만.

그런 그녀가 갑작스레 태세를 전환하는 데에는 명확한 이유가 있을 터였다. 도무지 연유를 짐작할 수 없어 혜수는 부리나케 발을 떼었다. 예상외의 상황을 맞닥뜨린 심장은 이미 미친 듯이 요동치고 있었다.

"앉거라."

"네."

짤막한 명령은 참으로 새삼스러웠다. 처음으로 들어와 본 안방을 살펴볼 새도 없이 조심스레 무릎을 꿇었다.

어느새 찻주전자를 가지고 온 고용인은 명희의 앞에도, 혜수의 앞에도 찻물을 부었다. 찻잔에서 피어오르는 김이 주변에 어지러이 흩어질 때마다 긴장감이 배가되었다.

"어떤 일로 찾으셨나요?"

잠자코 차를 홀짝이던 명희는 기다렸다는 듯 혜수의 눈앞에 서류 봉투를 던졌다. 싯누런 서류 봉투는 마주한 즉시 기묘한 불안감을 자아냈다.

"주혁이 관해서다."

"주혁 씨요?"

"잔소리 말고 열어 봐라."

"이건……."

하루하루가 전쟁터이자 아수라장인 이곳에서 혜수가 그나마 숨 쉴 공간이 있다면 바로 남편인 권주혁 옆이었다.

투명 인간 취급당하고, 정물처럼 여겨지는 순간에도 주혁만은 그녀를 윤혜수로서 봐 주었다. 입을 열었을 때, 공허한 외침이 되지 않는 상대방은 그가 유일했다.

물론 워낙에 무뚝뚝한 성격인 터라 따뜻한 말은 돌아오지 않았다. 다정하게 미소 지어 준 적도 없었다. 그래도 누군가가 제 말을 들어 준다는 것 자체가 한 줄기 위안이었다. 이 지옥에서 이만큼이나 견딜 수 있었던 이유는 전부 그 덕분이었다.

"……."

단 하나뿐인 버팀목으로 여겼던 주혁에게 무슨 일이 벌어지고 있는 것일까. 불길한 명령에 무심코 꼿꼿하게 펴지는 등은 절대 과잉 반응이 아니었다.

파르르 떨리는 손가락을 움직여 열어 본 서류 봉투 안에는 충격적인 증거물이 들어 있었다. 다름 아닌 주혁의 사진으로, 사진 속의 그는 혼자가 아니었다. 그 옆에 정체 모를 여자를 동반했다는 사실을 깨닫자 입술이 바로 움직였다.

"……호텔?"

혜수를 더더욱 경악하게 만든 것은 뒤의 배경이었다. 그들이 나란히 호텔로 들어가는 장면을 포착한 사진이라니. 믿을 수도 없었고, 믿고 싶지도 않았다.

주혁의 외도.

납득 불가능한 현실에 일순간 퓨즈가 꺼진 것처럼 눈앞이 명멸했다. 저도 모르게 나지막한 신음을 흘리며 혜수는 아랫입술을 짓깨물었다.

비록 그가 자신을 사랑하지는 않아도 둘 사이에 최소한의 신뢰는 있다고 생각했다. 부정한 짓을 저지르거나 속일 만한 남자가 아니라고 여겼는데, 그 모든 믿음이 근간에서부터 정처 없이 흔들렸다.

그럴 리가 없다. 그래서는 안 된다. 그러나 어딘가 잘못되었다고, 오해가 아니냐고 합리화할 엄두는 나지 않았다.

눈앞에 자리한 것은 산산조각 난 믿음으로, 그 얼굴에 어린 부드러운 미소는 허상이 아니었다. 그동안 기대조차 하지 않았던 모습을 보는 찰나, 온몸의 힘이 빠져나갔다.

"……."

사진을 멍하니 들여다보고 있어도 도통 현실감이 없었다. 맥없이 흔들리는 눈동자에 비친 현실은 한없이 끔찍했다. 아무것도 모른 척 달아나고 싶은 마음과 달리 명희의 충격적인 명령은 계속되었다.

"주혁이 마음은 잘 알았겠지. 하지만 넌 공식적으로 대현 그룹 장손의 며느리다. 이대로 우리 쪽에서 이혼을 요구하는 건 모양새가 좋지 않아."

"네……?"

"그러니 네가 먼저 주혁이한테 말해라. 이혼하자고."

혜수를 뚫어져라 응시하는 명희의 얼굴에는 어느덧 비릿한 조소가 흐르고 있었다.

"위자료는 섭섭지 않게 챙겨 주마. 어차피 돈 보고 한 결혼이었으니 너와 네 집구석에 손해는 아닐 테고."

"……."

"기회가 주어졌을 때, 네 발로 걸어 나가는 편이 좋을 거야."

틀린 말은 아니었다. 철저히 목적에 따른 결혼이었기에 처음부터 제게 선택권 따위는 없었다.

계모의 꼭두각시가 된 아버지는 단 한 마디의 거절도 없이 자신을 정글로 밀어 넣었다. '어디까지나 너의 행복을 바랄 뿐이다'는, 수없이 역겨운 축복하에.

그렇게 대현 그룹에 팔려 왔고, 3년 동안 투명 인간처럼 살면서 온갖 굴욕과 수모를 견뎌야 했다. 그런데 이제는 그 이용 가치마저 없어졌으므로 제자리로 돌아가라고 한다.

이미 자신이 돌아갈 자리는 존재하지 않는데, 그런 곳 따위가 있을 리가 없는데. 참으로 무정하고 잔인한 통보였다.

'이혼이라니…….'

언젠가는 닥칠 일인 줄 알았건만 이렇게 빨리는 아니었다. 그리고 이런 식으로 무방비하게 맞닥뜨릴 줄도 몰랐다.

명희는 이 충격적인 사실을 언제부터 알고 있었을까. 주혁 또한 자신을 어느 때부터 속이고 있었을까. ……모르겠다. 도저히.

'말도 안 돼.'

이래서야 아무것도 모르는 백치나 인형으로 전락한 느낌이었다. 하기야 이 저택에 발을 디딘 순간부터 정상적인 사고는 포기해야 했다.

이 정글은 생각을 잃고, 감정을 버려야 살아남을 수 있는 곳이었다. 눈빛 하나, 말 한마디에 일일이 상처를 받고, 신경을 기울여도 괜찮을 만큼 호락호락한 곳이 아니었다.

암전에 가까울 정도로 멍해진 머릿속을 수습한 혜수는 작게 운을 떼었다.

"……어머니."

"어머니? 언제 내가 그렇게 불러도 된다고 허락했니?"

"죄송합니다."

"그래서? 불렀으니 용건은 말해 보렴."

시혜를 베푸는 듯 조그마한 코웃음이 이어졌다.

공식적인 자리나 가족들 앞에서가 아니라면 명희를 어머니라고 불러 본 적이 없었다. 그러면 안 된다는 무언의 압박 때문이었다.

둘만 있을 때의 호칭은 사모님으로, 그 호칭을 들을 때마다 명희는 하찮은 벌레를 내려다보는 것 같은 눈빛을 했다. 힐난을 닮은 눈빛에 무척이나 염증이 났지만, 사실 사모님이라는 호칭 또한 입에 담을 일은 거의 없었다.

그간 명희와는 개인적인 대화는커녕 눈을 마주친 적도 손에 꼽을 정도였으니까. 그런 만큼 느닷없이 튀어나온 호칭은 실낱같은 지푸라기라도 잡고 싶은 마음의 일환이었다.

"생각할 시간을 좀 주세요."

"뭐? 시간?"

"너무 당황스럽기도 하고……. 혹여나 뭔가 오해가 있는 건지도 모르니까요."

"착각하고 있나 본데, 이건 제안이 아니야."

"네……?"

낮게 가라앉은 명희의 목소리에서는 싸늘한 기운이 흘러넘쳤다.

"네가 정말로 주혁이 아내라도 됐다고 생각했니?"

"……."

"착각하지 말렴. 너도 이제 알 텐데? 주혁이가 어떤 애인지. 그 성실한 애가 이럴 정도면 이미 너희 둘은 끝났어."

그녀의 지적은 정확하게 핵심을 관통했다. 인간 대 인간으로서 대해 주는 것과 사랑을 느끼는 것은 별개의 문제였다.

권주혁은 윤혜수를 사랑하지 않는다. 둘 사이에 존재하는 감정은 연애 감정이 아니라 의무감과 책임감에 불과했다. 쇼윈도 부부란 원래 그런 관계니까.

그 점에 어느 순간부터 상처받았지만, 돌이킬 수는 없었다. 처음부터 그러했고, 앞으로도 그렇게 될 것이었다.

오랜 비밀을 담고 있던 판도라의 상자는 열렸다. 이제 그 안에 남은 것은 희망이 아니라 절망뿐이었다. 그 사실을 새삼스레 절감하는 지금, 그저 허탈하기만 했다. 맥없이 처지는 어깨는 그 점을 또렷이 방증하고 있었다.

"……알고 있어요."

"그래. 설마 다 알면서도 참고 산다는 말 같은 걸 하려면 그만두렴. 듣고 싶지 않구나."

"그건……."

갑작스레 타들어 가는 목을 느끼며 혜수는 숨을 들이켰다. 허무감에 젖어 든 숨결을 뱉어 낼 때마다 전신이 찌릿하게 저려 왔다.

"그러니 하루라도 빨리 이혼하는 게 이로울 거다. 내 말, 명심해."

……마지막 문장이 주는 압력은 엄청났다.

* * *

주혁은 오늘도 늦었다. 예전에는 일 때문에 바빠서라고 생각했는데, 진실은 생각보다 먼 곳에 있었다. 그래도 그 여자가 아니라 제 곁에서 꼬박꼬박 잠을 잔다는 사실에 감사해야 하려나. 이쯤 되면 헛웃음은커녕 쓴웃음조차 터지지 않았다.

'어두워…….'

그가 귀가할 때까지 시트를 뒤집어쓰고 줄곧 침대 구석에 웅크려 있었다. 당연한 말이지만, 눈앞을 잠식하고 있는 존재는 아무것도 없었다. 단지 한 치 앞도 분간할 수 없을 정도로 깊은 어둠이 파도처럼 밀려들 뿐.

이혼해야 한다. 이혼해야 옳다. 결혼할 때와 마찬가지로 선택권은 주어지지 않았다. 갑작스러웠던 시작은 역시나 급작스러운 결말로 끝이 났다. 아니, 처음부터 그럴 수밖에 없는 운명이라는 표현이 적절할지도 몰랐다.

"……불도 안 켜 놓고 뭐 해?"

잡념을 깨는 부름에 뒤이어 낯익은 발걸음 소리가 들렸다. 예고 없이 밝아지는 시야를 느끼고 혜수는 천천히 고개를 들었다. 그 순간, 어둠을 박아 넣은 듯한 검은 눈동자와 정면으로 마주쳤다.

자주는 아니어도 종종 있는 경우였다. 하지만 그의 존재가 이렇게나 부담스러운 적은 처음이었다.

"왔어요?"

"표정이 왜 그래?"

나직한 질문과 함께 크고 긴 손가락이 부드럽게 뺨을 훑었다. 평소답지 않은 친절의 이유는 자신 또한 평상시와 다르기 때문일 터였다.

혜수는 대답을 잠깐 미루고 입술을 핥았다. 까칠하게 마른 입술은 유독 썼다. 이유가 확실한 손길이 귓가와 머리카락을 찬찬히 어를 때마다 심장이 요동쳤다.

이대로 그를 향해 냉정하게 쏘아붙이면 후련해질까. 개운해질까. 시원해질까. 사람을 멋대로 이용하고, 마음대로 내팽개치면 좋으냐고. 이 이상 끌려다니고 싶지 않다고. 이제부터 제 삶을 살아갈 테니 더는 이렇게 휘두르지 말라고.

'부질없어.'

애당초 주혁에게는 닿지 않는 목소리였고, 닿을 길조차 없는 저항이었다. 사진들 속의 주혁과 이름 모를 여자의 모습을 떠올릴 때마다 가슴에 거칠디거친 폭풍이 일었다. 가슴을 할퀼 대로 할퀸 폭풍이 물러난 후에는 쓰라린 잔해만이 남았다. 아주 당연하게도.

"당신한테 할 말이 있어요."

"뭔데?"

"진지하게 들어 줘요."

머리카락을 가볍게 터치하고 떨어진 손은 이내 방향을 바꾸었다. 편하게 넥타이를 끄르기 시작한 그는 좀처럼 다음 말을 예상하지 못하는 것처럼 보였다.

하기야 집 안에 갇혀 살다시피 하는 아내가 본인의 외도를 눈치챘다고는 감히 생각하지 못할 터였다. 여태껏 잘 숨겨 왔으니 오늘 또한 그러리라고 자만하고 있을 게 분명했다. 이 얼마나 오만한 태도인지.

혜수는 드디어 무릎을 감싸고 있던 팔을 풀었다. 그리고 조심스럽게 바닥으로 내려섰다. 그때까지도 주혁은 그녀의 이상을 전혀 눈치채지 못한 상태였다.

"……주혁 씨."

뜸 들이지 말고 빨리 고하라는 것처럼 심드렁한 눈빛이 날아왔다. 이 무정한 남자는 과연 어디까지 이렇게 뻣뻣하게 굴지 의문이었다.

그 아릿한 사실에 거듭 실망해서일까. 숨도 쉬지 않고 입 안에 담아 두었던 말을 내뱉을 수 있었다.

"우리, 이혼해요."

"그게 무슨 소리야?"

뜻밖의 통보여서일까. 무심한 얼굴이 단번에 일그러졌다. 농담도, 허언도 아니라는 뜻으로 혜수는 잠자코 눈을 빛냈다. 어느 틈엔가 반듯한 이마에 새겨진 굵은 주름이 눈에 띄었다.

보기 드물게 인상을 쓴 주혁의 눈초리가 유난히 서늘했다. 마치 제 속내를 탐색하는 것 같은 느낌이었다. 그렇지만 저 알 수 없는 속을 들여다보고 싶은 쪽은 혜수 자신이었다.

"제대로 못 들었어요? 하고 싶어요. 이혼."

"어째서야?"

"더 이상 이렇게 살고 싶지 않아요."

정확하게 표현하자면 더는 이렇게 살 수 없다고 해야 옳았다. 무기력하고, 무력하고, 무참했다. 그러나 자세히 설명해 무엇 할까. 그는 그녀를 이해하려고 하지 않았다. 아니, 애당초 이해할 수 있을 리도 만무하고.

주혁은 몰랐다. 아무것도.

그의 가족들이 윤혜수라는 사람을 얼마나 짓밟고 있는지. 다들 한통속이 되어 한 사람을 바보로 만드는 데 얼마나 진력을 쏟고 있는지.

회사 일로 바빠서, 원체 무심한 성격이라서, 그 외의 이유를 빌미 삼아 그는 그 어떤 것도 알지 못했다. 또한 앞으로도 모르리라.

유일한 피난처였던 주혁마저 언제부터인지 몰라도 배반의 깃발을 높이 들어 올렸다. 사실 명희의 명령이 아니더라도 언젠가는 이혼해야 할 남자였지만, 혹여나 싶은 기대감은 있는 법이었다.

물론 현실은 마음과 달리 이다지도 비참했다. 사랑 없는 결혼의 끝은 처음부터 정해져 있었다. 그에게도, 제게도. 자의로 주어지지 않은 결말은 눈 깜짝할 사이에 목전까지 치달아 있었다.

"……."

"……."

둘 사이에는 잠시간 침묵이 흘렀다. 혜수는 가만히 마른침을 삼키며 무겁게 내려앉은 침묵을 견뎠다.

"대체 뭐가 불만이지?"

주혁은 이혼 통보를 받아들일 수 없다는 반응이었다. 얼굴 가득 떠오른 불쾌한 심사는 까딱하면 진짜로 오인할 만큼 감쪽같았다.

이 지경까지 몰리고 난 후에도 억지로 연기할 필요는 없는데. 무심해도 믿음직스러운 남편의 이미지는 끝장난 지 오래였다.

'그게 아니라면…….'

자신이 먼저 이혼을 선언했기 때문에 저 드높은 자존심이 상하기라도 한 것인가. 그렇다면 권주혁은 끝까지 이기적이고 무정한 남자가 틀림없었다.

"갑자기 왜 이래? 우리의 계약은 할아버지가 살아 계실 때까지 아니었나."

도저히 이해할 수 없다는 듯 주혁의 목소리는 평상시보다 무척 낮아져 있었다.

"그게 지금 의미가 있기는 한가요?"

혜수는 나지막하게 자조했다. 주혁의 말대로 결혼 기간은 대현 그룹의 회장이자 주혁의 조부인 권형호가 숨을 거둘 때까지였다.

그러나 그는 이미 병원에서 오늘내일하고 있었다. 연명 치료 덕분에 간신히 목숨은 부지하는 상태였지만, 사실 언제 죽을지 몰랐다. 당장 내일 세상을 뜬다고 해도 하등 이상할 바가 없었다.

그 사실을 누구보다도 잘 알고 있을 그가 왜 이렇게 반발하는지. 궁금증이 새록새록 쌓여 갔다. 어차피 자신을 단 한 번도 진심으로 사랑한 적 없는 남자였다. 기다렸다는 듯이 이혼을 받아들이면 되는 것을, 이렇게나 거부할 이유가 있을 리 없었다.

"의미?"

"네. 할아버님이 회복 못 하실 거라는 거…… 당신도 알잖아요."

"당신을 꽤 예뻐하셨는데, 들으시면 섭섭해하시겠군."

"……승계 작업도 거의 마무리됐다고 들었어요."

"맞아. 설령 깨어나시더라도 3년 전처럼 정정하시지는 못하겠지."

"그러니까……."

"그래도 아직은 안 돼."

한 차례씩 말을 주고받을 때마다 주혁은 빠르게 평정심을 잃었다. 마치 평소의 냉철한 면모는 까맣게 잊어버린 것 같은 모습이었다.

바늘로 찌르면 피 한 방울이라도 나오려나 싶을 만큼 냉혹한 성격이었다. 그런 그가 이 정도로 격렬하게 스스로의 감정을 표출할 줄은 차마 몰랐다. 전신을 타고 오르기 시작한 정체불명의 위화감을 내리누른 혜수는 차분하게 대답했다.

"왜요……? 바라던 바 아니었어요?"

"그다지. 그러는 당신이야말로 이혼하고 싶어서 안달이 나 있었나 봐."

"그런……."

말은 끊겼다. 주혁이 예고도 없이 성큼 다가온 탓이었다. 그 특유의 체향이 코끝에 맴도는 순간순간, 너무나도 아찔했다. 아득했다. 어째서 이 남자는 이런 순간에도 이토록 저돌적인지.

이상할 정도로 흔들리는 마음을 다잡고 혜수는 그를 뿌리치기 위해 손을 들었다. 당연히 쓸모없는 저항이었다. 파들파들 떨리는 손을 붙잡은 주혁은 그대로 고개를 숙였다. 입술이 닿을 듯 말 듯한 가까운 거리였다.

"그렇다고 하더라도 이혼해 주지는 않을 거야."

"왜 그렇게까지 하는 거죠?"

이미 충분히 이용할 만큼 이용하지 않았느냐는 반문은 할 수 없었다. 주혁은 어째서인지 지독하게 화가 난 얼굴이었으므로. 그 얼굴에 가닥가닥 서린 삼성은 마치 배신감과도 비슷했다.

그리고 그의 분노는 곧바로 거친 손길로 표출되었다. 그럴 리가. 배신당한 쪽은 자신이 아니었나. 배신한 당사자가 보일 만한 반응은 아니었다.

"……!"

급작스레 당겨지는 몸에 당황한 혜수는 무심코 어깨를 움찔했다. 하지만 일말도 아랑곳하지 않는 손길은 지극히 자연스럽게 그 품으로 그녀의 상반신을 끌어당겼다.

순식간에 안겨 버린 넓고 탄탄한 가슴팍에서는 뜻 모를 열이 느껴졌다.

"계약이니까."

"……."

"그러니 이만 나한테 안겨."

낮은 목소리가 귓불을 뜨겁게 적셨다.

"네……?"

"그게 아내의 의무잖아?"

"……."

"너한테 선택권은 없어. 윤혜수, 네 의무를 다해."

제안도, 권유도 아니었다. 명령이었다.

아내의 의무이자 권리. 기꺼이 그를 위해 몸을 열어 주고, 그가 선사하는 쾌락을 온몸으로 느끼는 것. 지난 3년 동안 이골이 날 정도로 겪어야 했던 현실이었다.

주혁의 커다란 손이 혜수의 허리를 쓰다듬기 시작했다. 열을 품은 입술은 금세 빈틈없이 겹쳐진 상태였다. 그 입술을 통해 전해지는 묘한 열기에 아주 잠깐 넋을 빼앗겼다.

그 찰나를 놓치지 않는 손길이 혜수를 침대에 눕혔다. 곧바로 그녀의 몸 위에 올라탄 주혁은 거칠게 키스를 퍼부어 왔다. 마지못해 열린 입술 사이로 뜨거운 것이 파고들었다.

곧이어 혀들이 농염하게 엉키면서 질척이는 물소리가 들려왔다. 언제나 그래 왔듯이.

"아읏……."

혜수는 살며시 벌어진 입술 사이로 가느다란 신음을 흘렸다. 옷자락과 시트가 부딪치는 소리는 언제나처럼 음탕했다. 단정하게 여며져 있던 주혁의 목깃은 어느덧 풀린 상태였다. 침대 구석에 뒹굴고 있는 검은 넥타이는 그다음 상황을 예고하고 있었다.

그리고 마땅한 순서를 밟는다는 것처럼 상의가 끌어올려지고, 가슴을 감싸고 있던 브래지어가 제자리를 벗어났다. 반쯤 드러난 살갗에 잔뜩 달아오른 공기가 부딪쳤다.

서서히 감도가 올라가고 있는 몸에 그의 손끝이 닿았다. 다급해진 마음을 방증하듯 평상시보다 거세고 무절제한 놀림이었다. 봉긋한 가슴을 양손 가득 쥐며 주혁은 하반신을 바짝 밀착시켰다.

무방비한 몸은 이제 짓밟힌다. 줄곧 되풀이되던 일상이었다. 그는 자신을 또 한 번 낯익은 쾌감 속으로 밀어 넣을 것이었다. 시큰하게 저리는 아랫배를 인지한 순간, 반사적으로 눈이 감겼다.

"으음, 흑……."

간간이 토해지는 거친 숨결은 살갗 밑에 잠재워 두었던 신경을 일깨웠다. 평소와 똑같았다. 다를 바가 없었다. ……단 하나를 제외하고. 주혁이 이끄는 대로 멍하니 그 움직임에 동참하던 혜수는 문득 현실을 실감했다.

지금 순순히 그를 받아들인다면 이혼은 어떻게 되는 것일까. 다른 여자를 사랑하는 남편을 이대로 인정할 수 있을까. 그리고 한층 악랄해질 명희의 등쌀에 대처할 방법은 존재할까. 물음표가 난립하기 시작한 머릿속은 수없이 어지러웠다.

"……."

끈질기게 그녀를 탐하던 입술은 이윽고 아래로 느릿느릿 내려왔다. 혜수는 눈을 질끈 감은 채 그 아릇한 감각을 받아들였다. 턱을 지나 목덜미에 안착한 입술은 이미 촉촉하게 젖어 들어 있었다.

여느 때와 다름없이 주혁은 본인의 흔적을 남기고, 온몸으로 증명할 것이었다. 윤혜수는 그의 여자라고. 그만이 자신을 집어삼킬 수 있다고. 하지만 믿음이 산산이 부서진 상태에서 그 표징을 예전처럼 아무렇지도 않게 받아들일지는 확신할 수 없었다.

"응, 주혁…… 씨……."

"그래."

주혁이 바로 흥분했음을 선명하게 느낄 수 있었다. 단단하게 발기한 그의 성기가 사타구니 안쪽을 압박했다.

툭 불거진 앞섶에서부터 뿜어져 나오는 열기가 전신을 밧줄처럼 칭칭 조였다. 그 강렬한 열에 함몰될 때마다 안쪽 깊은 곳에서부터 추근추근하게 젖는 것 같았다.

사실 착각은 아니었다. 허벅지 안쪽으로 몸에 익은 감촉이 스며드는 순간, 까맣게 물든 눈앞이 갑작스레 하얘졌다. 주혁의 것이었다.

그리고 그것은 평상시와 같이 몸속 깊은 곳까지 맹렬하게 파고들 터였다. 그와의 섹스를 똑똑히 기억하고 있는 배 안쪽은 주혁이 움직일 때마다 예민하게 반응했다. 등줄기를 스치는 전율은 착각이 아니었다.

"아, 읏……!"

아무것도 몰랐다면, 그 어떤 것도 알지 못했다면 이대로 그를 받아들이고 이 아찔한 쾌감을 즐겼을 것이다. 달콤한 쾌락에 추근추근하게 젖어 든 채로, 어떻게든 이 추악한 현실에서 달아났을 것이다.

그렇지만 이제는 그럴 수 없었다. 결코.

"……그만."

부드러운 손가락이 속옷 안으로 미끄러지기 직전, 혜수는 겨우겨우 주혁의 가슴을 짚었다. 단추가 두어 개 풀린 흰 셔츠는 허리를 감싼 시트만큼이나 뜨거워져 있었다.

"뭐?"

"그만해요."

자못 단호한 거절이 뜻밖이었는지 주혁은 바로 눈살을 찌푸렸다. 이렇게 내치는 경우가 처음이라 그런지 그가 느끼는 당혹감은 예상보다 더 큰 모양이었다.

예리해진 눈초리를 피해 혜수는 손으로 얼굴을 가렸다. 하지만 급속도로 찌릿찌릿해진 눈가는 그 어떤 짓을 해도 가려지지 않을 듯했다.

"하고 싶지 않아요."

다시 한번 확실하게 거부 의사를 표명하자니 가슴 한구석이 기이할 만큼 요동쳤다. 어쩐지 울 것 같은 느낌이라고 한다면 어폐일까. 시야가 묘하게 어른거렸다.

숨 막히는 대치가 얼마간 계속되었다. 오직 나지막한 숨소리만이 어지럽게 얽힐 뿐, 주변은 쥐 죽은 듯이 고요했다.

그와 반대로 정신없이 소용돌이치는 기류 속에서 단 하나, 짐작할 수 있는 게 있었다. 아무런 말도 없이 자신을 빤히 응시하고 있는 그가…… 아주 조금은 상처받았다고.

"……알았어."

"……."

단 한마디의 승낙을 남기고 주혁은 자리를 떴다. 순식간에 사라진 무게감을 좇으며 혜수는 살며시 시트를 들어 올렸다. 자신을 등진 뒷모습은 여느 때와 다름없이 비정했다.

처음으로 그를 밀어냈다. 아내의 의무를 저버렸다. 그러나 그럴 수밖에 없었다. 사랑하고 싶었던 남자에게, 끝내 사랑하게 되어 버린 상대에게 배신당한 쪽은 자신이었으므로.

한 방 먹였다는 점에 내심 후련하면서도, 한편으로는 시커먼 아귀를 벌리고 있는 심연으로 추락하는 기분이었다. 끝없이 모순되는 이 감정을 뭐라고 정의해야 옳을지 모르겠다. 그래, 지금은 혼자 있을 수 있다는 사실에 감사해야 할지도.

"하아……."

길디긴 한숨을 토해 낸 혜수는 시트를 양손으로 힘껏 말아 쥐었다. 얼마 지나지 않아 욕실에서는 쏴아아, 하는 물소리가 들렸다.

사소한 기척 하나하나에 온 신경이 곤두서면서 그가 남기고 간 열이 새삼스레 전신을 관통했다. 미친 듯이 울렁이기 시작한 마음은 그 아릿한 흔적의 증거였다.

'어떻게 하지?'

주혁은 어째서인지 이혼을 강하게 거부하고 있었다. 그 알 수 없는 행동은 아직 제게 이용할 만한 가치가 남았다는 뜻일까. 만일 그게 아니라면…….

한 치 앞도 분간하기 어려운 안개 속에 갇힌 느낌이었다. 자욱하게 드리운 안개가 시야를 가리고 판단력을 빼앗았다.

문득 아랫배가 알싸하게 아파 왔다. 잘 벼려진 칼로 살점을 도려내는 것 같은 고통을 느끼며 혜수는 시트 속으로 깊숙이 파고들었다.

* * *

주혁은 늦게 들어오는 날이 태반이었고, 드물게 일찍 들어온 날에는 부부

관계에 지쳐서 제가 먼저 잠들기 일쑤였다. 일상의 패턴을 깨뜨려 버린 날은 오늘이 처음이었지만, 그 이외의 변화는 없었다. 오늘도 희미하게 남은 그의 향을 좇으며 혼자서 잠들 터였다.

사실 폭풍 같은 하루를 보내고 쉬이 잠들 수 있을 리 없었다. 텅 빈 침대에서 뭉그적대자니 번뇌만 끝없이 이어질 뿐이었다.

"……안 오네."

쉼 없이 움직이는 시계를 쳐다보던 혜수는 조그맣게 중얼거렸다. 샤워 후, 남은 일을 처리하겠다면서 서재로 훌쩍 가 버린 주혁은 돌아올 기미가 없었다.

어차피 이 저택에 침실은 수두룩했다. 둘이 한 침대에서 잠들지 않는다는 것은 문제 축에도 끼지 못했다. 윤혜수와 권주혁은 그 누가 보기에도 정상적인 부부가 아니었다.

장담하건대 오늘 밤, 그는 제 앞에 모습을 나타내지 않을 것이다. 그나마 자신을 찾던 유일한 이유마저 상실한 지금, 이제 그와의 접점은 끝났다고 해도 좋았다.

"……."

하릴없이 한숨만 내쉬던 혜수는 이윽고 비장한 손놀림으로 시트를 내던졌다. 평소대로라면 절대로 이 방 밖을 나서지 않았다. 그 어떤 일이 있더라도.

그러나 오늘은 왠지 모르게 바깥 공기가 쐬고 싶었다. 가느다란 나뭇가지가 바람에 흔들리는 소리를 들으며 하염없이 숨을 들이켜는 상상은 상당히 효과가 있었다. 단 한 번도 해 보지 않았던 일탈을 꿈꾸고 있노라면 마음이 약간 가벼워졌다.

이 시간에 웬일이냐면서 관리인으로부터 한 소리 듣는다고 해도 상관없었다. 그러지 않는다면 도저히 이 복잡한 마음을 다스릴 길이 없었으니까.

단 한 줌의 위안일 뿐이라고 해도 괜찮았다. 고작 그 정도도 손에 쥐지 못해서 그간 끙끙 앓지 않았던가. 혜수는 묵묵히 의자에 걸쳐 두었던 카디건을 집어 들었다.

도둑고양이처럼 기척을 죽여 방문을 열어젖히고, 살금살금 복도로 걸어 나가던 참이었다. 어딘가에서 빛이 새어 나오고 있었다. 안방, 바로 명희의 거처였다.

그녀가 만약 이 광경을 본다면 틀림없이 차디찬 조소를 흘리며 온 저택의 문을 걸이 잠그리고 일길힐 것이있다. 그러니 질내 들켜서는 안 되었나.

혜수가 재빨리 발에 힘을 싣는 순간이었다. 빛과 함께 문틈으로 흘러나온 낮은 목소리가 문득 그녀의 귓전을 사로잡았다.

"……신경 쓰지 마시라고 말씀드렸던 것 같은데요."

주혁이었다. 여태 서재에 있는 줄 알았는데 명희와 대화를 나누었던 모양이었다. 하지만 그의 언성은 이상할 정도로 높아진 상태였다.

"어쩔 수 없었다. 그야……."

"아뇨, 다시는 이런 짓 하지 마세요."

"그렇게 말하면 섭섭하지. 다 널 위해서야. 주혁아, 이 어미 마음 다 알잖느냐?"

"전혀요."

명희는 보기 드물게 쩔쩔매고 있었다. 딱히 엿들을 생각은 아니었는데, 기이할 만큼 가라앉은 분위기가 관심을 끌었다. 할 수 있는 한 최대로 기척을 숨긴 다음, 혜수는 소리가 들리는 쪽을 향해 귀를 기울였다.

"대체 언제까지 지켜보기만 하면서 살란 말이니? 자그마치 3년이다, 3년. 그동안 아무 일도 없었어. 그럼 이미 운명을 피해 간 게 아니겠어? 그럼 더 이상 그 골칫덩이를 집에 둘 이유가 없지."

"어머니는 그 말도 안 되는 소리를 믿으세요?"

"그럼? 이건 다 아버님 뜻이었어. 믿든, 안 믿든 그분이 모든 걸 쥐고 계시는데, 그 와중에 내가 뭘 어떻게 하겠니?"

"후……."

방문 너머에서는 무언가 심상치 않은 이야기가 오가고 있었다. 직감적으로 깨달았다. 명희가 언급한 골칫덩이란 바로 혜수 자신을 지칭하는 것이라고.

"이번이 절호의 기회야. 나라고 그동안 마음이 좋았을 턱이 있었을 리가 없지. 한낱 미신 따위에 밀려서 그 좋은 혼처들 전부 마다했어. 얼마나 아까웠는지 넌 모를 거다."

"그렇죠. 다들 이 집에 이득을 가져다줄 여자들이었는데, 도박 빚 진 비서의 딸 따위가 어이없게도 그 자리를 빼앗아 갔죠."

계속해서 빈정거리는 주혁은 조금 전보다 한층 기분이 상한 것처럼 느껴졌다. 그래도 명희는 포기하지 않고 계속해서 그를 설득하기 위해 애썼다.

"조만간 아버님의 연명 치료는 그만둘 예정이야. 부회장님도 허락하셨다."

"그래서요?"

"그래서라니? 이게 얼마나 좋은 기회인 줄 몰라서 물어? 당장 화진 그룹 손녀와 날을 잡는 게……."

"어머니."

명희의 말을 끊은 그가 한동안 입을 다물었다. 혜수는 둘 사이에 감도는 정적의 의미를 제대로 읽어냈다. 명희가 이 이상 토를 달거나 뜻을 굽히지 않는다면 주혁은 진심으로 그녀에게 짜증을 낼 터였다.

매사에 냉정하고 무뚝뚝한 그는 다른 사람에게 감정을 드러내는 일이 거의 없었다. 싸늘한 침묵과 무심하기 짝이 없는 눈길 한 번이 끝이었다.

그런 남자가 지금은 어째서 이토록 과하게 반응하고 있을까. 오늘 주혁의 예외적인 모습을 벌써 두 번째나 목격하고 있다. 신기한 일이었다.

명희가 어떤 성격의 소유자건 간에 일단은 주혁의 친모였다. 그렇기에 그는 언제나 명희에게 깍듯이 예의를 차리곤 했다. 지금처럼 이렇게 말 한마디 한마디에 불쾌한 심경을 눌러 담아 퍼붓는 경우는 드물었다. 그 점에 호기심이 솟아오른 나머지 좀처럼 몸이 움직이지 않았다.

"윤혜수, 불쌍한 여자예요. 그러니 그만 놔두세요."

뜻밖의 이혼 통보와 부부 관계 거절이 신경 쓰여서인지, 아니면 다른 이유에서인지는 분간할 수 없었다. 여하튼 주혁은 웬일로 혜수의 편을 들고 있었다. 이 또한 드문 경우였다.

권유를 가장한 명령이 떨어지기가 무섭게 명희는 악을 쓰기 시작했다. 이래서야 말이 통하지 않는다는 듯이.

"불쌍하다고? 너 설마 잊었어?"

"잊다뇨?"

"너 대신 죽으라고 데려온 애야. 그런 주제에 재수 없지도 않든? 그런 애가 내 며느리라니……. 난 죽어도 인정 못 한다."

"처음부터 말씀드렸잖아요. 그런 미신 따위 안 믿는다고. 어머니도 이참에 생각을 좀 바꾸시지 그래요?"

"권주혁!"

명희의 고함과 동시에 혜수는 두 눈을 크게 떴다. 지금 무슨 말을 들은 것일까. 주혁 대신 죽으라고 데려왔다니……?

단지 돈이 오고 갈 뿐인 계약 결혼이라고 생각했다. 그 이상도 그 이하도 아닌, 딱 그만큼의. 굴지의 대현 그룹이 왜 하필 평범하기 짝이 없는 여자를 택했는지에 대한 의문은 주혁과의 첫 만남에서 바로 풀렸다.

그는 이 결혼이 계약에 불과하다는 점을 확실하게 못 박았다. 지금 당장 결혼하라는 조부의 뜻이 워낙 완강하니 따를 수밖에 없다면서. 본인의 결혼조차도 언제든 구사할 수 있는 패 중의 하나로 간주하는 냉철한 면모는 오늘날까지 이어지고 있었다.

'어디까지나 목적에 따른 결혼이지. 대가는 섭섭지 않게 받았을 텐데?'

'네. 그럼 뭘 어떻게 하면 되죠……?'

'기한은 할아버지께서 돌아가실 때까지야. 그러니 그전까지는 내 아내로서의 의무를 다해.'

요컨대 대현 그룹은 돈으로 부릴 수 있는 누군가가 필요했고, 도박에 빠져 거액의 빚을 졌던 혜수의 아버지 태석은 그 미끼를 덥석 물었다. 제 앞에 놓인 길이 꽃길이 아니라 가시밭길인 줄도 모르고.

물론 딸이 대현 그룹의 며느리가 된다는 사실 하나만으로도 많은 것이 바뀌었기에 응당 그럴 만했다. 하지만 윤혜수는 세간에 알려진 바와 같이 풋내기 교사에서 단숨에 재벌가의 며느리가 된 현대판 신데렐라가 아니었다. 그저 투명 인간이었을 뿐.

돈에 팔려 간 처지인 터라 자존심은 도저히 세울 수가 없었다. 개처럼 고분고분하게 순종하는 것, 그 이외의 길이 있을 리 만무했다. 받은 만큼의 값을 치러야 하는 게 바로 이 지옥 같은 세계의 법도였다.

그래, 결혼이 가져다준 이득은 분명했다. 결혼의 대가로 오랫동안 집안을 짓누르던 빚을 갚았고, 계모는 눈엣가시 같던 자신을 그 집에서 치워 버릴 수 있었다. 피가 섞이지 않은 여동생은 꿈에 그리던 유학을 떠났다. 단 한 사람을 제외한다면 모두가 해피엔딩을 맞이했다.

"……."

가족들의 행복과 집안의 평화를 위해 시키는 대로 따른 죄밖에 없었다. 아니, 처음부터 저항할 수조차 없었다. 그래도 그것이 제 운명이라고 생각하고 순응하려고 했는데, 손안에 굴러들어 온 진실은 그보다 훨씬 가혹했다.

"읏……."

금방이라도 휘청거릴 것 같은 몸에 힘을 주며 혜수는 카디건을 으스러질 듯 쥐고 또 쥐었다.

이래서였나.

이제야 이해가 갔다. 그동안 명희를 비롯한 모든 이들이 지나칠 만큼 자신을 괄시했던 이유가. 투명 인간 취급받으면서 벌레 보듯 한 시선을 견뎌야 했던 지난날이. 최후의 보루로 여겼던 주혁이 다른 여자를 사랑하게 된 계기 또한.

어쩌면 이 모든 것은 처음부터 결정되어 있었는지도 몰랐다. 이래서야 신데렐라는 고사하고 투명 인간이 나을 지경이었다.

주혁의 안위를 위한 도구였다니, 자신은 아예 인간으로도 취급받지 못했다. 이들은 과연 어디까지 잔인해질 수 있을까.

"사실…… 일까?"

숨소리에 준할 만큼 자그마한 현실 부정이 입술을 비집고 흘러나왔다. 아니, 사실이 아닐 이유는 또 뭐란 말인가. 주혁의 진지한 태도만 보더라도 거짓말일 가능성은 극히 낮았다.

온몸을 지배하기 시작한 절망감 때문인지 이상할 만큼 숨이 가빠졌다. 가슴이 명치에서부터 꽉 조여 오는 감각은 결코 잊을 수 없는 종류였다.

묵직한 돌로 전신을 내리누르는 것 같은 고통에 혜수는 천천히 뒷걸음질 쳤다. 더는 이 자리에 발붙이고 서 있을 수가 없었다. 다행히 주혁과 명희는 방 바깥쪽에서 벌어지는 일을 눈치채지 못했는지 아직도 설전 중이었다.

그녀와 그의 목소리를 들을 때마다 도망가고 싶었다. 금방이라도 무너질 것 같은 몸을 추스르고 달아나고 싶었다. 아무것도 모른다는 것처럼 눈을 가린 채 피하고 싶었다.

……그런데, 어디로?

가까스로 붙잡은 이성은 그 어떤 것도 지시해 주지 않았다.

"으읏……."

가느다란 신음을 토하며 혜수는 쓰디쓴 숨을 삼키고 또 삼켰다. 찝찌름한 녹슨 금속의 맛이 혀끝을 타고 온몸에 뚝뚝 흘러내렸다.

죽도록 비참했다. 온기라고는 한 오라기도 찾아볼 수 없는 비정한 현실에 몸이 아릿아릿하게 저렸다. 이런 순간에도 가고 싶은 곳은커녕 갈 곳조차 없을 줄이야.

정원에서 잠깐 바람을 쐬는 정도로는 도저히 이 공허가 메워지지 않을 것 같았다. 영원히 멈추지 않는 쳇바퀴 속에 갇혀 버린 느낌이었다.

'이걸, 어떻게 해…….'

눈에 띄게 후들거리는 다리를 이끌고 간신히 방으로 돌아온 혜수는 곧장 침대로 향했다. 쓰러지듯 누운 침대는 그새 싸늘하게 식어 있었다.

시트를 뒤집어쓰기가 무섭게 뜨뜻미지근한 액체가 눈언저리에서부터 천천히 바깥으로 밀려 나왔다. 소리도 없이 볼을 타고 턱으로 흘러 떨어지는 것의 정체는 눈물이었다.

암전된 눈앞에는 여전히 아무것도 보이지 않았다. 정말로, 아무것도.

* * *

다음 날.

다시는 올 것 같지 않았던 아침은 끝끝내 왔다.

연이은 배신, 그리고 형언할 수 없는 충격으로 폭풍과 진배없었던 하루가 지난 후에는 여느 때와 다름없는 일상이 닻을 올렸다.

아침을 준비하는 고용인들이 부산스럽게 움직이는 소리가 들릴 때까지 뜬 눈으로 밤을 새웠다. 당연한 일이었다. 이런 상태로 평상시처럼 잠들 수 있을 리 없었다. 한숨도 자지 못한 탓인지 관자놀이가 유난히 지끈지끈했다.

예상했던 대로 주혁은 날이 밝을 때까지도 방에 돌아오지 않았다. 그래도 출근 준비는 해야겠는지 드레스 룸에서 그를 만날 수 있었다.

"뭐지?"

손목의 커프스 버튼을 직접 채우고 있던 주혁은 금세 인기척을 감지했다. 혜수는 대답하는 대신 그의 앞으로 한 발짝 다가섰다. 어렵지 않게 마주한 그에게서는 평소와 똑같은 향이 풍기고 있었다.

"내가 해 줄게요."

"……."

어젯밤 그 사달을 내고도 이럴 줄은 미처 예상하지 못한 모양이었다.

순순히 손목을 내어 준 주혁은 잠자코 눈을 맞추었다. 속내를 면밀하게 살피는 듯한 시선이 뒤따랐다.

그의 옷매무새를 정돈해 주고, 현관문 앞까지 공손하게 배웅하는 것. 이 저택에 들어온 이래로 아내로서 줄곧 해 왔던 일이었다. 주혁은 대개 지금처럼 무표정으로 시중을 받다가 현관으로 걸어가곤 했다.

수십 번, 아니, 수백 번도 더 해 본 동작이었다. 몸에 익을 대로 익은 습관과도 같았다. 그런데도 오늘만큼은 이 순간이 너무나 힘겨웠다. 버튼을 채운 후, 그의 목깃에 넥타이를 둘러 주는 혜수의 손은 파르르 떨리고 있었다.

"……잠을 못 잔 것 같은데."

밤샘의 여파로 제대로 힘이 실리지 않는 터라 자꾸만 손이 헛돌았다. 재차 되풀이되는 손짓은 끝내 주혁의 입술을 움직이게 했다. 그간 바로 곁에서 잠을 자든, 자지 못하든 신경 쓴 적조차 없었으면서 이러다니. 제법 새삼스러운 반응이었다.

하기야 뒤늦게 관심을 기울이는 모습에 불평한들 무슨 소용이랴. 어차피 이 남자에게는 닿지도, 통하지도 않을 텐데.

혜수는 넥타이 표면을 손끝으로 살며시 쓸었다. 손가락에 스미는 부드러운 천의 감각은 당연한 현실을 다시금 일깨웠다.

"바쁜데 미안하지만, 잠깐 물어볼 게 있어요."

이것은 그저 아집이었다. 고집이었다. 그의 입으로 현실을 부정당하고 싶었으니까. 그러나 언제나처럼 헛된 기대일 뿐이라는 점은 온몸으로 겪고 나서야 깨닫게 되는 것이다.

"아침부터 뭔데?"

"우리 결혼 말이에요."

그러자 주혁은 한숨부터 내쉬었다. 한껏 꿈틀거리는 검은 눈썹은 불쾌한 심사를 고스란히 드러내고 있었다. 그의 내면에서 이혼은 이미 어제부로 종료된 화제였던 것 같았다. 다시는 꺼내지도, 들추기도 싫은.

"또 이혼하자고 하는 거면……."

"아뇨. 그거랑은 다른 이야기예요."

"그럼?"

"……나랑 결혼한 이유가…… 당신을 살리기 위한 도구로 쓰기 위해서였어요?"

그와 결혼한 후로 이렇게까지 단도직입적으로 물었던 적이 있었나 싶다.

예전에는 말을 아꼈다. 하고 싶은 말도, 묻고 싶은 것도 전부 가슴속 어딘가에 조심스레 묻어 놓았다. 그것이 주혁이 요구하는 아내의 도리이자 이곳에서 무사히 살아남는 방법이라고 생각했으므로.

변화 아닌 변화를 맞닥뜨린 주혁의 눈빛이 놀라울 만큼 싸늘하게 변했다. 차게 식은 시선은 오래지 않아 코앞까지 닥쳐왔다.

"도둑고양이처럼 엿듣는 취미가 있었을 줄은 몰랐는데."

"그건 상관없잖아요. 정말이에요?"

"그럴 리가. 한낱 미신일 뿐이야."

"……사실이었군요."

아니나 다를까, 사실이었다. 그러나 주혁은 조금도 신경 쓸 것 없다는 태도였다. 그가 일순간 날카로워진 이유는 그저 허락도 없이 은밀한 대화를 들었다는 데 대한 불만으로 짐작되었다.

"당신은 그걸 믿어? 우리 집에서 그 말을 믿은 사람은 할아버지뿐이었어."

"그래요. 그렇지만 바로 그 할아버님께서 우리 결혼을 추진하셨죠. 그리고 당신을 비롯해 아무도 거부할 수 없었고요."

"어쨌든 이제는 아무도 상관할 사람이 없잖아. 그러니 그만 잊어버려."

"어떻게 그래요?"

자못 명쾌한 결론이 귓전으로 날아들었다. 당사자의 속은 새카맣게 타들어 가는 것을 까맣게 모르기에 할 수 있는 말이었다. 별일 아니라고, 아무렇지도 않게 머릿속에서 지울 수 있을 만큼 태연스럽지도, 태평하지도 못했다.

"그럼, 당신은 그걸 지금 믿기라도 한다는 거야?"

"그건…… 아니지만요."

"헛소리에 휘둘릴 정신머리가 있으면 잠이나 마저 자."

이 이상 말을 섞기 싫다는 듯 주혁은 성큼 돌아섰다. 유달리 새카만 머리카락이 바람에 살짝살짝 흔들렸다. 그리고 그의 통보는 빠르게 현실이 되었다.

점점 작아지는 뒷모습을 바라보던 혜수는 이윽고 어깨를 축 늘어뜨렸다. 곧이어 사람들이 그를 배웅하는 소리가 저 멀리에서 희미하게 들려왔다.

머릿속이 미친 듯이 복잡했다. 아니, 복잡한 것은 그뿐만이 아니었다. 몸 전체가 그랬다. 느닷없이 울렁이는 느낌에 혜수는 서둘러 화장실로 발을 옮겼다. 갑작스레 치민 토기는 의아스러울 만큼 강했다.

"우욱!"

변기를 붙잡고 몇 번이나 씨름했는데도 좀처럼 속이 진정되지 않았다. 오직 씁쓸한 신물만이 기다렸다는 것처럼 슬금슬금 올라올 뿐이었다.

그나마 멀쩡하다고 생각했던 몸뚱어리조차 왜 이렇게 통제가 힘든지 알 수가 없었다. 끝을 모르고 거듭해서 이어지는 구역질 때문에 온몸에 식은땀이 배어났다.

그렇게 얼마나 변기 앞에서 버텼을까. 땀에 젖은 머리카락을 대충 쓸어 올린 혜수는 간신히 세면대 앞에 섰다. 수도꼭지에서 힘차게 뻗어 나오는 물줄기는 정신이 번쩍 들 정도로 차가웠다.

……그때는 몰랐다. 이것은 단지 전초전에 불과했다는 사실을.

2. 폭풍 전야

오늘은 명희가 운영하는 아트 센터의 행사에 참석해야 했다. 대현 그룹의 사모님이자 대현 아트 센터의 관장이기도 한 그녀는 홍보 겸 종종 관람 행사를 열었고, 각계의 명사들에게 초대장을 보내곤 했다.

보통 이런 자리에 명희와 동행하지 않는데, 그녀는 이상한 소문이 돌게 놔둘 만큼 호락호락한 타입이 아니었다. 아무리 인정받지 못한다고 하더라도 윤혜수는 그녀의 며느리였다.

시어머니가 주최하는 행사에 며느리가 얼굴을 비치지 않는다면 당연히 뒷말이 나올 게 뻔했기에 일부러 불려 나온 것이었다. 태연스레 그녀의 곁을 따라야 한다는 점이 퍽 괴로웠지만, 선택권은 없는 사항이었다.

이 무력한 현실의 궤도에서 이탈할 날은 아직 멀고도 멀었다. 언제나처럼 힘없이 이끌려야 했다.

"관장님, 안녕하십니까. 오늘도 초대해 주셔서 감사합니다."

"오랜만이군요, 강 교수. 그동안 잘 지냈나요? 일부러 부르지 않으면 통

만날 수가 있어야지."

"죄송합니다. 이번 논문 발표가 생각보다 오래 걸려서……. 앞으로 자주 찾아뵙겠습니다. 여하튼 이번 전시는 관장님의……."

강 교수라고 불린 남자를 필두로 예의와 진심 사이를 왔다 갔다 하는 대화들이 오가기 시작했다.

하나같이 고급스러워 보이는 옷차림의 방문객들은 명희의 안목을 칭찬했고, 그녀가 보여 준 출중한 능력에 너도나도 엄지를 치켜세웠다. 명희는 그들의 칭찬 세례에 흡족해하며 제게는 한 번도 보여 주지 않은 미소를 띠었다. 한없이 익숙한 상황이었다.

"……."

침착하게 명희의 뒷모습을 목도하던 혜수는 이내 작게 숨을 들이켰다. 그녀는 이대로 말을 걸어도 돌아보지 않을 것이며, 등 뒤에서 어떤 일이 벌어져도 일절 신경 쓰지 않을 터였다. 하등 이상할 것도, 어색할 것도 없는 광경이건만 문득 염증이 치밀었다.

납추처럼 무거운 마음을 안고 한 바퀴 둘러본 갤러리에는 유독 눈길을 잡아끄는 그림이 존재했다. 사람이 거의 올 것 같지 않은 구석의, 그리고 설령 오더라도 신경도 쓰지 않고 지나칠 법한 그림이었다.

"……가면."

들릴 듯 말 듯한 목소리로 그림의 제목을 읊고 있자니 가슴이 덜컥 내려앉았다. 그림은 필기구에 익숙하지 않은 어린아이가 아무렇게나 그린 것 같은 펜화로 이루어져 있었다.

흰 캔버스에 오직 검은 선과 점만이 존재하는 광경은 기묘하게 섬뜩했다. 마치 깨지기 직전의 살얼음판을 연상시킨다고 표현해야 옳을까. 우두커니 들여다보고 있노라면 마치 부서지기 직전인 제 심경을 그림에 투영하는 느낌이었다.

살기 위해 가면을 뒤집어쓰고 있다. 이미 얼굴과 하나가 되어 버린 것 같은 가면을 인지할 때마다 순간순간 가쁜 숨이 차올랐다. 온몸을 조이는 족쇄에 절망하면서도, 어쩔 수 없이 이를 악물어야 했다. 삶의 다른 이름은 어쩌면 구속인지도 몰랐다.

"뭐 하고 있는 거니?"

상념을 깨는 나직한 힐책에 당황한 혜수는 얼른 현실로 돌아왔다. 어느덧 등 뒤에 선 명희의 이마에는 주름이 몇 개나 그려져 있었다.

"아…… 어머니."

"아주 넋을 놓고 있구나."

"그게……."

"네가 보면 뭘 안다고."

그림을 잠시 흘끗거리던 그녀는 관심조차 생기지 않는다는 듯 콧방귀를 뀌었다. 그림에 대해서는 명희만큼 잘 모르기도 하고, 무엇보다도 그녀의 심기를 거스르고 싶지 않은 까닭에 혜수는 불편한 침묵을 고수했다.

"그건 그렇고, 일은 어떻게 돼 가느냐?"

"네?"

"이혼 말이다."

이 순간만을 기다렸다는 듯 날카로운 추궁이 귓전을 관통했다.

주변을 의식한 탓인지 한껏 낮추어진 목소리는 확신을 원하고 있었다. 혜수는 가만히 마른침을 삼켰다.

이혼, 참 어려운 단어였다. 결혼보다도 곱절은 더 이루기 힘든 이혼은 떠올리기만 해도 심장이 빠르게 뛰었다. 대충 둘러대기란 힘든 터라 솔직하게 현 상황을 밝히는 것밖에는 방도가 없었다.

"시간이 좀 걸릴 것 같아요."

"왜?"

"주혁 씨가 이혼을 거부하고 있어서요."

"뭐? 하여간 그 녀석……. 마음에도 없는 결혼을 한 주제에 모질지도 못하다니까.”

“…….”

“아니면 네 쪽에서 뭔가 한 게냐?”

“아뇨. 그런 적 없어요.”

무언가 저지른 쪽은 그녀가, 그리고 그들이 아닌가. 혐오와 원망으로 설핏설핏 동요하는 입가를 억누르며 혜수는 고개를 저었다.

직감하건대 시간은 많지 않았다. 이혼은 절대 안 된다고 재차 확언했던 주혁과, 하루라도 빨리 이혼하기를 원하는 명희 사이에서 어떻게든 살아남아야 했다. 팽팽하게 유지되는 힘의 균형은 자신이 움직이는 대로 깨어질 것이었다.

어차피 받을 돈은 다 받았고, 소기의 목적은 이루었다. 대현 그룹과 주혁에게 더 이상의 미련도, 애착도 없었다. 냉정하게 판단한다면 명희의 손을 들어주는 쪽이 옳았다. 그것이 과연 어떤 결과를 빚어낼지는 의문이라고 해도.

“좀 더 강력하게 말해 보거라. 어떻게든 주혁이한테서 승낙을 받아 내.”

“…….”

“설마 못 하겠니?”

짜증 섞인 비난이 귓가를 가로질렀다. 그러는 당신조차 고집 센 아들에게 밀려 쩔쩔매지 않았느냐고 따지고 싶었다. 본인도 쉽게 할 수 없는 일을 해내라고 종용하는 명희는 언제나처럼 당당한 모습이었다.

뜻대로 할 테니, 그 대신 조금만 더 시간을 달라고 부탁하려던 찰나였다. 또 한 번 낯선 감각이 전신을 덮쳤다. 돌연 아랫배를 스치는 아픔은 칼날처럼 예리하고, 얼음처럼 서늘했다.

반사적으로 찌푸려지는 양미간을 느끼며 혜수는 명희 몰래 주먹을 쥐었다. 불유쾌한 압박감이 배 전체를 집어삼키고, 존재감을 과시했다.

다행히도 간헐적으로 지속되던 위화감은 얼마 지나지 않아 사라졌다. 그러나 자취를 감춘 것은 고통뿐으로, 어딘가 찜찜한 기분은 씻기지 않았다.

"뭐니?"
"죄송해요. 아무것도 아니에요."
고개를 푹 숙이기 직전, 타이밍 좋게도 우아한 차림새의 여자가 이쪽으로 다가왔다. 명희는 얼굴을 싹 바꾸고 아무렇지도 않게 그녀를 맞이했다. 혜수는 최대한 자연스러운 동작으로 그녀들에게서 물러났다.

* * *

정말 길고 긴 하루였다. 사실 그래 봤자 한나절밖에 되지 않았지만, 혹여나 실수할까 봐 극도로 긴장한 몸은 이미 지칠 대로 지쳤다.
샤워를 마치고 화장대 앞에 걸터앉은 혜수는 물끄러미 거울을 바라보았다. 거울 속의 여인은 안쓰러운 눈빛을 숨기지 않으며 그녀와 눈을 맞추었다.
윤기 나는 긴 머리카락을 시작으로 길고 풍성한 속눈썹, 오뚝한 콧대, 그리고 붉은 입술까지. 이곳저곳 빠짐없이 시선이 닿았다.
하지만 결정적으로 그녀의 눈동자에는 생기가 하나도 없었다. 눈앞의 여인은 금방이라도 쓰러져 버릴 것처럼 위태롭고, 위험천만했다.
생판 남을 관찰하는 기분으로 거울을 들여다보고 있으려니 아침나절의 주혁이 생각나면서 덩달아 사진 속의 모습도 떠올랐다. 보고 싶지 않은데, 볼 이유조차 존재하지 않는데도 어째서 서랍 속 깊은 곳에 감추어 둔 서류 봉투를 꺼내는지는 모를 일이었다.
"……정말 웃고 있어."
짙은 실망감이 배어든 혜수의 목소리는 살짝 떨리고 있었다. 착각이기를 바라고 또 바랐건만 현실은 언제나 그녀를 무참히 배반하곤 했다.
처음 봤을 때도 어렴풋이 느꼈던 것이지만, 주혁의 미소 띤 얼굴은 아주 멋있었다. 그의 미소를 고스란히 손에 쥐었을 여자는 누구일까.
"……."

새삼스러운 호기심이 치밀었다. 그러면서도 한편으로는 허무함에 몸부림칠 수밖에 없었다. 내연녀의 정체를 알아낸다고 해도 뭐가 변하겠는가.

아내로서의 권리를 주장하며 더는 묵과하지 않겠다고 항변할 수도 없었다. 단지 한결 두꺼워진 절망만을 실감할 뿐이었다.

불쾌한 사진을 너무 오랫동안 들여다봤기 때문인지 불현듯 토할 것처럼 메스꺼웠다. 급격하게 요동치기 시작한 위장은 금방이라도 입 밖으로 그 안에 든 것을 내보낼 기세였다.

입 안에 확 치미는 구토감을 참고 혜수는 이마를 짚었다. 이마와 맞닿은 손끝에서는 미열이 느껴졌다.

"감기인가……?"

따지고 보면 감기 증상과 그럭저럭 일치했다. 온몸이 오슬오슬 춥기도 하고, 속이 계속 좋지 않고, 열도 있고.

이 정도로 컨디션 난조에 빠진 원인은 요 며칠간 있었던 사건임이 틀림없었다. 극심한 스트레스는 정신을 넘어 육체마저 무너뜨리기 마련이었다. 그래도 이 정도 선에서 알아챈 게 다행이었다.

부엌을 정리하고 있던 고용인은 감기 같다는 말에 말없이 상비약과 물 한 컵을 가져다주었다. 알약 몇 알을 한꺼번에 삼키려는 순간, 아랫배에 또다시 찌르르한 전율이 왔다. 이번에는 조금 전보다 훨씬 예리한 고통이었다.

"앗!"

순간적으로 당황한 나머지 손바닥에 내려놓았던 알약들을 떨어뜨리고 말았다. 탁, 하는 소리와 함께 알약들이 여기저기로 튕겨 나갔다. 약 하나도 제대로 먹을 수 없을 만큼 엉망인 상태인가 싶어 스스로가 한심해지려고 했다.

허리를 굽혀 한 알씩 약을 줍고 있자니 속이 한층 울렁거렸다. 굳이 비유하자면 마른 수건을 쥐어짜듯 배 전체가 뒤틀리는 것 같았다. 이 미묘한 감각은 어쩐지 생리 직전의 것과도 비슷한 구석이 있었다.

"그러고 보니 이번 달은 건너뛰었네……."

생리할 때가 한참 전에 지나갔는데도 아직 별다른 신호가 없었다. 설마, 하는 생각에 혜수는 아랫배를 감싸 쥐었다. 그 손길에 응답하듯 배 안쪽에서 전해지는 고통은 조금씩 커졌다.

이럴 때, 직감은 대개 틀리지 않는 법이었다. 머지않아 닥칠 앞일을 예감하고 솟구치는 난감함에 아랫입술이 꽉 깨물렸다. 왜 하필 지금인지 알 수 없었다. 운명의 장난은 한순간 치가 떨릴 만큼 얄궂었다.

"……."

만약 짐작이 맞는다면 벼랑 끝에 선 심정으로 아이를 맞이해야 한다. 사방이 적으로 우글거리고, 주변에 자신을 도와줄 이는 그 누구도 존재하지 않는다. 이보다 더 최악의 경우는 없어 보였다.

아니, 아직 실낱같은 희망은 있었다. 정말로 만에 하나, 기분 탓이나 착각일 수도 있지 않을까. 그렇게라도 스스로를 위안하지 않으면 안 될 상황이었다.

'확인해 봐야겠어.'

한동안 침묵을 지키던 혜수는 조심스럽게 발을 떼었다. 우선은 이 상황에 대한 확신이 필요했다. 아니라고, 아닐 것이라고.

여성용품이 다 떨어졌다는 핑계를 대고 관리인의 감시를 피해 밖으로 나올 수 있었다. 잠깐의 외출이라면 명희에게도 보고가 들어가지 않을 터였다.

가장 먼저 약국에 들른 혜수는 쭈뼛거리며 임신 테스트기를 샀다. 얼마 후, 눈앞에 선명하게 떠오른 붉은 두 줄의 존재감은 그 즉시 경악을 불러왔다.

"……."

혜수는 멍하니 손에 든 테스트기를 내려다보았다. 정처 없이 흔들리기 시작한 시선과 더불어 손마저 바들바들 떨렸다. 어떻게든 부정하고 싶었던 사실은 진짜였고, 아이의 존재 또한 뚜렷한 현실이 되었다.

지워지지도, 사라지지도 않는 붉은 줄에 좀처럼 안정을 찾을 수가 없었다. '그럴지도 모른다'와 '그렇다'에는 하늘과 땅만큼의 차이가 존재했다.

아무리 어느 정도 예감했다고 해도 돌연히 맞닥뜨린 현실의 벽은 너무도 거대했다. 입술을 떨던 혜수는 이윽고 찬찬히 숨을 들이켰다가 크게 내쉬었다.

무언가 얹힌 것처럼 답답하게 짓눌리는 느낌이 가슴 한복판에서부터 가장자리로 퍼져 나갔다. 뜨겁고 울컥거리는 것이 목구멍 안쪽에서 뭉글뭉글하게 치밀면서 미처 사그라지지 않은 충격을 일깨웠다.

"어떡하지……?"

그 누구에게도 축복받지 못할 임신을 하고 말았다. 과연 누가 이 아이를 환영할지 모르겠다. 자신조차도 감히 엄두를 내지 못했던 아이가 아닌가. 아이의 존재는 분명 축복이었지만, 이런 식의 형태를 빌려서는 안 되었다.

이제 어떻게 해야 할까. 어떻게 해야 옳을까. 그간 수십 번도 더 되뇌었던 물음이 다시금 손끝을 타고 전신을 침범했다. 아팠다. 그리고 괴로웠다.

"……."

그야말로 첩첩산중에 비견할 수 있을 만큼 최악의 상황이었다. 이혼녀가 되어 아이를 혼자 키우는 방법도 있지만, 세상의 빛을 보기도 전에 아이에게서 아빠의 존재를 완전히 빼앗고 싶지는 않았다.

그렇다고 이혼하지 않고 무작정 버틴다면 명희가 어떤 술수를 부릴지 몰랐다. 제 어깨를 떡하니 짓누르고 있는 가족이라는 짐은 결코 만만히 여길 게 아니었다. 아직은 이혼과 관련해 관망 중인 수연도 명희의 사주를 받는다면 무슨 짓을 벌일지 알 수 없었다.

그나마 방패막이 되어 줄 주혁은 현재 다른 여자를 사랑하고 있다. 그런데도 완강하게 이혼을 거부하는 이유는 미지수였다. 그렇지만 그의 고집이 자신에 대한 마음 때문이 아니라는 점은 뼈에 사무칠 만큼 깨닫고 있는 바였다.

병상에 누워 있는 권 회장을 배신하고 싶지 않아서인지, 아니면 아직 때가 되지 않았다고 판단했기 때문인지는 가늠할 수 없었다.

'어차피 상관없잖아.'

그가 자신을 사랑하지 않는다는 점은 자명했고, 앞으로도 그럴 것이었다.

앞으로 어떻게 될는지 도저히 헤아릴 수가 없었다. 눈앞에 놓인 것은 그 끝을 모르는…… 수없이 깊고, 한없이 넓은 어둠뿐이었다.

* * *

주혁은 오늘도 느지막이 귀가했다. 그가 올 때까지 침대에 앉아서, 때로는 의자에 앉아서, 그것도 질리면 입술을 잘근잘근 깨물며 방 안을 서성였다.

말해야 할까. 아니, 말하고 싶은 것일까. 이 배 속에 당신의 아이가 생겼다고. 기어이 당신의 아이를 가져 버렸다고.

아이는 계약 조건이 아니었다. 주혁은 아이에 대해서는 일언반구 언급도 없었다. 애초에 생각할 필요조차 없다는 듯이.

생각해 보면 그때 이미 눈치챘어야 했다. 이 결혼은 통상적인 계약 결혼이 아니었다는 사실을. 윤혜수라는 사람 자체를 무언가의 담보로, 누군가를 위한 수단으로 여겼을 줄은 꿈에도 상상하지 못했다.

"……."

"……."

샤워를 끝내고 침실로 돌아온 주혁은 흰 가운 차림이었다. 아직 덜 마른 탓에 늘어진 머리카락 끝에서는 투명한 물방울이 뚝뚝 떨어졌다.

혜수는 그를 멀거니 바라보았다. 평소와는 다른 눈길의 의미를 직감했는지 주혁은 가운 끈을 여미며 곁으로 다가왔다.

"할 말 있어?"

"네……?"

"아까부터 계속 쳐다보고 있잖아."

짧게 중얼거린 그가 슬그머니 옆에 있는 의자를 차지했다. 순식간에 줄어든 거리감은 간신히 죽여 놓았던 긴장감을 되살렸다. 코끝까지 닥친 샤워젤의 향 또한 경계를 부추기는 데 큰 공을 세웠다.

임신 사실을 알고 얼마나 입술을 깨물며 고민했는지, 부르튼 입술에서는 씁쓸한 피 맛이 났다. 아니, 씁쓸한 것은 입술의 상처만이 아닐지도 몰랐다.

"그게…… 요즘 많이 바쁘죠?"

조심스레 말을 걸자 주혁은 어이없다는 듯 젖은 머리카락을 쓸어 넘겼다.

"새삼스럽게. 안 바쁜 적도 있었나?"

"그렇죠……."

"왜, 이제 와서 섭섭해?"

"아니에요. 당신 말처럼 한두 번 바빴던 것도 아니고."

장차 대현 그룹을 물려받을 하나뿐인 후계자로서 그는 언제나 치열한 일상을 감내해야 했다. 그게 바로 이 남자에게 주어진 의무이자 권리였다.

핏줄의 정통성을 타고난 만큼 서른둘이라는 젊은 나이에 부사장 직함을 달았다. 별다른 이변이 없는 이상 조만간 이쪽 세계의 왕으로서 만인 위에 군림하게 될 터였다.

여동생인 수연은 탐욕스럽고 사치만 부릴 줄 알지, 능력은 그렇게 좋지 않았다. 오빠의 자리를 빼앗을 만한 인물은 절대 아니었다. 탄탄대로를 예약해 둔 그의 미래에서 유일한 걸림돌은 바로 혜수 자신이었다.

"딱히 할 말 없으면 됐어."

"……."

간결하게 일축한 주혁은 그대로 테이블 위에 올려 둔 신문을 펼쳐 들었다. 얇은 종이가 간간이 팔랑거렸다.

오늘도 이렇게 끝났다. 둘 사이의 대화는 이 중요한 순간에도 전혀 진전되지 못했다. 하기야 이 또한 새삼스러운 감상이었다. 그간 그와 속 깊은 대화를 한 적은 거의 없었으니까.

권주혁은 원래 그런 남자였다. 말보다는 몸으로 표현하는 데 능숙하고, 용건 없는 대화는 할 필요조차 없다고 여기는.

서로의 안부를 묻는 의례적인 대화가 끝나면 그는 으레 그랬듯이 그녀를 침대에 넘어뜨렸다. 얇은 캐미솔을 벗기고, 훤히 드러난 몸을 탐하며 뜨겁게 살을 섞었다. 주혁과의 정사는 부부의 의무와 육체적인 쾌락 사이의 어딘가를 맴돌곤 했다.

하지만 어째서인지 오늘 주혁은 손끝 하나 건드리지 않았다. 얼마 전에 그의 손길을 거부해서일까. 전례가 없는 상황이었다.

어쨌든 이대로라면 또다시 도돌이표를 그릴 뿐이었다. 결심을 굳힌 혜수는 살며시 입술을 열었다.

“저기…… 주혁 씨. 만약에 말이에요.”

“뭔데?”

“정말 만약에…….”

당신의 아이를 가졌다면 어떻게 할 것이냐는 질문은 입술을 벗어날 듯 말 듯 하며 애간장을 태웠다. 마음과 달리 자꾸만 입 안 어딘가에서 맴도는 말을 느낄 때마다 심장이 바짝 졸아들었다.

좋아할까, 아니면 싫어할까. ……사랑하지도 않는 여자인데.

일순간 사진 속 그의 모습이 뇌리를 뒤덮었다. 자신이 아닌 다른 여자에게 보인 상냥한 얼굴. 단 한 번도 본 적 없고, 앞으로도 받을 리 없는 미소를 떠올리자 심장 한구석이 아려 왔다.

그래, 어차피 소용없는 짓이었다. 말해 본들 변할 리가 없었다. 그렇게 또 한 번, 어쩌면 기회일지도 모르는 위기를 벗어나야 했다. 더 큰 수렁으로 굴러 떨어지는 길인 줄도 모르고.

“……만약에?”

신문을 반쯤 내린 주혁은 여전히 심드렁한 눈빛이었다.

"할아버님께서 돌아가시면…… 우리는 어떻게 되는 건가요? 그렇게 되면 계약이 끝나잖아요. 그럼 그때는……."

"고작 그런 걸 물어보려고 그렇게 뜸 들인 거야?"

"그런 거라니요……? 중요한 문제잖아요."

"거기까지 들었을 줄은 몰랐군. 조만간 할아버지의 연명 치료를 중단하겠다는 통보가 그렇게 반가웠어?"

"그건……."

"당신도 어머니와 똑같네. 그렇게 어머니를 두려워하더니."

"……."

한 마디 한 마디가 가슴을 아프게 후벼 팠다. 다음을 그릴 수 없는 관계. 미래가 보이지 않는 결혼 생활. 언제 무너져 내릴지 모르는 절벽을 걷고 있는 기분을 과연 이 남자는 알까.

드디어 신문을 내려놓은 주혁이 말없이 의자에서 엉덩이를 떼어냈다. 오래지 않아 비슷한 눈높이로 시선이 맞추어지면서 어깨에 익숙한 감촉이 전해졌다.

어깨를 더듬는 손을 느끼고 혜수는 고개를 들었다. 그의 커다란 손가락에 기다란 머리카락이 얽혔다. 사르륵, 하고 귀 옆에서 나는 소리는 얼핏 듣기에도 제법 부드러웠다.

그와 동시에 입술이 겹쳐질 듯 말 듯 다가왔다. 한순간 숨을 멈추어도 될 만큼 가까운 거리였지만, 결코 닿지는 않았다. 흡사 그날의 일을 뚜렷하게 기억하고 있다는 것처럼.

"이미 말했잖아. 이혼은 절대 안 된다고."

"……."

이 무자비한 남자는 못 할 것도 없었다. 두 번이나 확인하게 만든 만큼 주혁의 검은 눈동자는 유달리 차갑게 빛나고 있었다. 그와 닿아 있는 부분을 타고 전해지는 순도 높은 진심에 혜수는 가만히 속눈썹을 내리깔았다.

숨이 막혔다. 영원히, 라는 착각이 들 정도로 길어지는 대치 속에서 마침내 백기를 들어 올린 쪽은 그녀였다.

언제나처럼 이 아름답고 오만한 남자에게 무릎 꿇을 수밖에 없었다. 처음부터 정해진 운명이었다. 그리고…… 마지막까지 그 어떤 변화도 일어나지 않았다.

"……미안해요. 쉬어요."

"용건은 이걸로 끝인가?"

"네."

"항상 당신은 내게 할 말이 별로 없군."

"……."

"물론, 할 일도."

푸념도, 불평도 아니었다. 단지 정확한 현실 직시일 뿐이었다. 눈시울을 붉힐 만큼 애틋한 적도 없고, 열렬하게 사랑하지도 않는 아내와 남편은 할 수 있는 말도, 하고 싶은 일도 별로 없었다.

둘 사이의 유일한 소통 창구는 침대였다. 침대에서 뜨겁게 몸을 겹치고, 체온을 나누는 순간만큼은 그도, 자신도 아주 조금은 서로를 이해할 수 있었다.

하지만 이제 끝이었다. 처음부터 없었던 것처럼.

언제나 그랬듯이 섹스라는 돌파구로 타개하고, 아무렇지도 않은 듯 넘어가기에는 상황이 많이 바뀌었다. 한번 깨져 버린 접시는 무슨 수를 쓰든 본디대로 이어 붙일 수 없었다. 아무리 절묘하게 붙여 놓아도 반드시 희미한 금이 남기 마련이었다.

절대로 극복할 수 없는 선이 그어져 버린 지금, 어떻게 해야 할지 모르는 것은 당연했다. 방향을 잃고 망망대해를 떠도는 부표가 된 기분이었다.

"……."

혜수가 아무런 답도 하지 않자 그제야 주혁은 그녀의 머리카락에서 손을 떼어내고 옆으로 물러났다. 무표정한 옆얼굴은 진절머리 나는 상황에 항의라도 하는 듯 짙은 냉기가 흘렀다.

가뜩이나 먼 남자였다. 손에 잡힐 듯 가까워진 적은 여태껏 단 한 번도 없었다. 기대하고, 좌절하고, 마침내 체념하게 되어 버릴 때까지.

그래서일까. 전신이 얼어붙은 것처럼 옴짝달싹할 수가 없었다. 아주 조금도. 묘하게 시려 오는 아랫배를 느끼며 혜수는 묵묵히 돌아섰다.

* * *

폭풍이 몰아치기 전에는 오히려 주변이 고요한 법이었다.

일촉즉발의 상황, 지금이 딱 그러했다. 아무것도 모르는 누군가가 방아쇠를 잡아당긴다면 틀림없이 폭발하고 말리라.

그 어떤 이에게도 임신 사실을 밝히지 못한다는 데에서 오는 스트레스는 상상 이상이었다. 친했던 친구들과의 연락은 결혼과 동시에 끊겼고, 친정 식구들에게는 이 소식을 전하지 않느니만 못했다.

그렇다고 병원에 갈 수도 없었다. 그렇게 되면 시시때때로 감시의 눈초리를 번득이고 있는 명희가 즉각 임신 사실을 알아차릴 터였다. 그동안 병원은 물론이거니와 산부인과에 갔던 적은 단 한 번도 없었으므로.

어떻게든 자신과 주혁을 이혼시켜야 하는 입장의 명희는 임신을 절대 환영하지 않을 터였다. 패악질을 부릴 그녀의 모습은 아주 잠깐 상상만 해도 끔찍하기 짝이 없었다.

"……답답해."

과연 누구를 대상으로 하는지 모를 혼잣말은 작고도 작았다. 누군가에게 속 시원히 털어놓고, 축하받는 일이 이토록 어려울 줄이야.

딱 한마디라도 좋으니까 예쁜 아기가 태어날 것이라는 말을 듣고 싶었다. 모두에게 사랑받고, 반드시 행복한 삶을 살리라는 축복이 필요했다.

절대로 이루어질 것 같지 않은 소망과 함께 다시 한번 깨달았다. 냉정하기 짝이 없는 현실의 벽을. 냉혹하기 이를 데 없는 주혁의 눈을. 그 어떤 것에도 기댈 수 없는 현실을 절감할 때마다 아이를 어떻게 지켜야 할지 절망스러웠다.

그런 점에서 볼 때, 계모인 경화가 걸어 온 전화는 일종의 도화선이나 다름없었다. 언제 터져도 이상하지 않을 시한폭탄.

그녀는 꼭 필요한 경우를 제외하고 연락을 취해 오지 않았기에 지금 이 전화는 더더욱 의심을 불러왔다.

"여보세요."

—왜 이렇게 늦게 받아?

"죄송해요. 그동안 잘 지내셨어요?"

—그럴 리가 있니.

대놓고 신경질적인 기색이 가득한 경화의 목소리를 듣고 있자니 불길한 예감이 엄습해 왔다. 혜수는 조심스레 질문했다.

"여하튼 무슨 일이신데요?"

—예은이가 글쎄, 결혼할 것 같다.

"결혼이요? 예은이는 아직 공부하는 중 아니었나요."

—나도 모른다, 얘. 그렇게 됐어.

재혼과 동시에 경화가 데려온 딸인 예은은 현재 미국 유학 중이었다. 그런데 갑자기 결혼이라니, 이해할 수가 없었다. 하지만 그녀의 설명은 부족했고, 요구는 과했다.

—문제는 네 아버지야. 딸자식 결혼은 안중에도 없고, 망할 놈팡이들이랑 또 노름질하느라 돈 날렸다. 이번에야말로 그놈의 손모가지를 부러뜨리든가 해야지.

"아……."

—그런 줄도 모르고 예은이 그것이 제 언니가 대현 그룹 며느리라고

얼마나 자랑을 해 댔는지 몰라. 에휴, 사돈댁이 기대가 크시다던데…….

"……."

—우리도 체면이 있지, 예은이 그냥 빈손으로 보내면 쓰나. 사돈 될 집안, 혹시 너도 들어 봤니? 바깥사돈 양반이 K대 학장에, 안사돈은…….

장황하게 이어지던 이야기의 결론은 예상외의 거액이었다.

"5억……요?"

—어유, 그 정도야 너한테는 일도 아니잖아? 그 정도면 그쪽 사람들 기준에서는 간소하게 치르는 편이야.

"아뇨, 곤란해요. 너무 큰돈이라 제 선에서 도움 드릴 수는 없을 것 같아요."

—뭐? 곤란? 얘, 지나가던 개가 웃겠다. 너, 대현 그룹 장손 며느리야. 50억도 아니고 고작 5억도 못 마련하겠다고? 이게 말이 되니?

방귀 뀐 놈이 성낸다고, 경화는 도리어 펄쩍 뛰었다. 이 자리가 얼마나 허울에 불과한지 모르는 사람도 아닌데 말이었다. 의붓딸의 꿈과 삶을 희생한 대가로 그만큼 받아 챙겼으면 이쯤 만족해야 하지 않을까. 그러나 그녀는 마치 밑바닥에 구멍이 난 독처럼 굴고 있었다.

"어머니, 잘 아시잖아요. 저 돈 없어요. 그렇게 큰 금액은 더더욱요."

—그럼? 네 잘난 서방한테 말해서라도 가져와야지! 이대로 망신 톡톡히 당하는 꼴 보고 싶어?

"그래도 안 되는 건……."

—네 아버지 때문에 대출도 막혀, 빚만 잔뜩 져, 이 꼴이 뭐니? 그나마 시집 잘 간 년은 하나뿐인 동생도 나 몰라라 본체만체하니……. 아이고, 내 팔자가 딱하다, 딱해! 염병할, 내가 이러려고 이 망할 집구석에 시집온 거야?

속사포처럼 쏘아붙이던 경화는 끝끝내 서럽게 흐느끼기 시작했다. 핸드폰을 타고 들려오는 울음소리에 짜증이 치밀었지만, 한편으로는 매몰차게 끊을 수가 없었다.

허영에 차 분수에 맞지 않는 삶을 꿈꾸는 여동생이라도, 기회가 될 때마다 탐욕스러운 눈초리를 번득이는 계모라도, 도박에 빠진 무능력한 아버지라도 가족은 가족이니까.

"……."

제 결혼을 통해 그들이 행복해지기를 바랐는데, 지극히 오만한 판단이었는지도 몰랐다. 그들에게 돈은 새로운 삶을 살게 해 줄 동아줄이 아니었다. 더 큰 절망의 구렁텅이로 밀어 넣을 덫이었을 뿐.

새삼스레 절감하는 오판의 결과는 무척이나 씁쓸했다. 이러지 말았어야 했나. 하지만 이미 지나가 버린 과거를 되돌릴 길은 없었다. 그저 후회하고, 또 후회할 뿐.

"어머니, 일단은 진정하시고……."

—진정? 내가 어떻게 진정해! 너 그렇게 사는 거 아니다. 재벌 집 며느리 됐다고, 죄 없는 어미 버리는 거 아니야!

"그렇지만 정말 안 돼요."

—왜 안 되는데? 그 집안에서 그동안 너한테 주식 한 푼도 안 넘겨줬더냐? 안 주면 무슨 수를 써서든지 받아냈어야 할 거 아니야!

귀가 찢어져라 악다구니를 쓰는 경화는 이제 이판사판이었다. 그녀의 원한 어린 불평을 묵묵히 감내하던 것에도 한계가 있었다.

더 이상 할 말이 없으니 끊겠다고 말하려는 찰나, 타이밍 좋게도 핸드폰이 꺼졌다. 배터리가 다 닳은 모양이었다.

금세 빛을 잃고 까맣게 물든 액정에 제 얼굴이 비쳤다. 볼품없이 일그러진 입가가 가장 먼저 눈에 띄었다. 액정 속의 자신과 애써 시선을 피하며 혜수는 입술을 잘근 깨물었다.

* * *

"주혁아, 많이 들거라. 정말 간만에 다 같이 모여서 먹는구나."

"네."

귀찮은 빛이 역력한 대답에도 명희는 퍽 기쁜 얼굴이었다. 그럴 법도 한 게, 지금처럼 가족이 한자리에 모인 것은 장장 몇 달 만이었다.

주혁은 항상 회사 일로 바빴다. 그런 그와 달리 유흥을 즐기느라 공사다망한 수연은 대개 밖에서 저녁을 먹고 들어오곤 했으니까. 그리고 주로 저택에 머무는 명희와 자신은 절대로 단둘이 한 테이블에서 식사하지 않았다.

"……."

접시를 뚫어져라 내려다보던 혜수는 차분하게 물을 삼켰다. 차가운 물의 감촉이 텁텁한 입 안을 청량하게 만들어 주었다.

호화로운 저녁 만찬이었지만, 사실 먹을 수 있는 것이 거의 없었다. 시간이 지날수록 심해지는 입덧은 음식 향만 맡았을 뿐인데도 저절로 구역질하게 했다.

'토할 것 같아.'

이런저런 음식 냄새가 코를 찌르며 불쾌감을 가중시켰다. 먹기는커녕 냄새만 맡아도 역겨운 와중에 입덧하는 티를 내지 않기란 고역이 아닐 수 없었다. 그래도 그간의 고생이 헛되지는 않았는지 다들 전혀 모르는 눈치였다.

살다 보니 투명 인간 취급이 다행일 때도 있는 법이었다. 그래도 마냥 안심할 수는 없는 터라 혜수는 얼른 젓가락을 들었다. 제대로는 아니더라도 일단 먹는 시늉은 해야 의심을 사지 않을 것이었다.

가장 가까운 위치에 놓여 있는 아무것이나 씹고 있는데, 주혁이 문득 옆을 흘끗거렸다. 그의 검은 눈동자는 기이하게도 호기심으로 물들어 있었다.

"입맛에 안 맞아?"

"아뇨. 속이 좀 안 좋아서……. 그래도 괜찮아요."

"적당히 해 둬."

"그럴게요."

옆에서 무슨 일이 일어나든 눈길도 주지 않고 식사하는 줄 알았건만,

주혁의 태도는 꽤 의외였다. 그러고 보면 그날 이후, 그와 처음 이야기를 나눈 것 같았다.

그 점에 새삼스러움을 느낀 직후, 둘이 대화하는 모습이 거슬렸는지 명희는 일부러 대화에 끼어들었다.

"그러고 보니 주혁이 너, 일 잘한다고 소문이 자자하더구나. 부회장님께서도 어찌나 칭찬하시는지 몰라."

"아직 배우는 중입니다."

"너무 무리하지는 말고."

"아, 엄마는 오빠만 너무 예뻐한다니까? 난 눈에 보이지도 않아?"

"얘는. 네 오빠가 얼마나 열심히 하는 줄 몰라서 그러니?"

"네네, 그러시겠죠."

맞은편에 앉아 있던 수연은 툴툴거리며 주혁을 흘겼다. 그는 가벼운 코웃음으로 대답을 갈음했다. 그들의 사이는 좋은 것도, 나쁜 것도 아니었다. 애초에 별다른 감정이 개입되지 않았으니 당연한 일이었다.

두 사람은 서로에 관해 무심의 극치를 달렸다. 원래 그런 남매였다. 주혁은 수연을 신경 쓰지 않았고, 그녀가 얼마나 혜수를 무시하는지도 몰랐다.

언제 입을 열었냐는 듯 식사에 집중하는 그를 훔쳐보던 혜수는 미묘한 위화감을 감지했다. 목 안쪽에서 아릿아릿한 고통이 느껴지더니, 그 안에 든 것을 모조리 뱉어내려고 들었다. 정말 다행스럽게도 바로 직전에 먹은 것은 물뿐이었다.

"우욱……!"

갑작스레 치미는 구역감에 혜수는 저도 모르게 고개를 숙이고 입을 막았다. 잘 숨기고 있다고 생각하기가 무섭게 돌부리에 걸려 넘어졌다.

바닥에 고꾸라지자마자 곧바로 평정을 되찾았지만 이미 늦었다. 수연은 그 틈을 놓치지 않고 눈살을 가늘게 찌푸렸다. 무언가 짚이는 구석이 있어 보이는 눈빛은 제법 예리했다.

"뭐야, 갑자기? 혹시 임신한 거 아니야?"

"……!"

"임신이라고?"

들켰다. 순식간에 등줄기를 타고 흐르는 식은땀을 느끼며 혜수는 허리를 최대한 폈다. 완전히 정곡을 찔렸다는 데 대한 경악이 삽시간에 온몸으로 퍼져 나갔다.

뜻밖의 단어에 명희 또한 수저를 탁, 하고 내려놓으며 양미간을 구겼다. 커다란 테이블에는 이상한 정적이 흘렀다.

"왜 답이 없어? 설마 진짜야?"

"그게……."

혜수가 어떻게든 아무렇지 않게 답하려는 순간이었다. 주혁이 대뜸 그녀의 말허리를 잘랐다.

"그럴 리 없어."

"잘도 장담하네? 아, 쇼윈도 부부라서 잠자리도 안 하는 거야?"

"권수연."

"그래, 쟤가 무슨 임신이니? 너도 시답잖은 말 그만하렴."

"칫, 알았어."

명희는 주혁의 단호한 대답에 내심 안심한 모양이었다. 딱딱하게 굳어 있었던 얼굴이 금세 환해졌다. 아무도 모르게 진실을 감출 수 있어서 다행이라고 여겨야 할까, 아니면 안타까워야 할까.

지금 보인 반응들로 다시 한번 확인한 셈이었다. 이 집안에서 임신을 반기는 사람은 아무도 없다고. 그 사실을 싫을 만큼 잘 알고 있어도 확인 사살당하는 기분은 마냥 비참했다.

더는 이곳에 있고 싶지 않았다. 아니, 있을 수 없었다. 혜수는 천천히 눈을 들었다.

"저…… 먼저 올라가 봐도 괜찮을까요?"

"뭐? 지금? 하여간 분위기 깨는 데 뭐 있다니까. 눈치가 없어, 눈치가."

어차피 여기 있어 봤자 분위기가 더 악화될 뿐이라는 사실은 쏙 뺐다. 어이없어하는 수연을 뒤로한 채 혜수는 명희에게로 시선을 돌렸다.

그녀 역시 먼저 자리를 뜨겠다고 허락을 구하는 모습이 기가 막힌 듯했다. 어느 틈엔가 가느스름해진 명희의 눈매에는 불쾌한 기색이 또렷이 깃들어 있었다.

"몸이 안 좋아서요. 죄송해요."

"관심 가져 달라고 꾀병 부리는 건 아니고?"

사뭇 날카로워진 수연을 제지한 사람은 이번에도 주혁이었다. 그만하라는 명령을 담은 그의 눈짓에 수연은 어깨를 흠칫했다.

"……알았다. 이만 올라가 보렴."

"감사합니다."

웬만해서는 여느 때처럼 끝까지 버텼을 텐데, 오늘은 도저히 그럴 엄두가 나지 않았다. 그 정도로 여유가 있었다면 처음부터 수연에게 빌미를 주었을 리 없었다.

그들을 향해 짧은 인사를 건넨 혜수는 잠자코 의자에서 일어섰다. 식사 내내 눈엣가시 같던 그녀를 쫓아낸 명희의 얼굴에는 그새 미소가 돌아와 있었다. 수연도 명희와 이런저런 수다를 떨기 시작했고, 주혁은 아무런 말도 없이 수저를 놀렸다.

단 한 사람만 사라진다면 흠잡을 곳 없이 완벽한 가족의 모습이 아닌가. 서로 반목할 일도, 눈을 부라릴 일도 없는, 그저 한없이 평온한 저녁 식사 풍경이었다.

문득 그 사실이 뼈에 사무치게 아팠다. 이곳에서 윤혜수는 영원한 이방인이었다.

방으로 돌아오자마자 혜수가 가장 먼저 한 일은 바로 시트를 걷는 것이었다. 텅 빈 방에 혼자 청승맞게 누워서 흰 천장의 무늬를 헤아리는 일은 익숙했다. 수백 개도 넘는 무늬를 멍청하게 감상하고 있다 보면 어느덧 시간이 훌쩍 흘러 있기 일쑤였다.

눈앞을 잔뜩 메우는 천장의 존재감은 오늘도 확실했고, 언제나처럼 그녀를 반겼다.

"……."

혜수는 쓴웃음과 함께 조심스레 배를 쓸었다. 저토록 냉담한 남자의 아이를 가졌다니.

배 속의 아이를 조건 없이 사랑할 수 있을지 어렴풋한 의문이 치밀면서도, 한편으로는 기대되는 것도 사실이었다. 이 아이는 주혁의 아이였지만, 자신의 아이이기도 했다.

한없이 모순적인 감정에 휩싸인 채 배를 얼마나 어루만졌는지 모르겠다. 불현듯 인기척이 느껴지는 통에 본의 아니게 상념의 바다에서 빠져나올 수밖에 없었다.

방문을 열고 들어온 이는 다름 아닌 주혁이었다. 그가 식사를 마치자마자 여기에 올 것이라고는 생각도 못 했다. 혜수는 동요를 감추고 최대한 평정 어린 목소리로 물었다.

"무슨 일이에요……?"

난데없는 방문의 목적을 답하는 대신 주혁은 혜수를 위아래로 훑었다. 잠시나마 고개가 갸웃거려질 만큼 감정이 담긴 시선이었다. 이 남자는 원래 이런 눈빛을 보내지 않는데, 어떤 심경의 변화를 일으켰기에 이러는 것일까.

하긴, 숨겨진 의미를 알아 봤자 달라지는 것은 없었다. 어차피 미래는 결정되어 있는 셈이었다. 이미 진득진득한 늪에 갇혀 버린 상태에서 아무리 발버둥 친들 변하는 게 있을 리가 만무했다.

"……."

"……."

말없이 시선을 교환하고 있으려니 그가 기이한 침묵을 두른 채 혜수에게로 다가왔다. 눈치를 살피며 캐물은 후에야 주혁으로부터 겨우 답을 들을 수 있었다.

"몸, 어디가 안 좋아?"

바로 눈앞에 멈추어 선 주혁은 질문의 의미를 다시 한번 되새기는 듯 그녀에게서 눈을 떼지 않았다.

예상 범위를 넘는 답변에 혜수는 서둘러 시트를 걷고 몸을 일으켰다. 방금까지 몸을 기대고 있었던 시트는 뜨끈하게 달아올라 있었다.

"그냥 체한 거예요."

"주치의 부르지 그랬어."

쓸데없는 오기를 부리고 있다는 뉘앙스에도 아무런 반박을 할 수 없었다. 타인의 눈길을 피해 산부인과에도 갈 수 없는 처지에 주치의는 무슨.

주혁의 말처럼 주치의를 호출한다면 꼼짝없이 그에게 임신 사실을 들키고 만다. 그렇게 되면 앞일은 불 보듯 뻔했다. 명희의 사람인 그가 비밀을 지켜 주고, 자신의 편을 들을 리가 없었다.

"아니에요, 괜찮아요."

"뭐가 괜찮다는 거야."

"정말이에요……. 신경 쓰지 말아요."

"아프면서 의사한테도 보이지 않고 끙끙거리는 건 미련한 행동 아닌가."

걱정인지, 타박인지 모를 중얼거림이 이어졌다. 무심결에 시선의 방향을 좇던 혜수는 오래지 않아 입술로 다가온 손을 인지했다. 곧이어 따스한 감촉이 입술 전체에 살며시 스며들었다.

금방이라도 깨질 것 같은 유리구슬을 쓰다듬는 것처럼 아주 섬세한 놀림이었다. 상처가 난 부위에 손가락이 닿았지만, 생각보다 쓰라리지는 않았다. 그가 워낙에 부드럽게 매만진 덕분이었다.

이렇게 작은 상처는 무시하던 그였다. 아니, 처음부터 이런 것 따위는 눈에 들어오지 않았을 것이었다. 그런데 지금은 어째서일까. 손끝이 다정하게 입술을 훑을 때마다 심장이 밧줄로 꽉 조여드는 느낌이었다.

'이상해.'

어쩔 줄 몰라 하는 마음을 알아챘는지 한동안 혜수의 입술을 더듬던 주혁은 마침내 손을 거두어들였다. 잔상처럼 입술에 새겨진 흔적을 좇던 혜수는 뒤늦게 그의 말에 수긍했다.

"……맞아요. 나, 미련해요."

"알고 있으면 고치도록 해."

"그게 그렇게 쉽나요. 원래 이렇게 태어난걸."

자조가 진하게 섞인 푸념이 귓가를 울렸다. 그렇다. 미련하기 짝이 없는 행동이었다. 하지만 아이를 지키기 위해서는 이러는 편이 최선이었다. 물론 언제나 냉철한 판단이 앞서는 그로서는 평생 이해하지 못하겠지만.

체념 어린 발언의 진의를 파악하려는지 주혁의 미간에는 어느새 주름이 살짝 그려졌다.

"그렇게까지 심각한 게 아니면……."

"네?"

"설마 이혼해 달라고 시위라도 하고 있나."

"……."

"대답해."

당연히 그렇게까지 치밀하게 계획해서 벌인 짓은 아니었다. 단지 고립된 섬과도 비슷한 그 자리를 버틸 수 없어서 물러났던 것뿐이었다. 그곳에 계속 있다가는 어떤 사달이 날지 모르는 탓이었다.

곧이어 여느 때와 다름없이 날카로운 눈빛이 정수리에 날아와 꽂혔다. 본의 아니게 오해를 불러일으키고 만 것 같아 재빨리 부정할 수밖에 없었다.

"……아니에요."

"정말로?"

"네."

"믿어 보지."

"……."

이번에 귓가로 돌아온 것은 날 선 정적이었다. 어쩐지 불쾌한 빛이 가득한 표정을 지은 주혁은 들어왔을 때처럼 불쑥 나가 버렸다.

침대 헤드에 등을 기댄 혜수는 조그맣게 한숨을 내쉬었다.

* * *

언제나처럼 뒷모습을 보이고 사라진 그는 오늘도 방에 돌아오지 않을 터였다. 그리고 일 핑계를 댄 채 서재에서 늦게까지 불을 밝히고 있겠지. 방에서 홀로 기다리는 이에게는 신경조차 쓰지 않고.

지나치게 익숙한 통에 차마 쓴웃음조차 지어지지 않는 미래였다. 혜수가 또 한 번 되풀이될 미래를 곱씹고 있을 동안, 문득 노크 소리가 들렸다.

"뭐죠?"

문 앞에 서 있는 여자는 저택에서 일하는 고용인 중 한 명이었다. 고용주인 명희의 뜻대로 지금까지 자신을 투명 인간 취급하곤 했던 그녀가 여기는 웬일일까. 놀랍게도 고용인의 손에는 쟁반이 들려 있었다.

"부사장님께서 명령하셨습니다."

"이건……."

"드십시오."

그녀가 내민 것은 약과 죽이었다. 지금 막 만들었는지 죽에서는 희미한 김이 피어올랐다. 쟁반을 건네받은 혜수는 그 자리에 못 박힌 것처럼 한참 동안 서 있었다.

주혁이 가져다주라고 명령했다니, 도저히 믿기지 않았다. 그는 아까 기분이 상했다는 태도로 나가지 않았던가. 꿈에서도 그려 본 적 없었던 상황에 당황한 나머지 눈만 깜빡여질 뿐이었다.

"……."

이윽고 테이블로 자리를 옮긴 혜수는 가만히 죽 그릇을 만지작거렸다. 따뜻했다. 갑작스럽게 코끝이 찡해지면서 눈가에 뜨거운 것이 치밀 만큼.

손끝을 타고 전해지는 온기에 롤러코스터를 탄 것처럼 울렁이던 속도, 실타래처럼 뒤엉켜 있던 가슴속의 응어리도 제법 진정되는 느낌이었다.

그저 사소한 변덕에 불과한 친절이지만, 훈기가 감도는 죽 그릇을 보고 있노라면 무척이나 기뻤다. 무의식적으로 지어지는 미소는 착각도, 허상도 아니었다.

'바보 같아…….'

본인이 직접 가져다준 것도 아니고, 주혁은 고작 말 한마디 던진 것에 불과했다. 그런데도 별것 아닌 배려에 이렇게까지 뭉클해지다니.

그러나 이 또한 일종의 변화일 터였다. 이혼 선언 이후로 그가 보였던 일련의 모습들이 뇌리를 빠르게 스쳐 지나갔다. 그 순간, 가슴속 어딘가에 숨겨 놓았던 용기가 솟아오르는 느낌이었다.

만약에, 아주 만약에 제가 생각했던 것 이상으로 주혁이 임신을 거부하지 않는다면…….

"임신했다고…… 말해 볼까?"

아무리 다른 여자를 사랑하고, 가정에는 무관심한 그라도 본인의 아이를 가졌다면 어떤 반응을 보일지 궁금했다. 진실을 알게 된 주혁이 과연 어떤 식으로 변할지 알고 싶었다.

많이도 필요 없었다. 오늘만큼만, 딱 지금만큼만 변해 준다면 이미 고이 접어 놓았던 기대를 또다시 펼쳐도 될 것 같았다.

그러니 바라도 될까. 믿어도 괜찮을까. 마음을 놓고, 의지할 수 있을까. 마치 위험천만한 외줄 타기를 하는 기분이었다. 하지만 선택권이 없었다. 무모한 도박이라도 해 볼 만한 가치가 있다면, 응당 패를 뽑아야 하지 않겠는가.

이 행동이 어떤 결과를 가져올지는 알 수 없었다. 어떤 미래를 그려낼지 짐작도, 가늠도 되지 않았다.

그래도 딱 한 번만…… 정말로 딱 한 번만.

* * *

스트레스의 강도를 증명하듯 요즘은 잠을 쉬이 이루지 못하는 날이 많았다. 바늘에라도 찔린 것처럼 콕콕 쑤시는 관자놀이를 누르며 하루에도 몇 번이나 잠을 설쳤다.

그런 경우, 대개 몸이 천근만근인 것처럼 무거웠다. 전신을 지배하는 기묘한 압력을 느낄 때마다 마음은 더더욱 심연으로 가라앉았다.

그러나 어제를 기점으로 가슴 한복판을 무겁게 짓누르던 추가 사라졌기 때문일까. 오늘은 간만에 상쾌한 기분이었다. 그 바람에 드물게도 늦잠을 자고 말았다. 소스라치게 놀라 눈을 떠 보니 주혁은 이미 출근한 상태였다.

'벌써 갔구나…….'

허둥지둥한 모습이 무색할 만큼 복도와 현관에는 아무도 없었다. 하기야 누군가 있다고 해도 제게 신경을 썼을 리 만무한데 말이었다.

잠시 실소하던 혜수는 배를 보드랍게 어루만졌다. 손가락을 타고 살갗으로 듬뿍 스며드는 안온한 촉감은 진심으로 기분 좋았다.

"……아가야."

아직 이름도, 형체도 온전히 갖추지 못한 아이였다. 그래도 한 생명으로서 오롯이 살아 숨 쉬고 있음을 매 순간순간 똑똑히 느낄 수 있었다. 아이의 존재를 인지할 때마다 가슴이 묘하게 벅차올랐다.

이 아이를 위해서라면 뭐든지 할 수 있다. 아니, 해야 하리라. 오늘은 반드시 주혁에게 말해 보겠노라고 결심하기까지는 그리 오래 걸리지 않았다.

"이따가 퇴근하면……."

혜수는 아쉬움 가득한 눈으로 시계를 올려다보았다. 유감스럽게도 주혁이 돌아오려면 한참 남았다. 이렇게나 간절하게 그의 귀가를 기다린 것은 처음이었기에 지금의 들뜬 감정이 퍽 낯설었다.

사실 묵묵히 기다리는 것에는 이골이 났다고 해도 과언이 아니었다. 그러나 한번 결심하고 나니 이상할 만큼 조급해졌고, 의아스러울 정도로 다급해졌다. 무작정 인내하기에는 닥쳐올 결과가 너무나도 궁금했다.

말하고 싶은 것이 생겼다. 묻고 싶은 것, 그리고 알아야 하는 것 또한 많았다. 밑져야 본전이라는 생각은 저도 모르게 핸드폰을 꺼내 들어 주혁의 연락처를 찾게 했다.

[오늘…… 언제 와요? 늦어요?]

그동안 주혁에게 개인적인 용건의 메시지를 보냈던 적은 거의 없었다. 아주 급한 일이 아니라면 연락조차 할 생각을 하지 않았다. 그게 그를 배려하는 방법이라고 여겼으니까. 그렇기에 자판을 두드리는 손가락이 살짝살짝 떨리는 것은 어찌 보면 당연한 일이었다.

'답장이 올까?'

기대감을 품고 전송한 메시지의 답은 쉽게 돌아오지 않았다. 설마 못 봤으려나. 정신없이 바쁜 그라면 그럴 가능성이 다분했다.

오랜 기다림 끝에 바닥을 찍은 인내심을 느끼며 혜수는 차분하게 통화 버튼을 눌렀다.

—고객님의 전화기가 꺼져 있어…….

아니나 다를까, 주혁의 핸드폰은 전원이 꺼져 있었다. 보통 이런 경우에는 무조건 그에게서 연락이 올 때까지 기다리곤 했다. 혹은 체념하거나. 그렇지만 지금은 왠지 모르게 그러고 싶지 않았다.

……찾아가 볼까.

어차피 집에서는 명희 때문에 제대로 이야기하지 못한다. 때마침 그녀는 사교 모임에 참석하느라 저녁까지 돌아오지 않을 예정이었다.

그렇다면 이 저택에서 상대해야 할 이는 관리인 한 명뿐이었다. 임신 테스트기를 사러 갔을 때처럼 적당한 핑계를 대고 빠져나가면 충분히 속여 넘길 수 있을 듯했다.

그나저나 회사에까지 찾아가 주혁을 만나는 것은 처음이었다. 명희는 항상 집 안에만 얌전히 있으라고 명했던 것이다. 아이의 존재란 참으로 여러 일을 하게 만들었다. 해야만 하는 일에서부터 할 수 없었던 일까지.

그 점에 묘한 설렘을 느끼며 혜수는 느릿느릿하게 눈꺼풀을 들어 올렸다. 거울 속의 여인은 평소와 다르게 웃고 있었다. 아주 약간이지만.

* * *

"여기에서 제일 잘 나가는 게 뭐예요?"

혜수는 눈앞에 놓인 메뉴판을 가리켰다. 각양각색의 샌드위치들이 앞다투어 존재감을 과시하고 있었다.

첫 방문에 빈손으로 찾아가기가 뭣해서 들렀는데, 생각보다도 상태가 괜찮아 보였다. 과연 SNS에 오르내릴 만큼 유명한 샌드위치 가게다웠다.

"아, 네. 우선 저희 가게의……."

상냥한 미소를 띤 점원의 추천으로 가장 맛있어 보이는 것을 골랐다. 갓 만들어진 샌드위치는 매우 따뜻하고 먹음직스러웠다. 평상시 간식거리를 거의 즐기지 않는 주혁이라도 쉽사리 내치지 못할 만큼.

샌드위치와 커피를 각각 한 손에 든 혜수는 떨리는 마음을 안고 회사 건물을 올려다보았다. 한낮의 햇빛을 받은 수백, 수천의 유리창은 눈부시게 반짝이고 있었다.

이제 주혁을 만날 수 있다. 처음으로 눈을 마주하고, 허심탄회하게 속내를 고백할 수 있게 되었다. 사실 그렇게까지 어려운 일이 아니었는데도 왜 이렇게 오래 걸렸을까.

자신을 맞이할 주혁의 반응이 정말 궁금했다. 그와 결혼한 이래로 이렇게 예고 없이 찾아간 적은 없었고, 제가 전달할 이야기의 파급력 또한 만만치 않을 터였다.

그러나 언제나 운명은 예상치 못한 곳에서 장애물을 준비해 놓기 마련이었다. 방문 소식을 듣고 로비로 찾아온 비서는 제법 곤란한 기색이었다.

"사모님, 바쁘신데 여기까지……. 우선 이쪽으로 드시지요."

"주혁 씨, 통화가 안 되던데 많이 바쁜가요?"

"부사장님께서는 지방 공장에 문제가 좀 생겨서 급하게 떠나셨습니다. 내일쯤 돌아오실 겁니다."

"아……."

예상치 못했던 날벼락이 코앞에 떨어졌다. 힘없이 감탄사를 내뱉던 혜수는 무의식적으로 처지려는 어깨를 바로 했다. 가는 날이 장날이라고, 하필 오늘 불시의 출장을 떠났다니.

순식간에 끼얹어진 시름을 읽어 낸 비서의 얼굴에는 초조한 빛이 번져 나갔다. 하기야 한낱 비서일 뿐인 그에게 무슨 죄가 있을까. 잘못한 쪽은 아무런 확인도 하지 않고 기분 내키는 대로 행동해 버린 자신이었다.

"죄송합니다. 오실 줄 알았으면 진즉 말씀드릴걸 그랬네요."

"아니에요. 연락도 없이 찾아와서 폐를 끼쳤네요. 이거라도 드세요."

"뭘 이런 걸 다……. 감사합니다, 사모님. 부사장님께 들렀다 가셨다고 연락드릴까요?"

"괜찮아요. 어차피 내일이면 만날 수 있을 텐데요. 괜히 신경 쓰이게 하고 싶지 않네요."

"그러십니까. 사모님 의중이 정 그러하시다면……."

"네, 아무에게도 알리지 말아 주세요."

샌드위치를 건네고 돌아서는 발걸음은 당연한 말이지만 하나도 가볍지 않았다. 오늘은 꼭 말하려고 했는데, 대화하고 싶었는데 아쉽기 그지없었다. 현실은 언제나 그랬듯이 절대 녹록지 않은 법이었다.

그래도 한 번 고꾸라졌다고 여기에서 포기할 수는 없었다. 오늘이 아니라면 내일도 있으니까. 기회는 아직 끝나지 않았다. 관점을 바꾼다면 단 하루 주어진 유예를 좀 더 가치 있게 쓸 수 있을 것이었다.

뜻대로 흘러가지 않는 상황에 시무룩해하기보다는 앞으로의 일을 고민하는 편이 훨씬 이로웠다. 하지만 마음과는 다르게 저택으로 돌아오자마자 느닷없는 폭풍이 몰아닥쳤다.

현관문을 열고 안쪽으로 막 들어서기 직전이었다. 구두를 벗던 혜수는 문득 누군가의 인기척을 느끼고 시선을 위로 올렸다. 눈앞에는 정말 놀랍게도 명희가 서 있었다.

"어머니?"

혜수를 있는 힘껏 노려보는 명희의 얼굴은 가히 수라나 야차에 비견할 수 있을 정도로 험상궂었다.

평소에는 무시하고 지나칠 뿐, 이 정도까지 감정을 표출하지 않는데. 기이한 경우였다. 불길한 예감이 들불처럼 타올랐다.

"어디 갔다 오는 거니?"

표독스러운 추궁은 흡사 비수처럼 예리하게 혜수의 가슴을 꿰뚫었다.

"잠깐 바람 좀 쐬……!"

첨예한 긴장감을 누르며 어떻게든 얼버무리려는 찰나였다. 허공을 맴돌던 시선이 마주 닿자마자 눈앞에 정체불명의 불꽃이 번쩍 튀었다. 그와 동시에 짜악, 하는 날카로운 소리가 귀 옆에서 또렷하게 들려왔다.

"……!"

어찌나 강한 힘을 실어 후려쳤는지, 삽시간에 벌겋게 달아오른 왼뺨에서는 저릿저릿한 통증이 느껴졌다. 혜수는 얼얼한 뺨을 감싸 쥘 생각도 하지 못한 채 눈을 크게 떴다.

"어머니?"

"네년이……!"

고작 외출 한 번 했다고 이렇게까지 비참한 대접을 받아야 할 줄은 몰랐다. 심지어 목적은 이루지도 못했는데도 말이었다. 뒤틀릴 대로 뒤틀린 상황이 너무나도 억울하고 분했다.

눈 깜짝할 새 붙어 버린 격분의 불꽃은 전신을 거칠게 집어삼켰다. 오래도록 숨죽여 온 만큼 분노가 한계치에 도달하기까지는 그리 오래 걸리지 않았다. 입 밖으로 터져 나온 질문은 다분히 원망의 형태를 띠고 있었다.

"대체 왜 이러시는 거예요?"

"뭐?"

전부 처음이었다. 명희의 눈을 똑바로 바라보며 힘주어 물은 것도, 돌발적인 상황에 당황하면서 순응하지 않은 것도.

크지 않은 변화였지만, 명희에게는 충분히 충격적이었던 듯했다. 혜수가 이렇게 치받을 줄 몰랐는지 그녀의 동그스름한 이마에는 어느새 주름이 깊게 파였다. 새치름하던 눈가 또한 완전히 찌그러져 있었다.

"이 망할 것을 봤나! 어디 감히 눈을 치뜨고 대드는 게야?"

뜻밖의 대처에 있는 대로 화가 난 모양이었다. 명희는 이제 재벌가 마나님으로서의 체통도, 위신도 잊고 소리 높여 짜증을 부리기 시작했다. 현관에서부터 시작해 집 안을 쩌렁쩌렁 울리는 목소리에 그만 귀가 먹먹할 지경이었다.

"어떤 일 때문에 이러시는지 모르겠어요."

"몰라서 물어? 뻔뻔한 것! 네년이 기어코 내 자식 앞길을 막을 생각이구나. 이래서 천한 것은 거두는 게 아니라고 했는데!"

"어머니?"

해묵은 원한을 토하는 듯 명희는 무언가를 바닥에 거세게 내던졌다. 형편없이 나동그라진 물체의 정체는 다름 아닌 임신 테스트기였다.

……붉은 두 줄이 확연하게 그어진.

말도 안 된다. 아니, 애초에 말이 될 수 없었다. 그러나 상상조차 하지 못했던 상황은 운명이라는 미명하에 그럴듯한 현실이 되었고, 암담한 분위기는 최고조에 달했다.

임신 테스트기가 어떻게 명희의 손에 들어갔는지 모를 일이었다. 분명 봉투에 잘 싸서 책상 서랍 깊숙이 넣어 두었다. 혹시라도 청소하던 고용인들이 발견하고 명희에게 보고하지 못하도록.

그렇다면 외출한 사이에 사람을 시켜 제 방을 뒤지기라도 했단 말인가.

"어떻게…… 어머니께서, 이걸……?"

"지금 그게 중요해? 왜, 하도 음습해서 무슨 짓을 하고 있는지 확인 좀 해 봤다. 문제 있니?"

"그래도 이러시는 건……."

"입 닥쳐! 어디서 감히 어른이 하는 말에 토를 달아? 이게 뭔지 당장 해명해 봐!"

명희의 입장에서는 까무러치게 놀랄 만한 반전이었을 터였다. 당연히 이성을 유지할 수 있을 리는 없었다. 부들부들 떨리기 시작한 시야에 포착된 명희는 극도의 흥분에 젖어 있었다.

물론 그것은 이쪽도 마찬가지였다. 불현듯 눈앞이 팽그르르 돌기 시작했다. 긴장과 분노, 그리고 설명할 수 없는 감정으로 점철된 육신은 금방이라도 쓰러져 버릴 것처럼 아슬아슬했다.

그래도 여기에서 쉬이 물러날 수는 없었다. 이미 제가 발을 딛고 서 있는 곳은 깎아지른 것 같은 벼랑 끝이었으므로. 혜수는 어금니를 꽉 악물었다.

"맞아요. 저 임신했어요."

"임신? 그 뻔뻔한 낯짝으로 내뱉을 소리야?"

“…….”

“하! 말도 안 돼……!”

가감 없이 고한 진실에 그녀는 한층 격하게 분통을 터뜨렸다. 유독 형형한 눈빛에서 느껴지는 적의에 뼈가 시릴 정도였지만, 이 정도는 감수해야 했다. 단 한 마디의 변명거리도 내밀 수 없을 만큼 완벽하게 들켰으니까.

배수진을 친 상태에서 구태여 거짓말하거나 변명하고 싶지는 않았다. 지금부터 자신이 마주해야 하는 것은 매섭고도 차가운 현실이었다.

“어쩐지 이혼을 차일피일 미루기만 하더니, 이런 속셈이었니?”

“그런 거 아니에요. 저도 얼마 전에 알았어요. 물론 미리 말씀드리지 못한 건…… 죄송합니다.”

“내가 네 계획을 모를 줄 아니? 이래서 없는 것들이 싫다는 거야. 배운 것도 없고, 염치도 없어! 지금까지 거두어 준 것만으로도 감사하지는 못할 망정 분수도 모르고 설치지.”

“…….”

“아버님이 뭐라고 하시든 간에 막았어야 했어. 결국 그 더러운 피를 우리 집안에 들이밀 줄이야…….”

끝장을 볼 심산인지 우뚝 선 명희의 입에서는 온갖 폭언이 터져 나왔다. 묵묵히 들어 보려고 해도 저절로 울컥할 수밖에 없는 말들뿐이었다. 날이 선 칼날을 맞닥뜨린 것처럼 귓가가 찢기고, 마음 한구석이 베이는 듯한 기분이었다.

평소대로라면 둘 사이에 폭풍처럼 휘몰아치는 기류를 인내했을 것이었다. 참아야 한다고, 버텨야 한다고, 받아들여야 한다고 몇 번이나 스스로를 세뇌하며 어떻게든 이 상황을 회피했을 터였다.

그렇지만 지금 이 순간만큼은 결코 그래서는 안 되었다. 배 속에는 자신만을 철석같이 믿고 있는 아이가 있으니까. 따라서 독한 마음을 먹고 강단 있게 명희의 견제와 혐오를 끊어 내야 했다.

"저는 몰라도 이 아이는 어머니 손주예요. 말씀 함부로 하지 않으셨으면 좋겠어요."

손주라는 단어에 힘을 실어 내뱉자 명희는 그 특유의 냉정한 비웃음으로 응답했다.

"손주는 누가 손주야?"

"그렇게 말씀하셔도…… 주혁 씨 아이 맞아요."

"그 입 다물어! 주혁이 아이라고 어떻게 믿지? 네년이 하는 일 아니니? 뒤에서 누구랑 놀아났을지 어떻게 알고."

"그게 무슨 말씀이세요……?"

"대현 그룹 며느리 자리가 놓치기 싫으면 뭔들 못 하겠어?"

"어, 어떻게 그런 말씀을……!"

"왜, 억울해?"

이쯤 되면 단순히 억울함에 몸부림치는 수준을 넘어섰다. 끝도 없이 계속되는 망발에 마침내 기가 질렸다.

3년 전부터 지금까지, 줄곧 집 안에만 갇혀 살다시피 하는 처지였다. 벼랑 끝으로 몰다 못해 떨어지기만을 기다리고 있는 장본인 입에서 나올 만한 소리는 아니었다.

여전히 기세등등한 시선을 정면으로 맞받아치며 혜수는 입술을 달싹였다. 어느 틈엔가 바짝 마른 입술에서는 한결 모질어진 부탁이 흘러나왔다.

"……그동안 어머니가 시키시는 대로 열심히 했어요. 잘 아시잖아요?"

"뭐?"

"보기 싫다고 하셔서 없는 듯이 지냈고, 남 보기 부끄럽다고 하셔서 밖에도 나가지 않았어요. 어머니께서 하신 말씀은…… 뭐든지 다 들었어요."

"지금 무슨 헛소리를 하려는 거니?"

"그러니까 딱 한 번만 받아 주세요. 인정해 주세요. 제가 더 노력할게요. 부족해도 열심히 할 테니까…… 제발 이 아이만큼은 욕보이지 말아 주세요."

진심이었다. 굴욕을 감수하고 이토록 간절하게 부탁하는 이유는 무의미한 결혼 생활을 지속하기 위해서가 아니었다.

자신이 못난 탓에 할머니와 아빠에게 외면당할 아이가 너무나 불쌍해서, 너무도 가여워서였다. 하지만 유감스럽게도 명희에게는 단 한 마디도 닿지 않아 보였다.

"하? 네까짓 게 감히 나한테 이래라 저래라야?"

"부탁……드리는 거예요."

아무리 돈에 팔려 왔어도, 남편에게 사랑받지 못하는 아내라고 해도, 윤혜수는 감정을 가진 인간이었다. 아무것도 제 의지대로 하지 못하는 인형도, 항상 똑같은 위치에서 숨죽이고 존재해야 하는 정물도 아닌.

평상시와 달리 한마디도 지지 않으려는 기세에 명희는 머리끝까지 열이 뻗친 모양이었다. 문득 가까워진 거리를 느끼고 혜수는 반사적으로 경계심을 내비쳤다.

"망할 년! 꼴도 보기 싫구나!"

새된 고함과 함께 명희의 손이 끝내 가슴팍을 거칠게 밀어냈다. 이러지 않고서는 도저히 가슴속에 치미는 격분을 씻을 길이 없다는 듯이.

순간적으로 비틀거리던 몸은 다행히도 금세 중심을 되찾았다. 재빨리 벽을 짚은 혜수는 막 튀어나오기 직전의 비명을 목 안으로 삼켰다.

이렇게까지 했는데도 결국 통하지 않는 것일까. 하기야 저 앙칼진 성격에 고작해야 몇 마디의 설득으로 고집을 꺾을 리가 없었다.

"어머니……!"

대답은 들려오지 않았다. 독기를 흘리며 뒤돌아선 명희는 그대로 성큼성큼 걸어가 버릴 뿐이었다. 있을 수 없는 대치에 사색이 된 고용인들 몇 명이 그녀를 황급히 뒤따라갔다.

"윽……."

명희의 뒷모습을 좇던 혜수는 나지막이 신음했다. 그러고 보면 아직 현관에 올라서지도 못했다. 발치에 볼품없이 나뒹구는 구두는 엉망진창이 된 현재의 심경을 똑똑히 대변하고 있었다.

어떤 정신머리로 방까지 왔는지 알 수 없었다. 가방은 침대 끄트머리에 던지고, 겉옷은 벗어 놓을 생각도 하지 못한 채 쓰러지듯 침대에 누웠다.

당연한 말이지만 저녁 식사는 굶었다. 아무것도 먹고 싶지 않았다. 그 어떤 것도 소화할 여력이 없었다. 과부하가 걸린 몸은 그저 시트를 뒤집어쓰고 웅크려 있는 것만으로도 충분히 힘에 부쳤다.

극렬한 스트레스는 정신력뿐만 아니라 체력마저 야금야금 갉아먹었다. 깜빡 잠들었나 싶었는데, 소스라치듯 놀라 일어나 보니 시간이 훌쩍 흘러가 있었다.

그나마 또렷해진 정신은 차치하더라도 좀처럼 몸을 일으키기가 어려웠다. 특히 아랫배와 허리가 찢어질 것처럼 욱신거렸다.

'아파…….'

안쪽에서부터 예리한 칼로 살점을 하나하나 난도질하는 것 같은 고통이 일었다. 혀를 자근자근 깨물고, 어금니를 악물어 봐도 도저히 아릿한 감각이 사라지지 않았다.

아까 명희와 소리 높여 실랑이한 것이 아이에게 좋지 않은 영향을 끼쳤을까. 만에 하나라도 그럴 일은 없어야겠지만, 혹여나 싶어 가슴이 철렁 내려앉았다.

"아가야, 미안해……. 괜찮아. 다 괜찮을 거야……."

아프다. 힘겹다. 괴롭고, 고통스럽다. 온갖 감정이 혈관 속에서 뒤얽히며 온몸을 극도의 긴장 상태로 몰아넣었다. 손가락 하나 까딱하지 않는데도 털끝 하나하나 곤두서는 느낌이었다.

극심한 컨디션 난조 때문인지 평소에는 그렇게까지 마음 쓰이지 않았던 텅 빈 옆자리가 너무나도 거슬렸다. 배를 움켜쥐고 신음하던 혜수는 주인을 잃은 베개를 힘겹게 곁눈질했다.

"주혁, 씨……."

의지하고 싶다. 기대고 싶다. 어리광을 부리고 싶다. 힘들다고, 도와 달라고, 따스한 눈으로 내려다보고, 부드럽게 안아 달라고. 당연하다는 듯 조르고, 응당 그래야 한다는 듯 안기고 싶었다.

자제력도, 의지력도 잃은 손은 마땅히 해야 하는 일을 하는 것처럼 핸드폰을 집어 들고 있었다. 그리고 최근 통화 목록에 선명하게 떠오른 이름을 힘주어 눌렀다.

—고객님의 전화기가 꺼져 있어…….

또다시 귓가를 메우는 기계음을 듣던 혜수는 끝내 속눈썹을 내리깔았다. 폭발 직전에 휩싸인 마음이 거칠게 요동쳤다. 그와 더불어 눈시울 또한 시큰하게 달아올랐다.

갑작스레 가빠진 숨결과 함께 흘러나오는 것은 가냘픈 울음이었다. 눈 밑에 엷게 깔리기 시작한 물기는 어느덧 속눈썹을 흠뻑 적시고, 천천히 밖으로 밀려 나왔다.

……끔찍했다. 모든 것이.

3. 어둠의 끝

꿈을 꾸었다.

햇빛처럼 환하고, 달빛보다도 부드러운 빛이 온통 제 몸을 감쌌다. 한동안 주변에 머물던 빛은 줄어들어 커다란 보석이 되었다. 멀리서도 그 광채를 알아볼 수 있을 만큼 아주 아름다운 보석이었다.

'예쁘다…….'

자그마한 감탄은 진심이었다. 어쩐지 잃어버리면 안 될 것 같아서, 소중하게 간직해야 할 것 같아서 보석을 꼭 안았다.

빛이 보석으로 변해서일까. 품에 안겨 있는 보석은 너무나도 따스하고 부드러웠다.

삶의 무게에 지쳐서 언젠가부터 잊어버리고 있었던 온기였다. 마음 한 구석을 살며시 어루만지고, 살갗으로 살포시 내려앉는 온기에 흠뻑 취해서 시간 가는 줄도 몰랐다.

보석을 끌어안고 있노라면 이상할 정도로 행복했다. 입꼬리가 저절로 올라가고, 머리끝에서 발끝까지 기묘한 고양감이 차올랐다.

그러나 운명은 언제나 예상치 못한 곳에서 격변하기 마련이었다. 어디에선가 뾰족한 화살 하나가 날아왔다. 무의식적으로 허리를 수그려 보석을 감추었지만, 안타깝게도 소용없는 몸부림이었다.

바람보다도 빠르게 닥쳐온 단 한 발의 화살은 보석의 가운데를 꿰뚫었고, 어떻게 해 볼 여력도 없이 보석은 무참히 깨어졌다.

'안 돼……!'

그 순간, 처절한 비명과 함께 혜수는 눈을 번쩍 떴다.

꿈이었다. 역시나.

산산조각으로 부서져 바닥에 흩어진 보석은 온데간데없었다. 불이 꺼진 방은 앞을 가늠할 수 없을 정도로 어둡기만 했다.

잠들었던 동안, 계속해서 식은땀을 흘렸는지 베개는 젖어 있었다. 뺨 언저리에 질척질척하게 달라붙은 머리카락을 느끼며 혜수는 가만히 숨을 삼켰다. 어째서 이토록 불길한 꿈을 꾸고 말았을까.

"……."

구름처럼 부풀어 오른 불안감이 탐욕스럽게 전신을 집어삼켰다. 털끝까지 바르르 떨리는 것 같은 이 기분을 어떻게 설명해야 할지 알 수가 없었다.

일단은 사태 파악을 하기 위해 침대 옆에 있는 스탠드 버튼을 누르던 찰나였다. 기다렸다는 것처럼 출처를 알 수 없는 격통이 전신을 뒤덮었다.

"읏!"

탄식을 닮은 외마디가 방을 울렸다. 익숙한 듯 익숙하지 않은 냄새가 코끝을 연신 자극하고, 그다음 펼쳐질 비극을 예고했다. 얼마간 배를 붙잡고 끅끅거리던 혜수는 이윽고 힘겹게 시트를 들추었다.

"……!"

아래쪽에서 줄곧 풍기던 냄새의 정체는 피비린내였다. 코가 아찔할 만큼 역겨운 향을 따라 하얀 시트에 천천히 얼룩이 생겨났다.

바로 제 몸에서 흘러나오는 피였다. 반쯤 드러난 다리를 축축이 적시고, 가느다란 물줄기처럼 여기저기로 뻗어 나가는 붉디붉은 액체는 묘하게 뜨뜻미지근했다.

금세 발밑에까지 도달한 핏줄기를 바라보며 직감적으로 무슨 일이 벌어지고 있는지 깨달았다.

'말도 안 돼.'

절대로 일어나서는 안 되는 일이 현실이 되어 가는 지금, 머릿속이 백지장처럼 하얗게 물들 뿐이었다.

짙은 피 냄새를 맡을 때마다 정신이 혼미해졌다. 어지러웠다. 토할 것 같았다.

"아, 안 돼…… 으윽, 안 돼!"

혜수는 가물거리기 시작한 시야를 막기 위해 입술을 짓깨물고 또 짓깨물었다. 그러나 효과는 그다지 없었다. 단지 쓰디쓴 핏물만 입가에 끊임없이 맺힐 뿐이었다.

어떻게든 정신을 차리고, 당장 119에 신고해야 했다. 배 속의 아기에게 문제가 생긴 것이 틀림없다고, 그 원인이 무엇이든 우선 도와 달라고.

그러나 하필이면 핸드폰은 바닥에 떨어져 있었다. 운명의 고약한 장난은 아직 현재 진행 중이었다. 핸드폰을 줍기 위해 침대를 벗어난 직후, 무게 중심을 잃은 추처럼 몸이 정신없이 흔들렸다.

"하윽……!"

허벅지를 지나 종아리를 휘감은 핏방울이 뚝뚝 떨어지는 소리가 유독 크게 들려왔다. 분명히 두 발로 섰는데도 바닥을 밟은 느낌이 전혀 나지 않았다. 그저 깊고 깊은 어둠 속으로 추락하는 느낌이었다.

어서 오라는 듯, 아귀처럼 게걸스레 자신을 집어삼키는 어둠에는 바닥이 없었다. 발바닥을 가르는 것은 차디찬 공기일 뿐, 아무것도 느껴지지 않았다.

그렇다면 어디까지 가야 할까. 어느 순간까지 떨어져야 이 끔찍한 고통이 멎을까.

정처 없이 나락으로 빠져드는 순간에도 문득 엉뚱한 것을 떠올렸다. 테이블이 쿵, 하고 흔들리는 소리를 들으며 혜수는 그대로 눈을 감았다.

언제나처럼 아무것도 보이지 않았다. 눈앞에 자리한 것은 완전한 어둠, 그 이상도 그 이하도 아니었다.

* * *

목적지도, 방향도 모른다. 의도도, 상황도 알 수 없었다. 주변을 자욱하게 뒤덮은 어둠에 감싸진 채 어디론가 떠밀리고, 또 떠밀릴 뿐이었다.

이 어둠이 영원히 끝나지 않을지도 모른다는 절망감은 발을 뗄 때마다 살갗을 뚫고 바깥으로 뛰쳐나왔다. 삐죽삐죽 솟은 좌절감은 이내 어둠과 하나가 되어 다시금 제 몸을 덮쳐 왔다.

하지만 하염없이, 하릴없이 헤맨 어둠의 끝은…… 어째서인지 빛이었다. 그것도, 아주 밝고 환한.

미약하게 진동하는 눈꺼풀은 이제 눈을 떠도 된다는 신호나 다름없었다. 시야를 잠식하는 빛을 느끼고 혜수는 찬찬히 숨을 들이켰다. 무언가에 두들겨 맞은 것처럼 여기저기 쑤시지 않는 곳이 없었다.

이것은 꿈일까.

아니, 현실이었다. 무척이나 새삼스럽게도.

시선을 내려 차분하게 살펴본 왼팔에는 링거가 꽂혀 있었다. 길게 연결된 줄은 꽤 굵었다. 링거를 바라보며 얼마간 머리를 굴린 후에야 이곳이 병원이며, 혼자가 아니라는 사실을 깨달을 수 있었다.

퍼뜩 놀라 올려다본 허공에는 익숙한 얼굴이 존재했다. 주혁이었다.

"……주혁 씨?"

"누워 있어."

잠자코 만류하는 손길은 평상시와 다를 바 없이 무감각했다. 그의 말을 들은 척도 하지 않은 채 혜수는 가까스로 상반신을 일으켰다.

침대 헤드에 허리를 기대자마자 진한 소독약 냄새가 존재감을 드러냈다. 비강을 넘어 폐에까지 스며드는 느낌은 매우 불쾌했다.

불과 얼마 전까지 온몸을 관통했던 불길한 예감은 어쩌면…… 정말로 어쩌면 완벽한 현실로 탈바꿈했을지도 몰랐다. 시트를 움켜쥐는 그녀의 오른손은 형언할 수 없는 불안감으로 척척하게 젖어 들어 있었다.

"아기는…… 아기는 어떻게 됐어요?"

"……왜 미리 말 안 했어?"

"어떻게 됐냐니까요!"

처음이자 마지막일 것 같은 기세로 악을 쓰는데도 덤덤한 대답만이 돌아올 뿐이었다. 마치 이럴 줄 알았다는 것처럼.

"초기에 이러는 건 흔한 일이라더군."

"지금…… 뭐라고요……?"

"이미 끝난 일이니까 잊어버려. 바라고 가진 아이, 아니잖아."

감정적인 동요라고는 한 오라기도 섞이지 않은 목소리였다. 그래, 아무런 상관없는 타인이라면 그런 식으로 생각할 수 있겠지만, 최소한 이 남자만은 이러면 안 되었다. 이토록 냉혹하게 지껄여서는 안 되었다.

냉정하기 이를 데 없는 현실 인식에 일순간 온몸의 기운이 싹 빠져나가는 느낌이었다. 경악으로 살짝 벌어져 있던 입술이 급기야 바들바들 떨리기 시작했다.

"으읏……."

지금 이것 역시…… 현실일까.

언제 되찾았느냐는 듯 곧바로 자취를 감춘 현실감을 새삼 곱씹어 보았다. 그렇다. 맨몸으로 부딪치는 현실은 차라리 꿈이었으면 싶었다.

아이가 죽었다. 이름도 없고, 성별도 모르며, 얼마나 컸는지도 짐작이 가지 않았던 아이였다.

사랑도, 온기도 마음껏 주지 못하고, 숨죽여 지켜내야 했던 아이는 세상의 빛은커녕 온갖 상처와 아픔만 떠안고 떠나갔다. ……영원히.

사람이 극도로 분노하면 눈물도 나지 않고, 소리조차 지를 수 없다는 사실을 알았다. 마치 물속에 잠긴 것처럼 먹먹해진 귓가에는 아무것도 들리지 않았다.

곁으로 가까이 다가온 주혁이 뭐라고 덧붙이든 그 어떤 것도 완벽하게 비틀린 마음을 진정시킬 수 없었다.

"당신……!"

더는 의지대로 제어할 수 없게 된 손은 제멋대로 허공을 날았다. 짜악, 하고 살과 살이 거칠게 맞부딪치는 소리는 매섭고도 차가웠다.

순식간에 왼쪽으로 돌아간 주혁의 뺨은 붉게 물들어 있었다. 마찰열로 급격하게 뜨거워진 손바닥을 증명하듯 검은 머리카락이 눈앞에서 어지러이 찰랑거렸다.

"……."

이렇게나 격노한 채로 누군가에게 손찌검한 적은 처음이었다. 하물며 그 상대가 제 남편일 줄은 더더욱 몰랐다. 꿈에서도 상상할 수 없었던 일은 선명한 현실이 되어 전신을 온통 옭아매고 있었다.

전속력으로 달리기를 한 것처럼 가빠진 숨은 들이켜는 것조차 힘겨웠다. 무거운 돌로 있는 힘껏 짓이긴 것 같은 마음은 이미 자디잔 가루가 되어 버렸다. 그 탓인지 고통조차 느낄 수 없을 만큼 전신이 딱딱하게 굳어 갔다. 혜수는 마지막 남은 기력을 짜내어 몇 마디의 질문을 엮어 냈다.

"어떻게…… 어떻게 그런 말을 할 수가 있어요……?"

사실 물을 필요조차 없었다. 제가 아는 권주혁은 원래 이런 남자 아니었던가.

그런데도 행여나 하고 기대를 품어 버린 게 너무나 바보 같았다. 변할 수 있으리라는 소망을 드러내 버린 자신이 너무도 어리석어서 미칠 것 같았다. 가장 악랄하고 집요한 덫이 바로 눈앞에서 사냥감이 걸려들기만을 호시탐탐 노리고 있었는데.

"……이거면 됐어?"

혜수를 내려다보는 검은 눈동자는 여전히 무감했다. 아무 일도 없었다는 듯이. 아니, 마치 그래야만 한다는 것처럼.

"뭐라고요?"

"이제 좀 진정이 되냐고."

검은 머리카락 사이로 발갛게 부풀어 오른 뺨이 시선을 사로잡았다. 폭발하기 직전의 분위기 속에서 뺨을 얻어맞고도 주혁은 별다른 변화가 없었다. 이 정도쯤은 문제도 아니라는 태도로 차분하게 어를 뿐이었다.

이 지경까지 와서도 항상 이 남자는 이런 식이었다. 남의 일인 양 이성적이고, 한 발짝 비켜선 것처럼 침착하고, 상관하고 싶지 않다는 듯 평정을 지켰다.

지난 3년 동안 지겨울 만큼 겪었던 면모가 이제는 못 견디게 괴로웠다. 태어나지도 못한 제 자식이 죽었는데도 어떻게 이럴 수 있을까. 아니, 애당초 그에게는 있느니만 못한 생명이었으니 이러는 것이 당연할지도 몰랐다.

'여태 뭘 한 거야…….'

다른 여자를 사랑하는 남자에게 뭘 바랐는지 모르겠다. 제게 줄 마음이라고는 한 조각도 없는데, 어째서 그와 함께할 미래를 꿈꿨을까. 유리로 살갗을 베는 듯한 현실에서 살아남기 위해 발버둥 쳐 왔던 노력은 전부 부질없었다.

어느 틈엔가 혜수의 입가에는 조소가 감돌기 시작했다. 하하, 하고 잇새로 흐르는 한탄은 미처 토해내지 못한 울음을 무척이나 닮아 있었다.

"진정하라고요……? 진정할 수 있을 리가 없잖아요!"

"그렇다고 감정적으로 해결할 일도 아니지. 해결되지도 않고."

"그럼요? 내가 어떻게 해야 하는데요? 당신이 한번 그 잘난 방법을 말해 봐!"

피를 토하는 것 같은 심경으로 지른 절규에 주혁은 마침내 미간을 살짝 찡그렸다. 곧이어 눈에 띄게 비뚜름해진 입술을 비집고 터져 나오는 한숨은 아주 작았다. 그게 어떤 뜻인지는 모른다. 아니, 알고 싶지 않았다.

"……아이는 다시 가지면 돼."

참으로 속 편한 방법이 아닐 수 없었다. 하기야 이게 이 무정한 남자가 생각해 낼 수 있는 최대치겠지만. 가슴속 어딘가에 차곡차곡 쌓아 두었던 분노가 용암처럼 끓어오르는 것은 이상한 일이 아니었다.

"하, 그러니까…… 그냥…… 잊으라고요?"

"……."

"그게 돼요? 아, 당신은 그렇겠죠. 아무 상관 없는 아이니까. 남이니까!"

"그게 무슨 말이야. ……당신이야말로 아이가 가지고 싶었다면 진작 말했으면 좋았어."

"뭐? 말했으면요?"

"왜 숨겼지? 이혼에 방해될까 봐 숨긴 건가? 설마 끝까지 모르게 할 생각이었어?"

"그런 거……."

무심코 답하려던 혜수는 그대로 뒷말을 삼켰다. 몇 번이나 연락했고, 직접 찾아가기까지 했다, 회사 일이라는 허울 좋은 핑계하에 줄곧 무시했던 쪽은 그였다.

그러나 이제 와서 솔직하게 진실을 고할 필요는 없었다. 유감스럽게도 이미 끝난 일로, 그에게 매달리는 짓 따위는 죽어도 하고 싶지 않았다.

싸늘하게 식어 버린 마음은 이내 첨예한 칼날이 되어 입 밖으로 튀어 나왔다.

"어차피 당신과는 상관없잖아요. 이 아이는 내 아이니까."

"뭐?"

"후회돼……. 너무 후회돼서 미칠 것 같은 기분인 거, 알아요? 빨리 이혼했으면…… 읏, 이런 일 없었을 텐데……! 아무 의미도 없는 결혼이었는데, 왜……!"

미치다 못해 죽을 것 같았다. 숨이 제대로 쉬어지지 않았다. 마치 마비된 것처럼 움직여지지 않는 몸으로 죽도록 소리치고 있는 지금, 그저 고통스럽기만 했다.

이제는 도망칠 수도, 달아날 수도 없었다. 제 곁에 남은 것은 아무것도 없었다. ……처음부터 그랬지만.

"……으흣……."

혜수는 어깨를 떨며 가늘게 신음했다. 언제고 목이 쉬어도 이상하지 않을 만큼 크게 소리친 탓일까. 삽시간에 한계치를 훌쩍 넘어 버린 귀가 문득 찌릿찌릿하게 아파 왔다.

희망은 가지고 있을 때보다 빼앗겼을 때, 비로소 존재감을 드러내는 법이었다. 제 손안에 남은 것은 이제 단 한 조각도 없다. 마지막 동아줄마저도 떠나보내게 된 상황에서 평소처럼 이성을 유지하는 일은 불가능했다. 결코 그럴 수 없었다.

"윤혜수."

두어 번의 실랑이 끝에 결국 그가 이름을 부르고야 말았다. 혜수는 아직 제대로 돌아오지 않은 숨을 거칠게 몰아쉬며 다시금 주혁을 노려보았다.

핏발 선 눈빛의 답은 예상외로 부드러운 손길이었다. 화를 이기지 못한 나머지 무의식적으로 휘저어지는 왼손을 막아서고, 제자리로 돌려놓는 것이다. 그 바람에 손등의 링거가 어지럽게 흔들렸다.

커다란 손이 어깨를 감싸기 직전, 혜수는 완전히 질렸다는 표정을 지으며 그를 밀쳐냈다. 여태껏 나 몰라라 하면서 내버려 두다가 이제야 알량한

동정 따위를 베풀다니. 필요 없었다. 더할 나위 없이 끔찍했다.

"놔! 놓으라고!"

"가만히 있어."

"누구 마음대로? 내 몸에 손대지 마! 흐윽……."

"자꾸 이러면 몸에 무리가 가."

"선심 쓰는 척하지 마요! 내 생각해 준 적, 단 한 번도 없잖아요? 그런데 이제야? 하……!"

끝이다. 두말할 것도 없이 진짜로 끝이었다.

예전에 벼랑에서 떨어지면 과연 그 뒤는 어떻게 될까, 하고 상상해 본 적이 있었다. 그때는 아무리 떠올려 봐도 짐작할 수 없었는데, 이 순간에 다다라서야 드디어 명확한 답을 찾은 느낌이었다.

날개 없는 추락의 끝은 엉망진창으로 짓밟힌 현실에 대한 절망이었다. 피투성이가 된 발을 겨우겨우 움직여 남긴 족적은 단 하나의 길로 향하고 있었다.

"절대로…… 절대로 용서 못 해. 당신도, 당신의 그 잘난 어머니도…… 대현 그룹도 전부!"

"……."

"……가만 안 둘 거야."

저주에 가까운 원망을 천명하며 피가 날 정도로 씹고 또 씹은 입술 때문일까. 입술을 타고 흐르는 쓰디쓴 핏줄기는 한없이 무감각해졌던 몸에 조금이나마 감각을 돌려주었다.

그제야 눈가가 저릿해졌다. 소리 없이 눈가로 삐져나오는 뜨거운 액체에 혜수는 속눈썹을 내리깔았다. 가느다란 바늘로 눈동자를 찌르는 듯한 고통에 감각이 한결 또렷해졌다.

진즉 버렸어야 했다. 떨쳐냈어야 옳았다. 지긋지긋하게 따라붙던 기대감을, 딱 한 번만 믿어 보자는 나긋나긋한 유혹을.

안일한 대처는 끝내 크나큰 비극을 불러왔다. 일이 이렇게 파국으로 치닫기 전에, 임신했다는 사실을 알았을 때 그 역겨운 집구석에서 탈출했어야 했다.

어차피 달라지는 것은 아무것도 없었는데, 어째서 자신은 그토록 어리석은 선택을 했단 말인가. ……신기루와도 같은 헛된 희망에 휩싸여.

"윽…… 으읏……. 당장 나가요! 꼴도 보기 싫어!"

하염없이 샘솟기 시작한 눈물로 인해 턱과 목이 촉촉이 젖어 들어갔다. 혜수는 허리를 숙이고 한 손으로 배를 꽉 움켜쥐었다. 절대 그럴 리 없는데도 배 안쪽에서부터 날카로운 칼로 푹푹 쑤셔지는 끔찍한 감각이 전신을 움켜쥐었다.

이제는 정말로 아무것도 없다는 데 대한 공허감, 그리고 앞으로도 없으리라는 데 대한 절망감이 그 뒤를 묵묵히 따랐다.

"일단 쉬어. ……다시 오지."

짤막하게 대답한 주혁은 이윽고 입을 굳게 다물고 돌아섰다. 묘하게 상처받은 것 같은 말투였지만, 손톱만큼도 응하고 싶지 않았다.

그 어떤 것도 받아들이지 않을 것이다. 이 순간부터는 아무것에도 마음을 내어 주지 않을 것이다. 그들이 어떻게 변하든 용서하지 않을 것이다. 그것은 일종의 다짐이자 오기이기도 했다.

"미안해……. 흐윽, 아가야…… 읏……."

어느덧 통제 범위를 벗어난 눈물은 닿는 곳마다 아린 상처를 남기고 그 안으로 침전했다. 흡사 불꽃으로 지져지는 것 같은 찰나마다 과거의 기억이 머릿속에, 눈앞에 정신없이 회오리쳤다.

뿌예진 시야로 들어오는 건 역시나 아무것도 없었다. 아니, 그 어떤 것도 보고 싶지 않았다. 지금은 갈기갈기 찢어진 마음을 유지하는 것만으로도 버거웠다.

귀에 몇 번이나 메아리쳤다. 귓가를 몇 번이고 울렸다. 숨통을 끊어 놓기 전까지 몰고 간 참혹한 현실이, 그리고 자신을 둘러싼 추악한 모든 것이.

무력했다. 무참했다. 비 오듯 흐르는 눈물이, 그리고 아이를 위해 아무것도 해 줄 수 없었던 스스로가. 힘겨운 현실을 버티기 힘들다는 명분을 내세워 어떻게든 회피하려고 했던 지난날이.

이 비극은 엄연히 제 탓이었다. 약해서, 순응해서, 어리석어서, 이 모든 사달과 참경을 빚어내고 말았다.

무엇이 가장 중요한지도 모른 채 인형처럼, 투명 인간처럼 살다가…… 너무나도 허무하게 놓쳐 버렸다. 다시는 돌아올 수 없는 것을.

눈물로 젖은 머리카락이 입술에, 볼에 마구 들러붙었다. 쉴 새 없이 살갗으로 배어드는 물기를 느끼며 혜수는 다시 한번 가냘프게 읊조렸다.

"……미안해. 정말…… 정말, 미안해……."

그 어떤 단어로도 감히 표현할 수 없는 소리가 귓전을 뒤덮었다.

새끼를 잃은 어미의 처절한 울음이었다.

* * *

망각은 신이 허락한 가장 큰 축복이다.

살점이 뜯어져 나가는 것 같은 무지막지한 고통도, 꿈에서인들 잊을 수 없는 가슴 아픈 현실도 끝끝내 시간이라는 최고의 마취제에 의해 빛바랜 기억이 되기 마련이었다.

그래, 언젠가는 끝이 온다. 반드시. 하지만 지금은 아니었다. 거세게 소용돌이치는 감정을 제어할 수 있을 정도로 이성을 유지하는 상태는 못 되었다.

울고, 울고, 또 울었다. 후회감에, 자책감에 휩싸인 마음을 있는 대로 바깥으로 토해냈다. 몇십 번이나, 몇백 번이나 원망했고, 절망했다.

너무나도 무력했던 스스로를, 무감한 얼굴로 자신을 짓밟은 그들을, 무정하기 짝이 없는 현실을. 그러지 않고서야 도저히 견딜 수가 없었다.

그리고 마침내 눈물조차 말라붙게 되었을 때, 퇴원 날짜가 닥쳤다. 다시 오겠다던 주혁은 여태껏 한 번도 얼굴을 비추지 않았다.

하기야 애초에 기대한 적도, 바란 적도 없었다. 남보다 못한 처지의 남편에게 더 이상 원하는 것이 있을 리가 만무했다.

"……."

짧게 머물렀던 만큼 챙겨야 할 짐은 거의 없었다. 단출하게 꾸린 쇼핑백을 든 혜수는 차분하게 병실을 한 바퀴 둘러보았다.

이제 이곳을 떠나 어디로 가면 마음이 편해질까. 제 한 몸 편안하게 누일 만한 안식처는 그 어떤 곳에도 존재하지 않았다.

아니, 갈 곳은 정해져 있었다. 처음부터.

영원히 계속될 도돌이표에서 벗어나기 위해서라면, 그 안으로 또다시 걸어 들어가야 했다. 물론 지금까지처럼 이를 악물고 무작정 버티기 위해서가 아니었다. 영원히 따라붙을 것 같은 이 지긋지긋한 악몽을 확실하게 끝맺음하기 위해서였다.

씁쓸하게 미소 짓던 순간, 갑작스레 병실 문이 열렸다. 곧이어 귀에 익은 발걸음 소리가 고요하던 병실 안을 가득 채웠다.

마주하고 싶지 않은 얼굴이 조금씩, 조금씩 가까워졌다. 그럴수록 불쾌한 감정이 마음속 깊은 곳에서부터 급격하게 차올랐다.

"짐은 그게 다야?"

"무슨 일이죠?"

무표정하게 그를 돌아본 혜수는 가만히 입술을 달싹였다. 그 짧은 질문조차 비난으로 들렸다. 감정이 잔뜩 어린 시선을 받고서도 주혁은 언제나 그랬듯이 태연했다.

"오늘, 퇴원하는 날이잖아."

"……."

그나마 퇴원 날짜가 언제인지 기억은 하고 있었던 모양인데, 이제 와서 무슨 소용인가 싶었다. 잠시간 이어지는 정적이 거슬렸는지 그가 한마디 더 덧붙였다.

"내가 있으면 회복하는 데 방해인 것 같아서 오지 않았어."

"굳이 설명하지 않아도 돼요."

평소의 그답지 않게 말수가 늘어났다. 요컨대 일부러 오지 않았다는 뜻인데, 그래 봤자 구구절절한 변명일 뿐이었다. 듣고 싶지도 않았고, 이해하고 싶지도 않았다.

더는 응하고 싶지 않다는 기색을 표하자 주혁은 말없이 쇼핑백을 빼앗아 들었다. 앞장서서 뚜벅뚜벅 걸어가는 뒷모습이 오늘따라 거대하게 느껴졌다. 잠자코 그의 뒤를 따르며 혜수는 입술을 살짝 핥았다.

아직도 군데군데 피멍이 맺혀 있는 입술에서는 오늘도 지독하게 쓴맛이 났다. 그러고 보면 그는 단 한 번도 보조를 맞추어 준 적이 없었다. 눈앞에 보이는 것은 언제나 지금처럼 우뚝 선 뒷모습뿐이었다.

뒤돌아보지도 않고, 신경 쓰지도 않는다. 예전에는 그 점에 가슴 아파했던 것 같은데, 이제는 아무렇지도 않았다. 상처란 본래 더 큰 상처에 가려지는 법이므로.

'이제 또…….'

이대로 아무 일도 없었다는 듯이 저택에 돌아가면 정해진 순서대로 명희와 수연을 만나게 된다. 그녀들은 분명 험악하게 눈초리를 번득이며 자신을 잡아먹지 못해 안달이 나 있을 터였다. 언제나 그래 왔었던 것처럼.

지옥의 끝은 또 다른 지옥으로, 그곳으로 가는 길은 평소와 다름없는 가시밭길이었다. 의지할 곳도, 푸념할 곳도, ……아무것도 없는.

그래도 괜찮았다. 상관없었다. 지난 3년에 비하면 이 순간은 아주 짧고, 단번에 지나갈 테니까. 마무리하기 위해서 가는 것인 만큼 더 이상 두려워할 이유도, 긴장할 필요도 없었다.

"……?"

하염없이 진행되던 상념은 뜻하지 않게 종료되었다. 문득 차창에 비치는 풍경은 꽤나 이질적이었다.

처음 보는 건물들과 도로를 지나 도착한 곳은 놀랍게도 한 아파트였다. 매우 고급스러워 보이는 정문을 통과한 세단은 주차장까지 거침없이 진군했다.

처음 와 보는 곳인데도 주혁은 제법 익숙해 보였다. 망설임 없이 현관문의 도어 록을 해제하는 손길에서는 여느 때와 같은 자신감이 느껴졌다.

"여기는…… 어디죠?"

제일 먼저 혜수의 눈길을 끈 것은 희디흰 대리석 바닥이었다. 매끄럽게 잘 닦인 바닥에 비치는 얼굴은 조금 일그러져 있었다. 당혹감의 증거였다.

주혁은 자신을 이곳으로 왜 데려왔을까. 뭘 바라고……? 가뜩이나 복잡한 머릿속을 점거해 버린 의문은 얼마 후에 해결되었다.

"앞으로 살 집이야."

테이블에 쇼핑백을 올려놓은 그가 아무렇지도 않게 답했다. 난데없는 통보에 놀란 혜수는 급히 그 시선에 응했다.

"그게 무슨 말이에요?"

"분가하기로 했어. 당신이 입원해 있는 동안 물건은 옮겨 놨는데, 혹시 빠진 게 있으면 말해."

"이렇게 갑자기……?"

"원래부터 그럴 생각이었어. 다만 일이 바빠서 타이밍을 잡고 있었을 뿐이야."

마땅히 해야 하는 일을 했다는 어투였다. 분가라, 사실 그동안 한 번도 꿈꾸어 보지 못했던 일이었다. 그 몸서리쳐지는 지옥에서 버티기 급급했던 터라 그 이외의 선택지는 아예 몰랐다.

일련의 상황을 잘 알고 있을 텐데도 이 남자는 어째서 이렇게나 제멋대로인지. 어떠한 예고도 없이 열린 탈출로는 생각보다 당황스럽고, 또한 한숨을 자아내기 충분했다.

"……여전히 내 의견은 필요 없는 것 같네요."

"당신도 본가에 들어가는 것보다는 편하지 않아?"

타당한 의견이라고 해도 어디까지나 자신 혼자라는 가정하에서였다. 주혁과 지금부터 단둘이 이곳에서 살아가야 한다니. 어처구니없는 현실에 순간적으로 숨이 턱 막혔다.

"아니요. 당신이 있는 한, 나한테는 그 집과 다를 바 없어요."

힘겹게 벌어진 입술에서는 모진 타박이 가차 없이 쏟아져 나왔다.

"그래도 여럿 상대하는 것보다는 하나가 낫겠지."

"이미 다 끝난 마당에 이게 다 무슨 소용이죠?"

"뭐가 끝났다는 거야. 우리는 아직 부부일 텐데?"

아니, 그럴 리가 없었다. 진즉에 끝나 버렸다. 한 명이든, 여러 명이든 상관없이.

비극의 막은 이미 올려졌고, 눈앞에 남은 것은 아무것도 없었다. 처음부터 존재하지 않았다는 듯 송두리째 사라지고 말았다.

그런데도 그는 아직 이 위태로운 관계가, 이 암담한 현실이 끝나지 않았다고 말한다. 제가 알지 못하는 기회가 있다고, 차마 보지 못한 희망이 있다고 지껄이는 것이다.

그렇기에 이런 식으로 손을 내밀어도 마땅히 잡을 수밖에 없으리라고 자신하는 터였다. 너무나 자기중심적이고 오만한 사고방식이었다.

질린다. 지겹다. 이 남자는 언제까지 이럴까. 어디까지 본인의 뜻만을 멋대로 관철하려고 드는 것일까.

제대로 진절머리 난다는 표정과 함께 혜수는 주혁을 향해 앙칼지게 쏘아붙였다. 이쯤 되면 절대 순순히 물러서고 싶지 않았다.

"이렇게 억지로 유지하는 결혼이 무슨 의미가 있어요?"

"애정 없이 잘사는 부부도 많아."

"그래서 나도 그러라고요? 여태 그랬던 것처럼 아무 생각도 안 하고, 당신 말이나 얌전히 따르면서 방긋방긋 웃는 인형으로?"

허공에서 산산이 부서지는 원망은 귓가에도, 가슴속에도 빠짐없이 와 박혔다. 쇼윈도 부부, 인형, 정물, 투명 인간……. 윤혜수를 지칭하는 수많은 수식어가 또 한 번 되풀이되기 직전이었다.

그동안 어떤 심경으로 버텨 왔는지, 이 무정한 남자는 몰랐다. 어떻게 이겨냈는지 관심도 없었다. 처음 만났을 때부터 지금까지 주혁이 원하는 것은 그저 말 잘 듣고 불평하지 않는 인형일 뿐, 그 이상도 그 이하도 아니었다.

아니, 한마디 쏘아붙이지도 못하는 바보 같은 인형 노릇은 이제 무슨 일이 있어도 거부하고 싶었다. 싫다. 죽을 만큼 싫었다.

그저 방관하고 있었던 그가 증오스러웠다. 단 한 줌의 위로도, 온기도 받지 못했던 지난날이 원망스러웠다. 할 수만 있다면 시간을 되돌려 놓으라고 울부짖고 싶은 심경이었다.

울컥하는 마음을 가까스로 가라앉힌 혜수는 눈가에 힘을 실어 주혁을 똑바로 바라보았다. 그의 검은 눈동자는 예상외로 아무런 저항의 빛도 띠고 있지 않았다.

"인형이라……. 그래, 그저 인형이 필요한 거면 당신보다 나은 선택지는 많지."

"그런데, 왜!"

주먹을 꽉 쥐고 소리를 지르는 찰나, 나지막한 대답이 귓전을 또렷이 울렸다.

"……말했잖아. 아직 계약이 끝나지 않았다고."

평소와는 사뭇 다른 음색이었지만, 달라진 점은 그뿐이었다. 그간 몇 번이나 들었던 핑계는 오늘까지도 똑같은 레퍼토리로 진행되고 있었다.

"대체 언제까지 그 이유를 댈 거예요?"

"그만하고 이거나 먹도록 해."

"뭐라고요?"

평소 같았으면 주혁은 이 대목에서 무조건 주눅 들게 했을 터였다. 타인에게 상처 주는 일에 전혀 거리낌 없고, 죄책감도 느끼지 않는 남자니까.

그러나 이 순간만큼은 웬일인지 어떠한 전의도 표출하지 않았다. 오히려 그답지 않게 상황을 회피하려고 드는 태도는 수면 아래로 잠기려던 의구심을 부추겼다.

쇼핑백을 건드리는 손길은 기이할 만큼 침착했다. 그제야 혜수는 테이블 위에 놓인 쇼핑백이 한 개가 아니라는 점을 뒤늦게 알아챘다.

"하던 이야기나 계속해요!"

"죽이야. 먹도록 해."

금세 모습을 드러낸 죽에서는 고소한 냄새가 풍겼다. 아마도 병원에 들르기 전에 사 온 모양이었다. 그답지 않은 친절은 반사적으로 얼마 전의 기억을 떠올리게 했다.

그때는 바보처럼 마냥 기뻤는데, 지나고 나니 아무것도 아니었다. 아무런 의미도, 의도도 없는…… 한없이 시답잖은 놀림에 휘말려 마음을 고쳐먹어 보려고 했던 지난날이 새삼스레 우스웠다.

혜수는 이내 냉소를 흘리며 주혁을 외면했다.

"생각 없어요."

"그래도 먹어."

"싫어요."

나직한 강권은 그러지 않아도 바닥을 기는 것 같은 기분을 최저점까지 떨어뜨렸다. 한결 사나워진 거절로 속내를 내보이는 것은 꽤 유치한 일이었지만, 그러지 않고서야 배길 수 없었다. 이 이상 주혁에게 휘둘리면서 평소대로의 전철을 밟고 싶지 않았다.

이렇게까지 단호하게 의사 표현을 한 적이 거의 없었기 때문일까. 주혁의 눈에 슬그머니 어린 것은 의문도, 의심도 아니었다.

물론 그 감정의 정체를 파악하고, 이유를 캐묻고 싶은 마음은 없었다. 그러기에는 너무 늦어 버린 탓이었다.

"……준비한 사람의 성의는 보지 않는 건가."

"그러게요. 그런데 당신은 어째서 내 성의를 한 번도 봐 주지 않았죠?"

"……."

"할 말 없다니까 이만 들어갈게요."

매몰차게 대꾸한 다음, 해야 할 일은 진즉에 정해져 있었다. 가장 가까운 아무 방으로 터벅터벅 걸어가는 것. 힘이 실리지 않은 발은 뗄 때마다 휘청거렸다.

등 뒤에서는 오직 불규칙적인 숨소리만이 들릴 뿐이었다. 미동도 없이 우두커니 서 있는 주혁은 오늘도 그녀를 잡지 않았다.

손을 뻗지도, 이름을 부르지도 않은 채로 허공을 빤히 응시하고 있을 터였다. 언제나 그래 왔다는 듯이, 그리고 앞으로도 그럴 것처럼.

"……."

방문을 닫은 혜수는 쓰러지듯 벽에 기대었다. 게스트 룸으로 짐작되는 방에는 커다란 침대와 가구들이 놓여 있었다. 새것 특유의 냄새가 천천히 코끝을 타고 안쪽으로 스며들어 왔다.

일순간 오싹할 만큼 고요한 정적이 전신을 차분하게 감쌌다. 그 상태에서 차분하게 숨을 고르며 생각했다. 주혁이 어째서 그토록 이혼을 거부하는지, 이 집에 데려온 이유는 왜인지, 그의 마음은 뭔지.

'모르겠어.'

아니, 알고 싶지 않다는 편이 적절할 것이었다. 등을 타고 느껴지기 시작한 차디찬 기운은 그 이상의 상념을 방해했다.

문득 손을 내뻗어 보았다. 허공에 잡히는 것은 서늘한 바람뿐, 손안에는 역시나 아무것도 없었다. 약간의 온기조차 느껴지지 않는 손바닥은 제 마음만큼이나 싸늘했다.

손끝을 타고 곧바로 가슴까지 도달한 한기 때문일까. 마음 한구석이 한겨울의 얼음보다도 꽁꽁 얼어붙는 느낌이었다.

* * *

이번 일을 통해 제대로 깨달았다. 그간 얼마나 촉각을 곤두세우고 그 집구석에서 버텨 왔는지, 얼마만큼이나 무리하고 있었는지.

간만에 잠들 수 있었다. 유산한 이후로 한 번도 없었던 일이었다. 병원에서는 매번 흐느끼다 지쳐서 거친 숨을 몰아쉬기 일쑤였으니까. 커튼 사이로 살그머니 기어들어 오는 햇빛은 유독 따사로웠다.

그 바람에 주혁이 출근했는지도 까맣게 몰랐다. 하기야 미리 알았다고 한들 달라지는 것은 없었다. 아내의 의무라는 허울 좋은 미명하에 예전처럼 그를 마주할 의지가 있을 리 만무했다.

"하아……."

가볍게 숨을 들이마신 혜수는 시트를 걷고 침대 밖으로 나왔다. 새롭게 머물게 된 집의 분위기는 본가와 제법 달랐다. 대놓고 변해 버린 현실을 곱씹고 있자니 기분이 이상했다.

그래서인지 몰라도 쉽게 적응하기가 어려웠다. 사람의 손길을 전혀 타지 않은 싱크대도, 말갛게 빛나는 대리석 식탁도, 하다못해 거실의 테이블과 소파까지도.

이 공간을 구성하고 있는 그 어떤 물건도 어색하고 낯설지 않은 게 없었다. 마치 주혁의 존재처럼.

"어차피 당장 갈 곳도 없잖아?"

소파의 빳빳한 가죽을 쓰다듬던 혜수는 이윽고 작게 뇌까렸다. 좋든, 싫든 당분간은 이곳에서 지내야 한다. 몸을 의탁할 곳이 마땅치 않은 데다가, 아직 해야 할 일도 많이 남았다.

그러나 뒤바뀐 현실을 관조할 기회는 그다지 길지 않았다. 불현듯 귓가를 날카롭게 가로지르는 초인종 소리에 혜수는 인터폰으로 다가갔다. 예고 없는 방문객의 정체는 아니나 다를까, 명희였다. 눈앞에 선명히 떠오른 명희의 얼굴에는 평상시와 같은 불쾌감이 짙게 떠돌고 있었다.

"……."

드디어 올 것이 왔다는 생각에 현관문으로 다가가는 발걸음은 결코 가볍지 않았다. 당연히 눈빛과 어투도 마찬가지였다. 혜수는 냉랭한 시선을 감추지 않은 채로 그녀에게 말을 붙였다.

"아침부터 어쩐 일이세요?"

"내가 못 올 곳을 왔니? 하여간 주혁이 이 녀석, 고집부려서 나온 곳이 고작 여기야?"

집 안으로 들어서자마자 여기저기 둘러보며 불만에 찬 혼잣말을 중얼거리던 명희는 소파에 털썩 주저앉았다. 짜증이 선연하게 어린 이맛살을 통해 그녀가 절대 분가를 찬성하지 않았다는 사실을 확인할 수 있었다. 갑작스러운 분가는 온전히 주혁의 뜻으로 짐작되었다.

"넌 손님이 왔는데 차도 한 잔 내오지 않고, 뭐 하느냐?"

"저도 어제 막 와서요. 어디에 뭐가 있는지 모르겠어요."

"나, 참. 어쨌든 앉거라."

혜수가 말없이 맞은편에 자리를 잡은 찰나였다. 조금도 기다릴 수 없다는 듯 명희는 곧장 본론으로 들어갔다.

"이혼한다던데, 사실이야? 질질 끌더니, 이제야……."

"어떻게 아셨어요?"

"내가 그걸 너한테 일일이 설명해야 할 입장이니?"

"……병원에서도 사람을 붙이셨군요."

"왜, 뭐 잘못됐어? 며느리가 입원했는데, 시어머니가 알아보는 게 뭐가 문제라고."

명희가 진정으로 궁금해하는 것은 며느리 취급도 받지 못하는 골칫덩이의 건강 상태나 안부가 아니었다. 이 말도 안 되는 비극을 통해 과연 본인의 목적을 달성할 수 있을지의 여부였다.

임신, 이혼, 불륜…… 그간 수십 번도 더 되뇌었던 단어들이 이제는 역겹기 짝이 없었다. 이 지긋지긋한 굴레에서 벗어나려면 이혼이 절실히 필요했다. 그것만큼은 무슨 수를 쓰든 부정할 수 없는 사실이었다.

혜수는 대답을 삼키며 명희를 노려보았다. 평소와는 사뭇 다른 시선의 의미를 직감했는지 명희는 나직한 한숨을 터뜨리며 무언가를 들이밀었다.

"이게 뭔가요?"

"결정 났으면 빨리 처리하는 게 좋지. 넌 작성만 하렴. 주혁이 건 내가 받으마."

이혼 서류와 볼펜이 담긴 서류 봉투가 테이블 위에서 존재감을 과시했다. 부리나케 서두르는 모습이 어이없기는 해도, 주혁과 또다시 언쟁하면서 감정적으로 동요하는 일보다는 훨씬 나았다.

물론 그가 순순히 이혼을 받아들일지는 확신할 수 없었다. 하지만 그 알 수 없는 속내까지는 제가 알 바가 아니었다. 좌우지간 명희의 뜻대로 이혼이 처리된다면 더는 대현 그룹과 엮이지 않아도 되었다.

그렇게 되면 여전히 고압적인 명희도, 무슨 생각을 하는지 알 수 없는 주혁도, 자신을 둘러싼 이 암담한 현실도 전부 버릴 수 있었다. 그 어떤 미련도, 미혹도 남아 있지 않은 지금, 그 정도면 충분했다.

봉투를 물끄러미 내려다보던 혜수는 조심스레 펜을 집어 들었다. 시선을 잡아끈 것은 서류 상단에 적힌 협의 이혼이라는 단어였다. 과연 어디에서부터 어디까지 협의일지 싶어 절로 입꼬리가 뒤틀렸다.

명희는 찰나의 틈도 기다리지 못하겠는지 바로 채근하기 시작했다.

"이제야 모든 게 제자리도 돌아가는구나. 너도 너한테 맞지 않는 과분한 자리가 편치는 않았겠지."

"……."

"사람은 원래 분수에 맞게 살아야 하는 거야. 결국 이 모든 게 순리가 아니겠느냐?"

"……네?"

"유산 말이다. 좋게 생각하려무나. 어차피 태어났어도 곤란했을 아이야. 차라리 이렇게 된 게 잘된 거다. 훨씬 깔끔하지 않니?"

"……!"

분명 귀를 열어놓고 있는데도 그녀가 뭐라고 지껄이는지 알 수가 없었다. 전신의 피가 일거에 싹 식으면서 한순간 모든 동작이 멈추었다.

이제 막 생명을 얻은 아이가 불의의 사고로 안타깝게 죽었다. 그런데도 그 죽음이 순리라고 말하는 여자였다. 사람이 어떻게 이 정도로 잔악하고 추악할 수 있을까. 극도로 이기적인 그녀의 면모는 엄청난 열분을 불러왔다.

놀라울 만큼 빠르게 북받친 분노에 방점을 찍은 것은 명희의 코웃음이었다. 마치 벌레를 내려다보는 듯한 눈빛을 던지며 명희는 슬며시 팔짱을 끼었다. 방금 내뱉은 폭언을 정정할 마음 따위는 손톱만큼도 없어 보이는 태도였다.

"어, 어떻게 그런 말씀을……!"

"왜? 못 할 말을 한 것도 아니지 않니?"

이제야 감각이 돌아왔는지 볼펜을 쥔 손이 바들바들 떨렸다. 이미 잿더미가 되었다고 여겼던 마음에 아직 불씨가 남아 있었던 모양이었다. 삽시간에 번져 나간 격노의 불꽃은 온몸을 게걸스럽게 집어삼켰다.

억울하고 원통한 나머지 좀처럼 숨이 쉬어지지 않았다. 목에서부터 명치까지, 정체가 뚜렷한 감정의 응어리로 꽉 막혀 버린 느낌이었다.

폭발할 것처럼 격렬하게 뒤흔들리는 가슴을 느끼며 혜수는 이혼 서류를 꽉 쥐었다. 형편없이 구겨진 흰 종이는 손끝의 열로 인해 뜨겁게 달아올라 있었다.

"……!"

예고 없이 급반전된 상황에 명희의 두 눈은 화등잔만 하게 커졌다. 그러나 그녀 특유의 독살스러운 표정은 변함이 없었다.

"이게 지금 뭐 하는 짓이냐!"

"제가 하고 싶은 말이에요."

"뭐라고? 너 미쳤어?"

"……안 해요."

혜수의 눈동자가 또렷하게 빛났다.

"자꾸 무슨 헛소리를 지껄이는 게야!"

만약 지금 제 모습을 거울에 비춰 본다면 어떨까. 분노와 원념으로 얼룩진 얼굴은 들개보다도 더 사납고, 맹금보다도 더 매서울 터였다. 매서운 눈길로 명희를 응시하던 혜수는 보란 듯이 손아귀에 힘을 실었다.

"너……!"

잔뜩 구겨진 종이는 본연의 형체를 완전히 잃은 상태였다. 그러나 고작 이 정도로 만족할 수는 없었다. 파도보다도 더 격하게 휩쓰는 격분을 표출하기에는 한참 모자랐다.

온 힘을 다해 종이를 찢어 버렸다. 찌익, 하는 불유쾌한 소리를 동반하며 갈가리 찢어지는 종이는 제 마음과 다름없었다. 그와 동시에 짓씹듯 뱉어낸 선언은 뼈에 사무치는 원망으로 물들어 있었다.

"이제 어머니 말씀대로는 안 할 거예요."

그동안 하나의 인격체로서 대해진 적이 없었다. 의지도, 의욕도 없는 인형으로서 살아왔다.

그저 존재하는 데에만 의의가 있는 삶이 제 운명이라고 생각했다. 선택권이 없는 삶에 부당함을 느끼면서도, 그 울타리를 벗어날 수가 없어서 자포자기한 채로 순응했다. 공고하게 유지되는 현실의 벽은 너무나 높았고, 또한 너무나 단단했다.

하지만 이제는 그러지 않아도 된다. 아니, 그럴 수 없었다. 이미 모든 것은 달라져 버렸으니까. 토끼의 뜀박질처럼 휙휙 바뀌는 현실에서 혼자만 거북이가 된 듯 기어가서는 안 되었다.

그러다가는 또 한 번 후회할 뿐이었다. 돌이킬 수 없는 과거에 대한 자책감과 무력감으로 몸부림치면서.

가슴을 갉아먹는 번뇌는 딱 한 번으로 족했다. 다시는 겪고 싶지 않았다. 운명의 지침은 바뀌었고, 자신이 나아갈 방향 또한 변했다.

"이, 이게 무슨 짓이냐……!"

이런 상황은 꿈에도 떠올리지 못했는지 명희의 안색은 급격히 나빠졌다. 그도 모자라 정말 드물게 말까지 더듬었다. 그녀를 노려보던 혜수는 오래지 않아 몸을 일으켜 세웠다.

"앞으로 제 일은 제가 알아서 할게요."

"뭐라고?"

"이혼하든, 안 하든 신경 쓰지 마시라는 뜻이에요."

"그게 무슨 말도 안 되는 소리야!"

"어째서 그런 말씀을 하시나요? 전 어머니가 아니라 주혁 씨와 결혼했어요."

그러므로 그전처럼 명희에게 휘둘리지 않겠다는 뜻이기도 했다. 날이 설 대로 선 혜수의 질문에 명희의 얼굴은 눈에 띄게 붉으락푸르락했다. 쉴 틈 없이 격동하는 감정이 주름 하나하나에 선명하게 배어들어 있었다.

"다시 한번 말씀드리지만, 이제는 저희 부부 일에 나서지 말아 주세요."

"이게……!"

작심하고 도발한 부부라는 단어에 명희는 끝내 손을 번쩍 들었다. 이대로 얌전히 서 있으면 뺨을 호되게 얻어맞을 것이었다. 임신 사실을 들켰을 때와 완벽하게 똑같은 상황이었다. 단 하나를 제외하고.

어디서 그런 용기가 났는지 모르겠지만, 이 선택지 외에는 어떤 것도 손에 쥐고 싶지 않았다. 혜수는 그대로 명희를 향해 손을 뻗었다.

"……!"

정신을 차렸을 때는 이미 명희의 팔목을 꽉 붙들고 있었다. 힘이 잔뜩 들어간 손목에는 굵은 핏대가 불거졌다. 말로써 반발하던 수준을 지나 그녀의 패악질을 온몸으로 막아 내는 지금, 머릿속은 새하얗게 물들었다.

눈부신 진일보를 실감할 새도 없이 급격하게 숨이 차올랐다. 어느 틈엔가 살갗 속으로 아프게 파고든 긴장은 그다음 행보를 예고하는 것 같았다.

"놔! 당장 놓지 못해?"

"……."

"놓으라니까!"

절규에 가까운 고함이 귓전을 마구 뒤흔들었다. 혜수 못지않게 명희도 고상한 가면을 벗어 던지고, 고래고래 소리를 지르며 야단법석이었다. 어떻게든 제게서 팔을 떼어내기 위해 아등바등하는 꼴이 제법 우스웠다.

그러면서도 명희는 눈초리에 들어간 힘을 풀지 않았다. 숨 막히는 대치가 길어질수록 명희를 붙잡은 손이 감전이라도 된 듯 찌릿찌릿하게 저려 왔다. 손끝에서 불꽃이 화르르 튀는 느낌이었다.

"……."

혜수는 손에서 슬며시 힘을 뺐다. 겨우겨우 제자리로 돌아온 손을 풀면서 눈초리를 사납게 번득이는 명희는 분에 가득 찬 상태였다. 잠깐의 빈틈이라도 허용한다면 곧바로 제 뺨을 내리칠 것 같은 독기가 그녀의 전신에서 흘러넘치고 있었다.

"너, 내가 누구인 줄 알고! 감히 어느 안전이라고 이렇게 악을 써?"

아무렴, 잘 알고 있다. 뼈에 사무칠 만큼 선명하게. 그녀를 빤히 내려다보던 혜수는 작게 실소했다.

"그럼요. 저와 비교할 수 없을 만큼 대단한 분이시라는 거, 잘 알고 있어요."

"하……! 그런데 네까짓 게 반항하는 게냐? 나한테?"

반항이 아니었다. 저항이라고도 할 수 없었다. 이것은 단지 일말의 용기일 뿐이었다. 무력했던 자신을 바꾸고, 무참한 현실을 뒤엎고 싶다는 소망이었다.

"그러니 어머니께서도 앞으로는 조심해 주시는 게 좋겠어요."

"뭐?"

"저와 달리 잃을 게 많으시잖아요?"

주혁과 대화했을 때를 제외하고 이렇게까지 차가운 어투로 비꼬아 본 적은 처음이었다.

조용하지만 확실한 혜수의 협박에 명희는 한결 거칠게 눈을 부라렸다. 물론 손톱만큼도 굴하지 않고 그 시선을 맞받아쳤다. 한 치도 물러서지 않는 그녀의 모습에 명희가 느끼는 낭패감은 상당해 보였다.

"잃을 거? 뭐야, 너 지금 나 협박하는 거니? 나 참, 살다 살다 어이가 없어서……!"

"부탁드리는 거예요. 이만 나가 주세요."

불과 몇 분 전까지 눈알을 굴리며 낯설어하던 게 무색할 만큼 당당한 통보였다. 그리고 대답은 들을 가치도, 들을 이유도 없었다. 처음부터 정해져 있었으니까.

하다 하다 이제는 나가라고 할 줄 몰랐는지 잔주름이 수도 없이 그려진 명희의 이마에는 식은땀이 맺혔다. 이렇게까지 수세에 몰려 본 적 없을 테니 당연한 반응이었다.

"안 나가면? 왜, 경찰이라도 부를 생각이야?"

"그건 안 되겠죠."

"그래, 대현 그룹이 이딴 일로 구설에 오르다니 말도 안 되는 일이지! 내가 가만둘 것 같아?"

"……네. 현명하게 대처하시기를 바랄게요."

"후, 네년이 진짜 미쳤구나! 미쳤어……!"

그녀의 말처럼 자신은 미친 것일까. 아니면 독해진 것일까. 물론 어느 쪽이든 감당할 수 없는 현실의 벽을 돌파하기 위한 수단임은 확실했다.

이 정도도 하지 않으면 아무것도 달라지지 않았다. 어떤 것도 할 수 없을 터였다. 하다못해 명희를 집 밖으로 내보내는 것조차도.

혜수는 한쪽 입꼬리를 살짝 비틀어 올렸다. 계속되는 언쟁에도 약간의 동요조차 비치지 않자 명희는 완전히 경악한 듯했다. 볼썽사나울 정도로 벌어진 그녀의 입술은 도무지 다물릴 기미가 없었다.

"설마 주혁이가 이걸 알고도 가만있을 듯싶으냐?"

"아니겠죠."

"그런데 대체 뭘 믿고 고삐 풀린 망아지같이 구는 게야!"

믿는 구석, 기댈 만한 온기, 의지하고 싶은 사람……. 아무것도 없었다. 어떤 것도 존재하지 않았다. 고이 간직해 왔던 판도라의 상자는 부서진 지 오래였다.

잠깐 피어올랐던 마지막 희망마저도 사그라진 마음은 공허하기 짝이 없었다. 정중앙에 뻥 뚫린 구멍은 모든 수단을 동원해도 평생 메워지지 않을 것 같은 느낌이었다.

"……아무것도 없어요."

허공에 울려 퍼지는 나지막한 중얼거림은 형언할 수 없는 허무함으로 젖어 들어 있었다.

처음부터 몰랐으면 좋았을 터였다. 아예 없었으면 이토록 허탈하지 않을 것이었다. 희망의 형태를 빌려 제 곁에 똬리를 튼 절망은 너무나도 아팠다.

"뭐?"

"그래서…… 잃을 것도 없죠."

"지금 말장난하자는 게냐?"

"어머니, 이제 그만하세요. 다시는 이렇게 함부로 찾아오지도 마시고요."

"……."

마지막 경고라는 점을 절실하게 깨달았는지 가방을 낚아채는 손놀림은 매서웠다. 드디어 입술을 앙다문 명희가 자리를 뜬 직후, 현관 쪽에서 굉음이 들렸다. 현관문이 닫히는 소리였다.

그 자리에 잠시 못 박힌 것처럼 서 있던 혜수는 이윽고 깊게 숨을 토해냈다. 가슴 안쪽에서 느껴지던 격렬한 리듬은 아주 천천히 잦아들고 있었다.

그간 명희가 시퍼런 서슬을 뽐낼 때마다 숨조차 제대로 쉴 수 없었다. 하찮은 자신은 감히 상대할 수 없는 사람이라고, 애초에 별세계의 존재라고 여겼다. 그런데 이제는 아니었다. 아니게 된 것이다.

"하아……."

감당하기 어려운 상황을 돌파한 덕분에 통쾌한지, 아니면 명희에게 한 방 먹여 주었던 게 짜릿한지 모르겠다. 사실 굳이 구분할 필요가 없었다. 지금은 호흡이 힘겨울 만큼 치솟은 심박 수를 다스리는 것만으로도 힘에 부쳤다.

정처 없이 떠돌던 혜수의 시선은 이내 테이블에 고정되었다. 흰 종잇조각들이 마치 길가의 낙엽처럼 볼품없이 뒹굴고 있었다. 절대로 넘어설 수 없다고 생각했던 높디높은 산을 정복하기가 무섭게 또 다른 산이 눈앞을 막아섰다.

문득 치미는 현실감에 혜수는 흐트러진 머리카락을 귀 뒤로 쓸어 넘겼다. 이만큼이나 성질을 부리고 갔으니 명희가 가만히 있지 않을 게 틀림없었다.

"……."

주혁은 그동안 딱히 제 편을 들지도, 그렇다고 명희의 편에 서지도 않았다. 그가 철저한 방외인이 될 수 있었던 이유는 자신이 항상 순종했기 때문이었다. 부당하다고, 불합리하다고 사치스러운 고민을 하기 전에 먼저 무릎을 꿇었다.

하지만 오늘을 기점으로 주혁이 줄곧 지켜 온 중립은 종료되었다. 둘이 단단히 반목한 상황에서는 아무리 그라도 링 밖에서 마냥 관망할 수 없을 것이었다. 본래 가재는 게 편이고, 피는 물보다 진한 법이니까.

"……오산이었네."

들릴 듯 말 듯 나지막한 자평이 귓불을 간질였다. 이 집에서 당분간 버티며 이혼을 준비해야겠다는 판단은 완벽하게 틀렸다.

아니, 어떤 면에서는 차라리 이러는 게 옳을지도 몰랐다. 어차피 이 세상에 제 편은 없었다. 제 손을 들어 줄 이를 가지고 싶다는 마음 또한 이번 일을 통해 전부 잃었다.

그러니 이곳을 떠나 새로 머물 공간을 구해야 한다는 사실이 딱히 외롭지도, 슬프지도 않았다. 모든 것은 이렇게 차츰차츰 무감해지리라.

……처음부터 없었던 것처럼.

4. 허공을 맴도는 진심

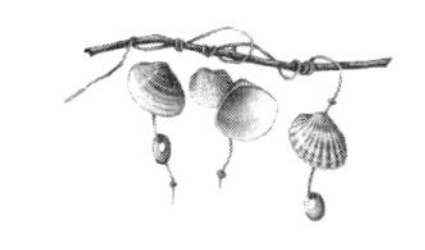

“부사장님, 서명희 관장님께서 방문하셨습니다.”

“…….”

비서의 안내를 들은 주혁은 짧은 한숨으로 대답을 갈음했다. 명희가 한마디 언질도 없이 회사에 찾아오는 경우는 매우 드물었다.

아무리 성격이 급해도 명색이 재벌가의 안주인이었다. 주변의 눈치를 의식하는 그녀가 이 시간부터 부사장실 문을 두드리는 이유는 명백했다. 원하는 바를 이루지 못했다는 뜻이었다.

분명 끝난 일이라고 못을 박았는데도 명희는 좀처럼 포기하지 않았다. 또한 번 지루하게 반복될 과정을 떠올리자니 성가시다는 생각이 가장 먼저 뇌리로 파고들었다. 슬슬 인내심의 한계가 느껴지고 있었다.

“저, 부사장님……?”

“아무것도 아니야. 들어오시라고 해.”

“네. 알겠습니다.”

주혁의 명을 받은 비서는 곧장 명희를 데리고 부사장실로 돌아왔다. 괜히 쳐들어오지 않았다는 듯, 성큼성큼 걸어 들어오는 그녀의 기세는 마치 한겨울의 서릿발 같았다.

평상시 즐겨 마시는 차를 대령하자마자 명희는 대뜸 엄포부터 놓았다.

"너, 당장 이혼해라."

예상했던 그대로의 명령에 주혁은 살며시 미간을 좁혔다.

"그건 제가 알아서 하겠다고 말씀드렸던 것 같은데요."

"차일피일 미루니까 하는 말이야. 도대체 언제까지 질질 끌 생각이니?"

"글쎄요. 지금은 처리해야 할 일이 많아서요."

"네가 그런 애매모호한 태도를 취하니까 그 애가 괜한 기대를 하잖아?"

딱히 상황을 모면하기 위한 핑계나 거짓말은 아니었다. 실제로 해야 할 일이 차고 넘쳤으니까. 그러나 출처 모를 분노로 이를 아득바득 갈던 명희가 뱉어낸 단어는 조금 놀라웠다.

"기대요?"

"그래. 어떻게든 이 집안에 붙어 있으려고 제대로 악을 쓰고 있더구나? 이래서야 기생충이 따로 없어!"

미신을 맹신하던 조부인 권 회장은 무슨 심경의 발로인지 갑작스럽게 결혼을 명했다. 명희는 그의 마음을 돌리기 위해 필사적으로 덤볐지만. 모든 것은 이미 결정되어 있었다. 가련한 토끼처럼 오들오들 떨던 혜수는 최고로 고급스럽게 포장된 덫에 걸려들었다.

권 회장의 지시가 아니었다면 명희는 손짓 한 번만으로도 최고의 신붓감을 고를 수 있었을 터였다. 그리고 누구보다도 우월함을 과시하며 본인의 자리에 만족감을 느꼈겠지.

사실 결혼 따위는 어찌 되어도 상관없었다. 단지 좀 더 이득을 얻고자 마지못해 한 결탁일 뿐, 그 이상의 의미도, 의의도 찾기 어려웠다.

사랑이나 신뢰, 애정 같은 관계는 이 세계의 사람들에게 어울리지 않았다.

물론 그런 것을 꿈꿀 수 있을 만큼 순수하지도, 순진하지도 않고.

그래도 윤혜수는 제 아내였다. 비록 열렬히 사랑해서 한 결혼은 아니었어도, 혜수에게 예의를 지키고는 싶었다. 이 험난한 현실에 혈혈단신으로 뛰어든 것은 결코 그녀의 자의가 아니었을 테니까.

"정식으로 결혼한 여자입니다. 기생충은 아니죠. 그런 식으로 말씀하지 마세요."

이 이상 혜수를 비하하지 말라는 간결한 지적에 명희는 한층 험상궂은 얼굴로 변했다.

"그러니까 그걸 믿고 경거망동 못 하게 이혼하라는 거잖아!"

"……다시 원점이네요."

똑같은 대화, 한 치의 어긋남도 없는 불평, 도돌이표처럼 되풀이되는 명령……. 이제는 지겹다 못해 피곤할 지경이었다.

주혁은 눈에 띄게 귀찮은 기색을 내비쳤다. 그러자 네가 어떻게 그럴 수 있느냐는 것처럼 명희의 커다란 눈이 뱀처럼 가늘어졌다. 급작스레 치켜 올라간 눈매에는 원한 비슷한 독기가 도사려 있었다.

"주혁이 너…… 내가 지금 무슨 꼴을 당하고 왔는지 아니?"

시퍼런 안광을 번득이는 명희가 하필 이 말을 꺼내는 저의는 확실했다. 흉중에 단단히 맺힌 것이 많으므로 어서 본인의 편을 들어 달라는 신호였다. 그러나 그녀의 의도와는 꽤 다른 측면에서 눈살을 찌푸릴 수밖에 없었다.

"설마…… 집에 찾아가셨어요?"

"뭐? 지금 그게 중요해?"

"오시지 말라고 하지 않았습니까."

일부러 두 사람을 떼어 놓기 위해 집을 따로 구했는데, 퇴원한 지 하루 만에 도로 아미타불이었다. 그들이 과연 무슨 이야기를 주고받았을지는 듣지 않아도 뻔했다.

그러나 명희는 삽시간에 싸해진 분위기에도 아랑곳하지 않았다. 오히려 쉽사리 편을 들어 주지 않는 데 대한 짜증으로 음색이 거칠어졌다.

"이혼 서류 받으러 갔다."

"이혼 서류요?"

"네가 도저히 꿈쩍하지 않으니까 내가 나서는 거 아니야. 아니나 다를까, 바로 본색을 드러내더구나. 나 원 참! 자기는 절대 이혼 못 한다고 죽어라 대들지 뭐니?"

혜수는 그동안 몇 번이나 이혼하겠다고 강경하게 선언했고, 실제로 그 결심을 지키려고 애썼다. 물론 평범한 계약 결혼이 아니라 도구로서 팔려 왔다는 데 대한 충격을 이해하지 못하는 것은 아니었다.

그러나 한낱 미신일 뿐이라고 일축했는데도 선언은 철회되지 않았다. 심지어 임신 사실마저도 감쪽같이 숨기지 않았던가.

생각지도 못했던 제 핏줄의 존재를 유산으로 먼저 알게 된 기분은 전혀 유쾌하지 않았다. 차갑게 굳어진 그녀의 얼굴을 상기하던 주혁은 저도 모르게 나지막이 중얼거렸다.

"……그럴 리가 없을 텐데."

그녀는 틀림없이 이혼을 원하고 있었다. 그 모습에서 이혼으로 인한 미혹이나, 결혼 생활과 관련된 미련은 엿보이지 않았다. 그런데 이제 와서 결정을 번복한다니, 선뜻 이해되지 않는 변화였다.

"자기가 알아서 할 테니 당장 나가라더라, 하! 뭐? 함부로 찾아오지 말라고? 알아서 하긴 뭘 알아서 해! 내가 그 시커먼 속내를 모를 줄 알고?"

"……."

"그러니 이 어미가 몇 번이나 말했잖으냐. 아버님도 그렇게 되셨겠다, 그 틈을 타 얼른 내보내야 한다고!"

명희의 카랑카랑한 항의가 부사장실 안을 쩌렁쩌렁 울렸다. 어찌나 감정을 실어 쏟아붓고 있는지, 얌전히 감내하고 있는 귀가 따가울 지경이었다.

"주혁아, 내 말 듣고 있는 게야? 이제 그만 시간 끌고 당장……."

그 순간, 주혁은 허공을 더듬던 시선을 내려 명희를 겨냥했다. 그리고 단숨에 그녀의 원성을 끊어 버렸다. 자신을 낳고 길러 주신 어머니에 대한 예우도 여기까지였다. 이 이상은 인내심의 한계였다.

"그 말대로 해 주세요."

단호한 수준을 넘어 매정하기까지 한 주혁의 통보에 드디어 명희의 입이 조개처럼 다물렸다. 반대급부로 더더욱 확장된 동공에는 불만의 빛이 가득했다.

"……뭐, 뭐라고?"

"제가 알아서 할 테니, 어머니는 이쯤 손 떼시라는 뜻이에요."

"너, 너…… 무슨 말을……."

"계속 드렸던 말씀입니다. 이만 포기하시고 돌아가세요."

"세상에……."

명확한 의사 표명은 그 즉시 날카로운 반향을 불러왔다. 명희의 손에 들려 있던 찻잔이 테이블과 거칠게 마찰한 탓이었다. 반쯤 남아 있던 차가 그 주변에 흩날리는 통에 씁쓸한 향이 주변에 확 퍼졌다.

명희는 도저히 믿을 수 없다는 표정이었다. 아니, 정확하게는 믿고 싶지 않다는 쪽이 어울릴지도 몰랐다. 흙빛으로 물든 뺨은 도저히 받아들일 수 없는 상황에 경악한 나머지 씰룩이고 있었다.

"역시 뭔가 이상했어. 맞선은 주선하는 족족 파투내고, 갑자기 분가하겠다고 하지를 않나……."

"……."

"권주혁, 너 혹시…… 마음 생긴 게냐?"

"……."

"왜 대답을 안 하니? 네 애를 가졌다니까 뭔가 특별하게 느껴졌어? 응?"

명희의 날카로운 지적은 수면 밑에 가라앉혔던 기억을 떠오르게 했다. 머릿속에 뒤엉키기 시작한 대화는 빠르게 집중력을 빼앗아 갔다.

주혁이 연속해서 아무런 대답도 하지 않자 명희의 일그러진 얼굴에는 초조한 빛이 짙게 번졌다.

그러고 보면 방금 그녀는 혜수에게 마음이 있느냐고 물었다. 항상 냉정하게 손익 계산을 앞세우는 사람의 입에서 나올 질문은 아니었다. 문득 가소로워진 주혁은 가볍게 콧방귀를 뀌었다.

“이럴 줄 알았어. 그래서 가진 거야! 일부러 너 흔들려고……!”

“실수였어요, 그건.”

“뭐?”

……그래, 이번 일은 실수였다. 결코 부정할 수 없는 사실이었다.

* * *

갑작스럽게 발생한 공장 가동 문제로 인해 혜수에게는 한마디 말도 없이 출장을 떠나야 했다. 물론 그녀가 자신을 기다리리라고는 생각조차 하지 않았기에 통보할 마음도 없었다.

일을 그럭저럭 처리하고 호텔로 돌아오니 제법 늦은 시간이었다. 고급스럽게 꾸며진 룸에 들어온 주혁은 그제야 핸드폰이 꺼져 있다는 사실을 깨달았다.

회사에서부터 계속 통화하느라 배터리를 다 소모한 모양이었다. 급한 사안이 있었을지도 모르는데, 오늘 그만큼 여력이 없었다는 방증이었다.

“…….”

주혁은 비서가 미리 가져다 놓은 충전기를 핸드폰에 연결했다. 전원이 켜지자마자 핸드폰은 연이어 몸을 부르르 떨었다. 그동안 왔던 연락이 한두 통이 아니었다.

[오늘…… 언제 와요? 늦어요?]

개중 유독 눈에 띄는 메시지는 놀랍게도 혜수의 것이었다. 뜻밖의 사실에 조금 당황한 주혁은 서둘러 핸드폰을 집어 들었다.

혜수는 원래 그에게 연락을 거의 하지 않았다. 촌각을 다툴 만한 문제가 아니라면 연락을 주고받는 경우는 아주 드물었다.

꽤나 희귀한 경우라 메시지 속에 감추어진 뜻을 파악하고 있으려니 알 수 없는 불안감이 밀려왔다. 굳이 메시지를 보내면서까지 귀가 시간을 확인하려고 들었던 속내는 무엇일까.

부지런히 여러 가지 경우의 수를 추리던 주혁은 이윽고 이맛살을 살짝 구겼다. 설마 또 이혼하자고 재촉하는 것은 아니겠지.

걱정이 물러난 자리에는 곧바로 불쾌감이 피어올랐다. 생전 하지 않던 짓을 할 만큼 자신과의 이혼을 간절하게 바라고 있나 싶어서.

"……후."

끝내 무거운 한숨이 터지고 말았다.

그게 아니고서야 혜수가 자판을 두드릴 일은 많지 않았다. 우습지만 최근 둘 사이의 화젯거리는 이혼뿐이었다. 본래도 대화가 많지 않았던 터라 이혼 문제를 제외한다면 할 수 있는 말도, 해야 하는 말도 없었다.

그러면서도 만에 하나 있을까 말까 한 경우를 생각하게 된다. 만약 정말로 다른 목적이 있어서 연락했다면 이렇게 가만히 있어서는 안 될 것이었다. 혜수의 진의가 궁금하기도 했고, 그 입으로 직접 듣고 싶기도 했다.

주혁이 그녀의 번호를 누르려는 순간, 타이밍 좋게도 전화가 걸려 왔다. 무심코 발신인을 확인하던 그의 눈길이 아주 잠깐 멈칫했다. 대현 그룹 산하 병원의 병원장이었다.

"……."

계속해서 주변에 떠돌던 불안감은 마침내 현실이 되었다. 조심스럽게 수신 버튼을 터치하는 손가락이 약간 떨렸다. 마치 미래를 예상한 것처럼.

혜수가 병원으로 이송되었다는 소식을 알리는 전화는 급박하기 짝이 없었다. 난데없이 걸려 온 전화만큼이나 주혁도 다급했다.

출근하던 중, 예상치 못하게 공장으로 목적지를 틀었을 때도 이렇게나 서두르지는 않았다. 만사를 제쳐 놓고 곧바로 서울로 올라오는 것은 매우 당연한 일이었다.

안절부절못하는 마음을 누르며 열어젖힌 VIP 병동 문 앞에는 병원장을 포함한 교수진이 대기하고 있었다.

"오셨습니까, 부사장님."

"…… 네, 오랜만입니다."

주혁을 맞이하는 그들의 표정은 하나같이 좋지 않았다. 사색이 된 얼굴에서 어떤 소식이 흘러나올지는 자명했지만, 일부러 모른 척했다. 정확하게는 알고 싶지 않았다는 표현이 옳을 테지만.

"그게, 사모님께서는 지금……."

아무리 노력해 봤자 해명과 변명, 그 이상을 넘지 못했다. 그리고 고작 그 정도를 위해서 지방에서부터 달려온 게 아니었다. 순간적으로 미친 듯이 철렁대는 가슴 한구석을 느끼며 주혁은 차갑게 눈을 빛냈다.

"아뇨, 설명은 됐습니다. 그보다 최선의 결과를 가져와 주세요."

"부사장님……."

"제가 할 말은 이게 끝입니다."

"……."

당장 병실로 들어가 분주히 움직여도 모자랄 판국에 다들 서로의 눈치만 살피기 바빴다. 납추처럼 무거운 정적이 그들의 어깨를 힘겹게 짓누르고 있었다. 그러면서 발만 동동 구르는데, 어쩐지 모든 게 끝났다는 느낌이었다.

제 손으로 뽑아 든 것이 최악의 선택지라면 이제 어떻게 해야 할까. 아무것도 할 수 없는 이 상황이 그저 답답하기만 할 뿐이었다. 매번 똑같은 이야기만 되풀이되는 임원진 회의 때보다도 훨씬 더.

"뭐 하고 있습니까. 당장 들어가지 않고."

"……."

"무슨 수를 써서든 살리세요. 아이도, 산모도."

단호한 명령에 병원장의 눈에 금세 난처한 빛이 어렸다. 도저히 그것만큼은 안 되겠다는 듯 그는 바로 허리를 굽혀 사과하기 시작했다.

"정말로 송구스럽습니다만……."

"대현 그룹이 여기에 왜 막대한 투자를 하는지는 잘 알고 있으실 텐데요. 그런데 지금 스스로를 무능하다고 말하고 있는 겁니까?"

"……잘 압니다. 하지만 유감스럽게도 사모님께서 병원에 도착하셨을 때는…… 저희 측에서 할 수 있는 게 없었습니다."

"……."

"저희로서는 최선을 다했지만, 이런 결과를 맞이하게 해 드려 진심으로 죄송합니다, 부사장님……."

설명을 빙자한 담당 교수의 필사적인 변호는 당연하게도 머릿속에 제대로 입력될 리가 없었다.

임신 초기에 상당히 자주 발생하는 일이고, 아직 젊으시므로 충분히 다시 임신하실 수 있으시리라는 위로도 전부 한 귀로 듣고, 한 귀로 흘렸다. 단 하나를 제외하고.

"아내는…… 어떻습니까?"

"사모님께서는 다행히도 무사하십니다. 직접 보시는 편이 좋을 것 같습니다."

여전히 뵐 낯이 없다는 표정의 병원장은 손수 병실 문을 열어 주었다. 얼굴을 딱딱하게 굳힌 주혁은 조심스레 병실 안으로 들어섰다.

혜수는 잠들어 있었다. 아무것도 모른다는 듯이, 아무 일도 일어나지 않았다는 것처럼. 창백한 얼굴이 가장 먼저 시야를 점령했다. 그다음으로는 고른 숨소리가 귓전을 간지럽혔다.

우두커니 혜수의 곁에 선 주혁은 하염없이 그녀를 내려다보았다. 꼭 닫힌 눈꺼풀은 약간의 동요도 없었다.

실바람에 간간이 흔들리는 속눈썹을 지나 입술에까지 시선이 닿았다. 붉고 도톰한 입술은 몇 번이나 깨물었는지 군데군데 상처가 나 있었다. 예전에도 신경 쓰였는데, 좀 더 심해진 것 같은 느낌이었다.

"……."

워낙에 깊게 잠들었는지 혜수는 좀처럼 타인의 기척을 알아차리지 못했다. 다행이었다.

항상 바빴다. 언제나 일이 몰려 있었다. 그 핑계로 그녀를 이렇게 차분히 바라볼 기회를 내던졌고, 그 점에 그다지 죄책감도 느끼지 않았다.

최근에는 더했다. 불필요한 언쟁이 계속될 때마다 혜수를 어떻게 대해야 할지 감이 오지 않았고, 그럴수록 정신없이 일에 몰두했다. 오직 그것만이 이 암담한 관계의 돌파구라는 것처럼.

"……어째서 말을 안 했지?"

주혁은 줄곧 품어 온 의문을 작게 뇌까렸다. 미리 병원에 와서 검진을 받았다면 유산을 막을 수 있었다. 임신 사실을 모르지 않았을 텐데도 왜 이토록 미련하게 굴었는지 알 수가 없었다.

얼마 전에 몸이 좋지 않았던 이유도 임신의 영향 때문이었을까. 종잡을 수 없는 행동에 대한 결론은 얼마 못 가 내려졌다.

'설마 오늘 말하려고 했던 건가…….'

그제야 갑작스러운 연락의 이유가 이해되었다. 그게 아니고서야 혜수가 제게 연락할 일이 뭐가 있단 말인가. 허공에 천천히 흩어지는 목소리가 살짝살짝 떨렸다.

"……미리 말했어야 했어."

전혀 준비되지 않은 비극에 혜수를 원망하는 것은 아니었다. 바꿀 수 없게 되어 버린 과거에 원통해하는 것은 더더욱 아니었다.

"애당초 아이를 낳고 싶다고 말했으면…… 그래서 제대로 계획했다면, 이런 결과가 나올 일도 없었을 거야."

……단지 후회할 뿐이었다.

동요가 가득한 스스로의 말투에 설핏 당황한 주혁은 입을 다물었다. 후회라니, 참으로 생소하고 당혹스러운 단어였다.

그래, 이미 끝난 일이었다. 그 사실은 병원장으로부터 연락을 받았을 때부터 어렴풋이 짐작하고 있었다. 그런데도 말도 안 되는 억지를 부렸고, 여전히 어리석게도 미련을 버리지 못하고 있었다.

'그렇게까지 아이를 가지고 싶었던 것도 아니면서…….'

딱히 거짓말은 아니었다. 그룹을 책임지는 부사장으로서 해야 할 일이 많았기에 아이는 우선순위에서 꽤 뒷자리를 차지하고 있었다. 때가 되면 낳을 테지만, 아직은 급하지 않은. 주혁에게 아이란 딱 그 정도의 존재감이었다.

그런데도 가슴 한가운데가 뻥 뚫린 듯이 허무했다. 본 적도 없고, 이제는 흔적도 없는…… 아이라고 할 수도 없는 존재를 잃은 게 이 정도로 큰일일까.

"당신한테는 어땠지? ……우리 아이."

연거푸 쏟아지는 속삭임에도 혜수는 여전히 눈을 뜨지 않았다. 그래서일까, 끊임없이 입술 사이로 흘러나오는 의구심은 점점 짙어졌다.

"……축복이었어? 아니면 저주였어?"

양극단에 선 질문은 사실 할 필요가 없었다. 그녀가 답할 말은 진작 정해져 있는 셈이나 마찬가지였으니까.

윤혜수는 현재 권주혁과의 이혼을 원하고 있었다. 난생처음 가지게 된 아이의 존재를 숨기면서까지.

그런 만큼, 아무것도 듣지 못하고 잠들어 있는 게 다행이었다. 막연하게 그러리라고 추측하는 것과 그렇다고 확언받는 것에는 현격한 차이가 존재했다. 그녀가 그간 아이를 축복이 아닌 저주로 여기고 있었다면 어쩐지 조금 상처받을 것 같았다.

"……상처?"

또 한 번 뇌리를 강타하는 생경한 단어에 주혁은 넌지시 혀를 찼다. 상처라니. 뜻밖의 상황을 연속적으로 겪고 있어서인지 몰라도 자꾸 감상에 취하게 된다. 평소에는 절대 있을 수 없는 경우였다.

기대하지 않으면 상처받을 일도 없다. 언제나 금과옥조처럼 지켜 온 신념이자 원칙이었다. 실제로 그 덕분에 마음을 다친 적은 한 번도 없었다. 애초에 누군가에게 의지할 생각도, 특별한 의미를 부여할 마음도 없었으니까.

당연히 가족들도 예외는 아니었다. 비록 자신과 피를 나누었지만, 속으로는 그 무엇보다도 본인의 이득을 가장 우선시하는 사람들이었다. 평범한 행복을 가장한 손익 계산은 이 순간에도 병실 밖에서 버젓이 자행되고 있었다.

물론 차라리 그러는 게 편했다. 하나뿐인 가족이라는 미명하에 어줍잖게 정을 주고, 어설프게 미련을 가지는 것만큼 어리석은 일은 없었으므로.

어찌 보면 이해할 수 없는 생존 방식이었으나, 정글에 버금가는 이 세계에서 살아남으려면 이 정도는 기본이었다.

"……."

그러나 어째서인지 예외가 생겨 버렸다. 대체 어떠한 이유로 이렇게 변하고 만 것일까. 재차 되짚을수록 어이가 없어 차마 실소조차 새지 않았다.

이루어지지 않는 바람의 끝은 대개 허무한 배신감이 차지하기 마련이었다. 그 사실을 절대 모르지 않는데도, 이 바보 같은 여자를 바라보고 있을 때면 놓치고 싶지 않아졌다. 제 품에서 떼어놓을 수 없어졌다.

너무나 이상했다. 한편으로는 의아스러웠다. 기대감을 빙자해 가슴속에서 요동치는 이 감정의 진정한 정체를 도저히 짐작할 수가 없었다.

"……윤혜수."

쓰디쓴 입맛을 다시던 주혁은 가만히 그녀의 이름을 입에 담았다. 아주 잠깐이라도 눈을 뜰 생각이 없는지 새근새근한 숨소리는 좀처럼 변동이 없었다.

"그러니 그때까지 이혼은 안 돼."

입술을 타고 흐르는 것은 일종의 다짐이자 결심이었다.

그렇기에 명확하게 알아야 했다. 자신이 과연 혜수에게 뭘 원하는지. 그리고 그녀는 그것을 들어줄 수 있는지.

물론 한낱 어린아이 같은 이기심과 아집에 불과했다. 그러나 평생을 그렇게 살아왔다. 스스로의 감정을 최우선으로 고려하고, 그 이외의 것은 돌아보지 않는. 그렇기에 혜수가 가질 불만을 일일이 따질 마음은 없었다.

"……으음……."

그 순간, 주혁에게 항의라도 하듯 꼭 닫혀 있던 혜수의 입술이 조금 벌어졌다. 그 틈으로 살포시 흘러나오는 미약한 신음은 마치 토해 낼 수 없는 울음과도 같았다.

혹시 악몽이라도 꾸고 있는 것일까. 몇 번이나 달싹여지는 입술을 따라 올라간 시선은 이내 주름이 진 미간에 고정되었다. 위아래로 파르르 요동치는 눈꺼풀은 금방이라도 열릴 것처럼 아슬아슬했다.

"……."

그와 정반대로 흔들림 없는 손이 눈에 띄었다. 마치 기도하는 것처럼 배 위에 얌전히 포개진 손이었다. 그녀를 빤히 내려다보던 주혁은 문득 오른손을 뻗었다. 최종 목적지는 동그스름한 이마로, 가장자리에는 결 좋은 머리카락 몇 가닥이 흘러내려 와 있었다.

잠시 망설이던 손끝은 이윽고 유독 부드러운 살갗을 가볍게 쓸었다. 이마와 바로 맞닿은 손에도 혜수는 꿈쩍하지 않았다. 그래도 무의식중에 그의 손길을 감지했는지 거칠어지던 숨소리가 서서히 잦아들었다.

"……."

나직이 숨을 삼킨 주혁은 천천히 그녀의 얼굴을 쓰다듬었다. 군데군데 헝클어진 머리카락도, 눈물 자국이 아직 선명하게 남아 있는 눈가도, 피딱지가 곳곳에 내려앉은 입술도, 전부.

손가락에 또렷이 스미는 감촉을 인지할 때마다 마음 한구석이 이상하게 선득거리는 느낌이었다. 뚜렷하게 정의 내릴 수 없는 기묘한 감정이 전신을 칭칭 휘감고 있었다.

여하튼 오늘 밤만큼은 혜수가 편히 쉬기를 바란다. 아무것도 떠올리지 말고, 처음부터 몰랐던 것처럼 악몽을 헤매지 않기를 원한다. 눈을 뜨면 자신은 또다시 그녀를 상처 줄 테니까. ……원하든, 원하지 않든.

* * *

머릿속에서 오래도록 반복되던 회상을 정지시킨 것은 다름 아닌 명희의 대꾸였다. 현실로 돌아온 주혁은 무표정을 유지하기 위해 찻잔을 기울였다. 그새 싸늘하게 식은 차에서는 아무런 맛도 나지 않았다.

"실수? 임신 말이니?"

"……."

"뭐, 그 말이 맞지……. 그렇고말고."

명희는 뒤이은 침묵을 제멋대로 해석한 모양이었다. 어느 틈엔가 누그러진 표정은 그녀가 얼마나 안심했는지 여실히 증명하고 있었다.

굳이 정정하고 싶지는 않았다. 지금은 저쪽이 알아서 생각하게 놔두는 편이 훨씬 이로우니까. 이 대목에서 그녀가 틀렸다고 꼬투리를 잡는다면 틀림없이 또 도돌이표를 그릴 것이었다.

"물론 권씨 집안의 대를 잇는 건 중요한 문제이지만 말이다."

그다음에는 늘 듣던 고리타분한 충고가 이어졌다. 제대로 된 집안에서 씨를 얻어야 한다, 밭이 얼마나 중요한지 아느냐는 명희의 주장은 언제 들어도 감탄이 나올 만큼 똑같았다.

그녀의 말을 듣는 둥 마는 둥 하며 주혁은 다시금 다른 생각에 몰입했다. 조금 전 내뱉었던 표현처럼 이번 일은 명백한 실수였다.

아무것도 몰랐던 만큼 상황을 개선하기 위해 그 어떤 일도 하지 못했다. 손발을 완전히 묶인 채로 무력하게 결과 통보만을 받은 입장이 된 지금, 기분은 썩 좋지 않았다.

그러니 다음부터는 절대 실수하지 않을 것이었다. 눈만 끔뻑이며 허둥지둥하고, 난데없이 펼쳐진 상황을 파악하느라 우왕좌왕하는 짓은 딱 질색이었다.

"……주혁아?"

"하실 말씀은 다 끝나셨나요?"

"그래, 뭐……."

"그럼 이만 일어나시죠. 다음 일정이 있어서요."

"알았다, 알았어."

명희는 마지막으로 믿어 보겠다는 의미심장한 푸념을 끝으로 드디어 부사장실을 나섰다. 불과 20분 남짓밖에 되지 않는 짧은 시간이었는데도 묘하게 진이 빠졌다.

"……후."

한숨과 함께 습관적으로 머리카락을 쓸어 올리고 있자니 불현듯 재킷 포켓으로 눈길이 갔다. 각이 잘 잡힌 포켓을 살짝 불룩하게 만든 물체의 정체는 핸드폰이었다.

약간의 망설임 끝에 핸드폰을 꺼낸 주혁은 조심스럽게 화면을 터치했다. 금세 밝아진 화면에는 익숙한 이름과 전화번호가 떠올랐다. 혜수의 것이었다.

'……신경 쓰여.'

병실에서 처절하게 울부짖던 모습이 아직도 머릿속 어딘가에 깊숙이 박혀 있기 때문일 터였다.

결혼한 이래로 처음 들어 본 그녀의 울음은 삐죽삐죽한 가시처럼 마음을 마구 찔렀다. 피 한 방울 흘리지 않았어도 그만 여기저기에 생채기가 난 모양이었다.

만에 하나…… 정말로 만에 하나, 그때처럼 홀로 서럽게 울고 있다면 어떻게 해야 할까. 아직 회복되지 않은 몸으로, 가슴을 쥐어뜯으며 한 맺힌 눈물을 쏟아내던 혜수를 상기하고 있노라면 뒷맛이 아주 씁쓸했다.

"……."

아니, 두 사람이 만난 시점에서 이미 끝난 일이었다. 이제 와서 연락해 본들 소용없어 보였다.

그날, 혜수는 평생 흘릴 눈물을 다 흘린 것처럼 보였다. 그리고 안정을 찾을 무렵에는 놀라울 정도로 차가워졌다. 말 한마디 던질 때마다 냉기가 뚝뚝 흐르고, 자신과의 대화를 강력하게 거부했다. 이제 그녀에게 남은 것은 아무것도 없다는 듯이.

모든 것을 잃어 본 자만이 겪을 수 있는 허무와 관조만이 오직 그녀를 감싸고 있었다. 그러므로 이 이상 신경을 기울인다고 딱히 달라지는 것은 없을 터였다.

안절부절못하던 주혁은 끝내 핸드폰을 원래의 위치로 돌려놓았다. 놀랍도록 무거워진 마음을 애써 모른 척하며.

* * *

빈손으로 들어오다시피 한 만큼 짐은 거의 챙길 것이 없었다. 간단한 소지품 정도가 전부였다. 병원에서 나왔을 때 그대로의 모습으로 이곳을 나가면 될 일이었다.

당장 모든 것을 박차고 나가지 않은 이유는 아직 주혁과의 관계가 완벽하게 정리되지 않았기 때문이었다. 그가 계속 이혼을 거부하는 이상, 어쩌면 기나긴 싸움이 될 수도 있었다.

그래도 제 앞에 놓인 선택지는 하나뿐이었다. 그 이외의 것은 돌아볼 마음도, 미련도 없었다.

주혁은 생각보다도 일찍 퇴근했다. 항상 밤늦게 돌아오던 때가 언제였나 싶어 새삼스러울 정도로.

그가 어떤 연유로 심경의 변화를 일으켰는지는 모른다. 물론 그저 단순하게 일이 일찍 끝나서일 수도 있겠지만, 사실 상관없었다. 다만 마음에 걸리는 것은 귀가한 주혁이 할 행동이었다.

"……."

부스럭거리는 소리를 들은 혜수는 반사적으로 소파에서 엉덩이를 떼었다. 온종일 멍하니 기대어 앉아 있었던 터라 온기가 스며든 소파는 꽤 따스했다.

"밥은?"

가만히 묻는 주혁의 손에는 정체불명의 쇼핑백이 들려 있었다. 그답지 않은 친절은 어제에 이어 오늘도 또렷한 현실로서 자리매김했다.

어색했다. 이상했다. 익숙할 리 없는 변화는 불유쾌한 감정을 빚어내기 바빴다. 이런 상황에서 솔직하게 진실을 고하기란 불가능했다.

"먹었어요."

혜수는 일부러 그의 시선을 피하며 조그맣게 속삭였다.

"거짓말을 하는군. 아무것도 먹지 않은 것 같은데."

"……."

"정곡을 찔렀나?"

"……생각 없어요."

그의 지적처럼 오늘 배 속에 들어간 음식은 차디찬 물뿐이었다. 명희와 한바탕 전쟁을 치른 지 고작 하루도 지나지 않았다. 원래도 희박했던 식욕이 완전히 최저점을 찍는 것은 당연했다.

아무것도 먹고 싶지 않았다. 어떤 것도 끌리지 않았다. 병원에 머물 때도 담당 간호사의 성화에 마지못해 수저를 몇 번 움직였을 뿐이었다.

삶의 욕망은 식욕과 비례한다는 사실을 한참 늦게 깨달았지만, 변화는 없었다. 적어도 이 집을 벗어나기 전까지는 계속 이럴 것 같은 기분이었다.

"……죽도 안 먹었군. 오늘은 이것보다는 죽이 좋겠어."

손수 냉장고를 열어 안쪽을 살피던 주혁이 혼잣말처럼 중얼거렸다. 그런 다음, 그는 죽이 든 그릇을 식탁으로 가져왔다.

선뜻 믿기지 않는 광경을 잠자코 구경하고 있으려니 저절로 한쪽 눈가가 실룩였다. 연속되는 친절은 결국 원망 어린 힐난을 불러왔다.

"나한테 할 말, 있지 않나요?"

제대로 비틀린 어투에도 그는 그다지 대수롭지 않은 태도로 반응했다.

"응. 의사의 말은 제대로 듣도록 해. 잘 먹고, 잘 쉬라고 했잖아."

"그것 말고요."

"내가 챙기는 게 불만이라면 사람을 붙이지."

자신을 배려해 일부러 모르는 척하는 것인지, 아니면 정말로 모르는 것인지 구분되지 않았다. 아니, 틀림없이 명희가 가만히 있지 않았을 텐데 어째서 이러는 것일까.

아무 일도 없었다는 듯 태연스레 능치는 모습은 가까스로 죽여 놓았던 의구심을 재생시켜 버렸다.

"……어머니께 아무 말씀도 못 들었나요?"

"여전히 어머니이기는 한가 봐?"

"……."

"나도 그럼 당신에게 아직 남편이겠군."

"일일이 말꼬투리 잡지 말아요. 그걸 묻는 게 아니잖……."

"아니, 나한테는 그게 중요해."

질문을 가장한 비난은 중간에서 썩둑 끊어졌다. 주혁이 갑작스레 끼어든 것도 그렇고, 무엇보다도 그의 오른손이 들어 올려진 탓이었다. 아주 잠깐 허공에 멈추어 있던 손가락은 이윽고 목적지로 내려앉았다. 놀랍게도 혜수의 뺨이었다.

"……야위었어."

낮게 가라앉은 감상이 귓가에 오래도록 머물렀다. 단단한 손가락이 부드럽게 표면을 쓸고, 그 안에 묵직한 존재감을 새겼다. 턱으로 천천히 미끄러지는 손길은 이상할 만큼 다정한 기운이 풍기고 있었다.

머리카락에 닿을 듯 말 듯 아슬아슬한 거리감을 유지하는 손끝은 제법 따사로웠다. 그뿐만이 아니었다. 검게 물든 눈동자가 꼼꼼하게 전신을 내리훑는 통에 흡사 밧줄로 단단히 결박당한 포로가 된 느낌이었다.

주혁은 가끔 이런 식으로 자신을 만지곤 했지만, 이렇게 직접적으로 본인의 느낌을 토로한 적은 한 번도 없었다. 그 점에 더더욱 의아함이 몰려왔다.

"상관하지 마요. 내 몸은 내가 알아서 하니까."

그의 손이 닿은 지점에서부터 한없이 생소한 감각이 전신을 사로잡았다. 기묘한 위화감과 함께 혜수는 한 발자국 뒤로 물러서며 대꾸했다. 그러자 주혁은 곧장 나직한 코웃음으로 맞받아쳤다.

"아니, 아무것도 안 하고 있잖아."

"그렇다고 한들 당신이 무슨 상관이죠? 이제 와서 이러는 거…… 너무 이상해요."

"내가 신경 쓰는 게 싫으면 체중을 좀 늘리도록 해. 혈색도 되찾고."

"……."

"역시 사람을 붙이도록 하지."

처음부터 답이 정해져 있는 대화였다. 시원스레 결론을 내린 주혁이 가볍게 한숨을 내쉬었다. 갑자기 사람을 붙인다는 것도 당황스러운데, 더 큰 문제는 바로 안개처럼 묘연한 그의 본심이었다.

너무나 새삼스럽고도 낯설었다. 주혁은 한참 늦은 시점에 신경 쓰는 시늉을 하고, 걱정하는 모양새를 내비치고 있었다. 이미 파국을 향해 달려가는 관계임을 모르지 않을 텐데도.

"그보다 하던 이야기는요? 분명 당신한테 찾아가셨을 텐데요."

"맞아. 알아서 할 테니, 앞으로는 오시지 말라고 했어."

"그걸 그냥 받아들이셨다고요?"

"뭐, 당분간은? 혹시나 찾아오시더라도 다음부터는 열어 드리지 마."

"그게 말이 된다고 생각해요?"

다시는 명희에게 개입하지 말라고 직접 명했다는 점도 놀랍건만, 심지어 자신에게도 당부하다니. 이래서야 줄곧 팔짱을 끼고 남의 일처럼 관망해 왔던 지난날이 무색할 지경이었다.

오늘 주혁은 정말로 이상했다. 평소에 하지 않던 행동을 하고, 평상시 뱉지 않던 말을 던지고 있었다. 급작스레 돌변한 모습에 반갑기보다는 의심이 먼저 들었다.

"왜 안 되지? 남의 이목 생각해서 큰소리 내거나 사람 부르실 분은 아니야. 알아서 포기하실걸."

"그럼 또 당신에게 찾아가겠죠."

"그건 내가 알아서 하지."

"왜 그렇게까지 하는 거죠……?"

그럴 이유도, 필요도 없었다. 이것은 어디까지나 명희와 자신의 문제였는데, 어느 틈엔가 그의 관할이 되었다. 주혁은 마치 본인이 해결해야 할 문제라는 것처럼 굴고 있었다.

이쯤 되면 도저히 무슨 생각을 하는지 짐작할 수가 없었다. 왜 이제야 관여할 필요성을 느꼈을까. 여태껏 그래 왔듯이 무심한 눈길로 쳐다보면 그만일 텐데. 그 이상을 바란 적도 없는데 말이었다.

권주혁은 본래 그런 성정이 아닌가. 아무것에도 마음을 주지 않고, 어떤 것에도 의미를 두지 않았다. 한겨울의 눈보다도 차갑고, 생기를 잃은 나뭇등걸만큼이나 무감각한 남자. 그런데 어째서 타인의 일에 개입하고 싶어졌을까.

"당연하잖아? 당신은 내 아내니까."

"……."

단번에 머리끝까지 잠식한 의문의 답은 정론, 그 자체였다. 맥이 탁 풀린 혜수는 말없이 그를 응시했다.

얼마간 그녀와 시선을 마주쳐 주던 주혁의 고개가 문득 어딘가로 틀어졌다. 소파 옆에 놓아두었던 쇼핑백에 머무른 눈동자는 조금 전보다 훨씬 예리하게 빛나고 있었다. 어쩐지 혜수를 원망하는 것 같기도 했고, 약간은 상처받은 것 같기도 했다.

"설마 짐 싸서 나가기라도 할 생각이었어?"

"집주인이 나가라면 나가야죠. 어차피 계속 살 곳도 아니고요."

"당신은 지금 두 가지를 착각하고 있어."

"뭐라고요……?"

"첫 번째는, 당신에게 이 집에서 나가라고 할 이유가 전혀 없다는 거고."

차분하게 읊조리는 선언은 예상 범위를 훌쩍 뛰어넘은 것이었다.

"두 번째는, 이 집…… 당신 거야."

"이 집이 내 거라고요?"

"그래."

참 쉬운 대답이었다. 별것 아니라는 태도에 쓰디쓴 미소조차 지어지지 않았다.

이 남자에게는 언제나 모든 것이 너무나 쉬웠다. 너무도 간단했다. 평생 뼈 빠지게 일한들 얻지 못할 것 같은 보금자리도, 제 뜻대로 통제되지 않는 상황도, 심지어 흐르는 물처럼 쉼 없이 빠져나가는 마음조차도.

하지만 그것은 만용이었다. 오만이었다. 정점에 선 자만이 부릴 수 있는 최고의 사치.

예전에는 묵묵히 순응했을 것이었다. 응당 그래야 하는 줄 알고, 그렇게 사는 것이 옳다고 생각해서. 그러나 억지로 눈을 가리고 있던 베일은 걷힌 지 오래였다.

주혁이 어떻게 행동하든, 어떤 식으로 변하든 자신이 가야 할 방향은 정해졌다. 그리고 남은 일은 그저 발을 떼는 것뿐이었다.

"……위자료인가요?"

그런 대답이 돌아올 줄 미처 몰랐다는 듯 검게 물든 그의 눈썹이 살짝 떨렸다.

"아니. 이혼하지 않는데 그런 게 있을 리가 없지."

"그런데 왜 이 집을 주려고 하는 거죠?"

합리적인 의심에 주혁은 잠시간 주춤했다. 눈짓 한 번만으로도 만인을 좌지우지하던 그답지 않게 묘한 망설임이 깃든 얼굴이었다.

"……줄곧 그런 표정이었잖아. 돌아갈 곳이 있었으면 좋겠다는."

"네……?"

"그래서 당신이 원하는 대로 만들어 줬을 뿐이야."

의표를 찌르는 대답은 그뿐만 아니라 혜수 또한 입을 다물게 했다. …… 물론 아주 잠깐이지만.

바닥이 필요했던 것은 맞았다. 기댈 곳을 원했던 것 또한 부정할 수 없는 사실이었다. 현실을 살아가기 위해서는 단 한 줌의 온기라도 절실하게 필요한 법이니까. 그래도 이런 방식은 아니었다.

뜻밖에 속내를 읽히고 말았어도 거기까지였다. 이 남자는 아직 아무것도 모른다. 장담컨대 아마도 평생 모를 것이었다.

"당신 생각은 잘 알았어요. 그런데…… 이건 아니에요. 주혁 씨, 당신은 나한테 그걸 줄 수 없어요."

정확하게는 아무것도 받고 싶지 않다는 쪽이지만, 굳이 그 말을 덧붙일 필요는 없었다. 지금 이 정도로도 그에게는 충분히 예상을 넘어선 반격일 터였다. 과연 주혁은 허탈한 기색이 역력한 반문으로 그의 속마음을 아주 약간 드러냈다.

"내가 줄 수 없다고?"

"네. 스스로 만들지 않으면 소용없어요. 그게 바로 당신과의 결혼을 통해 얻은 결론이에요."

"결혼은 선택이 아니었으니, 이제라도 그렇게 하겠다는 건가."

"맞아요. 내가 틀렸다는 거, 이제는 인정하려고요."

아버지의 빚, 계모의 강요, 동생의 유학…… 눈앞에 밀어닥친 문제를 해결하기 위해 어쩔 수 없이 그의 손을 잡았다.

그것은 어쩌면 가족들로부터 인정받고 싶은 무모한 자기 과시이자 순진한 과욕이었을지도 몰랐다. 끝이 보이지 않는 터널에 내리쬐진 단 한 줄기의 빛 같아서. 오로지 그것밖에는 길이 존재하지 않아 보여서.

그러나 돈은 아무것도 해결해 주지 못했다. 오히려 가족들을 알량한 희망 고문에 사로잡히게 했을 뿐이었다. 조금만 더, 한 번만 더, 하며 끊임없이 돌아가는 쳇바퀴 속에서 손안에 남은 것은 싸늘하게 식은 허무뿐이었다.

주혁과 계약한 대로 결혼과 동시에 집안의 빚은 청산했다. 예상치 못하게 찾아온 행운은 또 다른 절망의 시작이었다. 도박에 빠진 태석은 새로운 빚을 만들었으며, 경화와 예은은 너 나 할 것 없이 사치를 일삼았다.

자신과 대현 그룹을 방패로 삼아서, 그리고 이 정도는 해 주어야 한다는 지극히 이기적인 논리하에. 가족들은 놀라울 만큼 그대로였고, 현실 또한 그에 발맞추어 나날이 악화 일로를 걷고 있었다.

하나뿐인 희망을 잃어버린 사람에게는 과연 뭐가 남아 있으려나. 지금부터 답을 찾아가야 할 난제였다.

"인정하면 뭐가 달라지지? 그 결과가 이혼이라는 거야?"

"네, 적어도 이혼은 내가 하고 싶어서 하는 거예요."

"……."

"주혁 씨, 이제 나는 당신이 더 이상 필요하지 않아요. 당신은 처음부터 그랬겠지만."

그에게 이 결혼은 조부의 뜻, 그 이상도 그 이하도 아니었다. 그러니 이혼을 완강하게 거부하면서 제 마음을 돌리려고 하는 이유는 그저 쓸데없는 오기의 소산이었다. 난생처음 본인의 의지대로 바뀌지 않는 상황에 대한.

통쾌하면서도 한편으로는 씁쓸했다. 그가 이러는 이유는 사랑도, 애정도 아니었다. 주혁은 단지 인정하고 싶지 않을 뿐이었다. 완벽하게 손아귀에 쥐었다고 생각했지만, 어느 순간부터 그의 것이 아니게 된 현실을.

"나는……."

주혁답지 않게 말이 또 길어지려고 했다. 혜수는 다시금 입술을 움직였다.

"설마 내가 없으면 안 되는 이유가 아직 남았던가요? 경영권 승계도 마무리 됐잖아요. 그리고……."

"그리고?"

결정적으로 그에게 다른 여자가 있기 때문이라는 말은 끝끝내 뱉을 수 없었다. 그간 아무리 평정을 지켜 왔어도 이 추악한 진실 앞에서는 와르르 무너져 내릴 게 뻔했다. 떳떳하지 못한 것을 알기에 역으로 더 뻣뻣하게 굴었던 남자였다.

물론 자신이 당했던 것처럼 벼랑 끝까지 주혁을 밀어붙일 수도 있었다. 그의 부정을 낱낱이 읊으면서 당장 이혼 도장을 찍으라고 울부짖는 짓도 충분히 가능했다.

하지만 이제는 그를 향해 감정을 쏟아붓고 싶지 않았다. 희미하게 타오르고 있던 불씨는 이제 회백색 재 안에 묻혀 형체조차 찾을 수 없게 되었다. 싸늘하게 식은 잿더미가 된 마음은 아주 작은 바람이 불 때마다 정처 없이 흩날렸다.

……그래, 지쳤다. 아주 많이.

그러니 이 이상 무의미한 짓을 하고 싶지 않았다. 어떻게 될지 알면서도 일말의 기대를 품고 부딪쳤을 때, 어떤 결과가 초래되는지는 그동안의 경험을 통해 뼈저리게 깨달았다.

"……아니에요. 어쨌든 내 이야기는 이걸로 끝이에요. 당신한테 바라는 건 아무것도 없으니…… 그냥 끝내요, 우리."

"정말…… 아무것도 없어?"

"네."

확실하게 못을 박은 탓인지 그다음 대꾸는 좀처럼 들려오지 않았다. 애당초 들을 생각도 없었지만.

지리멸렬한 말싸움의 종료를 직감한 혜수는 천천히 자리에서 일어났다. 자그마한 한숨만이 허공을 맴돌다 스러질 뿐, 등 뒤에서는 여전히 아무런 말도 들리지 않았다.

물속에 잠긴 것처럼 주변은 온통 고요했다.

5. 불가능한 충동

주혁은 새벽부터 집을 나섰다. 혜수를 배려하는 듯 조심스럽게 닫힌 현관문이었지만, 찬물을 끼얹은 것처럼 또렷한 정신은 그 약간의 소리도 놓치지 않았다.

아마도 그는 바라고 있으리라. 폭풍이 물러간 다음 날의 화창한 햇살을 내심 기대하면서, 아주 조금씩 제 생각이 바뀌기를 기다리고 있을 것이었다.

그러나 그것은 역시나 거만의 극치였다. 천천히 죽어 가던 마음을 돌릴 수 있으리란 예상을 한다는 것 자체가. 주혁이 원하는 일 따위는 결코 벌어지지 않을 터였다.

아무도 없는 방, 누구도 반기지 않는 일상, 외로운 메아리만 줄기차게 울려 퍼지던 삶. 지난 3년간의 고통은 마침내 종막을 준비하고 있었다.

"……."

혜수는 조심스럽게 서류 봉투에서 종이를 꺼냈다. 그 누구의 간섭도, 압력도 없이 스스로 내린 결정이었다. 하지만 그 파급력을 실감하기도 전에 이혼 서류 작성은 끝났다. 이혼하기까지 어떤 일들을 겪었는지 상기한다면 순간적으로 어이가 없을 만큼 간단한 과정이었다.

"……끝이네."

식탁에 내려놓은 종이가 그 나직한 속삭임에 응답하듯 살며시 팔랑거렸다. 언제든지 주혁이 이어서 쓸 수 있도록 볼펜으로 귀퉁이를 눌러 놓은 다음, 혜수는 미리 챙겨 두었던 짐을 들었다.

이 집에 짧게 머무른 만큼 아쉬움이나 미련 따위는 아무것도 존재하지 않았다. 다행이었다. 철컥, 하고 현관문이 닫히는 소리는 오래도록 귓전에 머물렀다.

아주 오랫동안 지고 있었던 짐을 일거에 벗어 버린 지금, 사실 하나도 실감이 나지 않았다. 혜수는 손에 든 가방을 으스러질 듯 꽉 쥐었다. 너무 세게 힘을 준 여파인지 손가락이 파르르 떨렸다.

손발을 단단히 옭아매던 족쇄를 끊고, 현실과 정면으로 마주하자니 꽤 얼떨떨했다. 부드럽게 뺨을 더듬는 바람만이 오직 잃어버렸던 해방감을 일깨웠다. 그러고 있자니 문득 가슴 한구석이 기묘하게 벅차올랐다.

……이제, 자유였다.

처음으로 맞이한.

조심스레 빠져나온 건물 밖에는 찬란한 황금빛으로 물든 햇살이 내리쬐고 있었다. 눈부시도록 화창한 날씨였다.

"하늘이 이렇게 예뻤구나……."

구름을 밟는 듯 발걸음이 가벼웠다. 자그마한 감상과 함께 혜수는 비어 있는 다른 손으로 허공을 움켜쥐었다.

푸르게 물든 하늘에는 희디흰 구름 몇 점이 한가로이 노닐고 있었다. 그 어떤 방해도, 장애물도 없는 구름의 무리는 마치 자유의 표상처럼 보였다.

명희는 항상 그녀의 외출에 감시의 눈초리를 번득이곤 했다. 현관 문턱을 넘을 때마다 얼마나 전전긍긍하며 신경을 곤두세웠던가. 칼날 같은 비난이 듣기 싫어서, 서늘한 눈빛을 받아 내기 힘들어서 더더욱 집 안에 틀어박힐 수밖에 없었다.

그러나 자유의 이면에는 선택이 있다는 점을 깨닫기까지는 그렇게 오랜 시간이 필요하지 않았다. 어깨에 날개를 단 것처럼 홀가분했던 기분은 건물에서 멀어질수록 조금씩, 조금씩 가라앉았다.

이제 어디로 가야 할까. 뭘 어떻게 해야 옳을까.

주혁에게 이혼을 통보하는 것까지는 계획의 일환이었지만, 그다음부터는 아니었다. 아무것도 그려지지 않은 도화지를 연상시키는 미래를 떠올린 찰나, 저도 모르게 걸음이 멈추고 말았다.

'가야 해.'

혜수는 가만히 심호흡했다. 예전에는 이러지 않았던 것 같은데, 이 정도로 망설일 리가 없는데, 왜 이렇게 되어 버린 것인지.

원치 않았던 결혼은 생각보다 많은 것을 앗아 간 모양이었다. 감정 없는 인형처럼, 생각을 금지당한 정물처럼 살아야 했던 지난날을 새삼스레 실감했다.

"진짜로⋯⋯ 망가져 있었어."

몸도, 마음도, 하물며 미래까지도. 낮게 중얼거리는 혜수의 입가에 이내 씁쓸한 자조가 맺혔다.

그렇게 얼마나 길거리에 서 있었는지 모르겠다. 햇빛을 받아 따끈하게 달궈진 어깨에 퍼뜩 정신이 들었다. 혜수는 서둘러 발을 떼었다.

명확한 목적지를 정하지 않았건만, 무엇에 홀린 듯이 잘도 걸었다. 하염없이 걷고, 걷고 또 걷다가 멈추어 선 곳은 다름 아닌 버스 정류장이었다. 주혁과 결혼한 이후로는 버스를 타 본 적이 없었기 때문일까. 불현듯 그리움을 닮은 충동이 치밀었다.

"⋯⋯."

정류장에는 사람들 너덧이 벤치를 차지하고 앉아 있었다. 각자 다른 번호판을 달고, 각기 다른 색깔의 버스가 도착할 때마다 그들은 하나둘씩 모습을 감추었다.

어느덧 벤치에 남은 이는 단 한 명뿐이었다. 그 점에 묘한 상실감을 느끼며 혜수는 느릿느릿하게 속눈썹을 들어 전광판을 응시했다. 전광판에는 151번이 곧 도착한다는 알림이 떠올라 있었다.

"저건……."

정류장 유리벽에 붙어 있는 151번의 노선도는 하필 매우 익숙한 장소를 포함하고 있었다. 이대로 그곳으로 돌아가도 될는지 의문이었지만, 한번 눈에 들어온 이상 다른 선택지를 떠올릴 수가 없었다.

아니, 반쯤 충동적인 결정이라고 표현해야 정확했다. 혜수는 끝내 벤치에서 엉덩이를 떼어냈다.

* * *

버스에서 내리자 가장 먼저 시야를 점령한 것은 낯익은 풍경이었다. 원래 알던 곳으로 돌아왔다는 데 대한 안정감과 정말로 이래도 되나는 데 대한 불안감이 어지럽게 뒤섞였다.

"뭐라고 하실까……."

객관적으로 따지자면 절대로 환영받을 만한 상황이 아니었다. 애당초 사랑이나 애정을 기반으로 삼은 관계가 아닌 만큼, 자신의 쓰임새가 다했다는 것을 알게 된다면 가족들의 반응은 불 보듯 뻔했다.

그들이 어떤 식으로 나올지 머리로는 충분히 알고 있었다. 그런데도 어째서 몸을 돌릴 수 없는 것일까. 이미 부서진 지 오래인 기대감의 파편이 마음속 어딘가에 남아 제 몸을 지휘하고 있는 듯했다.

살그머니 입술을 깨물며 들어선 아파트 단지는 기억 속에서와 그다지 변한 게 없었다. 이 근방에서 시세가 가장 높은 곳답게 여전히 고급스러운 느낌이 물씬 풍겼다.

딩동.

굳게 닫힌 현관문 옆 초인종을 누르는 손길은 조금 떨리고 있었다.

—이게 누구야?

태석이었다. 갑작스러운 방문의 목적을 짐작하지 못하겠는지 의문이 가득한 목소리가 귓전으로 파고들었다.

"네, 저예요."

—네가 연락도 없이 웬일이냐?

곧이어 철컥, 하는 소리를 내며 현관문이 열렸다. 문틈 사이로 빼꼼히 얼굴을 내민 경화 또한 영문을 모르겠다는 표정을 짓고 있었다.

"어쩐 일이니?"

"드릴 말씀이 있어서요."

"그런 거면 전화로 하지, 뭘 굳이……."

마치 오지 말아야 할 곳을 왔다는 반응이었다. 자신을 반겨 주리라고는 애당초 기대하지 않았지만, 그래도 아주 조금은 다른 모습을 보여 주기를 바랐는데.

역시나 현실은 아무것도 달라지지 않았다. 그나마 이만큼만 꿈꾼 것을 다행으로 여겨야 할 듯싶었다. 무심코 머금어지는 쓰디쓴 미소를 지우며 혜수는 천천히 집 안으로 들어섰다.

"……."

소파에 드러눕다시피 한 채 리모컨을 만지작거리고 있던 예은은 그녀를 보자마자 눈살을 찌푸렸다. 그런 예은의 옆에 앉은 경화는 심드렁한 말투로 혜수에게 질문을 던졌다.

"할 말이 뭐니? 우린 좀 이따가 예은이 혼수 보러 나가 봐야 한다."

그러니 빨리 끝내고 알아서 사라지라는 뜻이었다. 그녀들은 불과 몇 초 후, 어떤 파란이 펼쳐질지 눈곱만큼도 상상하지 못하고 있었다. 물컵을 들고 멀뚱멀뚱하게 서 있는 태석도 마찬가지였다.

태석은 도박을 제외하고 거의 모든 것에 무관심했고, 오늘도 그의 태도는 변함이 없었다. 웬만한 남보다도 못하게 대하는 모습에 또 한 번 상처받았고, 또다시 실망했다. 그래서인지 몰라도 생각보다 쉽게 운을 뗄 수 있었다.

"잘 지내셨어요?"

"그래. 뭐, 우리야 그렇지."

"뭘 뜸을 들이니. 할 말 해 보렴."

"……저, 이혼하려고요."

나지막하면서도 단호한 선언이 거실을 가로지르는 순간, 혜수를 제외한 모든 이들의 얼굴은 딱딱하게 굳었다.

"이혼……? 권 서방이랑?"

"그게 무슨 말이냐?"

"농담이지?"

순차적으로 날아오는 대답들은 하나같이 현실을 부정하는 종류들이었다. 하기야 여태껏 손쉽게 부리던 장기 말이 반란을 일으키리라고는 감히 믿고 싶지 않을 테니 당연한 반응이었다.

그래도 이렇게까지 곧바로 정색하다니. 그들과 자신의 간극을 다시금 실감한 것 같아 기분은 좋지 않았다. 순식간에 사색이 된 그들의 얼굴을 둘러보며 혜수는 고개를 끄덕였다.

"주혁 씨가 사인만 하면 끝나요."

"세상에, 벌써 서류까지 줬다고?"

갈수록 점입가경이라는 듯 경화의 입이 한층 벌어졌다. 혜수를 정확히 겨냥한 그녀의 시선은 격렬하게 흔들리고 있었다.

"그걸 그냥 줘 버리면 어떡해! 그럼 완전히 끝이잖아?"

"정말 끝낼 생각으로 한 일이에요."

"이혼이라니, 이게 말이 되니? 내가 너 결혼시키려고 얼마나 애썼는데!"

"어쩔 수 없었어요."

"뭐라고? 이렇게 중요한 걸 왜 네 멋대로 결정하는 건데? 응?"

"네 엄마 말이 옳다. 혜수 너, 대체 무슨 생각이냐?"

"처음부터 문제가 있었던 결혼이었어요. 이제는 끝내고 싶어요."

"무……문제?"

한 수 거들던 태석 역시 뜻밖의 상황에 대한 당혹스러운 기색이 역력했다. 제대로 충격받았다는 점을 강조하듯 경화가 뒷덜미를 붙잡고 끙끙거렸다.

"엄마, 괜찮아? 너 진짜 미친 거 아니야? 그렇게 한가해?"

그런 그녀를 받친 예은이 던진 한마디는 결정타로 작용했다. 미치다니, 최소한 그녀에게서 들을 평가는 아니었다.

"말조심해."

"뭐, 뭐? 하……! 네 주제에 갑자기 이래라 저래라야?"

"내 결혼이고, 내 이혼이야. 예은이 네가 결정할 권리, 없는 거 잘 알잖아?"

비록 시작은 자의가 아니었다고 해도, 끝까지 남의 손에 제 운명을 맡기고 싶지는 않았다. 의지도, 의욕도 없는 마리오네트로서의 삶은 이제 사절이었다.

냉기가 철철 흘러넘치는 대꾸에 예은의 미간은 종잇장처럼 구겨졌다.

"너, 이혼은 절대 안 돼. 예은이 혼삿길 망치려고 작정했니? 너 뭔 억하심정이 있어서 이래?"

비명에 준할 만큼 날카로운 비난이었다. 경화가 이렇게 필사적으로 이혼을 저지하는 이유는 단 하나뿐이었다. 돈. 끊어지기 직전의 동아줄을 온몸을 다해 지키려는 그녀의 처절한 모습은 냉소를 불러오기 충분했다.

"예은이 결혼과 제 이혼이 무슨 상관이죠?"

"당연한 소릴! 우리 집안 망신시키려고 작정했어? 네 시댁, 다른 데도 아니고, 대현 그룹이야! 우리나라에서 대현 그룹이 어떤 위치인지 몰라서 물어? 사돈댁이 이걸 아시면……."

"지금까지 많이 써먹으셨잖아요. 그러니 이쯤 그만하세요, 어머니."

"그만하라고? 어디서 감히……!"

황당함을 금치 못한다는 듯 경화가 앙칼지게 소리쳤다. 그녀를 빤히 바라보던 혜수는 제 어깨를 돌려세우는 강한 손길을 인지했다. 태석이었다.

"언제까지 쓸데없는 말다툼을 할 게냐? 너도 그만 고집부리고 네 엄마 말 들어라."

"고집…… 부린다고요?"

"그게 고집이 아니면 대체 뭐냐? 어쭙잖은 반항이야?"

"맞아. 네가 무슨 어린아이야? 부부간에 문제 좀 생겼다고 쪼르르 달려와서 이혼한다고 하는 게 정상이냐고."

예은이 도끼눈을 뜨고 덧붙였다. 무표정하던 태석의 얼굴에는 묘한 분기가 어려 있었다. 평생 견고하리라고 여겼던 돈줄이 사라질 위기에 처하자 다들 사활을 걸고 덤비는 중이었다.

그들의 이기적인 본성을 똑똑히 목도하고 있는 지금, 심장이 미친 듯이 쿵쾅거리기 시작했다. 급격히 빨라진 리듬에 맞추어 마지막 한 조각 남아 있던 기대감은 허공으로 날아가 버렸다.

"……."

처음부터 아무런 생각을 하지 말 것을, 그 어떤 바람도 품지 않을 것을 그랬다. 핏줄이라는 최후의 보루에 매달리지 말고, 이곳에는 한 발짝도 들이지 말 것을.

본래 가장 가까운 이가 가장 큰 상처를 주는 법이니까. 가족에게서 받는 상처는 주혁이나 명희에게서 받는 것과는 또 달랐다. 그러나 이제 와서 후회한들 아무짝에도 소용없는 일이었다. 결말은 이미 결정되어 있었다. 아무리 부정하려고 애쓴들.

"누구 덕분에 호의호식하면서 사모님 소리 듣는다고 생각해? 남들은 효도하려고 무지하게 애쓰더구먼, 자식이라고 있는 게 저만 알아서……!"

"그건 아버지 욕심이겠죠. 저는 처음부터 바란 적 없어요."

"자꾸 헛소리할 게냐?"

"네. 이혼, 할 거예요."

"이게 진짜!"

씹어뱉듯 던진 다짐에 태석은 결국 참지 못하고 손을 들었다. 우악스러운 손길이 코앞까지 바짝 다가온 찰나, 시야가 이상할 만큼 번쩍했다.

그와 동시에 매서운 소리가 귓전을 예리하게 스치고 지나갔다. 명희에 이어 이번에는 그에게 뺨을 얻어맞았다는 사실을 깨닫기까지는 그다지 오랜 시간이 필요치 않았다.

"……."

보란 듯이 혜수의 뺨을 내리친 태석은 좀처럼 분이 가시지 않는지 계속해서 씩씩거리고 있었다. 그런 그를 노려보며 혜수는 잠자코 얼굴에 손을 가져다 대었다. 마찰열 때문일까, 손등을 타고 전해지는 감촉은 제법 뜨거웠다.

자신은 뭘 바랐던가. 결국은 이렇게 될 수밖에 없었는데. 그저 확인 사살 당할 뿐이었는데. 다시금 찾아온 절망의 무게는 순간적으로 숨이 쉬어지지 않을 만큼 무거웠다.

"너, 진짜……."

"……게 뭐니? 응?"

"왜 이러는 거냐고! ……고 있을 줄 알아?"

세 사람의 입에서 쏟아져 나오기 시작한 온갖 비난과 폭언이 귓전에 날아다니는 모기처럼 뱅글뱅글 맴돌았다.

예전 같았으면 어떻게든 버텨 내려고 노력했을 테지만, 이제는 사정이 달라졌다. 차갑게 식어 버린 마음은 둔탁한 소리와 함께 영원히 열리지 않을 것처럼 닫히고 말았다. 그래서일까, 찌릿하게 저리기 시작한 눈가에는 눈물이 한 방울도 맺히지 않았다.

"……세요."

"지금 뭐라는 거냐."

"그만 가 보겠습니다. 쉬세요."

"윤혜수!"

"야!"

개중에는 팔을 붙잡으려고 드는 손길도 있었지만, 깨끗하게 무시하고 뒤돌아섰다. 이대로 보내서는 안 된다는 점을 본능적으로 직감했는지 예은이 발소리를 쿵쿵 내며 혜수의 뒤를 따라왔다. 그러다가 스텝이 꼬인 모양으로, 곧이어 예은의 울음 섞인 비명이 들려왔다.

"엄마!"

"어머머, 예은아!"

"괜찮으냐? 응?"

다행인지, 불행인지 경화와 태석은 예은을 부축하느라 뒤따라 나올 여유가 없는 듯했다. 그 틈을 타 혜수는 재빨리 현관문을 열어젖히고 엘리베이터로 향했다.

무언가에 쫓기는 사람처럼 서두르던 걸음은 아파트 정문을 빠져나오자마자 언제 그랬냐는 듯 느려졌다. 혹여나 놓칠세라 가방을 꼭 그러쥔 혜수는 주변을 둘러보았다. 때마침 공원의 존재를 알리는 아기자기한 팻말이 눈에 들어왔다.

"……."

흰 날개를 접은 비둘기 두어 마리가 뒤뚱뒤뚱 걷고 있을 뿐, 공원에는 아무도 없었다. 그 점에 일말의 안도감을 느끼며 혜수는 벤치에 주저앉았다. 딱딱한 나무의 감촉이 엉덩이에 스며드는 순간, 기다렸다는 듯 울음이 터졌다.

억울해서도, 서러워서도 아니었다. 원망스러워서도, 화가 나서도 아니었다. 그저 허망했다. 허무했다. 이번에야말로 그들과 자신이 가족이라는 사실을 완벽하게 부정당한 것 같아서.

윤혜수는 그들에게 목적을 이루기 위한 수단일 뿐이었다. 어려운 생계를 지탱하기 위한 돈줄이었고, 이용 가치가 다하면 버려질 카드일 뿐이었다.

물론 그 점을 뼈저리게 깨닫고 있었건만, 그런데도 최후의 최후에까지 기대해 버린 스스로가 너무나도 우스웠다.

"으흑……."

눈가를 벗어나 뺨으로 흘러내리는 눈물을 닦지도 않은 채 혜수는 오래도록 흐느꼈다. 쉴 새 없이 떨리는 어깨에 부딪히는 것은 오직 스산한 바람뿐이었다.

스무 살 때 꿈꾸었던 미래는 이런 게 아니었다. 서른이 되면 남들처럼 행복한 가정을 꾸리고, 자신만을 사랑해 주는 남편과 오순도순 살면서, 언젠가 아이가 찾아오기를 기다릴 줄 알았다. 이렇게 절망에 휩싸여 옴짝달싹 못 하는 것이 아니라.

지극히 소박한 소망이었다. 너무나 평범해서 입에도 올리기 힘들었던 바람이 이토록 어려운 것인 줄은 꿈에도 몰랐다. 남들에게는 한없이 쉬워 보이는 일이 어째서 제게는 이렇게나 힘겨운 것일까.

하지만 운명을 탓하고 또 탓해 봐도 돌아오는 것은 아무것도 없었다. 살갗에 스며드는 것은 단지 허탈한 눈물뿐이었다.

"흐읏…… 읍……."

끊임없이 잇새를 비집고 흐르는 울음은 미처 스러지지 않은 원망을 고스란히 담아냈다. 연달아 떨어지는 눈물방울로 인해 바닥이 까맣게 젖어 들었다.

그렇게 얼마나 숨죽여 울었을까. 뻣뻣해진 목덜미가 아파 오는 것과 동시에 주머니 속 핸드폰이 울렸다. 줄기차게 울려 퍼지는 벨 소리의 주인공은 바로 권주혁이었다.

"……."

핸드폰을 물끄러미 내려다보던 혜수는 이윽고 손가락으로 눈물을 훔쳤다.

받을 수 없었다. 아니, 받고 싶지 않았다. 한없이 잔혹한 이 순간에는.

그러나 공원에서 청승을 떨며 우는 것에도 한계는 있는 법이었다. 가까스로 눈물을 거두고 근처에 있는 조그마한 호텔로 거처를 잡았다. 제대로 된 집을 구하기 전까지 당분간 이곳에서 지낼 심산이었다.

옷을 전부 벗고 알몸이 된 혜수는 조심스레 수도꼭지를 틀었다. 힘차게 뿜어져 나오는 물줄기는 오래지 않아 욕조의 절반을 채웠다. 적당한 온도의 물에 한동안 몸을 담그고 있자니 바짝 긴장했던 감각이 좀 누그러진 기분이었다.

손을 움직일 적마다 찰박, 하고 물소리가 났다. 사실 이렇게 한가로이 목욕을 즐길 때가 아닌데, 이 정도의 여유도 가지지 못한다면 정말로 버틸 수 없을 것 같았다.

"……."

어린아이처럼 일삼아 물을 쥐었다 폈다 하던 혜수는 기나긴 숨을 내뱉었다. 물에서 피어오르는 수증기 때문에 시야가 조금 뿌옜다.

할 일이 태산이었다. 집도 구해야 하고, 일자리도 구해야 했다. 난생처음 해 보는 홀로서기는 결코 만만치 않았다. 그래도 이렇게나마 새로운 출발을 할 수 있다는 점에 감사해야 할까. 평생 아무것도 모르고 눈과 귀를 막힌 채 살아갈 뻔했다.

띠리링.

문득 상념을 깨는 경쾌한 벨 소리에 혜수는 슬며시 욕조 위 선반으로 눈을 돌렸다. 아니나 다를까, 핸드폰 액정에는 익숙한 이름이 띄워져 있었다.

"어째서 자꾸……."

주혁은 이번에도 끈질기게 전화를 걸어 왔다. 욕실의 특성상 다른 곳에서보다 몇 배는 벨 소리가 크게 들리는 터라 못 들은 척하려고 해도 저절로 귀가 쫑긋 솟았다.

당연히 어느 정도는 화가 났으리라고 생각한다. 연이은 거부 의사에도 아랑곳하지 않고 집에서 뛰쳐나왔으니까.

심지어 보란 듯이 식탁에 이혼 서류를 올려 두기까지 했다. 어떤 식으로든 제 뜻을 관철하겠으니 그쪽은 그쪽대로 알아서 하라는 의지 표명이었다.

평상시 같았으면 아까의 굴욕을 설욕하기 위한 전화라고 느꼈을 것이었다. 주혁은 누군가에게 지는 것을 아주 싫어하는 남자였다. 정확하게는 본인이 패배한다는 개념 자체가 없었다. 그러나 지금 그의 전화에는 단순한 오기 이상의 감정이 깃든 듯했다.

"……."

그러니 더더욱 받을 수 없었다. 아주 약간의 틈이라도 준다면 이 남자는 언제나 그래 왔던 것처럼 깊숙이 침입할 터였다. 그러는 본인은 정작 단 한 오라기의 동요도 없이.

어렵사리 통화 거부 버튼을 누른 후에야 드디어 욕실이 조용해졌다. 선반에 핸드폰을 내려놓은 혜수는 다시 한번 물속으로 파고들었다. 그새 식어 버린 물결이 그녀의 움직임을 따라 곱게 출렁였다.

* * *

어슴푸레한 빛이 혜수의 방 안에서 새어 나왔다. 설마 뜬눈으로 밤을 새운 것일까. 상당히 가능성 있는 추측에 현관으로 나가려던 주혁은 잠시 멈칫했다.

"……."

이곳은 오직 혜수를 위해 마련한 집이었다. 그런데도 그녀는 현관에 발을 디디자마자 한결 모질어졌다. 이런 식의 친절은 베풀지 않는 것만 못하다는 냉정한 태도는 착각이 아니었다.

위세를 떨기 위해서, 혹은 과시하기 위해서 분가한 게 아니었다. 그저 혜수가 조금이나마 마음 편히 머물 수 있다면 좋겠다는 생각에 미루고 미루었던 결정을 실행했을 뿐이었다.

주혁이 우두커니 서 있는 사이, 딱 한 뼘만큼 열린 문 안쪽에서는 부스럭거리는 소리가 들려왔다. 그렇지만 희미하게 켜진 전등이 꺼지는 일은 없었다.

'무슨 생각을 하는 거야?'

이 집에 들어온 지 고작 사흘째이건만, 혜수와는 벌써 두 번이나 언성을 높이고 말았다. 이혼해 달라는 요구는 어느 정도 이해가 갔지만, 수용하는 것은 또 다른 문제였다.

그렇다면 이제 뭘 어떻게 해야 한단 말인가. 고민할수록 골치가 아파지는 문제가 아닐 수 없었다.

한동안 방문을 노려보던 주혁은 끝내 포기하고 돌아섰다. 해결해야 할 사안들로 가득 찬 머릿속에 또 하나, 쉽게 덜어 낼 수 없는 짐이 늘어났다.

* * *

그나마 회사에 있을 때는 혜수의 생각에서 벗어날 수 있었지만, 회사를 벗어난 순간부터는 아니었다. 늘 그랬듯이 뒷좌석에 올라탄 주혁은 가장 먼저 핸드폰부터 꺼냈다.

—고객님이 전화를 받지 않아…….

귓가를 울리는 기계음은 아주 조금 부풀었던 기대감을 단숨에 소멸시켜 버렸다. 워낙에 차가워진 만큼 쉽게 전화를 받을 것 같지 않았는데, 역시나 그러했다.

'이제는 전화조차 받지 않겠다는 거군.'

꼭 필요한 경우가 아니면 연락은커녕 핸드폰조차 들여다보지 않았다. 그럴 틈도, 여유도 없었으니까. 자신이 그런 타입인 줄 뻔히 알면서도 끝까지 빳빳하게 구는 혜수의 속내를 모르겠다. 이 정도까지 밀려났으면 제 성격상 정말 많이 양보한 셈인데도.

허공을 노려보며 지그시 인상을 쓰던 주혁은 헤드에 머리를 대었다. 연유 모를 피로가 살갗 속으로 파고들어 세를 불리는 느낌은 매우 불쾌했다.

"도착했습니다, 부사장님."

"……그래."

"조심히 들어가십시오."

눈을 감고 머릿속을 비우려고 노력하다 보니 어느덧 차는 지하 주차장에 멈추어 있었다. 깍듯하게 인사를 건네는 운전기사를 등지고 주혁은 엘리베이터에 올라탔다.

평상시 엘리베이터의 속도 따위는 눈곱만큼도 신경 써 본 적이 없었다. 그러나 지금 이 순간, 의아스러울 만큼 초조한 감정이 전신을 감쌌다. 오늘따라 엘리베이터가 느릿느릿하게 움직이는 느낌이라고 한다면 어폐일까.

오랜 인내 끝에 띵, 하는 소리와 함께 엘리베이터의 문이 열렸다. 현관문을 여는 손길은 여느 때와 다르게 무척이나 빨랐다.

"……."

현관을 지나칠 때까지만 해도 이런 기분이 들지 않았는데, 이상했다. 기이할 정도로 깊고 무거운 침묵이 온 집 안을 뒤덮고 있었다.

물론 혜수는 원래 조용한 성격인 데다가, 워낙 집이 넓어서인지 방 안에 있어도 있는 것 같지 않았다. 그렇지만 아무리 그래도 이 정도는 아니었다. 이 공간을 메우고 있는 것은 아무도 없는 데에서나 맴돌 법한 적막이었다.

"뭐지?"

뜻밖의 상황에 조금 당황스러워진 주혁은 일부러 인기척을 냈다. 그러나 그의 질문에 돌아온 것은 싸늘한 바람뿐으로, 혜수의 목소리는 그 어디에서도 들려오지 않았다.

없었다. 마치 처음부터 존재하지 않았던 것처럼. 그녀의 빈자리에서 느껴지는 공허감은 상상 이상이었다.

"……!"

감쪽같이 사라진 혜수의 흔적에 황당하기도 하고, 어이없기도 했다. 정신없이 이곳저곳을 살피던 그의 눈에 무언가가 비쳤다. 식사라는 본래의 용도와 어울리지 않게 식탁 위에는 종이 한 장이 놓여 있었다.

혹여나 바람에 날아가지 않도록 볼펜으로 귀퉁이를 눌러 두기까지 했다. 언제고 마음이 내킬 때, 바로 서명할 수 있도록 준비된 서류를 보자마자 화가 머리끝까지 치밀어 올랐다.

이혼만큼은 절대로 안 된다고 했는데, 혜수는 여봐란듯이 그 말을 무시했다. 서류를 내려다보던 주혁은 저도 모르게 그것을 꽉 쥐었다. 어찌나 힘을 주었는지 구겨질 대로 구겨진 모서리가 너덜거릴 지경이었다.

'왜 이렇게 고집을 부리는 거야?'

그동안 이골이 날 만큼 수많은 협상을 해 왔다. 삶은 협상과 타협의 연속이었고, 그 과정에서 패배했던 적은 한 번도 없었다. 그러나 지금처럼 무력감을 느낀 것은 처음이었다.

윤혜수는 벽 같았다. 아무것도 통하지 않고, 그 어떤 것도 먹히지 않는 단단한 벽.

항상 은은하게 미소 짓고 있을 뿐이었던 그녀에게 어떤 변화가 일어난 것일까. 설령 혜수의 내면에 거센 폭풍이 몰아치고 있다고 하더라도 이런 식의 행동을 해서는 안 되었다. 이것은 그저 어린아이 같은 아집이지 않은가.

"말도 안 돼."

어떻게든 이해하려고 노력했지만, 예상 못 한 행동은 꽤 큰 충격이었다. 뭘 어떻게 해야 하며, 아니, 무엇부터 해야 하는가.

나지막이 불만을 토로하던 주혁은 결국 목깃으로 손을 뻗었다. 정체불명의 물체에 가슴을 짓눌리는 것 같아 견딜 수가 없었다.

넥타이를 거칠게 풀어헤치고, 빳빳하게 세워져 있던 칼라를 젖힌 후에야 조금 숨을 돌릴 수 있었다. 재킷을 벗어 소파로 던지는 손놀림은 자못 신경질적이었다.

평소에 이 정도로 감정적인 반응을 보인 적이 없었던 터라 더더욱 열이 솟구쳤다. 깊은 한숨과 함께 주혁은 그대로 욕실로 들어갔다. 물이라도 맞지 않으면 몸속 깊은 곳에서부터 소용돌이치는 화를 다스릴 길이 없어 보였다.

쏴아아-

샤워기에서 쏟아지는 물줄기가 온몸에 시원스레 내리꽂혔다. 온 사방으로 투명한 물방울이 튀었다. 워낙에 물이 차가운 탓인지 살갗에 소름이 돋아나는 속도는 꽤 빨랐다. 손끝에서부터 차가운 기운이 돌기 시작했지만, 좀처럼 샤워기 밑에서 벗어날 수 없었다.

끊임없이 수챗구멍으로 빨려 들어가는 물을 바라보고 있자니 그제야 마음이 가라앉았다. 젖을 대로 젖은 머리카락을 쓸어 올리며 주혁은 천천히 샤워기의 레버를 돌렸다. 그러자 샤워기 안쪽에 남아 있던 물방울들이 후드득 떨어졌다.

"후……."

아니, 어느 정도 진정했다고 느낀 것은 오산이었다. 오만이었다. 혜수를 떠올린 찰나, 또다시 흘러나오는 한숨은 조금 전과 별반 다를 바가 없었다.

잡념에서 벗어나기 위해 그토록 노력했는데도 도돌이표만 그리고 있는 현실이 어처구니가 없었다. 이래서야 끝이 없다는 생각에 다시금 가슴 한구석이 요동쳤다. 살갗에 완전히 자리를 잡은 한기는 불안과 초조를 쏙 빼닮았다.

'됐어. 조만간 돌아오겠지.'

사안이 사안인 만큼 현재 혜수는 막다른 골목에 몰려 있었다. 잠시나마 숨통이 트일 기회는 그녀에게 꼭 필요했다.

그러니 못 본 척 눈을 감아 버리자. 틀림없이 이곳으로 돌아올 테니까. 그 순간이 되면 이성적으로 대화할 수 있을 것이었다.

바람과도 같은 확신을 가슴속 어딘가에 남긴 채 주혁은 샤워 부스를 빠져나왔다. 그가 발을 옮길 때마다 바짝 말라 있던 욕실 바닥이 물기로 빠르게 젖어 들었다.

* * *

새침한 표정과 함께 바로 돌아올 줄 알았다. 아니, 돌아와야만 했다. 그러나 그것은 너무나도 안일한 착각이었다. 다음 날도, 그다음 날도 굳게 닫힌 현관문이 열리는 법은 없었다.

혜수가 집을 나간 지 일주일째가 되었을 때, 그제야 사안의 심각성을 인정할 수 있었다. 어쩌면 그녀는 제 곁으로 돌아오지 않을지도 모른다고.

오늘도 변함없이 침묵이 흐르는 집을 둘러보던 주혁은 습관적으로 눈썹을 꿈틀거렸다. 강한 불쾌감이 어린 동작이었다.

'오늘도 들어오지 않는 건가.'

텅 비어 있는 게스트 룸에서는 그녀의 흔적이 하나도 느껴지지 않았다. 그간 사람을 시켜 준비했던 시간이 무색하게 혜수는 이곳에서 고작 이틀 남짓 머물렀을 뿐이었다.

이런 것 따위는 처음부터 바라지 않았다는 것처럼. 배려도, 신뢰도, 아무것도 필요 없다는 듯이.

그 점에 새삼스레 화가 나면서도 슬그머니 시트를 들추는 손길을 막을 수는 없었다. 물론 시트 안에 그 어떤 것도 없으리란 점은 이미 잘 알고 있지만, 왠지 모르게 그러고 싶은 까닭이었다. 제 눈으로 확실하게 확인해야 비로소 혜수의 부재를 받아들일 수 있을 것 같았다.

"……."

그리고 일말의 기대감은 언제 그랬냐는 듯 와르르 무너져 내렸다. 눈부시게 흰 시트를 내려다보며 주혁은 잠자코 시트를 움켜쥐었다. 그와 동시에 눈앞을 잠식하는 것은 난생처음 겪어 보는 초조함이었다.

'이건 말도 안 돼.'

결코 있을 수 없는 감정의 발로는 그 즉시 혀를 차게 했지만, 변화는 없었다. 시간이 지날수록 점점 커져 가는 공백의 존재감은 엄청났다. 엄밀하게 따지자면 딱 한 사람만이 자취를 감추었을 뿐인데도.

인생에 정답은 없다고 하나, 어디에든 예외는 있는 법이었다. 그리고 자신은 운 좋게도 정답을 아는 쪽에 서 있었다.

실패보다는 성공이, 후회보다는 자긍이, 배신감보다는 자신감이 어울리는 삶이었다. 그런데도 지금 이 순간만큼은 어떻게 해야 할지 갈피를 잡을 수가 없었다. 일순간 퓨즈가 나간 것처럼 눈앞이 아찔했다.

—고객님의 전화기가 꺼져 있어…….

여태껏 몇 번이나 들었던 안내음이 재차 귓가에 되풀이되었다.

혜수는 전화를 받기는커녕 이제는 핸드폰을 켜 놓지도 않았다. 연결될 리 없는 전화를 걸고 있다 보면, 권주혁이라는 사람은 애당초 그녀의 삶에 존재한 적이 없었던 기분이었다.

투명 인간.

문득 그 단어가 뇌리를 스쳐 지나갔다. 완벽하다고 자부했던 삶은 의식하지 못하는 새 뭉그러져 있었다.

"윤혜수……."

그녀와 자신은 왜 이렇게 되었을까. 언제부터 돌이킬 수 없는 지경으로 몰린 것일까. 모르겠다. 정말로.

도저히 답을 찾을 수 없는 문제를 놓고 씨름하던 주혁은 쓰러지듯 침대에 누웠다. 마치 그녀가 남긴 흔적을 간절하게 좇는 것 같은 시선이 그 뒤를 따랐다.

그가 다시 한번 눈을 떴을 때는 이미 아침이었다.

커튼 사이로 새어 들어오는 새벽빛이 창문을 넘어 뺨까지 걸쳐져 있었다. 어쩐지 자는 동안 묘하게 간지럽다 싶었는데, 불유쾌한 감각은 거기에서 그치지 않았다.

베개 옆에 아무렇게나 나뒹구는 핸드폰을 집어 들던 주혁의 미간이 좁혀졌다. 혜수에게서는 오늘도 아무런 연락이 오지 않았다. 때늦은 반항은 치기의 소산도, 오기의 결과물도 아니었다. 진심이었다.

그렇다고 그녀에게 밀려 일방적으로 물러서는 것은 성에 차지 않는 일이었다. 일주일이나 기다렸으면 정말로 많이 참아 준 셈이었고, 이제 더는 뒷걸음질 칠 수 없었다. 손발을 묶인 것처럼 무력하게 지내는 건 사절이었다.

—안녕하십니까, 부사장님. 어쩐 일이신지요?

"사람을 한 명 찾고 싶은데, 언제까지 가능하지?"

—최대한 빨리할 수 있도록 노력하겠습니다. 어떤 분이신지 여쭈어도 되겠습니까?

"내 아내야."

—…….

간결한 통보가 떨어지자 비서는 아주 잠깐 침묵에 빠졌다. 괜히 그 자리까지 올라가지는 않았는지 단 한 마디로도 전말을 대충 눈치챈 모양이었다.

"왜 그래?"

—아무것도 아닙니다……. 사모님께서 어디 계신지 즉시 찾아서 보고하겠습니다. 죄송하지만 조금만 기다려 주시지요.

언제 그랬냐는 듯 처음과 같은 태도로 돌아온 비서를 향해 주혁은 낮게 중얼거렸다.

"그리고……."

—네, 말씀하십시오.

"……아니, 그럼 회사에서 보도록 해."

살짝 놀라 입을 다물기는 했지만, 그 순간, 어떤 말을 덧붙이고 싶었는지는 스스로도 의문이었다. 혜수를 찾는 것 외에 비서에게 따로 지시할 사항이 있던가. 그런데도 무의식적으로 입술이 움직이고 말았다.

삽시간에 뒤엉키는 머릿속을 느끼며 주혁은 서둘러 침대에서 벗어났다. 어느새 발치까지 따라온 빛은 노란색으로 물들어 있었다. 슬금슬금 반경을 넓히는 빛을 멍하니 지켜보고 있자니 새삼 실감이 났다.

이곳은 제 방이 아니었다. 제 침대가 아니었다. 그런데도 흡사 제 방이고, 제 침대인 것처럼 행동하고 있었다.

"……."

하지 않았던 짓을 하고, 할 생각이 없었던 말을 한다. 낯선 변화에 염증을 느끼면서도, 그렇다고 아무것도 하지 않을 수는 없었다. 정말로 그녀가 제게서 떠나갔다면 무슨 수를 써서든 찾아내야 하니까.

그런 다음, 반드시 제 앞에 데려다 놓고 물을 것이었다. 당신이 진정으로 원하는 것은 무엇이냐고. 그리고 어째서 자신은 그것을 줄 수 없느냐고.

* * *

그로부터 이틀이 더 지났다.

그날 이후로 버릇처럼 혜수의 침대에서 잠들었다. 납득도, 설명도 불가능한 충동은 그녀의 방으로 발을 이끌고, 몸을 누이게 했다. 아무리 기다려도 울리지 않는 핸드폰을 들여다보고 있으면 어느 틈엔가 깜빡 잠이 들었다.

며칠간 잠자리가 불편해서일까. 출근한 지 벌써 한 시간째인데도 머릿속이 맑지 않았다. 한 치 앞도 분간할 수 없는 안개 속에서 어디인지도 모르는 목적지를 찾아 헤매고 있는 느낌이었다.

그럼에도 불구하고 꿋꿋하게 서류를 들여다보던 주혁은 자신을 부르는 비서의 목소리에 고개를 들었다.

"무슨 일이지?"

"엊그제 지시하신 것 말씀입니다만……."

"찾았나?"

"네."

비서의 힘 있는 답변에 펜을 쥔 손이 반사적으로 흠칫했다. 물론 동요는 오래가지 않았다. 잠시간 구겨졌던 이마는 언제 그랬냐는 듯 본디대로 돌아왔다.

비서의 보고에 따르면 혜수는 아직 서울에 머무르고 있었다. 갈 곳이 마땅치 않았는지 집까지 계약했다고 했다. 여기까지는 예상 범위를 크게 넘어서지 않았지만, 곧이어 이어진 말은 꽤 뜻밖이었다.

"……1년이라고?"

새로운 거처의 계약 기간은 생각보다 길었다. 한 달도 아니고 1년이라니. 묘연한 그녀의 속내를 아주 살짝 들여다본 듯한 기분이 들었다.

"보통은 연 단위로 계약하기 때문에 그러신 것 같습니다."

"그렇군."

만약 그런 의도에서 계약한 게 아니라면……? 주혁은 애써 의문을 떨쳐냈다.

"주소는 여기입니다."

비서가 내민 종이에는 혜수의 새로운 집 주소가 적혀 있었다. 그녀가 선택한 곳은 들어 본 적도 없는 외딴 동네였다.

언뜻 살피기에도 연고가 전혀 없어 보이는 이곳을 고른 의도는 확실했다. 그 어떤 일이 있더라도 그녀를 찾지 말아 달라는 것이었다. 친정과도, 본가와도, 그리고 자신마저도 인연을 확실하게 끊고 싶다는 뜻이었다.

이 정도로 투명한 본심을 마냥 지켜볼 수는 없는 노릇이었다. 주소를 물끄러미 응시하던 주혁은 의자에 걸쳐 두었던 재킷을 들고 일어섰다.

"부사장님……?"

방금 한 행동의 의미를 짐작했는지 비서의 눈이 몰라보게 커졌다.

"이 시간 이후로 잡힌 일정은 전부 미루도록."

"조금 뒤에 중역 회의가 있지 않습니까? 그것마저도요?"

"상관없어. 갑작스러운 사정이 생겨서 불참한다고 전해."

"아, 네……. 알겠습니다."

대현 그룹의 하나뿐인 후계자가 된 이래로 업무를 등한시한 적은 한 번도 없었다. 개인적인 욕망보다는 언제나 회사를 우선시했고, 스스로도 그게 옳다고 여겼다.

사생활을 반납하다시피 하며 회사의 발전을 위해 발 벗고 뛴 지도 벌써 몇 년이라는 세월이 흘렀다. 그랬던 만큼 있을 수 없는 경우라는 듯 비서의 얼굴에는 당황한 기색이 번졌다.

그러나 그에게까지 신경 쓸 겨를이 없었다. 지금 당장 혜수를 보러 가야 했다. 곧이어 뒤따라 나온 비서가 급히 운전기사를 호출하는 소리가 등 뒤에서 들려왔다.

평소와 비교할 수 없을 만큼 빠른 걸음으로 로비를 지나 건물 밖으로 나왔다. 사실 이 정도로 서두를 일인가 싶어도 머리와는 다르게 몸이 제멋대로 움직였다.

"바로 여기로 가지."

"네? 알겠습니다."

"저는……."

"회사에 대기하도록."

차가 속도를 올리기 시작한 후에야 저 너머로 날아갔던 현실감이 조금씩 돌아왔다. 뒷좌석에 팔짱을 끼고 앉아 있던 주혁은 짤막하게 헛웃음을 뱉었다.

믿을 수가 없었다. 아니, 어이가 없었다. 혜수가 어디 있는지 알게 되자마자 모든 것을 내팽개치고 한달음에 달려 나오다니. 심지어 비서조차 대동하지 않고 말이었다.

이래서야 꼭 절실하게 원하는 것을 얻기 위해 수단과 방법을 가리지 않는 아이가 된 듯한 심정이었다. 말도 안 되는 짓을 저지르는 자신의 모습은 단 한 단어로 표현 가능했다.

'우습군…….'

자조로 물든 입꼬리가 제자리로 돌아올 날은 요원해 보였다. 한동안 눈앞에 위치한 앞좌석의 헤드를 노려보고 있던 주혁은 창밖으로 시선을 돌렸다.

차의 속도에 걸맞게 바깥의 풍경들은 빠르게 바뀌어 갔다. 하나둘씩 시야를 점령하는 건물들은 낯설기 짝이 없었다. 그래서일까, 잠시나마 자괴감에서 벗어날 수 있었다.

오랜 기다림 끝에 도착한 혜수의 집은 골목에서도 꽤 안쪽에 있었다. 선뜻 믿을 수 없을 정도로 작고 초라한 4층짜리 건물은 놀라움보다도 당혹감을 먼저 불러왔다.

"여기입니다, 부사장님."

"……."

"그럼 저는 이 앞에서 기다리겠습니다."

가볍게 고개를 끄덕인 주혁은 천천히 건물로 다가갔다. 차 안에서 봤을 때도 볼품없다고 느꼈는데, 가까이에서 보니 더더욱 별로였다. 허술하게 닫힌 현관의 유리문에는 거뭇거뭇한 때가 군데군데 묻어 있었다.

그뿐만이랴, 이 건물에는 엘리베이터조차 없었다. 4층까지 매일같이 걸어 다닌다는 것인데, 솔직히 말해서 그 모습이 제대로 상상되지는 않았다.

어디를 보든 자신이 구했던 집과는 비교 불가능했다. 그런데도 혜수는 어째서 이런 곳에서 머무르고 싶어 하는지 모를 일이었다. 그것도 1년씩이나. 쓸데없는 짓을 자청하는 그녀의 심리를 도저히 이해할 수 없었다.

물론 더더욱 알 수 없는 것은 혜수에게 휘둘릴 대로 휘둘리는 자신이었다. 가장 깊은 곳에 똬리를 튼 의문은 오늘도 거침없이 머릿속을 휘젓고, 마음을 뒤흔들었다.

한 걸음, 한 걸음 신중하게 내딛다 보니 어느덧 4층에 도착했다. 402호임을 알리는 팻말은 중간중간 잉크가 지워져 있었다.

딩동.

촌스러운 벨 소리가 지나간 다음에는 부스럭거리는 소리가 들렸다. 드디어 오랫동안 기다렸던 주인공의 등장이었다. 주혁은 일부러 고개를 빳빳이 세웠다.

—당신이…… 어떻게 여기에?

소스라치게 놀란 혜수의 목소리가 인터폰을 타고 바깥으로 새어 나왔다. 그래, 이런 반응을 기대했다. 예상 그대로의 모습에 약간의 우쭐함을 느꼈지만 내색하지는 않았다.

현관문을 열라고 부탁할 필요는 없었다. 어차피 알아서 열릴 것이었으니까. 과연 짐작대로 얼마 못 가 혜수는 얼굴을 내밀었다.

무려 일주일하고도 사흘 만의 만남이었다. 말없이 그녀를 응시하던 주혁은 이내 이맛살을 구겼다. 아무런 무늬도 없는 흰색 티셔츠에 청바지를 입은 혜수는 기다란 머리카락을 질끈 묶고 있었다.

혜수의 이런 모습은 처음 보는 것 같았다. 대현 그룹의 하나뿐인 며느리답게 혜수는 항상 흐트러짐 없는 차림새를 고수했다. 잠자리에 들 때조차 완벽했던 만큼 제 앞에 있는 그녀가 한층 낯모르게 느껴졌다.

윤혜수는 변했다. 생각보다도 더. 지그시 눈을 맞추는 그녀의 얼굴은 그새 딱딱하게 굳어 있었다. 이깟 일에 동요할 필요가 없다는 듯이.

"……."

"……."

그 사실을 깨달은 순간, 고개를 한껏 쳐들었던 알량한 자존심은 그대로 꺾이고 말았다.

누가 우위에 있는지 다시금 실감한 지금, 아주 조금 반등했던 기분은 금세 최하점을 찍었다. 혜수에게서 눈을 떼지 못하며 주혁은 설핏 떨리는 입술을 움직였다.

"……오랜만이군."

6. 쓸데없는 오기

인생은 본래 혼자 떠나는 모험이라고 했다.

그 말처럼 온전한 혼자만의 삶은 꽤 괜찮았다. 비록 좀 낡기는 했어도 그 나름대로 아늑한 보금자리를 구했고, 운 좋게도 전공을 살려 기간제 교사 면접을 볼 수 있게 되었다.

물론 오랫동안 쉬었던 터라 면접을 통과할 수 있을지는 확신할 수 없었다. 그래도 기회조차 가질 수 없었던 지난날을 떠올린다면 충분히 격세지감이었다.

"떨리네……."

화장대 앞에 앉은 혜수는 오래도록 거울을 들여다보았다. 예전과 달리 화장기 없는 얼굴이었지만, 그때와는 비교할 수 없을 만큼 생기가 넘쳐흘렀다.

지난 3년간 정말로 바보같이 살았다. 그럴 수밖에 없다고 수십 번, 수백 번이나 자기합리화하며 지냈건만, 그렇게 해서는 안 되었다. 지금처럼 모질게 끊어 냈어야 옳았다.

그런 점에서 볼 때, 아이는 어쩌면 제게 고통이 아니라 희망을 주고 떠났는지도 몰랐다. 가슴 아픈 비극을 계기로 그 집구석에서 벗어날 결심을 했으니까. 두 번 다시 그런 아픔을 겪지 않겠다고 다짐했으니까.

간단하게나마 화장을 하기 위해 머리카락을 묶는 손길은 기대감에 부풀어 있었다. 그러나 스킨의 뚜껑을 여는 순간, 초인종이 울렸다.

"……?"

이 집에 찾아올 사람은 거의 없었다. 끽해야 택배 배달원쯤이려나. 서둘러 인터폰으로 다가가던 혜수는 그 자리에 우뚝 멈추어 섰다. 조그마한 화면에 비치는 남자의 모습은 너무나도 낯이 익었고, 그만큼 놀라웠다.

"당신이…… 어떻게 여기에?"

현관문 앞에 우뚝 선 그의 정체는 다름 아닌 권주혁이었다. 마땅히 와야 하는 곳에 왔다는 듯 무표정한 얼굴은 기억 속 그대로였다. 주혁의 느닷없는 방문에 돌처럼 굳어 있던 혜수는 이윽고 정신을 차렸다.

그날 이후로 계속해서 전화를 받지 않았더니 그저께부터는 아무런 연락이 없었다. 이쯤 포기하고 잠잠해진 줄로 알았는데, 실은 아니었던 모양이었다.

그나저나 여기로 이사한 줄은 어떻게 알았는지 모르겠다. 설마 사람을 시켜 제 뒷조사라도 한 것인가. 순간적으로 온갖 상상이 난립했지만, 언제까지고 그를 바깥에 세워 둘 수는 없는 터라 일단은 문을 열어야 할 듯싶었다.

대략 열흘 만에 다시 만나게 된 주혁은 여전히 고압적이었다. 자신을 꼼꼼하게 훑는 눈빛만으로도 그가 어떤 생각을 하고 있는지 대충 짐작이 갔다.

유달리 검은 눈동자 안에 깃든 것은 약간의 당혹감과 놀라움, 그리고 불쾌감이었다.

"……오랜만이군."

낮게 가라앉은 목소리가 전하는 인사는 아주 짧았다. 그는 지금 의아스러울 만큼 화가 나 있는 상태였다.

“그러게요.”

“그동안 전화는 왜 안 받았지?”

“받을 이유가 없으니까요.”

딱히 핑계는 아니었다. 그의 연락을 받아서 좋을 것은 없었고, 어중간하게 관계를 유지해 봤자 도움이 되는 것 또한 없었다. 그러나 주혁에게는 전부 어쭙잖은 변명처럼 들렸던 모양이었다.

그가 대답 대신 현관으로 성큼 들어섰다. 주변에는 미처 정리하지 못한 잡동사니가 쌓여 있었다. 자세히 둘러보지 않아도 알겠다는 듯 주혁의 얼굴에 서린 불만이 한층 강해졌다.

“고작 이런 곳에서 살려고 나간 거야?”

“내가 어디에서 살든 당신이 신경 쓸 문제 아니잖아요.”

언제나 깔끔하게 정리된 대저택에서 지냈던 그로서는 도저히 용납할 수 없는 장소인 것 같았다. 그 점이 이해가 가면서도 무시당했다는 생각에 살짝 발끈했다.

“그래서, 만족해?”

오래지 않아 자신에게로 돌아온 시선에 혜수는 고개를 끄덕였다.

“네, 만족해요.”

“도대체 어디가? 내가 줄 수 없다고 호언장담해서 대단한 줄 알았어.”

“…….”

“더 볼 것도 없겠군. 기사를 부를 테니 짐 싸도록 해.”

귓가로 다가온 것은 언제나처럼 건조한 통보였다. 멋대로 자신의 공간에 침입하더니, 이제는 짐까지 싸라고 명령한다. 예전 같았으면 군소리 없이 그 말을 따랐을 텐데, 이제는 아니었다.

윤혜수는 변했다. 그리고 앞으로도 변해 갈 것이었다. 한번 떼기 시작한 걸음이 어디까지 갈지는 스스로도 알 수 없었다. 물론 이 남자는 아직도 그 사실을 부정하고 있었지만.

"그게 무슨 말이에요?"

"쓸데없는 오기는 그만 부리라는 뜻이야."

"쓸데없는 오기라니……. 그건 오히려 당신 아닌가요?"

"뭐?"

이런 식으로 받아칠 줄 몰랐다는 듯 주혁의 눈가가 확 일그러졌다. 눈앞의 그는 정말로 보기 드물게 감정을 표출하고 있었다. 지난 3년간의 기억을 헤아려 봐도 주혁이 이런 표정을 지은 것은 처음이었다.

노기 어린 얼굴에 대고 혜수는 쐐기를 박듯 나지막이 중얼거렸다.

"깜빡 잊어버린 것 같은데, 이제 우리 남이에요. 그러니 이러지 말아요, 권주혁 씨."

"이러지 말라고……?"

도장만 찍지 않았지, 그와는 이미 끝난 사이였다. 그렇다고 이런 식으로 나올 줄은 상상도 하지 못했는지 주혁은 허탈한 숨을 뱉었다.

"이만 나가 줘요. 볼일이 있어요."

"볼일?"

"네. 빨리 준비해야 해요."

혜수는 어느새 닫혀 있던 현관문으로 손을 뻗었다. 당장 나가라는 뜻으로 문고리를 잡은 손에 힘을 주자 끼익, 하는 소리와 함께 문이 열렸다.

그 틈으로 바깥의 공기가 안쪽으로 밀려 들어왔다. 비릿한 냄새가 코를 찔렀는데도 주혁은 아랑곳하지 않았다. 어떻게 이럴 수 있느냐는 것처럼 그의 동공이 세차게 흔들렸다.

"기다려."

"왜요? 나 바쁘다고 했잖아요."

"나는 당신 만나겠다고 전부 팽개치고 왔어."

혜수의 손을 잡아채 더 이상의 행동을 저지하는 그는 진심이었다. 어쩐지 이 시간에 찾아왔다 싶었다. 하기야 그래 봤자 무슨 소용인가. 그 감정을 받아

줄 만한 단계는 지났고, 각자의 길을 걸어가야 할 시간이었다.

"그런 거 바란 적 없어요."

"이 정도로 했으면 듣는 척이라도 할 수 있잖아?"

"아니, 시간 낭비예요."

조금만, 조금만 더 빨리 자신을 돌아보았다면 좋았을 것을. 그렇다면 둘 사이의 아이를 잃을 일도, 상처받을 대로 상처받은 마음이 얼어붙을 일도 없었다. 그렇지만 이제는 전부 끝난 것이다. 절대로 돌이킬 수도, 되돌릴 수도 없었다.

혜수는 슬그머니 손등을 감싸는 손을 힘껏 뿌리쳤다. 그녀의 강한 거부에 주혁은 멈칫하며 한 걸음 물러섰다.

"……그만 가요. 나는 당신과 더 이상 할 이야기 없으니까."

"……."

실랑이 끝에 자리를 뜬 그는 실망감이 대단해 보였다. 제 뜻대로 진행되지 않는 상황에 어지간히 답답한 듯했다.

고작해야 몇 분밖에 되지 않을 짧은 만남이었지만 파급력은 대단했다. 면접을 본다는 데 대한 설렘과 들뜸은 언제 그랬냐는 듯 사라지고, 대신 그 자리를 채운 것은 무거운 고민이었다.

"또 이렇게 찾아오면 어떡하지……."

블라우스의 끈을 여미던 혜수는 조그맣게 숨을 들이켰다. 드높던 자존심을 제대로 건드렸으니 당분간은 괜찮을 것 같은데, 어디까지나 임시방편이었다. 언제고 이런 식으로 덤벼들어 겨우 안정 단계에 접어든 생활을 휘저어 놓는다면 곤란했다.

그때는 힘으로 막을 수 없을 터였다. 이런저런 가능성을 떠올리는 머릿속은 복잡하기 이를 데 없었다.

어쨌든 준비를 마치고 건물을 나섰다. 면접 장소는 바로 교생 실습을 했던 해성고등학교였다. 인연이 있는 곳인 만큼 면접에서 좋은 성과를 거두고 싶은데, 과연 어떻게 될까. 해성고등학교에 도착한 혜수는 조심스레 교무실의 문을 열었다.

"저…… 면접 보러 왔는데요."

"아, 이쪽으로 오세요."

자리에서 업무를 보던 교사 한 명이 벌떡 일어서서 그녀를 맞이했다. 두 달짜리, 그것도 단 한 명을 뽑는 자리인데도 면접을 기다리는 사람은 서너 명이나 되었다. 하나같이 진지한 표정들이었다.

"안녕하세요."

"안녕하십니까. 거기 앉으시죠."

"네."

면접실에 앉아 있는 면접관들은 총 세 명이었다. 혜수는 그들에게 공손히 인사를 건네고 의자에 앉았다. 미리 제출했던 서류와 혜수를 번갈아 건너다보는 그들의 시선은 사뭇 예리했다.

"집도 가까우시고, 인상도 굉장히 좋으십니다. 다 좋은데, 졸업 후의 경력이 전혀 없네요……."

"혹시 무슨 일을 하셨는지 여쭤봐도 될까요?"

무테의 안경을 쓴 면접관에 이어 그의 옆자리에 앉아 있던 여자가 질문했다. 등허리에 고이는 식은땀을 느끼며 혜수는 허리를 곧게 세웠다.

만에 하나, 누군가가 알아볼까 봐 대학교 졸업 이후의 약력은 아무것도 쓰지 않았다. 임용 시험에 합격했다는 것도, 교사로서 아주 잠깐 일했다는 것도.

대현 그룹의 신데렐라라는 자리는 그렇게 만만하지 않았다. 그 자리를 위해서 아주 많은 것을 포기해야 했고, 일부는 아직도 진행 중이었다.

"결혼……을 했습니다."

"아하, 결혼이라……. 그러셨군요."

아무런 경력이 없다는 대답에 면접관들의 얼굴에는 난처한 기색이 어렸다.

"아시다시피 바로 투입되어야 하는 자리라서……."

"기회 주시면 열심히 하겠습니다."

"그래요. 좋은 마음가짐입니다."

몇 마디의 덕담을 끝으로 그들의 질문은 거짓말처럼 뚝 끊겼다. 그래도 마지막까지 힘을 내 보려고 애썼지만, 하나같이 어색한 미소에서 일이 텄다는 사실을 깨달을 수 있었다.

"더 하시고 싶은 질문은 없으신가요?"

"네, 없는 것 같군요."

"……."

"그만 나가셔도 됩니다. 여기까지 오시느라 수고 많으셨어요."

당연히 첫술부터 배부를 수는 없는 것을 잘 알고 있었는데, 막상 온몸으로 실감하고 나니 힘이 빠졌다. 더 이상 들을 것도 없다는 표정의 면접관들을 등지고 혜수는 건물을 빠져나왔다.

집으로 돌아오는 발걸음은 모래주머니를 찬 것처럼 무거웠다. 역시 혼자서 살아가기란 쉬운 일이 아니었다.

"술이라도 살까……?"

혼잣말과 함께 버스에서 내린 혜수는 잠시 망설이다 편의점으로 향했다. 판매대에 예쁘게 진열된 맥주는 정말 오랜만에 보는 것 같았다. 명희도, 주혁도 맥주를 즐기는 편이 아니었다. 특히나 편의점에서 아무렇게나 고른 듯한 것은, 더더욱.

맥주 네 캔을 소중하게 품에 안고 걷던 그녀의 눈에 문득 무언가가 비쳤다. 무척이나 고급스러워 보이는 검은 세단이었다. ……주혁이 평소 타는 것과 똑같은.

그리고 흰색 번호판은 추측을 확신으로 바꾸어 놓았다. 이미 돌아간 줄만 알았던 그가 어째서 이곳에 있는지 모를 일이었다. 언제부터 여기에 있었던 것일까. 집에서 나왔을 때는 마음이 급해져서 서두르느라 미처 보지 못했다.

금세 차오르는 의구심을 지우며 혜수는 모른 척 걸음을 옮겼다. 내버려 두면 알아서 회사로 돌아갈 것이었다. 그러나 일말의 관심조차 주지 않고 무시하려던 전략은 실패로 돌아갔다.

아무렇지도 않게 차를 지나치려는 찰나, 갑작스레 뒷좌석 문이 열렸다. 차에서 내린 주혁은 평소답지 않게 화가 난 모습이었다. 칠흑처럼 검은 눈동자는 유난히 차갑게 빛났다.

"윤혜수."

간신히 분노를 죽인 것 같은 목소리에는 아주 약간의 동요가 배어들어 있었다. 물론 그 이유가 궁금하지도, 궁금할 필요도 없는 터라 한 귀로 듣고 한 귀로 흘렸다.

아무런 말도 듣지 못했다는 듯 고개를 돌리자마자 손목이 붙잡혔다. 그 바람에 맥주 캔을 담았던 봉투가 바닥으로 툭 떨어지고 말았다. 요란한 소리를 내며 바닥과 맥주 캔들이 맞부딪혔다.

가까스로 묻어 두었던 갈등이 또 한 번 찾아왔다. 이래서야 아까 집 안에서의 상황과 다를 바 없었다. 느닷없이 전신을 덮쳐 오는 기시감은 가짜가 아니었다. 그를 쏘아보던 혜수는 이윽고 주먹을 꼭 쥐었다.

"이거 놔요!"

"잠깐이면 돼. 물어볼 게 있어."

손목을 감싼 커다란 손에서는 이상할 만큼의 열기가 느껴졌다.

"뭐죠? 아직도 할 이야기가 남았던가요. 그렇게 한가한 거면……."

"이렇게까지 해서 나와 이혼하려는 이유가 뭐야?"

"네?"

"그걸 듣지 않고서는 도저히 돌아갈 수가 없겠더라고."

나직하게 토로하는 주혁은 반드시 제 대답을 들어야겠다는 기세였다. 이제야 그 이유가 궁금해진 것인가 싶으니 어이가 없었다. 자신이 왜 이러는지는 본인이 더 잘 알고 있지 않은가. 그런데도 아무것도 모른다는 것처럼 뻔뻔스럽게 구는 저의를 이해할 수 있을 리 만무했다.

"정말로 모르겠어요?"

혜수의 싸늘한 반문에도 주혁의 태도는 변함없었다.

"그래."

"하아……."

"당신이 원하는 대로 분가도 했어. 아이는…… 어쩔 수 없는 문제였고. 그것 외에는 별다른 문제가 없었잖아. 그런데 대체 왜 이러는 거지?"

쉴 새 없이 날아오는 주혁의 질문은 추궁에 가까웠다. 적반하장으로 나오는 통에 문득 뒷덜미가 찡하게 저렸다. 부들부들 떨리는 손끝을 느끼고 있자니 가슴이 퍽, 하고 터질 것 같았다.

이대로 이혼하게 되면 평생 그 문제는 함구할 생각이었다. 굳이 들추어 내 지저분한 싸움에 휘말리고 싶지 않았다. 더구나 또다시 대현 그룹과 얽히고 싶지 않은 까닭이었다.

한 발자국만 잘못 내디디면 금방이라도 추락할 것 같은 곳에서도 사랑의 감정을 느끼게 해 주었던 남자였다. 비록 단 한 줌의 온기를 선사했을 뿐이었지만, 그것만으로도 충분했다. 그렇기에 이것은 그에 대한 최후의 배려이기도 했다.

"……."

하지만 그는 아무것도 몰랐다. 여태껏 그래 왔듯이. 혜수는 가늘게 속눈썹을 떨었다. 그 무정한 속내에 다시 한번 절망감이 치솟았다. 그깟 게 뭐라고 아등바등하면서 숨기려고 했을까. 묻어 두려고 했을까.

한바탕 퍼부어 주고 뛰쳐나왔어야 했다. 다시는 이렇게 오만한 태도로 버티지 못하도록 본인이 저지른 짓을 확실히 각인시켜 주었어야 옳았다.

"말해 봐."

주혁이 재차 다그치는 순간, 마음속 어딘가에 꼭꼭 숨겨 두었던 분노가 드디어 타오르기 시작했다.

언제든 재생될 준비가 되어 있었던 불씨는 걷잡을 수 없이 타올랐다. 가슴에서부터 시작된 열은 곧장 머리까지 닿았다. 급격히 흐려지는 시야에 혜수는 어금니를 꽉 물었다. 마지막으로 보였던 호의와 성의는 역시나 물거품이 돼 버렸다.

그러니 이제는 어쩔 수 없었다. 그가 원하는 대로 하나도 남김없이 밝힐 수밖에. 뒷감당은 당연히 본인의 몫이었다.

"정말 뻔뻔하네요."

"뭐라고?"

"당신은 몰라요. 내가 그 집에서 어떤 취급을 받았는지, 무슨 말을 듣고 살았는지 하나도 모른다고요! 아니, 모른 척한 건가요?"

"……."

"오직 돈만 보고 한 계약 결혼이니까 그래도 된다고 생각했겠죠. 내가 얼마나 하찮게 보였겠어요?"

제 앞에 놓인 것은 누구나 부러워하는 돈방석이 아니었다. 결코 헤어 나올 수 없는 수렁이었다. 절체절명의 위기를 기회로 삼아 모든 연을 끊고 싶었는데, 역시나 하늘은 제 편이 아니었다.

"……하지만 제일 역겨운 건 당신이에요."

한 치의 거짓도 섞이지 않은 감상에 주혁의 손에서 순간적으로 힘이 빠졌다.

그 틈을 타 혜수는 거칠게 제 손목을 빼내었다. 꽤 오랫동안 잡혀 있었던 만큼 손목에는 붉은 흔적이 새겨져 있었다. 너무나 욱신욱신했다. 손목도, 마음도.

"겉으로는 남편의 의무를 다하는 것처럼 굴었죠. 그렇지만 뒤에서 딴짓하고 있었던 걸 모를 줄 알아요?"

"딴짓……?"

"당신, 여자 있잖아요."

“……!”

감히 이런 답이 날아올 줄 몰랐다는 듯 주혁은 두 눈을 크게 떴다. 곧이어 혜수의 입꼬리가 한껏 비틀렸다.

“왜요, 놀랐어요? 아무것도 모르는 인형인 줄 알았는데, 의외라서?”

“여자라니, 뭔가 오해가 있는 것 같은데.”

“오해? 하……!”

끝까지 감추려고 드는 모습은 진심으로 어처구니없었다. 항상 고고하던 그의 밑바닥을 똑똑히 봐 버린 지금, 가슴속을 채우는 것은 끝없는 격분이었다.

“오해? 발뺌할 생각하지 마요! 증거도 있으니까.”

“증거? 보여 줘 봐.”

“끝까지 이런다는 거죠……. 본가의 우리 방, 화장대 서랍 안에 있어요. 당신 눈으로 직접 봐요.”

“…….”

“할 말 끝났으면 들어가 볼게요.”

“당신…….”

“그리고 하나 더. 당신에게 아주 조금의 염치라도 있다면 다시는 내 앞에 나타나지 마요. 절대로.”

그토록 숨기고 싶었던 치부를 낱낱이 들킨 탓인지 우뚝 선 주혁은 양미간만 찌푸리고 있을 뿐이었다. 차디찬 조소를 흘린 혜수는 보란 듯이 현관을 향해 돌아섰다.

* * *

여자라니, 무슨 말을 하는 것인가. 도저히 믿을 수가 없었다. 맹세컨대 제 인생에 여자는 윤혜수 한 명뿐이었다.

애당초 여자에는 관심이 없었고, 시답잖은 연애 놀음을 할 만큼 여유 있는 상황도 아니었다. 물론 대현 그룹의 후계자답게 명희를 필두로 여기저기에서 유혹의 손길을 뻗어 왔지만, 손톱만큼도 관심이 가지 않았다.

품에 안은 여자는 혜수가 처음이었다. 예전에도, 지금도. 그 어떤 미혹이나 유혹에도 흔들림 없이 남편의 의무를 다했다고 자부할 수 있었다. 그런데도 어째서 그런 오해를 하는지 모를 일이었다.

어디에서부터 어떻게 오해를 샀나 싶어 등골이 서늘했다. 순식간에 사라진 혜수를 붙잡을 생각도 하지 못한 채 주혁은 허겁지겁 차에 올라탔다.

"본가로 가도록 해."

"네? 회사가 아니라요?"

"그래, 최대한 빨리."

"아, 알겠습니다!"

뜻밖의 명령에 당황한 빛을 감추지 못하던 운전기사는 곧바로 차의 시동을 걸었다. 이런 말도 안 되는 일로 본가에 발을 디딜 줄은 몰랐다. 주혁은 한숨과 함께 이마를 부여잡았다.

문자 그대로 미친 듯이 내달려 본가에 도착했다. 갑작스러운 주혁의 등장에 집 안을 정리하고 있던 고용인들은 사뭇 놀란 눈치였다.

"관장님께서는 잠시 외출하셨습니다만……. 부사장님 오셨다고 연락드릴까요?"

"마음대로 해."

안절부절못하는 고용인을 외면하며 주혁은 재빨리 방으로 걸어갔다. 언제든 돌아오라는 듯 깔끔하게 정돈된 방에 들어서자마자 이상할 만큼 답답함이 몰려왔다.

이래서 혜수가 이곳을 이렇게 싫어했던 것인가. 아니, 지금은 그런 것을 신경 쓸 겨를이 없었다. 화장대 서랍을 여는 손길은 무척이나 조급했다.

그녀의 말처럼 서랍 안쪽에는 싯누런 서류 봉투 하나가 들어 있었다. 조금 전과 마찬가지로 다급하게 봉투를 뒤지던 주혁은 일순간 모든 동작을 멈추었다.

"……."

혜수가 말한 증거품은 다름 아닌 사진이었다. 희미하게 미소 짓고 있는 자신과 그 옆에 선 미모의 젊은 여자, 그리고 뒤 배경은 내로라하는 유명 호텔. 누가 봐도 오해할 만한 상황이었다.

'어이가 없군…….'

누군가가 작정하고 찍은 것 같은 사진은 하물며 한두 장이 아니었다. 하나같이 야릇한 관계를 암시하고 있는 통에 그만 실소가 터져 나왔다.

여자는 이번에 승진한 마케팅팀의 팀장으로, 절대 개인적으로 얽힐 만한 관계가 아니었다. 선우 그룹 본부장과의 미팅을 위해 호텔에 갔던 것을 이런 식으로 이용하다니. 참으로 유치하고도 치졸한 장난이었다.

혜수는 이 여자를 모른다. 지근거리에서 보좌하는 비서의 얼굴도 겨우 알까 말까 한 그녀였다. 그러니 자신이 외도를 저지르고도 오리발을 내밀고 있다고 충분히 오해할 수 있었다.

아무것도 모르는 그녀를 속이고도 태연스레 웃고 있을 만한 인물은 단 한 명뿐이었다. 명희였다.

"어머니……."

이렇게 터무니없는 것으로 혜수를 압박하고 있었을 줄은 꿈에도 몰랐다. 이 말도 안 되는 촌극에 휘말려 버린 그녀를 떠올리고 있노라면 마음 한구석이 시큰했다.

봉투째로 사진을 구겨 버리며 주혁은 입술을 깨물었다. 어찌나 힘 있게 물었는지 혀끝을 타고 핏방울이 입 벽으로 스며들었다.

한번 시작된 노여움은 좀처럼 가실 줄 몰랐다. 들불처럼 활활 타는 속을 가라앉히기 위해 얼마간 벽에 기대어 있자니 누군가가 방으로 들어섰다.

"주혁이 왔니?"

그를 부르는 명희의 목소리는 유달리 간드러졌다. 오랜만의 방문이 반가운지 주혁의 앞으로 다가간 명희의 얼굴에는 함박웃음이 맺혀 있었다.

"미리 말이라도 하고 왔으면 어긋날 일 없었을 텐데 말이야. 얼른 내려가서 차라도 한잔……."

"차는 됐습니다."

"그래? 그럼 뭐가 좋겠니?"

주혁은 영문을 모르겠다는 듯 고개를 갸우뚱하는 그녀의 눈앞에 서류 봉투를 들이밀었다.

"이거, 설명해 주시죠."

잔뜩 구겨진 서류 봉투를 본 명희는 하얗게 질렸다. 봉투 속에 든 것의 정체를 직감한 모양이었다. 알이 굵은 반지를 낀 손가락이 파르르 떨렸다.

"글쎄…… 잘 모르겠구나. 그건 뭐니?"

눈앞에 들이대진 명확한 증거에도 그녀는 일단 한발 물러서려고 들었다. 당황한 기색을 숨기며 웃어 보이는 그녀를 향해 주혁은 냉랭하게 응수했다.

"뭐긴요. 외도의 증거 아닙니까. 저는 저지른 적도 없는."

"……!"

"왜 이런 짓을 하신 거죠?"

"……."

연이은 추궁의 화살을 맞은 명희는 쉽사리 답하지 못했다. 그 대신 얼굴빛을 싹 바꿀 뿐이었다.

웬만해서 본심을 드러낼 길 없는 그녀의 입을 열게 하는 방법은 하나밖에 없었다. 혜수의 경우와 마찬가지로 똑같이 돌려주는 것.

"대현 그룹의 안주인으로서 이런 건 끔찍하게 싫어하시는 줄 알았는데요."

"뭐……?"

"언제나 입버릇처럼 말씀하셨죠. 교양도 없는 미친한 것들이나 하는 짓이라고."

주혁은 다시 한번 명희를 빤히 바라보았다. 절대로 물러설 수 없다는 태도에 명희는 결국 그의 손에서 서류 봉투를 빼앗아 들었다. 잔뜩 구겨져 있었던 서류 봉투는 이내 잘게 쪼개져 바닥으로 추락했다.

"그 발칙한 것이 정녕 너랑 내 사이를 이간질하려고 드는 게로구나!"

"그래서 미천한 것들도 하지 않을 수작질을 벌이신 겁니까. 우습네요, 어머니."

명백히 명희를 깔보는 어투였다. 당연했다. 그녀는 이미 정상의 범주를 한참 전에 넘어섰으니까. 길바닥에 굴러다니는 돌멩이만도 못한 취급에 명희의 낯빛은 조금 전보다 훨씬 희게 변했다.

"권주혁, 너 지금 뭐라고……."

"우습다고 말씀드렸습니다."

"우, 우스워……? 이 어미에게 그게 무슨 망발이냐?"

썩 내키지는 않아도 어머니인 이상 예의를 갖추어 대했다. 허구한 날 이혼 타령을 하면서 맞선을 주선하려고 드는 것도 적당히 넘겼다. 최대한 명희와 부딪치지 않기 위해 노력했고, 그녀는 그런 자신을 자랑스럽게 여겼다. 하지만 모든 진실을 알게 된 지금도 그럴 수는 없었다.

"이것 봐! 이러니까 내가 내보내려고 한 거야!"

순식간에 뒤바뀐 현실을 도저히 받아들일 수 없는지 명희는 대뜸 소리부터 질러 댔다. 방 안을 쩌렁쩌렁하게 울리는 고함에 마치 귀가 찢어질 것 같았다.

"봐라, 그년을 곁에 둔 것만으로도 네가 얼마나 망가졌니. 응?"

"혜수 탓하지 마세요. 이건 어머니의 밑바닥이니까."

"누가 누구 탓을 한다는 게야? 너야말로 그 망할 년한테 속고 있어! 주혁이 너, 이런 애 아니잖니? 네가 어떻게 나한테 이래!"

"억지로 합리화하려고 하지 마세요."

"세상에……. 내 아들이 왜 이렇게 됐어? 그년이 얼마나 영악한 줄 네가 몰라서 그러는 거야."

입술을 앙다물며 분노에 떨던 명희가 문득 바닥을 가리켰다. 어지럽게 흩어진 종잇조각이 발치에서 뒹굴고 있었다.

"이 사진들 보고도 이혼 못 하겠다고 버텼어. 알아? 그러면서 기어코 아기 핑계를 대더구나."

"아기요?"

"하, 참! 어이가 없어서……. 인정해 달라고? 그 천한 핏줄을 우리 집안에 들이밀다니, 어지간히 뻔뻔하지 않고서야 그런 짓을 할 수가 없지. 할 수가 없어."

"방금 뭐라고 하셨습니까?"

그 입에서 차마 듣지 말아야 할 것을 들어 버린 기분이었다. 주혁은 있는 힘껏 얼굴을 찡그렸다.

"그년은 네 애를 가지면 뭐라도 달라질 줄 알았나 봐. 자기를 며느리로 인정해 달라고 하던데? 어디서 굴러먹던 씨인 줄 알고, 감히……."

"설마…… 지금 그 말, 혜수한테도 하신 건 아니죠?"

"왜? 내가 못 할 말을 했니? 말마따나 천박한 것이 더 천박한 짓거리를 하고 다녔을 줄 어떻게 알고!"

"……."

비수와도 같은 폭언이 가슴팍에 정통으로 꽂히는 찰나, 머릿속에서 무언가가 뚝 끊어지는 느낌이 들었다. 험난하게 붙잡고 있던 이성의 끈이었다.

아무것도 잘못한 것 없다는 명희의 뻔뻔한 얼굴과 구슬픈 눈물을 흘리며 울부짖던 혜수의 얼굴이 한데 겹쳐졌다. 그녀가 토해낸 처절한 비명이 다시 한번 귓가에 뒤엉켰다.

'절대로…… 절대로 용서 못 해. 당신도, 당신의 그 잘난 어머니도…… 대현 그룹도 전부!'

그 피맺힌 절규를 자신은 어떻게 받아들였던가. 그때는 그저 아이를 잃은 슬픔을 못 이겨 감정적으로 격해졌다고 여겼을 뿐이었다. 시간이 지나면 언제 그랬냐는 듯 잊히고, 과거의 잔재가 될 게 뻔한.

명희가 자신 몰래 이런 짓을 벌이고 있었을 줄은 정말로 몰랐다. 오늘에서야 깨닫게 된 명희의 밑바닥은 가늠할 수 없을 만큼 깊었다.

"……생각보다 더 최악이었군요."

사람이 어떻게 이 정도로 악랄해질 수 있을까. 명희의 잔악하고도 추악한 면모에 새삼 기가 질렸다. 주혁의 낮은 속삭임에 명희는 그럴 줄 알았다는 듯 고개를 끄덕끄덕했다.

"그렇지? 걔가 그런 년이야. 그러니까 너도 얼른……."

"어머니가요."

"……뭐? 지금 무슨 말을 하는 게야?"

"제가 아무것도 몰랐네요. 어머니가 이 정도로 추악했을 줄이야."

자신이 아는 한, 명희는 항상 품위를 지키려고 노력했다. 권 회장을 졸라 아트 센터의 관장 자리를 꿰찬 것에는 그러한 명희의 노력이 크게 작용했다. 사회 취약 계층을 위한 봉사 활동이나 기부 활동에도 최선을 다하는 그녀를 다들 입 모아 칭송하곤 했다.

그러나 겉으로만 우아한 척하면 뭘 하는가. 그 이면에서는 한 사람을 처참하게 짓밟고 있었던 것을. 희생양이 된 혜수가 그간 느꼈을 고통을 감히 상상조차 할 수 없었다.

"이 녀석이 정말!"

고래고래 소리치는 명희의 눈에는 이윽고 시뻘겋게 핏발이 섰다. 그뿐만이 아니었다. 화를 삭이지 못한 손이 급기야 공중으로 떠올랐다. 금세 눈앞까지 닥쳐 온 그녀의 손을 붙잡은 주혁은 나지막이 덧붙였다.

"혜수한테는 부디 손찌검까지는 안 하셨기를 바랄게요."

"너, 이거 안 놔?"

제대로 정곡을 찔렸는지 명희는 손찌검이라는 단어가 나오자마자 흠칫했다. 명희의 주문대로 손을 놓으며 주혁은 그녀를 멀거니 내려다보았다.

거세게 흔들리는 눈동자에 담긴 자신의 얼굴은 놀라울 정도로 무표정했다.

"……가 보겠습니다."

"권주혁!"

악을 쓰다 못해 쉬어 버린 목소리가 화살처럼 꽂혔지만, 돌아보고 싶지 않았다. 아니, 돌아볼 수 없었다.

밖에는 저녁 어스름이 짙게 내려앉아 있었다. 착잡한 마음을 가까스로 억누른 주혁은 땅이 꺼져라 한숨부터 내쉬었다. 이마에 흘러내린 머리카락 몇 가닥이 잠깐잠깐 흔들렸다.

혜수에 대한 명희의 증오는 상상 이상이었다. 혼자서 감당할 만한 수준이 아니었는데, 그녀는 어째서 제게 한마디도 하지 않았던 것일까.

'왜 그런 거야.'

명희는 혜수가 자신을 망가뜨렸다고 탓했지만, 형체를 알 수 없을 정도로 무너졌던 쪽은 오히려 혜수였다. 곪을 대로 곪은 상처가 썩어 가는 줄도 모르고 바보처럼 참기만 하다가 종내는 어둠 속으로 침잠하고 말았다.

다 알고 있다고 생각했다. 전부 제 손바닥 안에 있어서, 별다른 의심이나 노력 없이도 해결할 수 있을 줄 알았다. 그러나 그것은 한낱 오만이었다. 하찮은 자만에 불과했다.

대체 뭘 알고 있었다고 자부했나. 뭘 할 수 있다고 자신했나. 아무것도 몰랐다. 바보처럼. 그런 주제에 그녀에게 화풀이했다니, 스스로 느끼기에도 어이가 없었다.

자책감과 후회감으로 얼룩진 한숨의 끝은 다름 아닌 운전기사의 호출이었다. 주차장에서 대기하고 있던 운전기사는 그 즉시 차를 끌고 대문 앞으로 왔다.

"댁으로 모실까요?"

주혁은 고개를 저었다.

"아니, 나 혼자 가지. 그만 퇴근하도록 해."

"알겠습니다. 조심히 들어가십시오."

진심으로 희한한 경우를 맞닥뜨렸다는 것처럼 운전기사의 눈이 또 한 번 휘둥그레졌다. 물론 약간의 관심조차 주지 않고 운전석에 올라탔다.

지금 머릿속에는 단 하나의 생각밖에 자리하고 있지 않았다. 아침보다도 훨씬 강하고 격렬한 충동은 당연하다는 듯 그곳으로 자신을 이끌었다.

그대로 운전대를 잡고 정신없이 혜수의 집까지 달려갔다. 도로 옆쪽에 줄지어 늘어선 가로등들만이 그 외로운 행보를 좇았다. 어둠을 가르다 보니 어느덧 익숙지 않은 풍경이 시선을 사로잡았다.

건물 바로 앞에 차를 세운 다음, 주혁은 창문을 열고 건물을 올려다보았다. 깊고 묵직한 어둠에 싸인 건물에는 드문드문하게 불이 들어와 있었다.

"자고 있는 건가……."

혜수의 거처가 있는 4층은 빛이라고는 한 조각도 찾아볼 수 없었다. 밤이라고 해도 아주 늦은 시간이 아닌 만큼 잠들지 않았기를 바랐는데, 헛된 기대였다.

이제 제 앞에 놓인 선택지는 두 개였다. 실례를 무릅쓰고 4층까지 올라가든지, 아니면 이대로 집으로 돌아가든지. 전자에 좀 더 무게추가 쏠린 터라 주혁은 천천히 운전석 문을 열었다.

그러나 그의 발은 끝내 건물 현관으로 들어서지 못했다. 그 대신, 인기척을 감지하고 켜진 전등의 힘을 빌려 혜수에게 메시지를 한 통 보냈다.

[집 앞인데 잠깐 올라가도 될까. 할 말이 있어.]

한 글자, 한 글자 꾹꾹 눌러 쓴 메시지의 답이 오는 일 따위는 일어나지 않았다. 손에 쥐어진 핸드폰은 무거운 침묵에 빠져 있을 뿐이었다. 현관에 오랫동안 서 있던 주혁은 다시금 차로 돌아갔다.

충동을 이기지 못하고 달려온 것에 반해 성과는 없었다. 아무것도 건지지 못했다는 점에 허무함이 물밀 듯 밀려왔다. 그래서일까, 좀처럼 시동을 걸 엄두가 나지 않았다. 아니, 정확하게는 아무도 없는 곳으로 돌아가고 싶지 않았다.

"……."

눈앞에 놓인 운전대를 그러쥐며 주혁은 살며시 눈꺼풀을 닫았다. 혜수를 만나고 싶은데. 해야 할 말도, 하고 싶은 말도 많건만 어째서 만날 수 없는 것인지.

손끝에서부터 시작된 초조한 감정은 순식간에 온몸을 집어삼켰다. 그녀가 바로 지척에 있다는 사실을 알고 있기 때문일까. 주인 잃은 침대에 누워 있을 때보다도 훨씬 심장이 두근거렸다.

만나고 싶다, 고 주혁은 작게 되뇌었다.

* * *

삐비빅.

요란한 알람음이 귓가를 강타했다. 느닷없이 들려온 소리에 깜짝 놀란 혜수는 속눈썹을 들어 올렸다. 벌써 7시가 된 모양이었다. 알람 중단 버튼을 누르려던 손길이 불현듯 멈칫했다. 메시지 한 통이 와 있었다.

"……주혁 씨?"

지금 집 앞에 와 있으니 잠깐 볼 수 있느냐는 그의 메시지는 어제저녁에 온 것이었다. 메시지가 수신된 시간을 확인한 순간, 찬물로 세수를 한 것처럼 시야가 뚜렷해졌다.

'뭐지?'

황급히 그다음 메시지가 왔는지 확인해 봤지만, 아무것도 없었다. 설마하니 이 앞에 밤새 버티고 있는 것일까.

있을 수 없는 경우라고 고개를 세차게 흔들어 봐도 정체불명의 불안감은 그대로였다. 목숨처럼 중히 여기던 회사 일을 버려두고 여기까지 달려온 그였다. 그랬던 터라 더더욱 주혁의 존재 여부를 확인해 보고 싶어졌다.

침대를 벗어난 혜수는 창문을 열어젖혔다. 상쾌한 아침 공기가 코끝까지 밀려 들어왔다. 차분하게 움직이던 눈동자는 이내 어느 한 곳에 고정되었다.

"정말 있네……?"

건물 앞 주차장에는 눈에 익은 차가 한 대 세워져 있었다. 아침 햇빛을 받아 반짝이는 차를 발견하자마자 경악에 찬 한숨이 함께 흘러나왔다.

어제에 이어 연속적으로 터무니없는 일이 벌어졌다. 자신의 동태를 감시하러 온 운전기사일 가능성은 극히 낮았다. 만약 그럴 심산이었다면 저토록 표 나게 기다리고 있다는 뜻을 비칠 리가 만무했다.

"아……."

아무렇게나 카디건을 걸치고 건물 밖으로 뛰쳐나온 혜수의 입에서는 자그마한 탄식이 터져 나왔다. 비록 선팅이 짙어 얼굴이 보이지 않아도 차 안에 있는 사람은 권주혁이 확실했다.

무슨 생각으로 이러는지 잘 모르겠다. 그동안 질리도록 겪었던 냉정한 면모는 눈 씻고 찾아봐도 없었다.

눈앞의 남자는 지극히 감정적인 충동에 사로잡힌 상태였다. 한없이 제멋대로 찾아오고, 몇 번이나 거부 의사를 밝혀도 아랑곳하지 않았다.

"……."

마른침을 삼키던 혜수는 이내 카디건을 추켜올렸다. 뒤늦게 개심했다고 한들 이제는 상관없는 일이었다. 주혁와의 관계는 이미 끝났다. 보지 못한 척, 모르는 척하며 아무 일도 없었다고 일축하면 그만이었다.

그러나 아까와 마찬가지로 몸은 이번에도 머릿속의 지시를 거부했다. 감정에 좌우되는 게 싫어도 멋대로 움직이는 몸을 막을 수는 없었다.

저도 모르게 운전석으로 다가간 혜수는 조심스레 창문을 두드렸다.

"주혁 씨."

"……."

"주혁 씨?"

재차 그를 부른 끝에야 잠금장치가 해제되었다. 차에서 내린 주혁은 다소 흐트러진 모습이었다. 잠에서 막 깨어난 탓에 흐리멍덩하던 눈빛은 시선을 교환한 직후, 언제 그랬냐는 듯 또렷해졌다.

"여기서 뭐 하는 거죠?"

"메시지, 답이 안 와서."

"그래서 밤새 기다렸다고요?"

"응."

헝클어진 머리카락을 손끝으로 흩뜨리며 주혁이 짧게 답했다. 설마설마했는데, 진짜로 이곳에서 밤을 새웠을 줄이야. 그 입으로 친히 확인받은 사실은 놀랍기 그지없었다.

"어째서예요……? 연락이야 집에서 기다려도 되잖아요."

"그냥, 조금이라도 당신과 빨리 만나고 싶어서."

"……."

"가고 싶지 않았어."

연이은 충격에 혜수는 그만 양손으로 카디건 자락을 말아 쥐었다. 눈앞이 살짝 어찔어찔했다. 이런 남자는 모른다. 이렇게까지 솔직한 모습은 본 적이 없었다.

자신이 기억하는 주혁은 언제나 오만했다. 매번 고개를 빳빳이 쳐든 채 시혜적인 시선을 보낼 뿐이었다. 다 알고 있다는 것처럼, 그리고 그 어떤 것도 놓치지 않겠다는 듯이.

최고의 위치에서 관망할 뿐이었던 남자가 왜 이런 말을 하는 것일까. 너무나 낯선 변화였다.

"……할 말이 있다면서요."

간신히 이성을 수습해 화제를 다른 방향으로 돌려 보았다. 그 놀라운 변화를 실감하고 있노라면 흔적도 없이 사라졌던 기대감이 꾸물꾸물 모여 들 것 같았다.

“전부 가짜야.”

“네?”

생뚱맞은 답변에 혜수는 바로 반응했다. 그러자 주혁은 조금 전보다 한결 진지하게 눈을 빛냈다.

“내가 외도한 증거라고 어머니가 보여 주신 것들, 가짜라고.”

“뭐라고요……? 그럴 리가…….”

“정 못 믿겠으면 내 쪽에서 증거를 제시하도록 하지. 핸드폰 위치 추적, CCTV…… 아니면 증인을 부를까? 방법은 많아.”

직감적으로 그 말이 거짓이 아님을 읽어 낼 수 있었다. 이래서 어제 그렇게 당혹스러운 표정을 지었나 싶었다.

자다가 망치로 뒤통수를 얻어맞은 것 같은 충격이 삽시간에 살갗 속으로 파고들었다. 사시나무 떨듯 동요하기 시작한 손끝을 느끼고 혜수는 침착하게 숨을 골랐다.

명희가 들이밀었던 사진이 진짜가 아니었다니. 그럴 가능성은 꿈에도 상상 못 했다. 당연히 사진 속 여자와 내연 관계라고 여겼으니까. 그도 그럴 법한 게 그녀를 바라보는 주혁은 은은하게 미소 짓고 있었다.

“고작 사진 몇 장으로 그런 터무니없는 거짓말을 믿다니.”

“그야…….”

자신에게는 한 번도 보여 주지 않았던 표정이었다. 차갑고, 무뚝뚝하고, 냉랭했던 남자였기에 더더욱 외도의 진의를 의심하지 못했다. 진심으로 사랑하는 여자가 아니라면 그렇게 웃을 수 없을 것 같아서.

처음부터 확신하고 있었다. 한 치도 의심하지 않았다. 권주혁은 윤혜수를 사랑하지 않는다고. 단 한 순간도 사랑한 적 없었다고. 그렇기에 터무니없는 거짓말에도 감쪽같이 속아 넘어갈 수밖에 없었다.

"그럼 그때 왜 웃고 있었던 거죠?"
"뭐?"
"내 앞에서는 절대 그런 표정 짓지 않았잖아요."
"……."
"그래서 그렇게 생각할 수밖에 없었어요."
대답 대신 그 입술에서 새어 나온 한숨이 눈앞을 어지러이 휘저어 놓았다. 혜수는 가만히 고개를 들었다.
어떻게 받아쳐야 할지 모르겠다는 듯 선명한 당혹감이 주혁의 얼굴에 잠깐 떠올랐다가 사라졌다.
"……그런 거 아니야."
한 박자 늦은 답변에는 표현할 길 없는 진심이 깃들어 있었다. 이쯤 되면 그의 진정성을 의심하기 어려웠다. 본인의 목적을 이루기 위해서 물불 가리지 않는 명희라면 응당 그럴 수 있었다.
"알았어요."
"이제 믿어 주는 건가?"
"네."
그제야 주혁의 검은 눈동자에 안도의 기색이 어렸다. 뜻밖의 진실이 가져다준 충격을 실감하며 혜수는 한 발짝 뒤로 물러섰다. 바스락, 하는 소리가 발밑에서 들려왔다.
그는 자신을 배신하지 않았다. 모든 사달의 출발점이 된 외도가 명희의 악랄한 계획이었다는 사실을 알게 된 지금, 머릿속이 극도로 혼란스러웠다. 얼마간 침묵을 지키던 혜수는 가까스로 마음을 다잡았다.
설령 그렇다고 한들 달라지는 것은 없었다. 단지 남편으로서 지켜야 할 최소한의 도리를 다한 것뿐, 그 이상도 그 이하도 아니었다. 그는 자신을 사랑하지 않으니까. 처음 만났을 때부터, 그리고 지금 이 순간까지도.
가장 깊은 곳까지 파고드는 진실의 무게감에 마냥 질려 있을 수는 없었다.

이 말을 전하기 위해 여기까지 왔을 테니, 이제 그만 그를 돌려보내야 했다.

"할 말은 이것뿐인가요?"

"아니, 하나 더 있어."

"더 있다고요?"

주혁이 그녀의 눈앞으로 성큼 다가섰다. 급속도로 실종된 거리감에 혜수는 반사적으로 어깨를 움찔했다.

"어머니한테 당신을 며느리로 인정해 달라고 했다더군. 사실이야?"

주혁이 원하는 것은 그 행위 자체에 대한 확신이 아니었다. 그렇게 할 수밖에 없었던 이유였다.

"당신이, 그걸 어떻게……."

바르르 떨리는 목소리는 끝끝내 뒷말을 엮어 내지 못했다.

"왜 그랬지? 그렇게 이혼하고 싶어 했잖아. 아이 때문에 생각이 바뀌었나?"

"꼭 그런 것만은 아니었어요."

"그럼?"

"……."

이 남자를 사랑했다. 아이라는 연결 고리로 접점을 만들어, 떠나간 그의 마음을 붙잡고 싶었다. 그러나 임신은 기회도, 계기도 아니었다. 더 깊은 절망으로 굴러떨어질 발판이었다. 그 사실을 알았다면 절대로 희망을 품지 않았을 터였다.

"……이미 끝난 마당에 그게 뭐가 중요하죠?"

혜수는 살며시 속눈썹을 내리깔았다. 체념 어린 말투에 주혁은 도저히 받아들일 수 없다는 듯 되물었다.

"끝났다고……? 오해는 풀린 거 아니었나. 그렇다면 이혼할 이유가 없잖아?"

"아니요, 아무것도 달라지는 건 없어요."

"어째서?"

"당신의 외도는 우리가 헤어지는 수많은 이유 중의 하나일 뿐이에요."

"그 이유의 대부분은 묻지 않아서 생기는 오해일 것 같은데. 지금처럼."

"……."

"이해할 수 없으면 물어봐. 얼마든지 답해 줄 테니까."

틀린 지적은 아니었다. 외도는 명백한 자신의 오해였으니까. 이 사진들이 뭐냐고, 그 입으로 직접 들었다면 이 사달은 벌어지지 않았을지도 몰랐다.

그러나 그뿐이었다. 첨예한 감정의 골에 지쳤고, 이제는 외면하고 싶었다. 이것은 아이를 허무하게 잃어버렸을 때부터 답이 정해진 문제였다. 이 남자와는 다시 이어질 수 없노라고. 이런 식으로 끝나는 인연도 있다고.

어느덧 쓴 미소가 입가에 걸렸지만, 주혁은 끈질기게 자신의 답을 기다리고 있었다. 초조함 가득한 눈길이 전신을 몇 번이나 훑어 내렸다.

"주혁 씨, 나를 사랑해요?"

"뭐?"

사랑이라니, 그와의 결혼 생활에 있을 수 없는 표현이었다. 그래도 묻고 싶었다. 듣고 싶었다. 그의 대답을, 그 마음을.

"그게 무슨……."

주혁은 그런 질문은 전혀 생각지도 못했다는 태도였다. 충격에 빠진 그의 모습에 혜수는 살며시 자조했다.

잘 알고 있었다. 사랑 없는 결혼, 목적에 의한 결합, 서로 다른 이용 가치의 연합. 지난 3년 동안 함께했던 시간은 고작 그런 것이었다.

그런데도 언젠가부터 자신이 달라졌다는 점을 느끼기 시작했다. 어느 순간부터 다른 것을 바라게 되었다. 사랑이나 애정, 신뢰 같은…… 그에게 존재할 수 없는 감정을.

"당신은 정말 이상해요. 나를 사랑하지도 않으면서 이혼을 왜 거부하죠?"

"해야 할 이유가 없으니까."

"그렇군요."

역시나 명쾌한 답변이었다. 그럴 이유가 없으므로 다짜고짜 거부부터 하다니. 결혼도, 이혼도 이 남자에게는 참 쉬웠다. 처음부터 끝까지.

"주혁 씨한테는 없었겠지만, 나한테는 결혼의 조건에 있었어요. 사랑이."

"……!"

외도했냐고 따졌을 때보다도 훨씬 격렬하게 흔들리는 동공은 그의 당혹감을 여실히 드러내고 있었다. 주혁에게서 눈을 떼지 않으며 혜수는 허리를 곧게 폈다.

"어머니께 왜 그런 부탁을 했냐고 물었었죠? 답해 줄게요. 당신을…… 사랑해서 그랬어요."

오래도록 숨겨 두었던 말이었다. 오랫동안 묻어 두었던 마음이었다. 마침내 입 밖으로 내뱉는 찰나, 가슴속 깊은 곳에서 뜨거운 것이 뭉근하게 치밀어 올랐다.

'사랑에 빠지다'라는 표현이 있을 수 있는 이유는 사랑이 과연 언제부터 시작되며, 어떤 계기로 이루어지는지 모르기 때문일 것이다. 사랑은 이유도, 명분도 필요치 않았다.

그 말처럼 정신을 차리고 보니 주혁을 사랑하고 있었다. 그 마음을 얻고 싶어서 어쩔 줄 몰라 했다. 때때로 설레는 눈길로 그를 보았고, 두근거리는 심장을 품고 살았다.

물론 그것도 전부 한때였다. 흘러간 물은 붙잡을 수 없고, 지나가 버린 시간은 되돌릴 수 없는 법이었다. 더는 상처받고 싶지 않았다. 괴로워하고 싶지 않았다.

사랑도, 바람도 이미 과거의 일부분이 되어 버린 지금, 할 수 있는 일은 하나밖에 없었다. 그를 올려다보며 쓰게 웃는 것.

"……."

잠자코 시선을 맞추는 주혁은 아무런 말도 하지 않았다. 단지 돌처럼 굳어 있을 뿐이었다.

아니, 차라리 그러는 편이 나았다. 그가 만약 한마디라도 덧붙인다면 그때는 정말로 어떤 말을 해야 할지 모르겠으니까. 확인 사살당하는 것만큼 서글픈 일은 없었다.

"갈게요. 당신도 들어가요."

간결한 인사와 함께 혜수는 현관을 향해 돌아섰다. 등 뒤에서는 그 어떤 소리도 들리지 않았다. 다행이었다.

이로써 사랑은 끝났다. 허무하고도 당연한 결말이었다. 자신은 처음부터 그의 인생에서 주인공이 아니었다. 아주 잠깐 곁에 머물렀을 뿐인, 외로운 인형.

7. 공허한 분노

그로부터 2주일이 지났다.

그렇게까지 긴 시간은 아니었지만, 혜수에게는 그 나름대로 유의미한 변화가 생겼다. 일자리를 얻은 것이다. 언제까지고 교육청 사이트만 들락날락할 수만은 없었는데, 우연히 집 근처 카페에 붙은 구인 공고를 발견했다.

한달음에 면접까지 치렀고, 운 좋게 통과할 수 있었다. 자신보다 몇 살 더 많은 사장은 햇볕처럼 따뜻한 성품의 소유자였다. 흡사 친언니처럼 살갑게 대해 주는 통에 생각보다도 빨리 카페 일에 적응할 수 있었다.

띠리링.

문득 협탁에 올려 두었던 핸드폰이 울렸다. 흰 셔츠에 팔을 꿰어 넣던 혜수는 재빨리 고개를 돌렸다.

"어머니……?"

전화의 주인공은 다름 아닌 경화였다. 가족들에게 한바탕 퍼붓고 난 다음, 그대로 연락이 끊긴 줄 알았는데 며칠 전부터 핸드폰에 불이 났다.

경화가 안달복달하는 이유는 빤했다. 예은의 혼사를 앞둔 상황에서 유일한 돈줄이 끊어지는 것만큼 치명타는 없었다. 도박에 빠진 후로 일이라고는 쳐다보지도 않는 아버지가 힘을 보태는 것은 불가능했다. 그러니 자존심을 누르고 SOS 신호를 보내고 있는 모양이었다.

경화의 번호를 차단할까 말까 고민했지만, 일단은 그냥 놔두기로 했다. 어차피 받지 않으면 그만이고, 설령 실수로 받았다고 해도 끊으면 문제없었다.

[정말 이혼할 생각이야? 잘 생각해 봐라…… 응? 그게…….]

[혜수야, 이혼이 그렇게 쉽지 않아. 그러니까 얼른 내 말 듣고…….]

[언니, 그날은 내가 미안해. 나도 너무 당황해서 그랬어.]

줄기차게 울리는 벨 소리를 무시했더니 핸드폰에는 장문의 메시지가 두 통이나 와 있었다. 이번에는 예은도 동참했다. 평상시 언니라고 부르지도 않으면서 아쉬울 때는 꼭 이런 식으로 곰살맞게 굴고 있었다.

"묻지도 않네……."

메시지를 읽던 혜수는 나지막하게 뇌까렸다. 그녀들은 갑작스러운 이혼의 사유를 전혀 궁금해하지 않았다. 오직 이혼으로 인해 입을 피해에만 관심이 있었다.

물론 제 속내를 툭 터놓고 이야기한다고 한들 부질없는 짓이었다. 돈을 최우선으로 여기며, 최고의 가치로 숭상하는 가족들은 이해조차 하지 못할 터였다. 어째서 이혼하고 싶어 했는지, 그리고 왜 뛰쳐나와야만 했는지.

여하튼 이 이상 읽는 것은 시간 낭비라는 생각에 메시지 애플리케이션을 닫으려던 찰나였다. 무언가가 눈길을 자극하는 통에 혜수는 스르륵 손을 멈추었다.

[집 앞인데 잠깐 올라가도 될까. 할 말이 있어.]

주혁의 메시지였다. 그 이후로 거짓말처럼 연락이 뚝 끊긴 터라 핸드폰에 남은 기록은 여기에서 끝이었다.

그날, 사랑했다고 고백했다. 여태껏 아무것도 몰랐고, 앞으로도 영원히 몰랐을 그에게.

당연히 이렇게 될 줄 알았는데도 새삼스레 확인하자니 상처였다. 한없이 모순적인 제 모습에 한탄할 겨를은 없었다. 아직 완벽하게 식지 않은 감정이 고통이라는 형태를 빌려 가슴을 마구 떠돌기 시작했다. 혜수는 한숨을 삼키며 핸드폰을 내려놓았다.

"……."

왜 그랬을까. 뒤늦은 후회감이 노도처럼 온몸을 휩쓸었다.

사실 그날은 주혁이 외도하지 않았다는 것만 확인했어도 충분했다. 자신을 배신하지 않았다는 점에 만족하기만 했어도 되었다. 그런데도 충동을 견디지 못하고 가장 깊은 곳에 감추어 두었던 감정을 토해내 버렸다.

그가 자신을 사랑하지 않는다는 점을 누구보다도 잘 알고 있건만, 제 손으로 굳이 상처를 만들다니. 돌이켜 생각해도 참 바보 같은 짓이었다.

아무 말도 하지 않았으면 지금처럼 번뇌하는 시간을 덜었을 것을, 괜히 긁어 부스럼을 만들었다. 그래도 이미 저지른 이상, 어쩔 수 없었다.

'…….'

불현듯 자신의 고백을 듣고 표정이 사라졌던 그의 얼굴이 떠올랐다. 빈틈없이 닫히고 만 입술이 순식간에 시야를 메웠다.

만약에, 정말로 만약에 주혁의 앞에 계속 서 있었다면 그 입술이 열리는 것을 볼 수 있었을까. 어떤 식으로 반응했을지 알 수 있었을까.

아니, 아니었다. 그럴 리가 없었다. 지금까지 연락하지 않는다는 데에서 답은 나온 셈이나 마찬가지였다. 주혁이 이혼을 거부하는 이유는 역시나 오기 때문이었다.

권주혁은 평생 단 한 번도 제 손아귀에 움켜쥔 것을 빼앗겨 본 적이 없는 남자였다. 그런 그가 난생처음 겪는 실패의 경험을 순순히 받아들일 리는 만무했다.

그러니 이렇게나 반발하면서 집착하는 것이겠지. 그 모습에 또 한 번 동요하는 제 마음은 생각지도 않고. 마지막 순간까지 그는 더없이 이기적이었다.

"하아……."

길디긴 한숨을 끝으로 머릿속을 잠식한 잡념을 떠나보내기로 했다. 혜수는 서랍에 잘 개켜 두었던 청바지를 꺼냈다. 빳빳한 새 청바지에서는 상큼한 섬유유연제의 향이 풍기고 있었다.

사랑 타령하는 무력한 윤혜수는 이제 없다. 아무것도 할 수 없어서 유일한 버팀목에 의지했지만, 더는 그럴 필요가 없었다. 스스로를 믿고 나아가면 되는 것이다.

어린 시절에 돌아가셨던 어머니의 꿈을 좇아 교사가 되겠다고 처음 마음먹었던 때처럼.

* * *

"안녕하세요."

"어서 와요, 혜수 씨. 오늘도 엄청 일찍 왔네?"

"그야 사장님께서 기다리실까 봐요."

사장인 미영은 오늘도 반갑게 인사를 건네었다. 미소로 화답한 혜수는 카운터로 들어갔다. 카운터 옆 옷걸이에 걸린 검은색 앞치마를 걸치고, 손에 장갑을 낀 채 손걸레를 들으니 완벽한 업무 복장이 완성되었다.

"그럼 저는 테이블 닦을게요."

"이제 출근했잖아? 숨이라도 좀 돌리고 하지. 혜수 씨 정말 성실하다니까."

"열심히 해야죠. 믿고 맡겨 주셨는데."

카페 아르바이트의 대부분은 걸레질이나 설거지 같은 허드렛일이었지만 그래도 좋았다. 제 손으로 무언가 해낸다는 기쁨을 너무 오랫동안 잊고 살았던 터라 시야에 비치는 모든 것이 새롭고 반가웠다.

“혜수 씨만 좋다면 조만간 가게 오픈 맡겨도 되겠는데. 아니지, 아예 내가 안 나와도 되겠어.”

“과찬이세요.”

“무리하지 말고 쉬엄쉬엄해. 경훈이도 곧 올 거니까.”

“네, 알겠습니다.”

카페에 출근한 지는 이제 겨우 일주일이었고, 자신 외에 아르바이트생은 한 명 더 있었다. 하지만 그새 신뢰를 듬뿍 쌓았는지 미영의 얼굴에는 만족스러운 기색이 완연했다.

혜수는 제 어깨를 슬며시 두드려 주고 떠나는 그녀의 뒷모습을 쳐다보았다. 손가락 하나 제 뜻대로 움직일 수 없는 인형 같았던 삶이었다. 그런 만큼 순간순간 너무나 아이러니했다.

대현 그룹의 며느리로서 살아갈 때는 아무도 자신을 돌아보지 않았는데. 투명 인간으로서 살아가는 게 익숙했는데. 딱 한 발자국만 떼었을 뿐이건만 많은 것이 달라졌다.

뭐든지 스스로 할 수 있다는 기쁨이 이다지도 큰 줄은 몰랐다. 그 점에 새삼스레 벅차오르는 가슴을 느끼며 혜수는 얼른 테이블로 다가갔다.

성심성의껏 테이블을 닦은 후에는 유리창도 자진해서 닦았다. 굳이 그러지 않아도 된다며 미영이 한사코 만류했지만, 하나도 힘들지 않았다. 오히려 뿌듯했다.

제 앞에 놓인 소박한 행복과 소소한 즐거움을 하나하나 즐기다 보니 어느덧 점심때가 되었다. 한적한 동네 카페인데도 이맘때가 되면 식후 커피를 마시러 온 사람들로 붐볐다. 안쪽에 위치한 주방에서 정신없이 설거지하느라 전화가 온 줄도 몰랐다.

“혜수 씨, 핸드폰이 계속 울리더라. 급한 것 같던데?”

"그런가요? 감사합니다."

앞치마에 젖은 손을 툭툭 닦은 혜수는 카운터 근처에 두었던 핸드폰을 집어 들었다. 미영의 말처럼 부재중 전화는 무려 4건이나 되었다. 발신인을 확인하던 혜수의 미간이 눈에 띄게 좁혀졌다.

"또야……?"

경화였다. 딴에는 정성껏 보낸 메시지에도 답이 없자 다시금 전화 공세로 돌아선 듯했다.

쇠심줄보다도 끈질긴 그녀의 전화를 못 본 척하며 싱크대로 돌아가려는데, 핸드폰이 또 한 번 울리기 시작했다. 아니나 다를까, 이번에도 경화의 전화였다.

"……."

혜수는 잠자코 통화 거부 버튼으로 손을 뻗었다. 당분간은 가만히 있으려고 했지만, 슬슬 차단하는 편이 좋을 듯싶었다.

그러나 순간적으로 딴생각을 해 버린 탓일까. 거부가 아니라 수신 버튼을 눌러 버리는 실수를 저지르고 말았다.

—혜수야?

핸드폰 너머에서 들려오는 경화의 목소리는 놀라울 만큼 컸다. 아차, 싶어 잽싸게 통화 종료 버튼을 누르려던 시도는 물거품이 되었다. 이 천금 같은 기회를 놓치지 않겠다는 듯 경화가 대뜸 소리쳤다.

—끊지 마……! 진짜로 큰일 났다, 얘! 네 아버지가 쓰러지셨어!

"네……?"

태석이 쓰러졌다니. 예상치 못한 소식을 들은 혜수의 동공이 거칠게 흔들렸다. 저번에 봤을 때는 멀쩡해 보였건만, 어떻게 된 일인지 모르겠다.

"어쩌다 그렇게 되신 거예요?"

—네가 그렇게 갔는데, 아버지 마음이 어땠겠니? 응? 속이 완전히 문드러지지, 문드러져.

"……."

―여하튼 대현 병원이야. 바로 올 거지?

경화는 곧장 병원으로 달려오리라고 확신하고 있었다. 매몰차게 돌아선 이래로 이렇게 인연이 끊어지나 싶었는데, 천륜을 이길 수는 없는 모양이었다. 태석이 입원했다는 말에 가슴 한구석이 세차게 흔들렸다.

아무리 밉고 원망스러워도 태석은 제 아버지였다. 하나뿐인 핏줄이었다. 그런 그를 외면한다면 평생 뒷맛이 좋지 않을 것 같았다. 잠시 망설이던 혜수는 끝내 입술을 움직거렸다.

"……네, 갈게요."

―그래, 잘 생각했어. 얼른 오너라.

만족스러운 기색이 확연한 답변을 끝으로 전화는 끊어졌다. 옆에서 일을 보고 있던 미영이 조심스레 그녀에게 말을 걸었다.

"무슨 일이야?"

"아버지께서…… 입원하셨대요."

"그래? 큰일이네. 가 봐야지."

"오늘은 이만 퇴근해도 괜찮을까요?"

"그럼, 그럼. 얼른 가 봐. 아버지 기다리시겠다."

"감사합니다."

급하게 채비를 차리고 카페를 빠져나온 혜수는 버스 정류장으로 향했다. 명색이 병문안인데 빈손으로 덜렁 가기는 뭣해서 편의점에 들러 음료수도 샀다. 입맛 까다로운 태석이 과연 얼마나 반길지는 모르겠지만, 현재 자신이 할 수 있는 최대의 성의 표시였다.

"하필……."

병실을 확인한 그녀의 얼굴에 씁쓸한 빛이 확 번져 나갔다. 대현 병원 VIP 병동은 다시는 발을 들이고 싶지 않았던, 아이를 떠나보내야만 했던 바로 그곳이었다.

두 번 다시 오고 싶지 않았건만 운명은 또 한 번 자신을 배신했다. 어쩔 수 없다고 몇 번이나 마음속으로 되뇌며 혜수는 걸음을 재촉했다.

병실 안에는 가족들이 전부 모여 있었다. 살며시 문을 여는 순간, 기다렸다는 듯 안쪽에서는 환호성 비슷한 탄성이 터져 나왔다.

"혜수 왔구나!"

"언니!"

"뭘 이런 걸 사 왔어. 몸만 오면 되는데."

유독 사근사근한 인사와 함께 경화와 예은은 한달음에 혜수에게로 달려왔다. 그 와중에 침대를 차지하고 있던 태석은 못내 심기가 언짢은지 고개를 돌렸다.

"흠흠……."

마치 저 들으라는 듯 커다란 헛기침 소리가 몇 번이나 귓바퀴를 덮었다. 협탁에 봉투를 내려놓은 혜수는 말없이 태석을 내려다보았다. 그사이에 침대로 다가온 경화가 태석의 등을 툭툭 치며 눈치를 주었다.

"여보, 왜 그래요. 당신도 혜수 기다렸으면서."

"허, 인연 끊겠다는 것이 아버지 죽는 건 못 보겠나 보지?"

대놓고 땍땍거리는 태석은 입이 한 자는 나와 있었다. 그러면서 시트를 확 끌어당기는 통에 혜수는 한 발짝 뒤로 물러났다. 그때, 의절하다시피 하며 나가 버린 것에 엄청난 앙금이 생겨 버린 듯했다.

섭섭한 티를 있는 대로 내는 그에게 문득 묻고 싶어졌다. 돈 때문이 아니라 아버지이기 때문에 이토록 서운해하냐고. 정말로 자신이 소중하기 때문에 이만큼이나 실망했냐고. 하지만 항상 그래 왔듯이 입술 밖으로 제 마음을 끄집어내지는 않았다.

"이 양반이 왜 또 심통이 났을까. 바쁜 애 왔으니 얼굴이나 제대로 비춰요."

"……."

"얘, 여기 앉아라."

"아버지, 괜찮으신 건가요? 어디가 안 좋으신 거죠?"

"크흠……."

혜수를 의자에 앉힌 경화는 황급히 설명에 들어갔다.

"이 나이 되면 어디 성한 곳이 있겠니? 그저 죽을 날 기다리면서 사는 게지. 네 아버지 동창, 현규 아저씨 기억나니? 얼마 전에 갑작스럽게 돌아가셨잖아."

"그게 무슨 말씀이세요……."

"자고로 언제 떠날지 모르는 게 인생이야. 그러니 혜수 너도 그러면 안 되는 거야. 알았니? 네 아버지도, 나도 너 하나만 보고 사는데 네가 그러면 못쓰지."

"어머니……."

"네 아버지 갑자기 잘못됐어 봐. 너 괜찮을 수 있어? 아니잖아."

"……."

"가족 간의 연을 끊는다니, 그런 말 쉽게 하지 말아라. 이 험한 세상에 의지할 게 가족 말고 또 어디 있어? 안 그러니?"

기가 막혀서 아무 말도 하지 않자 경화는 긍정의 뜻으로 받아들였는지 한결 진지한 표정을 지었다. 두어 갈래로 잔주름이 진 눈가에 시름이 어렸다.

"그깟 돈이 중요하니? 가족이 중요하지."

"그러게요."

그렇게 가족을 중히 여기시는 분들께서 딸을 팔아먹었단 말인가. 냉기가 흐르는 답변에도 아랑곳하지 않고 경화의 설득은 계속되었다.

"가족이 잘돼야 너도 잘되는 거야. 봐라, 예은이가 그 집안이랑 결혼하면 너도 든든한 뒷배가 생긴다고."

"어머니, 그래도 5억은 안 돼요."

"어머머! 방금 내가 말했잖아. 돈보다는 가족이 먼저라고. 설마 돈 때문에 가족을 버리겠다는 거니?"

그 말 그대로 돌려주고 싶었지만, 경화와 그때처럼 팽팽하게 언쟁할 기력도, 의지도 없었다. 지금은 적당히 대화를 끝내고 이곳을 뜨는 게 상책이었다.

"그게 아니라 저한테 그런 돈 자체가 없어요."

"네 사돈댁이 얼마나 돈이 많은데, 왜 이렇게 답답하게 굴어. 으응?"

"이미 말씀드렸잖아요. 이제 저와는 상관없는 사람들이라고."

"뭐?"

"어머니, 그만하세요. 다 끝났으니까."

혜수의 단호한 일축에 경화는 드디어 가면을 벗었다. 언제 다정하게 굴었냐는 듯 금세 두 눈을 부릅뜨고 입술을 부르르 떠는 터였다. 애써 인자함을 가장하던 인상은 어느덧 표독스럽게 변해 있었다.

"끝나기는 뭘 끝나? 지금이라도 가서 싹싹 빌어. 혼자 못 하겠으면 같이 빌어 주랴?"

"싫어요."

"하……! 네가 자꾸 이러니까 사돈댁이 그렇게 화가 나셨겠지. 그래도 같이 산 정이 있는데, 한 번에 내치시지는 않을 게야. 빨리 마음 고쳐먹고……."

"아뇨, 다시 그 집으로 돌아갈 생각 없어요."

"얘가 도대체 왜 이래? 뭐야, 혹시 권 서방이 바람이라도 났니?"

이제야 이혼 사유를 묻는 경화에게 할 말도, 하고 싶은 말도 없었다. 뒤늦게 알게 된 진실을 밝힌들 변하는 것이 있을까. 그저 입만 아플지도 몰랐다.

"그건……."

"나, 참. 고작 그런 걸 가지고……."

"네?"

"여자 있는 게 뭐 어때서. 그 정도 능력 있는 남자치고 밖으로 안 도는 사람 없어."

예은이 맞장구치고 싶은 듯 고개를 끄덕였다.

"그냥 밖에서 스트레스 푸는 거라고 생각해. 별거 아니야. 그게 뭐 대수라고 이렇게 난리니."

"……."

"못 본 척하렴. 넌 대현 그룹 안주인이 될 몸이야. 네 자리만 빼앗기지 않으면 결국 그 집안 재산은 전부 네 거가 되는 거야. 그래, 이참에 애라도 가지지 그랬어?"

"……!"

아이라는 단어를 듣는 순간, 가슴이 콱 미어졌다. 으스러질 듯 악문 어금니가 아릿하게 시려 왔다. 주혁과 자신의 아이가 태어나지도 못하고 허무하게 죽어 간 것을 안다면 감히 이렇게 말할 수 있을까.

정말로 잔인했다. 피가 통하지 않았지만, 명색이 제 어미라는 탈을 쓰고도 어떻게 이럴 수 있는지. 혜수는 주먹을 꽉 쥐었다. 손톱이 박혀 들어간 손바닥에서는 붉디붉은 핏방울이 방울방울 터져 나올 것 같았다.

"그런데 애는 어째서 들어서지 않는 거니? 권 서방이랑 잠자리 안 해?"

"……."

"네가 좀 더 들이대야지. 애 갖기가 그렇게 쉬운 일이 아니야."

"그만하세요."

"뭘 그만해? 너희 결혼한 지 벌써 3년이야. 애 두셋은 충분히 가졌겠다, 얘. 애 있어 봐, 그 집에서도 널 우습게 보겠어? 권씨 집안 핏줄을 낳아 줬는데. 눈 딱 감고……."

"어머니!"

혜수의 입에서 터져 나온 고함이 병실 안을 가로질렀다.

"아이고, 깜짝이야……! 뜬금없이 소리는 왜 지르니?"

그제야 경화는 어안이 벙벙하다는 표정과 함께 말을 멈추었다.

"맞아. 언니 왜 그래?"

방귀 뀐 놈이 성을 낸다고, 예은도 거들었다. 태석은 끼어들고 싶지 않은지 여전히 헛기침만 하고 있을 뿐이었다.

그들의 변함없는 태도에서 다시 한번 깊은 절망감을 느꼈다. 이들은 끝까지 자신을 벼랑으로 떠밀고 있었다. 최후의 최후까지 반성은커녕 막장으로 치닫는 모습에 실망할 것도, 화를 낼 것도 없었다. 감정 낭비고, 시간 낭비였다.

"어머니는 그런 이유로 예은이를 가지셨어요?"

"뭐……?"

"아이가 수단은 아니잖아요."

명희와 경화는 일맥상통하는 구석이 있었다. 아이를 빌미로 주혁에게 들러붙은 거머리나 기생충 취급하던 명희가 이 광경을 봤다면 과연 어떻게 평가하려나. 틀림없이 손뼉을 치며 천한 것들끼리 잘도 논다고 비웃었을 것이었다.

"더는 듣고 싶지 않아요. 그만두세요, 어머니."

나직한 명령과 함께 자리에서 일어서자 예은이 눈을 끔뻑거렸다.

"어디 가는 거니? 내가 아직 말하는 중이잖아!"

"안녕히 계세요."

"윤혜수!"

"다시는 이런 식으로 저 찾지 마세요. 앞으로는 연락받지 않을 거예요."

시큰해진 코끝을 느끼며 혜수는 천천히 돌아섰다.

"기다려! 거기 서라니까?"

"엄마, 쟤 저렇게 보내도 돼? 진짜……."

등 뒤에서 경화와 예은이 고래고래 소리를 질러 댔다. 하지만 일일이 반응하고, 상처받을 만큼의 기력이 남아 있지 않았다. 지금은 아프게 저려 오는 마음을 통제하는 것만으로도 힘들었다.

병실을 나선 혜수는 문을 닫았다. 그제야 안쪽에서 끊임없이 들리던 소음이 멈추고 귓가가 조용해졌다. 복도에 감도는 정적이 이렇게나 반가운 것은 처음이었다.

"……."

자신 혼자만을 걸고넘어졌다면 그러려니 했을 터였다. 으레 그래 왔다고, 처음 겪는 일이 아니라고 실소했을 것이었다. 실낱같이 남아 있던 기대감은 이미 버렸으니까.

모멸에도, 치욕에도 정도가 있는 법이었다. 원했든, 원하지 않았든 가족들은 선을 넘었다. 뻔뻔스럽게 아이를 들먹이던 경화의 모습을 떠올리는 찰나, 참고 참았던 구토감이 드디어 목 안쪽을 점령했다.

그러면 안 되었다. 절대로. 아이만큼은 건드리지 말았어야 옳았다. 아무것도 모르면서 그토록 저열한 말을 늘어놓을 수는 없었다. 간신히 죽여 놓았던 분노가 다시금 머리끝까지 치솟았다.

삽시간에 뜨거워진 뺨을 느끼며 혜수는 화장실을 향해 걸었다. 기다렸다는 듯 밀려온 토기는 속을 엉망진창으로 헤집어 놓았다.

"우욱……!"

금방이라도 토할 것 같은 느낌에 반해 속에서는 아무것도 나오지 않았다. 차라리 모조리 뱉어 낼 수 있었으면 좋았을 것을, 제 몸은 끝까지 말을 들을 기미가 없었다.

몇 번이나 변기를 붙잡고 헛구역질한 끝은 이마에 송골송골 맺힌 식은땀이었다. 귓전으로 흘러내린 물방울을 훔친 혜수는 비틀거리는 몸을 바로 했다.

그때였다. 화장실 문이 벌컥 열리면서 누군가의 발걸음 소리가 들려왔다. 서서히 가까워지는 인기척은 한 명이 아니었다.

"그 VIP 병동 남자 환자 말이야. 진짜 대현 그룹 사돈이 맞더라?"

"어머, 진짜요?"

"응. 채현 선배가 그러는데 사모님이 오늘 오셨다더라."

"……!"

아마도 볼일을 보러 들어온 간호사들인 모양이었다. 누군가가 자신을 알아봤다는 낭패감에 혜수는 꿈쩍도 할 수 없었다. 그저 돌처럼 딱딱하게 굳은 채 손으로 입을 막고 있을 뿐이었다.

"웬일이야. 그 아저씨, 너무 몰상식해서 절대 아닌 줄 알았거든요. 문 조금만 세게 열어도 시끄럽다고 난리를 치던지. 어제는 냅다 리모컨 던지는 바람에 가연이가 맞을 뻔했잖아요."

"그러게나 말이야. 대현 그룹이 왜 그런 막장 집안이랑 결혼했지? 뭐가 아쉽다고. 뭔가 약점이라도 잡힌 거 아니야?"

"설마요. 어쨌든 병원비는 안 밀리겠죠? 다른 곳도 아니고, 대현 그룹이 사돈 병원비 밀리게 놔둘 것 같지는 않네요."

"또 모르지. 나 같으면 본척만척할 거야. 사실 김 교수님이 쓸데없이 몸 사린 건가 싶기도 해. 아픈 곳도 하나 없는데. 그나저나……."

타인의 입을 통해 듣는 가족들의 일화는 정말 수치스러웠다. 대현 그룹의 사돈이라는 점을 내세워 막무가내로 입원했고, 그것도 모자라 의료진들에게 위세를 부리느라 바빴다. 제게 그랬던 것처럼.

기다렸다는 듯 불평을 늘어놓던 그녀들은 오래지 않아 사라졌다. 그렇지만 선뜻 화장실 문을 열고 밖으로 나갈 수가 없었다. 혹여나 또 다른 누군가가 화장실로 들어올까 봐 염려된 까닭이었다.

이럴 줄 알았으면 모자라도 쓰고 왔어야 했는데.

혹여나 태석에게 큰일이 생겼을지도 모른다는 생각에 허겁지겁 달려온 것이 패착이었다. 입원은 단지 자신을 불러낼 구실에 불과했다는 점도 까맣게 모른 채.

"읏……."

그렇게 무작정 버티고 있자니 다리가 후들거렸다. 혜수는 가까스로 벽에 기대어 섰다. 벽에서 올라오는 찬 기운이 등을 타고 가시처럼 살갗에 박혔다. 따갑고, 아팠다.

그렇게 얼마나 하염없이 서 있었을까. 가슴을 에는 아픔이 점점 더 심해지는 통에 혜수는 포기하고 문고리를 잡아당겼다.

다행히 엘리베이터로 갈 때까지 아무도 만나지 않았다. 아플 정도로 숙여진 고개는 사람들로 북적이는 로비를 통과할 때까지 줄곧 그대로였다.

"……비?"

허둥지둥하며 빠져나온 건물 바깥에는 비가 내리고 있었다. 우산을 꼭 써야 할 만큼 굵은 빗줄기가 요란한 소리와 함께 사정없이 땅에 내리그어졌다. 살갗을 툭툭 때리고 사방으로 튀는 빗방울은 차가웠다.

병원 로비 어딘가에 편의점이 있었던 게 기억났다. 그러나 다시 들어가기란 불가능했다. 여태 들키지 않았다고 해서 지금도 그러리란 법은 없었다. 가능성이 아주 조금이라도 있는 일은 처음부터 하지 않는 편이 현명했다.

주변을 두리번거리던 그녀의 눈에 문득 공중전화 부스가 들어왔다. 공중전화를 쓸 사람은 많지 않으므로 저곳에서 잠시 비를 피하면 좋을 듯싶었다.

결론을 내린 혜수는 걸음을 서둘렀다. 공중전화 부스는 딱 한 사람만 들어갈 수 있을 만큼 작았다.

띠리링.

유리문을 열자마자 핸드폰이 울렸다. 경화였다. 기 싸움이라도 하는 듯 계속해서 울려 퍼지는 벨 소리에 귀가 먹먹할 지경이었다.

"……."

통화 거부 버튼을 누른 혜수는 바로 경화의 전화번호를 차단했다. 태석도, 예은도 마찬가지였다. 버튼을 누르기까지는 단 몇 초도 걸리지 않았다.

처음부터 이랬어야 했다. 가족들에게 실망하고 돌아섰던 순간부터, 기대감이라고는 단 한 조각도 남아 있지 않게 된 직후부터 이렇게 행동했어야 했다. 뒤늦은 후회감이 옷에 맺힌 물방울과 함께 땅바닥으로 주르륵 미끄러졌다.

빗물로 추적추적하게 젖어 든 셔츠는 살갗에 찰싹 달라붙어 있었다. 머리카락에도, 바지에도, 하다못해 핸드폰을 쥔 손에까지 물기가 가득했다. 투명한 벽에 비친 제 모습은 문자 그대로 엉망진창이었다.

혜수는 가만히 머리카락을 정돈했다. 가닥가닥 뭉친 머리카락을 떼어내는 손끝은 스스로 느끼기에도 힘이 거의 들어가 있지 않았다.

"추워……."

나지막한 한탄이 입술 언저리를 뱅글뱅글 맴돌았다. 체온을 빼앗기기 시작한 몸은 이미 오슬오슬 떨고 있었다. 살갗을 뒤덮은 소름의 군단은 헤아릴 수 없을 만큼 거대했다.

눈에 띄게 파들거리는 입술을 꽉 깨물며 혜수는 두 손으로 팔을 감쌌다. 이 작은 공간에 온기라고는 손톱만큼도 찾아볼 수 없었다. 눈앞에는 오직 제 입술에서 흘러나온 뿌연 김만이 이리저리 오갈 뿐이었다.

너무나 추웠다.

비에 젖은 몸도, 그리고 공허한 마음도.

허공에도, 마음속에도 비는 끊임없이 내렸다.

그렇게 얼마나 공중전화 부스에 머물렀을까. 언제까지고 버틸 수 없었던 터라 끝내 발을 움직일 수밖에 없었다. 버스 정류장에 다다라서야 겨우 편의점이 나왔고, 일회용 비닐우산을 하나 샀다.

그렇지만 젖을 대로 젖은 몸을 의탁하기에는 충분치 않았다. 이미 신발 속까지 젖어 버린 지 오래였다. 혜수가 물이 뚝뚝 흐르는 신발을 끌며 집에 돌아왔을 때는 이미 주변이 어둑어둑했다.

그래서인지 몰라도 다음 날 아침, 눈을 뜨는 게 평상시보다 무척 힘들었다. 천근만근이라고 표현해도 과장이 아닐 만큼 눈꺼풀이 무거웠다.

"으음……."

신음을 닮은 잠투정이 입술 틈으로 비죽 새어 나왔다. 물속에 잠겨 있는 것도 아닌데 시야가 묘하게 뿌옜다.

재차 눈을 깜빡여 보았는데도 좀처럼 사물이 또렷해지지 않았다. 이 정도 컨디션이면 오늘 하루는 푹 쉬는 편이 나을지도 모르겠다는 생각이 들었다.

"……."

아니, 출근한 지 얼마나 되었다고 벌써 꾀를 부리는가. 기껏 쌓아 올린 긍정적인 이미지를 이렇게 빨리 뭉개고 싶지는 않았다. 혜수는 느릿느릿하게 바닥에 발을 디뎠다.

자그마한 거울에 비치는 얼굴은 시체처럼 창백했다. 그깟 비 좀 맞았다고 이렇게나 축축 처지다니. 그간 아무리 일이 많았다고 하더라도 생각보다 더 약해진 모양이었다.

한숨과 함께 뜨거운 물을 끼얹은 후에야 겨우겨우 정신이 돌아왔다. 혜수는 물방울이 뚝뚝 떨어지는 수도꼭지를 꽉 잠갔다.

따뜻한 보리차라도 한 잔 마시면 나아질 것이다. 고작 이 정도로 주저앉아서는 안 될 노릇이었다.

"힘내야지, 윤혜수."

여전히 핏기가 없는 제 얼굴에 대고 혜수는 힘 있게 읊조렸다. 아직 물기가 남은 손가락이 거듭 다짐하듯 매끄러운 표면을 짚었다. 거울 속의 여인은 어느덧 희미하게 웃고 있었다.

그래, 잊어버리는 것이다. 전부. 처음부터 일어나지 않았던 것처럼 기억에서 지우고, 또 다른 일상을 맞이하자.

* * *

적당히 몸을 추스르고 출근했다. 가는 날이 장날이라고, 카페에는 오전부터 손님이 많았다. 그래도 어떻게든 일에 집중하려고 애쓰다 보니 시간이 쏜살같이 흘러갔다.

"혜수 씨, 묘하게 얼굴이 안 좋아 보이는데. 괜찮아?"

단체 손님을 보내고 한숨 돌리던 미영이 슬그머니 말을 걸어 왔다.

"아…… 신경 쓰지 마세요. 어제 잠을 제대로 못 잔 것뿐이에요."

“어디 아픈 건 아니지? 그러고 보니 아버지는 좀 어떠셔? 많이 편찮으신 거 아니야?”

“그렇게까지 큰일은 아니었어요. 회복 중이시니까 금방 퇴원하실 거예요.”

미영은 정말 다행이라는 듯 그 특유의 사람 좋은 미소를 지어 보였다. 실상을 안다면 저렇게 반응할 수 없을 테지만, 태석의 험담을 해 버린다면 제 얼굴에 침 뱉기였다.

딴생각에 잠긴 채 미영의 이야기에 열심히 맞장구를 쳐 주고 있을 무렵이었다. 신나게 본인의 이야기를 늘어놓던 미영이 문득 시계를 흘끗거렸다.

“슬슬 나가 봐야 하는데, 경훈이는 왜 연락이 없지?”

“어디 가세요?”

“응, 고등학교 동창회. 친구들이 하도 나오라고 성화를 부리지 뭐야? 그래서 오늘은 경훈이가 마감해 주기로 했어.”

“제가 기다릴게요. 늦으면 안 되시잖아요.”

“그래도 되겠어? 미안해서 그렇지…….”

“괜찮아요. 걱정하지 마시고 다녀오세요.”

“그럼 경훈이 올 때까지만 부탁할게. 메시지 보내 놓을 테니까 금방 올 거야.”

“알겠습니다.”

“고마워.”

그러나 곧 온다던 경훈은 마감 시각이 될 때까지도 모습을 드러내지 않았다. 미영에게 연락해야 하나 싶었지만, 굳이 그럴 필요가 있을까 싶어 핸드폰을 내려놓았다. 경훈 대신 제가 조금만 더 버티면 그만이었다.

온종일 시끌벅적하던 카페 안은 마감을 코앞에 둔 탓인지 쥐 죽은 듯 고요했다. 카운터 앞에 멍하니 앉아 있던 혜수는 문이 열리는 소리를 듣고 벌떡 일어섰다.

“어서 오세요.”

마지막 손님은 젊은 남자였다. 그녀를 향해 가볍게 묵례한 다음, 그는 무언가를 간절하게 찾는 눈치로 메뉴판을 살폈다.

"필요하신 게 있으신가요?"

"혹시…… 이 메뉴 말인데요. 피치 펄 쉐이크. 여기에 복숭아가 들어가는 게 맞나요?"

"네, 맞아요. 그거로 드릴까요?"

"아니요. 그게 아니라……."

뒤이어 들려온 그의 요구는 매우 뜻밖이었다.

"복숭아만 따로 살 수 있나요?"

"네?"

여기는 카페였다. 과일 가게가 아니라는 사실을 모르지도 않을 텐데, 뜬금없이 복숭아를 사고 싶다니. 정말 이상한 주문이었다. 혜수의 표정에 서린 의문을 깨달았는지 남자는 뒷머리를 긁적이며 이유를 댔다.

"사실 제 와이프가 임신 중이거든요. 갑자기 복숭아가 먹고 싶다고 해서 나왔는데, 하필 집 앞 슈퍼에는 복숭아가 다 떨어졌다고 하고……."

"아하……."

"가능한가요? 부탁드립니다."

임신한 아내를 위해 이 늦은 시간까지 동분서주한 것 같았다. 오죽 급했으면 여기까지 찾아왔을까. 그 속내가 어렴풋이 짐작되어 저도 모르게 고개를 끄덕일 수밖에 없었다.

"감사합니다!"

우렁차게 외치는 남자는 마치 하늘을 날 듯한 표정을 짓고 있었다. 그에게 잠시 기다리라고 말한 다음, 혜수는 냉장고에 있는 복숭아를 전부 꺼내어 봉투에 담았다. 피치 펄 쉐이크가 카페의 인기 메뉴라 미리 복숭아를 쟁여 두었던 게 다행이었다.

"이 정도면 될까요?"

"그럼요, 충분합니다."
"와이프분께서 복숭아를 좋아하시나 봐요."
"그건 또 아니에요. 분명 아침까지는 키위만 먹었는데, 난데없이 복숭아를 찾지 뭐예요? 당장 사다 주지 않으면 삐칠 것 같아서 하는 수 없이 나왔죠."
"그러셨군요……."
말로는 귀찮은 티를 팍팍 내도 그의 입가에는 만족스러운 미소가 드리워져 있었다. 복숭아를 받고 좋아할 아내의 모습이 눈앞에 선한 모양이었다.
"아무튼 정말 감사합니다. 많이 파세요."
재차 감사 인사를 건넨 남자가 콧노래를 흥얼거리며 돌아섰다. 한시라도 빨리 아내에게 가고 싶은지 카페에 들어왔을 때와는 사뭇 다른 날렵한 걸음이었다. 혜수는 그의 뒷모습을 오래도록 응시했다.
"임신한 와이프가 먹고 싶다고……."
조심스레 담아 본 말은 날카로운 칼처럼 혀끝을 찔러 댔다. 피를 핥는 듯 강렬한 쓴맛이 났다. 자신도 그녀와 똑같이 임신했었는데, 하늘과 땅만큼이나 다른 상황이었다.
누구도 아이의 존재를 축복하지 않았다. 아무도 아이의 죽음을 슬퍼하지 않았다. 다들 무심한 눈초리로 아이를 비난했고, 무정한 폭언을 퍼부었으며, 아이의 모든 것에 무관심했다.
갑작스레 생겨난 만큼 아이는 너무나도 허망하게 제 곁을 떠났다. 처음부터 없었던 것처럼. 그와 동시에 희망도, 소망도 전부 빼앗겼다.
지금쯤이면 얼마나 컸을까. 어느 정도까지 자랐을까.
아이가 제 안에 살아 있다는 사실을 순간순간 실감하며, 얼른 아이를 만나고 싶어 안달복달하고 있었을 텐데. 하루하루 시간이 흐르기만을 고대하면서 즐거운 기다림에 빠져 있었을 텐데.
'다 끝난 일이야. 어쩔 수 없잖아…….'
검붉은 핏줄기와 새빨간 핏덩어리가 되어 세상에서 사라진 아이를 떠올리자마자 눈물이 터질 것 같았다. 찌릿하게 저려 오는 눈언저리에 혜수는 양손을 그러쥐었다. 금세 옅은 눈물의 냄새가 풍겨 왔다.

"윽……."

혼자서 오롯이 이 슬픔을 견디기가 벅찼다. 끊임없이 덮쳐 오는 아픔을 밀어내기가 버거웠다. 속눈썹 아래에 이슬처럼 맺히기 시작한 눈물만이 오직 그 커다란 상실감을 증명했다.

하지만 언제나 그랬듯이 다른 선택지가 없었다. 그저 이를 악물고 이 암담한 수렁에서 벗어나기 위해 있는 힘껏 발버둥 칠 뿐.

애써 눈물을 삼키며 컵들과 접시를 씻고 또 씻었다. 고무장갑을 낀 손끝이 얼어붙을 것 같을 정도가 되어서야 현실감을 되찾을 수 있었다.

시간이 시간인 만큼 인적이 뚝 끊긴 골목길은 제법 어두웠다. 듬성듬성 켜져 있는 가로등의 빛을 위안으로 삼아 천천히 걸음을 떼었다. 간간이 들려오는 풀벌레 소리는 가뜩이나 복잡한 머릿속을 헝클어뜨리는 일등공신이었다.

'무거워.'

일할 때는 몰랐는데, 집에 가까워질수록 잊고 있었던 고통이 치밀어 올랐다. 어깨에 아주 묵직한 짐을 진 것 같은 기분은 착각이 아니었다. 끽해야 백 개도 되지 않는 계단을 오르기가 이렇게나 힘겹다니.

현관을 향해 터벅터벅 움직이던 그녀의 발이 돌연 멈추었다. 이곳에 있을 리 없는 누군가의 그림자 때문이었다.

"설마……."

혜수는 눈을 크게 떴다. 현관문 앞에 우뚝 서 있는 남자의 정체는 바로 주혁이었다.

이것은 외로움이 만들어 낸 환상일까, 아니면 슬픔이 엮어 낸 허상일까. 사실 둘 중에 어떤 것이든 상관없었다. 어떤 모습이든 그가 제 눈앞에 나타났다는 사실이 중요했다.

그 찰나의 순간, 깊숙이 숨겨 두었던…… 아니, 숨겨 두고 싶었던 감정이 폭발했다. 그다음부터는 아무것도 생각나지 않았다. 머릿속에는 단 하나의 충동만이 맴돌 뿐이었다.

뭐라도 좋으니까 그에게 손끝 하나라도 닿고 싶었다. 비록 닿자마자 허무하게 스러져 버리는 신기루라고 해도…….

"어디 갔다가 이제 오는 거야?"

밤하늘을 쏙 빼닮은 눈동자도, 가볍게 꿈틀거리는 눈썹도, 눈앞으로 뻗어지는 길고 아름다운 손가락도, 코끝을 부드러이 간질이는 체향도, 귓불을 살며시 어루만지는 목소리마저 똑같았다. 이 얼마나 절묘한 환상인가.

"……주혁 씨."

이 모든 것이 가짜라는 점을 깨닫자마자 주혁의 환상은 이상하게 일그러지기 시작했다.

"당신, 왜 그래?"

"……."

"윤혜수!"

혜수는 대답 대신 눈을 감았다. 완전히 힘을 잃은 어깨에 문득 무언가가 닿았다.

아주 따스하고 부드러웠다. 마치 침대에서 느끼곤 했던 그의 손길처럼.

8. 관심의 온도

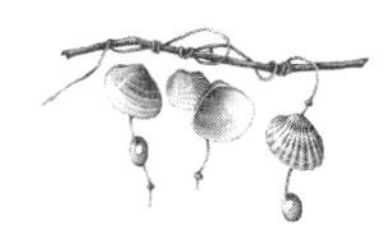

'……나를 사랑해요?'

혜수는 단 한마디로도 자신을 그 자리에 얼어붙게 했다. 사랑, 정말로 생경한 단어였다. 이제껏 관심조차 없었던 질문을 하는 이유는 무엇일까.

'주혁 씨한테는 없었겠지만, 나한테는 결혼의 조건에 있었어요. 사랑이.'

유난히 흰 얼굴에는 온갖 감정이 머물러 있었다. 초조함, 씁쓸함, 애틋함……. 그녀는 마치 울 것 같았다. 그리고 그 표정을 본 순간, 더는 입술을 뗄 수 없어졌다.

"……."

주혁은 망연히 혜수를 주시했다. 얼마간 눈을 맞추어 주던 그녀는 진즉 그렇게 나올 줄 예상했다는 듯 돌아섰다. 간결한 인사와 함께.

밤새 버텼다. 아침이 올 때까지 생각에 잠겨 있었다. 그녀가 나오기만을 애타게 기다렸건만, 이런 결말을 맞이하리라고는 상상도 못 했다.

혜수의 뒷모습이 조금씩 멀어져 갔다. 대충 걸치고 나온 것 같은 카디건이 바람에 펄럭였다. 그러나 조금도 움직일 수 없었다. 하물며 입을 열어 그녀를 부르는 것조차도.

그렇게 얼마나 서 있었는지 짐작이 가지 않았다. 뺨을 스치는 공기는 아침 햇살 덕분인지 한결 달아올라 있었다. 혜수가 사라진 후로 시간이 꽤 지난 모양이었다.

여전히 건물에서 눈을 떼지 못하던 주혁은 한숨 끝에 이성을 다잡았다. 이제야 이 말도 안 되는 상황을 따져 볼 수 있는 여유가 돌아왔다.

"결혼의…… 조건?"

처음 듣는 이야기였다. 혜수는 단 한 번도 자신에게 먼저 무언가를 요구했던 적이 없었다. 그런 그녀가 처음으로 운을 뗀 게 바로 사랑이라니.

자신이 속한 세계에서는 그 누구도 사랑을 말하지 않았다. 이득과 손해를 재고, 이해관계를 따지는 것만으로도 모자란 와중에 사랑이라는 감정이 감히 끼어들 수가 없었다.

조부의 강경한 뜻에 따른 결혼답게 주혁은 그 과정에서 착실하게 이득을 챙겼다. 혜수 또한 마찬가지였을 터였다. 파산 직전으로 내몰린 집안을 일으키겠다는 명분하에 결혼을 수락하지 않았던가.

"……."

물론 지난 3년간, 그녀와 부부로 살아온 시간은 썩 나쁘지 않았다. 비록 의무와 책임, 그리고 목적에 의한 시작이었어도 혜수는 기꺼이 제 손길에 순종했고, 기쁘다는 듯이 몸을 열어 주었다.

윤혜수는 첫 여자였고, 처음으로 성욕을 느꼈던 상대였다. 그녀와 침대에서 뒹굴고 있을 때면 알 수 없는 만족감이 치솟았다. 제 밑에서 엉망으로 흐트러진 채 쾌락에 떠는 모습을 볼 때마다 기이한 고양감이 차올랐다.

그녀를 보면 키스하고 싶고, 안고 싶고, 섹스하고 싶다. 시간이 지날수록 더더욱 혜수를 탐하고 싶어졌어도 거기까지였다. 그것은 단지 조금 변질된 욕망이자 본능적인 충동일 뿐, 그 이상도 그 이하도 아니었다.

'……윤혜수는 유일해.'

그녀는 그것을 사랑이라고 부르고 있는데, 자신은 아니었다. 이런 감정을 사랑이라고 정의할 수 있나. 모르겠다.

이런 것도 사랑인가. 확신할 수 없었다.

그런데도 혜수는 그녀와 자신 사이에 있을 수 없는 것, 존재할 수 없는 것을 요구했다. 그게 결혼의 조건이었다고 고백했다. 그러면서 동시에 이혼하기를 원하고 있었다. 윤혜수는 모순덩어리 그 자체였다.

아니, 모순된 것은 그녀뿐만이 아니었다. 혜수를 사랑하는지도 모르면서 어째서 놓을 수 없는 것인지.

'왜지?'

지금이라도 늦지 않았으니 그녀의 현관문을 두드려야 하는지를 놓고 망설이던 참이었다. 느닷없이 핸드폰이 울렸다. 비서였다.

그가 이 시간에 웬일로 전화를 걸어 왔는지는 알 수 없었지만, 잘된 셈이었다. 뒤숭숭한 가슴을 아주 잠깐이나마 진정시킬 수 있는 좋은 구실이었다. 주혁은 얼른 주머니로 손을 집어넣었다.

—부사장님, 아침부터 연락드려 죄송합니다만 워낙 급한 일이라…….

"뭐지?"

—인도 공장 쪽에 문제가 발생했다는 보고가 들어왔습니다.

"문제……? 공사는 이미 예전에 완료되지 않았던가."

인도 공장은 성공적으로 준공되었고, 성대한 오픈 행사만을 남겨 두고 있었다. 주혁의 질문에 비서는 난감한 기색을 숨김없이 내비쳤다.

—그게…… 현지 환경 단체인 BYT에서 주민들을 등에 업고 반대 시위를 크게 일으켰나 봅니다. 아시다시피 BYT는 원래 다국적 기업을 좋게 인식하지 않는 단체라서요. 그들의 원성을 보다 못한 기관이 다시 점검하겠다고…….

"……."

—어떻게 하시겠습니까?

막대한 금액을 투자한 공장이 문도 열지 못하고 좌초할 위기에 처했다. 하필 이런 때에……. 머릿속에 그득하게 들어찬 상념을 어딘가로 밀어 버리며 주혁은 운전석 문을 열었다.

"바로 회사로 가도록 하지. 관련자들 전부 소집하도록 해."

* * *

세상일이 전부 그렇듯이 회사의 운영 또한 예측과 예상만으로 돌아가지 않았다. 그래도 희미한 안갯속 같은 혜수의 마음을 들여다보는 일보다는 훨씬 쉽고, 적성에도 맞았다.

혜수는 마치 글자가 완벽하게 지워진 표지판 같았다. 어디로 가고 싶어 하는지도 모르겠고, 어떤 것을 원하는지도 알 수 없는. 아무것도 적혀 있지 않았던 그녀의 마음에 이혼이라는 두 글자가 진하게 새겨졌다.

그래서 더더욱 납득할 수가 없었다. 혜수가 자신을 사랑했다니. 그리고 자신의 사랑을 원했다니.

며칠간 번뇌해도 도저히 답을 찾을 수 없는 문제였다. 그래서 인도 공장 문제를 핑계 삼아 뒷전으로 밀어 버렸다. 일종의 회피이자 도피인 셈이었다.

"이게 어떻게 된 일인지 모르겠군요……."

"우선은 대책부터 세우는 게 좋겠습니다."

급하게 소집된 중역들은 사태의 심각성을 파악했는지 하나같이 심각한 얼굴로 한마디씩 거들었다. 장시간의 긴급회의가 열렸지만, 늘 그랬듯이 건질 만한 묘수가 있을 리 만무했다. 대현 그룹의 가장 높은 자가 직접 나서는 것밖에는 방법이 없었다.

만전의 준비를 기한 주혁은 책임자들을 이끌고 인도로 떠났다. 제 눈으로 직접 공장의 상태를 확인하고, 몇 명이나 되는지 모를 정부 책임자를 만나 그들에게 공장이 얼마나 지역 사회에 긍정적으로 작용할지 일일이 설득했다.

재점검 또한 완벽하게 하라고 이르며 주민들의 환심을 살 다채로운 선물 보따리를 내놓았다.

그러느라 무려 2주라는 시간을 써 버렸다. 인도에서의 마지막 날, 줄곧 곁을 따르던 비서도 무른 채 주혁은 스위트룸에 홀로 발을 디뎠다. 인도에 출장 온 이래로 혼자 있을 수 있는 시간은 오늘이 처음이었다.

"후……."

길디긴 한숨과 함께 재킷을 벗어 던진 주혁은 소파에 주저앉았다. 지난 2주간 바짝 긴장한 상태로 이곳저곳 치열하게 드나들었기에 제법 피로가 쌓였다.

여독과 긴장이 겹친 몸이 노곤한 것에 반해 정신은 이상하게 또렷했다. 시위 문제는 빈틈없이 해결했고, 관리들의 확답도 받아냈건만 어째서일까. 넥타이를 느슨하게 풀어헤치던 그의 눈에 문득 냉장고가 들어왔다.

평소 같았으면 수행 비서에게 전화를 걸어 룸서비스를 대령하라고 지시했을 터였다. 하지만 오늘따라 이상하게 냉장고 문을 열고, 그 안에 있을 맥주를 마시고 싶은 충동이 일었다.

'맥주를 좋아할 줄은 몰랐는데…….'

가장 먼저 시선을 사로잡은 맥주 캔을 집어 들던 손가락이 살짝 동요했다. 솔직하게 고백하자면 이제껏 그녀의 취향이 맥주인지, 와인인지에 대해 전혀 관심이 없었다. 정확하게는 그녀가 술을 좋아하는지조차 몰랐다.

그래도 된다고 생각했다. 그럴 수밖에 없다고 스스로를 합리화했다. 굳이 변명하자면 일 때문에 바빠서 혜수를 돌아볼 틈이 없었다.

그런 자신을 이해한다는 듯 실제로 그녀는 어떠한 요구도, 주문도 없었다. 그저 예쁘게 치장된 인형처럼 한결같이 그 자리에 있을 뿐이었다.

그래서일까, 그 관계가 쭉 유지될 줄 알았다. 제 쪽에서 딱히 언급하지 않는 한, 결혼 생활이 언제까지나 계속되리라고 여겼다. 너무나도 터무니없는 착각이었지만.

멍하니 서서 혜수를 떠올리던 주혁은 얼른 맥주 캔을 땄다. 곧이어 시원한 액체가 목 안 깊숙한 곳까지 밀려들었다. 알싸한 탄산이 입 벽을 마구 두드렸다.

'어떻게 지내고 있으려나.'

새벽까지 회의하고, 서류를 체크하는 와중에도 틈틈이 혜수가 떠올랐다. 아주 잠깐 틈이 생길라치면 영락없이 그녀의 생각이 머릿속을 점거했다. 생각하지 않으려고 들수록 생각이 났다. 정말 아이러니한 일이었다.

"사랑이 조건이었다고……?"

벌써 2주가 지났어도 의문은 여전했다. 허공에 대고 나지막이 중얼거리던 주혁은 다시금 맥주를 들이켰다.

마지막 한 방울까지 입 안에 털어 넣기까지는 몇 초도 걸리지 않았다. 맥주 캔을 쥔 손에 살며시 힘을 싣자 우드득, 하는 소리와 함께 알루미늄으로 된 표면이 우그러들었다.

아무리 생각해도 알 수가 없었다. 사랑과 결혼의 상관관계란 과연 무엇이며, 어떤 점에서 그녀에게 영향을 끼쳤는지. 어느 시점에서부터 그런 마음을 품고, 자신에게 그 감정을 요구하게 되었는지.

"……."

찌그러질 대로 찌그러진 맥주 캔을 쓰레기통에 넣은 주혁은 서둘러 셔츠의 단추를 끌렀다. 금세 셔츠 안쪽으로 스며들기 시작한 공기는 몹시 차가웠다.

지금처럼 혼자서 속을 끓이면서 도무지 알 수 없는 속내를 추리하는 것에는 한계가 명백했다. 역시 혜수에게 묻는 편이 가장 빠르고 속 편한 방법인 듯싶었다. 더 이상 시간을 낭비하고 싶지는 않으니까.

마침 내일은 한국으로 돌아가는 날이었다. 만남에 대한 당위성을 확보하자 가슴속 어딘가에 침전해 있던 불순물이 스르륵 녹아내리는 것 같았다.

만나고 싶다.

아니, 만나야 했다. 반드시.

* * *

한번 결정을 내린 후, 번복하거나 미룬 적은 단 한 번도 없었다. 그게 바로 주혁이 살아온 방식이었고, 이 정글 같은 세계에서 여태껏 버텨 온 원동력이기도 했다.

새벽 비행기를 타고 귀국한 주혁은 곧장 본사로 향했다. 정말 괴물 같은 체력이라고 다들 소리 없이 혀를 내둘렀지만, 개의치 않았다. 잠이나 휴식과는 비교할 수 없을 만큼 중요한 문제를 목전에 둔 지금, 단 한 순간도 지체하고 싶지 않았다.

인도로 떠나기 전 소집했던 회의와 마찬가지로 별다른 수확은 없었다. 그저 그간의 동향을 보고받고, 보고한 정도였다. 임원진들의 찬사를 끝으로 주혁은 길고 길었던 회의의 늪에서 빠져나왔다.

“부사장님, 그동안 정말 고생 많으셨습니다. 밖에 기사를 대기시켜 놓았으니 얼른 들어가셔서 푹 쉬시지요.”

“아니, 퇴근시켜.”

단번에 비서의 권유를 일축하자 그는 퍽 놀란 얼굴이었다.

“네? 그럼 댁에는 어떻게 가시려고요?”

“내가 운전해서 가도록 하지.”

“피곤하실 텐데요…….”

그러면서도 비서는 굳이 수고를 자청하는 이유를 묻지 않았다. 물론 질문해도 답을 해 줄 생각은 없었던 터라 주혁은 잠자코 걸음을 옮길 뿐이었다.

알아서 들어가겠다는 짤막한 통보에 운전기사 또한 비서 못지않게 당황했다. 자꾸만 그들의 할 일을 빼앗는 것 같기는 해도 어쩔 수 없었다. 아무렇지도 않게 스마트 키를 넘겨받은 주혁은 그대로 운전석에 올라탔다.

벌써 세 번째 방문이기 때문일까.

그녀의 집까지 가는 길은 생각보다 멀지도, 낯설지도 않았다. 어느 틈엔가 시야를 잠식하는 풍경에 주혁은 넌지시 혀를 찼다.

익숙해진 것은 길뿐이었다. 혜수가 사는 이곳은 여전히 이질적인 냄새가 강하게 풍기고 있었다. 몇 번이나 덧칠해도 회생이 불가능해 보이는 벽도, 나날이 때가 증가하는 듯한 유리문도, 시커먼 먼지 덩어리가 군데군데 굴러다니는 계단도 처음 그대로의 묘한 느낌을 간직하고 있었다.

계단을 오르던 주혁은 문득 구두 앞코를 흘끔거렸다. 먼지 한 톨 없이 반질반질했던 표면에 흰 먼지가 내려앉아 있었다. 평상시 절대로 볼 수 없는 광경은 심히 거슬렸다.

'청소 업체를 바꾸라고 지시해야겠군.'

이 정도로 심한 먼지를 들이마시면 당연히 건강에 좋지 않을 것이었다. 필히 그 이야기도 꺼내야겠다고 다짐하며 계단을 오른 끝에 혜수의 집에 도착했다.

"윤혜수……."

현관문에 그녀의 이름이 쓰여 있는 것도 아니건만, 왠지 모르게 그 이름을 부르고 싶었다.

자신을 보고 놀랄 혜수를 상상하니 기이할 만큼 기분이 들뜨기 시작했다. 이상한 경우였다. 여기 온 목적은 그저 불확실한 혜수의 본심을 캐내고, 의문의 답을 얻기 위함이 아니었나.

그러니 이렇게 동요한 흔적을 드러내서는 안 될 일이었다. 최대한 무표정을 유지하려고 애쓰며 주혁은 조심스럽게 초인종을 눌렀다.

딩동.

경쾌한 초인종 소리에도 안쪽에서는 아무런 반응이 없었다. 혹여나 듣지 못했을 경우를 가정해 한 번 더 눌렀지만, 감감무소식이었다. 굳게 닫힌 현관문은 열릴 기미가 느껴지지 않았다.

'설마 집에 없는 건가?'

일자리를 구하러 나갔나 싶어도 가능성이 극히 낮은 추측이었다. 이렇게 늦은 시간에 면접을 치를 만큼 비상식적인 곳에 지원했을 리가 없었다. 그렇다면 대체 어디에 간 것일까.

슬며시 핸드폰을 꺼낸 주혁은 혜수에게 전화를 걸었다. 아니나 다를까, 귀 안으로 스며드는 것은 기계적인 멘트였다. 자신의 전화는 아예 받지 않기로 작정한 듯했다.

"……."

몇 번이나 전화를 걸어도 그대로라는 점에 살짝 불쾌해지려고 했다. 하지만 예전처럼 무턱대고 화를 터뜨리면서 혜수와 냉전을 벌이고 싶지는 않았다. 이 상황에서는 차분하게 머릿속을 식히고, 냉정하게 판단을 내리는 것이 정답이었다.

'잠깐 쇼핑이라도 간 거겠지.'

어차피 이 집 말고는 돌아올 곳도 없지 않은가. 바깥에서 밤을 지새울 생각이 아니라면 조만간 눈앞에 나타날 터였다. 그러니 서두를 것도, 조급해할 것도 없었다.

그로부터 대략 한 시간 후.

슬슬 저려 오는 다리를 느끼고 주혁은 핸드폰의 시각을 확인했다. 정확하게는 한 시간 하고도 십 분이었다. 이렇게나 오랜 시간 동안 누군가를 기다려 본 적은 처음이었기에 낭패감보다도 당혹감이 앞섰다.

새삼 실감하건대 혜수는 정말로 여러 가지 일을 하게 만드는 여자였다. 그리고 더더욱 이해할 수 없는 것은 그런 그녀에게 미친 듯이 휘둘리고 있는 자신이었다. 이혼하자고 선언한 순간부터…… 아니, 어쩌면 그 이전부터 그랬는지도 모르겠다.

그때였다. 아래쪽 계단에서 찌익, 찍, 하고 신발이 끌리는 소리가 들려왔다. 온 신경을 곤두세우며 주혁은 황급히 벽에서 허리를 떼어냈다.

그러나 그의 기대와는 달리 인기척은 3층에서 멈추었다. 허탈한 결과에 차마 한숨조차 나오지 않았다.

'뭐야…….'

기대는 30분 정도 지난 다음에 한 번 더 무너졌다. 그다음부터는 숨소리 하나 들리지 않을 만큼의 깊은 정적이 찾아왔다.

실망과 기대를 반복하며 현관 앞을 서성이다가, 벽에 기대었다가, 핸드폰을 들여다보는 것도 지겨워졌을 때쯤, 드디어 진짜가 나타났다. 이번에야말로 놓치지 않겠다는 생각에 주혁은 성큼 그녀의 앞으로 다가섰다.

"어디 갔다가 이제 오는 거야?"

타박할 생각은 절대 없었는데, 무의식적으로 아주 살짝 불만이 첨가된 말투를 구사하고 말았다. 아차, 하고 혀를 차기가 무섭게 혜수의 속눈썹이 파르르 요동쳤다.

몇 주 만에 마주한 그녀는 자신을 보자마자 울 것 같은 표정부터 지었다. 유난히 커다란 눈망울에 자그마한 눈물방울이 맺혔다.

"……주혁 씨?"

울음 섞인 부름을 끝으로 혜수의 몸이 급격히 휘청거렸다. 주혁은 재빨리 그녀를 받쳐 안았다. 한 팔만으로 안고도 남을 만큼 가녀린 어깨는 이상하게 뜨거웠다.

빼앗겨 본 자만이 간절함을 알고, 잃어 본 자만이 절실함을 안다고 했다.

물론 자신에게는 적용되지 않는 말이었다. 빼앗겨 본 적도, 잃어 본 적도 없었다. 손짓 하나만으로도 원하는 것을 손에 쥘 수 있었다. 언제나, 예외 없이.

그랬기 때문에 간절함이나 절실함 같은 감정을 몰랐다. 아니, 애당초 알 필요가 없었다. 필요성을 전혀 느끼지 못하고 살아왔는데 딱 하나, 상상조차 못 한 변수가 생겨 버렸다. 윤혜수였다.

그녀만큼 제멋대로 예상과 예측을 부수어 버리는 사람은 처음이었다. 지금도 마찬가지였다. 얼굴을 보자마자 바로 쓰러지다니. 꿈에서조차 상상하지 못한 일이었다.

주혁은 혜수를 안은 손에 힘을 실었다. 종잇장같이 가냘픈 몸은 손이 움직이는 대로 흔들거렸다. 그럴수록 찬물을 끼얹은 것처럼 등골이 서늘해졌다.

'……가벼워.'

원래도 말랐지만, 못 본 새 더더욱 마른 느낌이었다. 하지만 그 사실을 실감할 만한 틈은 없었다. 그녀를 데리고 당장 병원에 가야 했다. 혜수에게서 느껴지는 열의 강도는 장난이 아니었다. 살며시 열린 입술에서는 연이어 가쁜 숨이 흘러나왔다.

겨우 2주간이었다. 한 달도, 일 년도 아닌 그 짧은 기간 동안 그녀에게 대체 어떤 일이 벌어졌던 것일까. 조심스럽게 혜수를 안아 든 주혁은 계단을 성큼성큼 내려갔다. 힘을 완전히 잃은 그녀의 몸은 그 어떤 움직임도 없었다. 꾹 닫힌 눈꺼풀은 웬만해서는 뜨이지 않을 듯했다.

이 상황은 마치 혜수가 유산했다고 연락받았을 때와 너무나도 똑같았다. 뇌리를 퍼뜩 스치는 기시감은 착각도, 거짓도 아니었다.

"젠장……."

혜수를 뒷좌석에 눕히고 운전석으로 온 주혁은 있는 힘껏 인상을 찡그렸다. 운전대를 꽉 쥔 손에는 이미 열이 올라 있었다.

이미 선례가 있어서일까. 초조했다. 다급했다. 평상시 입에 담아 본 적 없던 욕지거리에는 불안한 마음이 여과 없이 투영되어 있었다. 인도 공장에 문제가 생겼다고 연락받았을 때와는 비교할 수 없을 만큼 심장이 쿵쾅거렸다.

사실 따지고 보면 그쪽이 훨씬 큰일이건만. 그런데도 병원에 도착할 때까지 전신의 떨림이 멎지 않았다. 별일 아닐 것이다, 아무런 문제도 없으리라는 중얼거림은 하등 쓸모없는 자기 암시에 불과했다.

미리 연락을 받은 의료진들은 혜수를 VIP 병동으로 데려갔다. 이곳에도 벌써 두 번째 방문이었다. 주치의가 진찰할 동안, 주혁은 아랫입술을 질끈 깨물며 시간을 흘려보냈다. 얼마 안 되는 시간인데도 영원에 가까울 정도로 길게 느껴졌다.

그렇게 얼마나 안절부절못하며 기다렸을까. 드디어 진찰이 끝났다는 전갈이 왔다. 주혁을 올려다보는 주치의의 얼굴에는 안도감이 어려 있었다.

"다행히 별다른 이상은 없으십니다. 몸살……이신 것 같군요. 최근에 무리라도 하셨는지……."

"……몸살?"

"네. 그러니 너무 염려하지 않으셔도 될 듯합니다. 링거를 놓아 드릴 테니 푹 주무실 수 있도록 부탁드립니다."

"그렇군요……. 수고하셨습니다."

"별말씀을요. 아차, 그러고 보니 긴히 드릴 말씀이 있습니다. 사모님과 관련된 겁니다."

방금 본인의 입으로 혜수는 괜찮다고 하지 않았나. 그런데도 또 무슨 말을 덧붙인다는 것인지 짐작 가는 바가 없었다.

"뭐죠?"

"그게……."

주혁은 미간을 설핏 찌푸렸다.

어렵게 꺼낸 것에 반해 주치의의 이야기는 별것 아니었다. 그런 사소한 사안은 비서를 통해 전해도 무방한 것을. 괜히 긴장해 버렸다는 데 대한 허무함이 밀려오면서 맥이 탁 풀렸다.

병실 밖으로 주치의를 내보낸 주혁은 앞 머리카락을 쓸어 올렸다. 고작 몸살에 걸린 사람을 이렇게까지 걱정하게 될 줄은 몰랐다. 하지만 과하게 반응하고 있다는 것을 알면서도 자제할 수 없었다.

곧이어 링거를 들고 나타난 간호사가 혜수의 왼손에 주삿바늘을 꽂았다. 여전히 미동도 없는 흰 손가락은 무척이나 가늘었다. 투명한 링거액이 혈관으로 흘러들기 시작한 것까지 본 후에야 침대 옆에 있는 의자에 주저앉을 수 있었다.

"……."

꾸역꾸역 한숨을 삼키던 주혁은 이내 혜수에게로 시선을 떨어뜨렸다. 조금 전보다 한결 안정된 숨소리가 귓전으로 파고들었다. 백지처럼 창백했던 얼굴에는 어느덧 혈색이 돌아와 있었다.

"항상 왜 이렇게……."

사람을 걱정하게 만드는가. 마음을 놓을 수 없게끔 뒤흔드는가. 이것은 불평도, 불만도 아니었다. 그저 사소한 푸념일 뿐이었다. 한참이나 그녀의 얼굴에 멈추어 있던 눈길은 천천히 아래로 움직였다.

소리 없이 잠에 빠져든 윤혜수는 금방이라도 무너져 내릴 것 같았다. 알 수 없는 위태로움이 그녀의 전신을 지배하고 있었다. 그 사실을 깨닫는 찰나, 가장 깊은 곳에서부터 위기감이 치솟았다.

만에 하나라도 그녀를 잃게 된다고 생각하니 더는 참을 수가 없었다. 정체불명의 충동이 삽시간에 온몸을 포위했다. 주혁은 서둘러 혜수의 오른손을 감싸 쥐었다. 무의식적으로 인기척을 감지했는지 손끝이 살짝 진동했다.

너무나 약했다. 너무도 여렸다. 미약하게 떨리는 손가락도, 유독 보드라운 살갗도, 뼈가 살짝 도드라진 손등도. 금세 부서져 버려 형체조차 남지 않을 듯했다.

아주 잠깐이라도 이 손을 놓치게 된다면 그때는 과연 어떻게 될까. 그 아득한 광경을 상상하자마자 가슴이 철렁 내려앉았다. 그런 일은 절대로 있어서는 안 되었다. 자신의 모든 것을 걸고서라도.

혜수를 깨우지 않기 위해 조심하면서 주혁은 손에 힘을 실었다. 부드럽게 맞닿은 손끝을 타고 따스한 온기가 몸속 깊이 배어들었다. 혜수의 것이었다. 결코 빼앗겨서도, 잃어버려서도 안 될.

"……윤혜수."

그녀가 눈을 떴을 때, 가장 먼저 보이는 게 바로 자신의 얼굴이기를.

그 순간이 오기만을 기다리며 주혁은 오래도록 혜수의 손을 붙잡은 채 앉아 있었다.

* * *

이것은 예전에도 본 적이 있었다.

기묘한 기시감을 느끼며 혜수는 묵묵히 주변을 살폈다. 그때는 터널을 연상시킬 만큼 컴컴하고 좁았던 것 같은데, 눈앞에 펼쳐진 풍경은 전혀 달랐다. 제 앞을 가로막는 것은 아무것도 없었다.

어딘가에서 내려온 빛 한 줄기가 금세 시야를 뒤덮었다. 그리고 기다렸다는 듯 온 사방이 환하게 반짝이기 시작했다. 수천 개, 수만 개로 쪼개져 여기저기로 흩어진 빛은 마치 춤추는 나비 같았다. 눈부신 황금빛 날개를 가진.

너무나 아름다운 나머지 넋을 잃고 그 광경을 들여다보았다. 즐겁게 혜수의 주위를 떠돌던 빛의 조각이 마침내 바닥으로 내려앉았다. 한 겹, 한 겹 쌓일 때마다 빛은 차츰차츰 무언가의 형태를 띠어 갔다.

신기하기도 하고, 새롭기도 한 터라 혜수는 저도 모르게 한 걸음 내디뎠다. 그러자 아직 완성되지 않은 빛무리에서 모깃소리만큼 조그마한 소리가 새어 나왔다.

「……마.」

그것은 마치 어린아이의 웅얼거림을 닮아 있었다. 혜수는 귀를 기울여 그 소리의 정체를 파악하려고 노력했다. 들릴 듯 말 듯 하던 소리는 점점 커지고 또렷해졌다.

「엄마.」

「……!」

「엄마!」

그와 동시에 까르륵, 하는 명랑한 웃음소리가 하늘을 울렸다. 너무 놀란 나머지 그 자리에서 옴짝달싹 못 하는 틈을 타 빛무리가 갑작스레 몸을 덮쳐 왔다.

일순간 눈물이 핑 돌 만큼 강렬한 온기가 살갗으로 스며들었다. 흡사 어린 아이가 뺨을 비벼 대는 것 같은 감촉이었다. 직감적으로 빛의 정체를 깨달을 수 있었다. 아이였다. 이미 허공에 산산이 부서진 줄로만 알았던.

「…….」

혜수는 가만히 빛을 움켜쥐었다. 손가락 사이로 비죽비죽 새어 나오는 빛은 부드러웠고, 또한 따뜻했다. 오래도록 잊고 있었던 온기였다. 떠올릴 때마다 마음이 아파서 마음속 어딘가로 밀어 버렸던 것이었다.

귓가에 정신없이 아이의 목소리가 메아리쳤다. 엄마, 엄마. 단 한 단어뿐이었지만 속눈썹에 그렁그렁하게 매달려 있던 눈물방울을 떨어뜨리기에는 충분했다.

이런 아이였구나. 이렇게 커 갔겠구나. 아이의 아주 먼 미래를 잠시나마 엿본 것 같은 느낌이었다. 볼을 타고 흐르는 눈물은 슬픔과 기쁨이 뒤엉켜 있었다.

「엄마.」

문득 손안에 얌전히 머물러 있던 빛이 번득였다. 본능적인 위기감을 느끼고 혜수는 필사적으로 고개를 저었다. 설마 또 이렇게 떠나가는 것일까.

싫다. 싫었다. 겪고 싶지 않았다. 아픔 따위, 고통 따위, 다시는.

「아가야……!」

아이의 이름을 짓지 않았다는 게 이토록 안타까운 일인 줄은 몰랐다. 처음으로 소리 내어 아이를 부르자마자 시야가 희게 물들었다. 그리고 곧장 풍경이 바뀌었다.

"깨어난 거야?"

방금까지 손에 쥐고 있었던 빛과는 완벽하게 대조되는 칠흑 같은 어둠. 바로 주혁의 검은 눈동자였다. 그는 난생처음 보는 것 같은 표정을 지은 채 자신을 빤히 내려다보고 있었다.

"……."

아니, 다르지 않았다. 오른손에서 느껴지는 온기는 꿈속에서 느꼈던 것 그대로였다. 더없이 부드럽고, 따뜻한.

아무것도 달라지지 않았다는 사실을 깨닫자 안도감이 치밀었다. 그와 함께 눈가에 남아 있던 눈물 한 줄기가 기나긴 자취를 남기며 흘러내렸다.

눈물의 존재를 인지한 순간, 뺨에 무언가가 닿았다. 온기를 품은 그의 손가락이었다. 당연한 일을 한다는 듯 눈물을 훔쳐 주는 손길은 진심으로 다정했다. 그래서일까, 아무런 잡념에 사로잡히지 않고 그 부드러운 감촉을 만끽할 수 있었다.

눈가를 더듬던 손은 오래지 않아 떨어졌지만, 그의 얼굴에 어린 근심은 아직 반도 덜어내지 못한 상태였다. 그 점에 의문을 품고 혜수는 짧게 물었다.

"어떻게 된 일이에요?"

주혁을 현관문 앞에서 만난 것까지는 기억났다. 하지만 그다음부터는 중간에 뚝 끊긴 필름이라도 된 듯 머릿속에는 아무것도 입력되어 있지 않았다.

"쓰러졌었어."

"내가요? 그럼……."

자못 놀라운 대답에 혜수는 무심코 말을 흐리며 몸을 일으켰다. 왼손에 링거가 꽂혀 있었는지 기다란 링거 줄이 좌우로 흔들렸다.

뭐 하는 짓이냐고 눈으로 반문하던 주혁은 이내 그녀의 어깨로 손을 뻗었다. 살며시 어깨를 감싼 손길은 조금 전과 다름없이 상냥했다.

"……걱정했어."

귓불로 찬찬히 배어드는 속삭임은 아주 작았다. 파들거리는 손끝에도 아랑곳하지 않고 그가 귓가에 나지막한 한숨을 흘려보냈다.

염려 가득한 중얼거림은 농담이 아니었다. 진심이었다. 이 남자가 이렇게까지 솔직하게 속내를 토로한 적이 있었던가.

"……."

느닷없는 스킨십에 당황한 나머지 주혁을 밀어낼 타이밍을 놓치고 말았다. 혜수는 숨을 삼키며 그의 셔츠를 만지작거렸다. 그에 응하듯 주혁은 그녀의 등에 나풀거리는 머리카락을 부드럽게 쓸었다.

그 품에 안긴 것은 정말 오랜만이었다. 사실 처음이라고 해도 과언이 아니었다. 주혁은 섹스할 때가 아니면 이렇게 다정하게 안아 주지 않았다. 그래서인지 더더욱 그의 숨결 하나하나, 기척 하나하나에 온 신경이 집중되었다.

"몸 좀 챙기지 그랬어."

"그건……."

이 점에 관해서만은 변명의 여지가 없었다. 한숨 푹 자면 나을 것이라고, 별것 아니라고 안일하게 대처했다. 뒷말을 잇지 못하는 혜수의 모습에 주혁의 입가에는 잠깐 쓴 미소가 얹혔다.

"몸은 어때? 힘들면 주치의를 부를까?"

"아니, 괜찮아요."

혜수는 가볍게 도리질했다. 이런 식으로 그와의 인연을 이어 갈 이유도, 필요도 없었다. 갑자기 찾아온 것, 상냥하게 안아 준 것, 이 모두 순간적인 변덕일 뿐이었다.

그러니 기대해서는 안 된다. 바라서도 안 되었다. 여기까지 떠밀리듯 찾아온 이유는 그저 그의 내면에 숨어 있는 마지막 오기 때문일 터였다.

"……하나 물어볼 게 있어요."

"뭔데?"

"이제 오지 않는 거 아니었나요?"

전혀 예상하지 못한 질문이었는지 어깨를 안고 있던 단단한 손에서 슬쩍 힘이 빠졌다. 그 틈을 타 혜수는 주혁의 품에서 빠져나왔다.

이제야 정면으로 마주 본 그는 제법 놀란 얼굴이었다. 그런 경우는 단 한 번도 떠올려 본 적 없다는 듯이. 검은 눈동자는 의문으로 짙게 물들어 있었다.

"내가 왜?"

"그야 그날 이후로 한 번도 안 왔잖아요. 그런데 어째서……."

그를 사랑했다는 고백에 충격받고 다시는 오지 않을 줄 알았다. 그렇게 끝난 관계인 줄 알았건만, 어쩐 일로 인연이 이어지고 있는지 알 수가 없었다. 할 말이라면 이미 충분히 했을 텐데.

"출장 다녀왔어."

짤막하게 고하는 주혁은 정말로 별일 아니었다는 눈치였다.

"출장요?"

"응. 인도 공장에 문제가 좀 생겨서."

"그랬군요……."

출장을 떠난 경우는 미처 생각지 못했다. 물론 그렇다고 한들 변하는 것은 없었다. 단지 머릿속을 점거했던 조그마한 미스터리 하나가 해결되었을 뿐이었다.

"……."

"……."

두 사람 사이에는 잠시 미묘한 침묵이 자리했다. 침묵의 무게를 실감하며 혜수는 살포시 시트를 매만졌다.

언젠가 주혁이 지적했다. 자신은 그에게 할 말이 별로 없다고. 그렇지만 주혁은 틀렸다. 할 말은 많았다. 하고 싶은 말 또한 넘쳐났지만 언제나 입술의 경계선을 넘지 못했다. 그러는 게 그를 위한 최선이라고 여겼으니까. 아내의 도리라고 생각했으니까.

이제 와서는 차마 말을 걸고 싶지 않았다. 지금처럼 그와 아무렇지도 않게 마주하고, 아무 일도 없었다는 듯 이야기를 나눈다면 또 기대할 것 같아서. 이미 포기한 줄 알았던 한 줄기 희망을 발견했다는 값비싼 착각에 빠질 것 같아서.

"……어떤 꿈을 꿨지?"

뜻밖의 질문은 점점 세를 불리던 정적을 깼다. 제 쪽에서 할 말이 없다면 그쪽에서 직접 나서겠다는 전략인 모양이었다. 혜수는 조금 전과 똑같이 고개를 흔들었다.

"아무것도 아니에요."

단호한 일축에도 주혁의 태도는 한결같았다. 오히려 좀 더 확신에 차 있었다.

"아이 꿈을 꿨나?"

"……!"

"맞나 보군."

그가 아주 살짝 입꼬리를 비틀었다. 씁쓰레한 빛이 입가를 타고 얼굴 전체에 번져 나갔다. 이쯤 되면 더 이상 부정할 수가 없었다.

"어떻게 알았어요……?"

"아가야, 라고 부르더라고."

"……."

"지금도 그런 꿈을 꾸는 줄은 몰랐어."

뭘 전하고 싶기에 갑작스레 아이를 들먹이는지 모를 일이었다. 잠깐 잊고 있었던 꿈이 떠오르면서 가슴 전체가 욱신거렸다.

이 남자는 역시나 하나도 달라지지 않았다. 여전히 아무것도 몰랐다. 아이가 제게 얼마나 소중한 존재였는지. 그 아이 덕분에 어떤 결심을 했는지. 비록 희디흰 물거품이 되어 사라져 버렸다고 해도…….

"당신과는 다르니까요."

저절로 사나워지는 목소리를 느끼며 혜수는 시트를 만지던 손에 힘을 가했다. 그 바람에 시트에 몇 갈래로 주름이 그어졌다.

"뭐가 다르지?"

"당신에게는 없느니만 못한 아이였겠지만…… 나한테는 아니었어요."

참담함에 바르르 떨리는 입술은 채 식지 않은 분노에 젖어 들어 있었다.

아직도 그때 들었던 말을 잊을 수가 없었다. 이미 끝난 일이니 잊어버리라고. 아이는 다시 가지면 된다고.

그러나 주혁은 그 순간, 본인이 어떻게 행동했는지 기억에서 까맣게 지운 모양새였다. 그날, 그의 앞에서 얼마나 목 놓아 울었던가. 저주에 가까운 천명을 몇 번이나 하고 또 했던가. 그런 후에도 도저히 가슴속에 꽉 맺힌 응어리가 풀리지 않아서 그의 곁을 떠날 결심을 했다.

"누가 그래?"

아니, 그렇지 않았다. 이전까지와 같다고 느낀 것은 착각이었다. 권주혁은 달라졌다. 너무나 놀랍게도 말이었다.

질세라 강하게 부인하는 그는 조금 전보다 훨씬 당황한 상태였다. 수차례나 흔들리는 동공을 통해 선명하게 비치는 동요는 거짓이 아니었다.

"뭐가요."

"없느니만 못한 아이라고."

"아이 가질 생각 없었던 거 아니었나요? 그래서 항상 피임했잖아요."

주혁과 관계를 맺을 때마다 예외는 없었다. 그의 허락이 떨어지기 전까지는 아이라고는 꿈도 꾸지 않았다. 그래도 아이는 그 희박한 확률을 뚫고 태어날 준비를 했다. 생명은 이다지도 강한 법이었다.

"계획적으로 가질 생각이었어. 아이는 내 쪽에서도 바랐던 바야."

"그런데 어떻게 그렇게 냉정할 수 있죠? 아이는 또 가지면 되니까 그만 잊어버리라고 했잖아요. 기억 안 나요?"

"……."

"표정 보니까 드디어 생각났나 보네요. 이제야 하는 소리지만 당신…… 정말 잔인해요."

가감 없이 떨어진 평가에 그는 딱딱하게 굳었다. 주혁을 노려보던 혜수는 급히 속눈썹을 내리깔았다. 눈가를 찌푸리지 않는다면 이대로 눈물을 뚝뚝 떨어뜨릴 것 같았다.

"……그것도 있었군. 우리 사이에 바로잡아야 할 게 한두 개가 아니었어."

자조하는 듯, 후회하는 듯 주혁이 문득 중얼거렸다.

"그게 무슨 말이에요?"

날 선 반문에 답하는 것처럼 그의 손이 눈앞으로 훌쩍 다가왔다. 약간만 움직여도 바로 닿을 것 같은 거리에서 멈춘 손가락은 선뜻 이해하기 힘든 감정에 휩싸여 있었다.

"그 아이, 내 아이이기도 해."

"뭐라고요……?"

"냉정하다는 둥, 아무렇지도 않다는 둥 말도 안 되는 소리 하지 마."

"그런데 그때는 왜 잊으라고 했어요? 당신, 아무렇지도 않았잖아요……."

"아니, 그런 적 없어. 괜찮을 리가 없잖아."

"거짓말……!"

마치 남의 일이라는 듯이 무심한 눈빛으로, 아이를 잃은 데 대한 상처는 눈곱만큼도 받지 않았다는 건조한 말투로 지껄이지 않았나.

꾹꾹 눌러 두었던 서러움이 북받치는 통에 언성이 한껏 높아졌다. 그를 향해 있는 대로 감정을 쏟아내고 있자니 사실 후련하기보다는 무력했다. 절대로 무너지지 않을 벽을 두드리는 느낌이었다.

주혁이 거짓말을 하지 않는다는 것은 그와 부부로 살아온 자신이 더욱 잘 아는 사실이었다. 그랬기에 더더욱 믿을 수가 없었다. 아니, 받아들일 수가 없었다.

"왜 그랬어요……? 왜……."

때를 놓친 원망이 얼마간 귓전에 아른거렸다. 혜수는 눈물을 삼키며 고개를 들었다. 몰라보게 뿌예진 시야에는 단 한 명의 얼굴만이 어른거리고 있었다.

"그때도, 어제도 쓰러진 당신을 보고 내가 어떤 기분이 들었을 것 같아?"

어떤 기분이었냐니. 그런 것 따위는 모른다. 그 말을 곱씹을 겨를도 없이 손등을 덮어 오는 온기가 있었다. 망설임을 거두고 제 손에 겹쳐진 그의 손은 변함없이 따뜻했다.

"……당신을 잃을까 봐. 아이보다도 당신이 걱정됐어."

"그게 무슨 뜻……."

"나한테는 줄곧 당신밖에 안 보였다고."

"……."

"이미 잃어버린 아이 때문에 당신이 또 무리할 것 같아서 그랬어."

듣기 좋은 저음이 귀 안쪽으로 스며드는 것과 동시에 그의 눈에 묘한 이채가 돌았다. 혜수는 멍하니 그를 바라보았다. 아이보다도 자신이 먼저였다니, 이것이야말로 말도 안 되는 소리였다.

그렇지만 마음속으로 몇 번이나 되씹어도 결론은 같았다. 이 남자는 자신이 소중했다. 걱정되었다. 허무하게 떠나보낸 아이보다도, 훨씬 더.

벼락같이 등줄기를 내리친 진실은 너무나 충격적이었다. 그와 동시에 주혁의 손끝이 부드럽게 손등을 더듬기 시작했다. 흡사 그의 마음을 증명하고 싶어 안달이 난 것 같은 동작이었다.

"나를 사랑했다고 했지?"

그랬다. 과거에는.

형체조차 찾을 수 없을 만큼 바스러진 지 오래였다. 이제 와서 자디잘게 조각 난 마음을 주워 담을 의지도, 쓸어 모을 용기도 없었다.

"그건 어디까지나 과거의 이야기예요. 이미 끝났어요."

"아니, 나는 이제 시작인 것 같은데."

"네……?"

그 순간, 예고도 없이 입술이 가까이 다가왔다.

"나한테 여자는 당신 한 명뿐이야."

"……."

"예전에도, 그리고 앞으로도."

……아니, 어쩌면 끝나지 않았을지도 몰랐다.

혜수는 잠시간 아무런 말을 잇지 못했다. 혼란스러웠다. 그와 동시에 당혹스러웠다. 지금껏 몇 번째 선언하고 있는지 모르겠지만, 주혁과 자신은 이미 돌이킬 수 없는 강을 건넌 게 아니었던가.

그런데도 이 남자는 아직 끝나지 않았다고 고개를 젓는다. 이제 시작이라고 말한다. 사뭇 달콤한 고백은 가짜도, 오류도 아니었다. 또렷한 현실이었다.

"나……뿐이라고요……?"

믿을 수 없는 진실을 되짚는 입술은 당연하게도 파르르 떨리고 있었다.

"응."

단호한 표정에 차마 진심이냐고 물어볼 수는 없었다. 그 정도로 바보는 아니었다. 그 차가웠던 가슴에 무엇이 깃들기 시작한 것일까. 어떻게 답해야 할지 알 수 없는 터라 결국 똑같은 말을 또다시 반복할 수밖에 없었다.

"몇 번이나 말했잖아요. 끝났다고."

"그래, 차라리 깨끗하게 끝내고 다시 시작하는 것도 좋겠어."

"……."

"우리처럼 시작부터 꼬여 버린 경우에는 말이지."

주혁은 쉽사리 물러나지 않았다. 몇 번이고, 몇십 번이고 같은 소리를 되풀이해도 상관없다는 어투에 더 이상 구사할 카드가 없었다.

권주혁은 무정함의 대명사와도 같은 남자였다. 손익 계산에 능하고, 일밖에 모르고, 피를 나눈 어머니나 여동생조차도 몇 발자국 떨어진 곳에서 관망하는.

'이건…….'

무심함의 극치를 달리던, 마치 살아 있는 얼음 같던 그가 변했다. 전혀 예상하지 못한 방향으로. 갑작스레 찾아온 변화에 쉽게 적응이 되지 않는 것은 당연했다.

혜수는 살며시 눈을 내리깔았다. 여전히 한 곳에 멈추어 있는 커다란 손이 시야에 들어왔다. 손등과 손가락을 뒤덮은 따스한 감촉은 절대로 자신을 놓치지 않겠다는 의지와도 동일했다.

"……그만 놔줘요."

그의 변모된 모습에 놀라는 것도 잠시, 혜수는 나지막하게 중얼거렸다. 어렵사리 뱉어 낸 요구에 그는 아쉽다는 눈빛을 보내며 천천히 손가락을 움직였다.

"늦었어. 이만 쉬도록 해."

"그럴게요. 당신도 돌아가요."

본의 아니게 신세를 져 버렸다. 그 점에 멋쩍기도 하고, 부끄럽기도 했다. 하지만 얼른 집으로 돌려보내려는 의도와는 다르게 주혁의 고개는 쉽사리 끄덕여지지 않았다.

"아니, 안 갈 거야. 당신 잠드는 걸 볼 때까지."

"왜요?"

"당연하잖아. 안심이 안 돼."

"……."

"혹시 또 모르니 주치의에게 전해 두지. 깨어나면 검사 한 번 더 하라고."

"과한 걱정이에요."

"당신, 벌써 두 번이나 쓰러졌어. 과한 건 아니지."

주혁이 문득 그녀의 어깨를 쓰다듬었다. 재촉의 빛이 담긴 손짓에 혜수는 벽에 걸린 시계를 곁눈질했다. 시곗바늘은 새벽 3시 10분을 가리키고 있었다. 퍽 늦은 시간이었다. 그의 말대로 조금 눈을 붙이는 게 좋을 듯싶었다.

"알았어요."

다시금 베개에 뒷머리를 대고 누웠다. 깜빡 잊고 있었던 소독약 냄새가 코 안으로 흘러들어오는 통에 코끝이 살짝 알싸했다.

혜수의 목까지 시트를 덮어 준 주혁은 의자에 엉덩이를 붙였다. 그의 기척에 촉각을 곤두세우던 혜수는 이내 속눈썹을 닫았다. 순식간에 암전

된 시야에 무언가가 스쳐 지나갔다.

'뭐지?'

지금 무슨 짓을 하는 것이냐고 질문할 필요는 없었다. 사락거리는 소리와 함께 흐트러진 머리카락이 가지런히 정돈되기 시작했다. 방금 시트를 덮어 주었던 것과 마찬가지로 제법 부드러운 손길이었다.

그와 몸을 섞을 때를 제외하고는 항상 혼자 잠들어야 했다. 회사 일로 바빴던 주혁은 일찍 들어오는 경우가 드물었으니까. 킹사이즈의 침대에 홀로 누워 있다 보면 외로움의 물결이 조용히 밀려오곤 했다. 그래도 그게 제 운명이려니 하고 별다른 불만 없이 받아들였다.

'그렇지만…….'

이제는 상황이 달라졌다. 바로 옆에 존재하는 인기척을 느끼고 있노라면 심장이 쿵쿵 뛰었다. 정말 이상하게도. 언제나 어긋나기만 했던 서로의 시간이 처음으로 마주 닿은 순간이라 그런가.

"……잘 자."

어느덧 머리카락 정돈을 끝낸 손가락이 가볍게 귓불을 건드리고 떨어졌다.

* * *

언젠가부터 밤에 제대로 잠들 수 없게 되었다.

떼려야 뗄 수 없는 꼬리표처럼 따라다닌 불면증은 임신과 유산을 기점으로 정점에 달했다. 그나마 이혼을 선언한 후로부터는 좀 나아졌지만, 오늘처럼 머릿속을 싹 비우고 잠드는 것은 꽤 희귀한 경우였다.

잘 자라는 그의 주문이 효과가 있었던 것일까. 잠든 동안, 내내 포근한 느낌이 떠나지 않았다. 마치 고요한 물속에 머리끝까지 잠겨 있는 것 같은 기분이었다.

"으음……."

몰라보게 가벼워진 눈꺼풀을 위로 밀어 올리던 혜수는 아주 잠깐 굳었다. 눈앞에 드리워진 그림자의 정체가 너무나 간단하게 예상 범위를 돌파한 탓이었다.

"뭐예요, 아직 안 갔어요?"

주혁은 대답 대신 그녀의 이마를 가만히 쓸었다. 눈앞에 흘러내려 있던 머리카락 몇 가닥을 넘겨 주는 손길은 변함없이 상냥했다.

"주혁 씨……."

"걱정하지 마. 알아서 할 테니까."

알아서 하기는. 분명 제가 잠들 때까지만 여기에 있겠다고 했던 그였다. 언제 그런 말을 했냐는 것처럼 몇 시간이나 줄곧 지켜보고 있었을 줄은 꿈에도 몰랐다.

"얼른 가요. 다들 기다릴 거예요."

"알았어, 당신 식사하는 것만 보고 갈게."

"내가 알아서……."

"먹어야 갈 거야. 보내고 싶으면 먹어."

그답지 않은 고집은 간호사를 호출한 후에야 다소나마 꺾였다. 금세 눈앞에 차려진 식사는 VIP 병동답게 호화찬란했다.

마지못해 숟가락을 들었지만, 주혁의 눈길이 다른 곳으로 돌려지는 일 따위는 벌어지지 않았다. 오히려 그 눈으로 똑똑히 확인하겠다는 듯 굳은 의지가 느껴졌다.

이 또한 처음이었다. 식탁에 나란히 앉아 있어도 그와 대화한 적은 드물었고, 애초에 같이 먹을 기회조차 별로 없었다. 생소하기 짝이 없는 경험들이 한꺼번에 몰려온 탓에 정신이 얼떨떨했다.

'불편해.'

의도치 않게 주혁의 관심을 독차지하고 있자니 꼭 동물원의 원숭이가 된 것 같은 기분이었다. 관심의 무게가 이렇게 무거운 줄은 처음 깨달았다.

예전에는 그렇게 바랐는데. 아니, 돌아봐 주지 않았어도 만족했다. 현상 유지만으로도 충분했으니까. 단 한 줌에 불과할 위안으로도 그 지옥 같은 곳에서 버틸 수 있었다.

그런데 그 이상을 주겠다고 한다. 새롭게 관계를 정립하고 싶다고, 그러니 그에게도 기회를 달라고 한다. ……이제 와서. 이제야. 그 아찔한 제안을 떠올릴 때마다 숟가락을 든 손이 멈추곤 했다.

가까스로 음식의 절반 남짓을 해치운 다음에야 주혁을 돌아볼 수 있었다. 고작 그 정도로 괜찮으냐는 듯 그의 미간이 가볍게 찌그러들었다.

"다 먹었어요. 이만 가 줘요."

"뭐, 좋아. 약속은 약속이니까. 비서에게 연락해 뒀으니 필요한 게 있으면 말하도록 해."

"아뇨, 없어요."

"그러면 푹 쉬어. 내가 모르는 곳에서 멋대로 쓰러지면 곤란하다고."

명령과도 같은 당부를 남긴 채 주혁은 소파에 걸쳐 두었던 재킷을 들었다. 곧이어 병실 문이 열렸다가 닫혔다. 그의 모습이 완전히 사라진 것을 확인한 혜수는 참고 참았던 숨을 몰아쉬었다.

밤새 자신을 지켜보면서 어떤 생각을 했을까. 어째서 그럴 마음을 먹은 것일까. 온갖 생각이 씨실과 날실처럼 머릿속에서 부지런히 교차했다.

"모르겠어……."

미궁과도 같은 그의 의중을 짐작하는 것만큼 어려운 문제는 없어 보였다. 고개를 푹 숙인 채 고민에 잠겨 있을 무렵, 누군가가 병실 문을 두드렸다.

방문객의 정체는 예전에 얼굴을 본 적 있었던 비서였다. 주혁이 보낸 모양이었다. 불편한 점이 있느냐는 그의 질문에 혜수는 용기 내어 입술을 열었다.

"저…… 퇴원하고 싶은데요."

"지금 하시고 싶으시다는 말씀이십니까?"

"네. 안 되나요?"

"그게……."

"부탁해요. 더는 여기 있고 싶지 않아서 그래요."

처음부터 있을 필요가 없었다는 말은 일부러 목 안으로 삼켰다. 그녀를 바라보는 비서의 얼굴에는 자못 곤란한 기색이 떠돌았다.

"사실 부사장님께서 잘 지켜보라고 신신당부하셨습니다만……. 일단 주치의에게 상태를 확인하도록 하겠습니다."

얼마 뒤 병실로 들어온 주치의는 면밀한 관찰 끝에 퇴원을 허락했다. 그 대신, 당분간 절대로 무리하지 말라는 조건이 달렸다. 아무것도 하지 말라는 무언의 명령에 어쩔 수 없이 비서가 운전하는 차에 타고 말았다.

집 앞까지 데려다준 후에도 비서는 쉽사리 뒤돌아서지 않았다. 우뚝 선 그의 모습에 혜수는 고개를 갸웃거렸다.

"가서 볼일 보세요."

"아닙니다. 제가 할 일은 이겁니다."

"이거요?"

"아까 말씀드렸다시피 부사장님의 명령입니다. 사모님, 저는 여기에 대기하고 있을 테니 언제든지 불러주십시오."

"굳이 그럴 필요 없어요."

"괜찮습니다. 신경 쓰지 마세요."

한 번 더 힘주어 덧붙이는 목소리에는 뚜렷한 비장감이 감돌고 있었다. 만사에 칼 같던 주혁이 이토록 끈질기게 덤벼들 수 있다니. 순간순간 느껴지는 그의 변화가 낯설면서도 어이가 없었다.

여하튼 비서가 이렇게까지 버티는 이상, 그를 회사로 돌려보내는 것은 불가능할 듯했다. 혜수는 저도 모르게 떠오르는 쓴 미소를 지우며 건물 안으로 들어갔다.

부디 오늘 하루만 유효할 변덕이었으면 좋겠는데. 이쯤 고집을 꺾고 그만

두는 편이 서로를 위해 좋지 않을까. 그러나 주혁은 그녀의 예상처럼 그렇게 만만한 남자가 아니었다.

집에 들어와서 간단하게 씻고 옷도 갈아입었다. 비록 몇 시간뿐이지만 아무런 근심 없이 잠들었던 덕분일까. 단단한 몽둥이로 한 대 얻어맞은 것 같던 머리도, 흐늘흐늘한 걸레 같던 어깨도, 걸을수록 힘이 빠지던 다리도 그럭저럭 괜찮아졌다.

주혁의 눈앞에서 볼썽사납게 쓰러질 줄 알았다면 애당초 무리하지 말 것을 그랬다. 미영에게 잘 보이겠답시고 괜히 무리했던 탓에 그와 또 한 번 엮여 버렸다.

말도 안 되는 본심을 확인하게 되었으니 이제 어떻게 해야 하나. 약간의 후회를 곁들여 기지개를 켠 혜수는 서둘러 짐을 챙겼다.

'하늘이 맑네…….'

아까 비서와 함께 병원을 나왔을 때부터 느낀 것인데, 하늘이 지나치게 화창했다. 그 통에 오늘은 왠지 좋은 일이 생길지도 모른다는 생각이 들었다.

"어디 가십니까?"

혜수가 건물 현관문을 열어젖히자마자 비서가 기다렸다는 듯 그녀를 가로막았다.

"출근하려고요."

"출근……이라면 어디를 말씀하시는 건지요?"

"사거리 신호등 앞에 카페에서 일해요."

"그렇습니까……."

안경 너머 그의 눈동자가 거세게 흔들렸다. 방금 병원 신세를 졌는데도 바로 출근하려는 기세에 놀란 모양이었다.

지금 이 행동은 반드시 주혁의 귀에 들어갈 터였지만, 그렇다고 숨기고 싶지는 않았다. 죄지은 것도 아니고, 못 할 일을 하는 것도 아니니까. 눈에 띄게 당황한 비서를 등지고 혜수는 걸음을 빨리했다.

물론 비서는 이 정도에서 포기하지 않았다. 등 뒤에서 느껴지는 그의 인기척을 무시하고 걷다 보니 어느새 카페 앞이었다. 먼저 와 있던 미영의 얼굴에는 미안한 기색이 어른거렸다.

"혜수 씨, 미안해. 들었어. 어제 경훈이 안 왔다며? 그 녀석이 아침에야 연락하는 바람에……."

"아니에요. 동창회는 재미있게 잘 다녀오셨어요?"

"으응. 뭐, 그렇지. 아무튼 그새 얼굴이 핼쑥해졌네. 어제 잘 못 잤다더니, 오늘은 푹 자고 나온 거야?"

"네. 걱정하지 마세요."

혜수는 살짝 미소 지었다. 본가에 있을 때는 그 누구도 자신의 이상을 몰랐는데. 누군가가 자신을 걱정해 주는 것은 꽤 기쁘고도 고마운 일이었다.

'걱정했어.'

문득 귓가로 파고드는 낮은 목소리에 등줄기가 꼿꼿해졌다. 그와 동시에 자신을 진심으로 염려하던 검은 눈동자가 떠올랐다.

그 순간, 겨우 괜찮아졌다고 안심했던 심장이 요동쳤다. 아니, 안 된다. 이 이상 쓸데없는 생각은 접어야 마땅했다. 흔들리는 마음에 재빠르게 제동을 건 혜수는 앞치마를 걸쳤다.

정신없이 테이블을 닦다가 카페 밖에서 서성이고 있는 비서와 눈이 마주쳤다. 물론 아무것도 못 본 척했다. 헛된 의무를 다하고 있는 그를 포기시키려면 최대한 없는 사람처럼 대하는 게 상책이었으므로.

신경 쓰지 않기 위해 더더욱 일에 전념했다. 화초에 물도 주고, 설거지도 하고, 음료도 만들었다. 미영과 잠깐의 여유를 틈타 이런저런 이야기도 나누었고, 머리를 긁적이며 나타난 경훈의 사과도 받았다.

그러나 가슴속 어딘가에 남은 일말의 불안감은 그 어떤 짓을 해도 씻기지 않았다. 마치 처음부터 그렇게 되도록 정해진 운명처럼.

9. 잠깐의 변덕

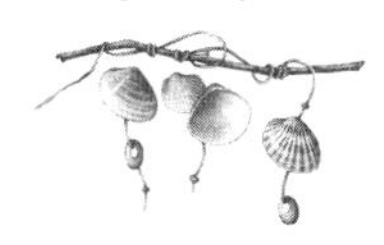

분주했던 하루가 흘러가고 어느덧 저녁 시간이 되었다. 불현듯 카페 문 위쪽에 매달린 종이 딸랑거렸다. 손님이 왔다는 뜻이었다. 테이블을 정리하고 있던 혜수는 황급히 뒤돌아섰다.

"어서 오……세요."

인사가 이상하게 마무리된 것은 어쩔 수 없는 일이었다. 아무렇지도 않게 시야로 성큼 들어서는 남자의 정체가 제법 당황스러운 까닭이었다. 비서가 알았으니 그가 전해 듣게 되는 것 또한 시간문제였는데, 아니나 다를까였다.

"퇴원한 지 얼마 안 됐는데도 이렇게 무리할 줄 몰랐어."

귀에 익은 목소리가 머리 위를 아찔하게 울렸다. 혜수는 대답 대신 카운터 근처에 있는 시계를 확인했다. 6시 50분. 평상시 그의 퇴근 시간에 비추어 본다면 있을 수 없는 경우였다.

왜 자꾸 이러냐고 묻고 싶지는 않았다. 딱 한 번이라도 특별 취급하는 순간, 주혁이 이상한 오해를 할 것 같아서였다.

"찾으시는 게 있으신가요? 메뉴판 가져다드리겠습니다."

애써 침착함을 가장해 응했는데도 그는 전혀 개의치 않는 모습이었다.

"언제 끝나?"

혜수는 질세라 딱딱하게 대답했다.

"카페 영업시간은 오후 10시 30분까지입니다."

"너무 늦어. 당신과 대화하고 싶은데."

"죄송합니다만 저희 매장에 그런 메뉴는 없어요."

미영이 잠깐 자리를 비웠기에 망정이지, 주혁과 은근하게 실랑이하는 광경을 보였다면 큰일이었다. 이쯤 포기하고 나가 주었으면 하는 마음을 배신하듯 그의 질문은 계속되었다.

"여기서 파는 걸 다 만들려면 어느 정도의 시간이 들지?"

"글쎄요, 한참 걸리겠죠. 메뉴가 한두 개가 아니라서요."

"전부 사면 그 시간만큼 같이 있을 수 있나?"

"……."

터무니없는 요구에 무의식적으로 미간이 찌푸려졌다. 이 남자는 무조건 우기면 다 되는 것으로 착각하고 있었다. 어린아이 같은 유치한 면모에 기가 차는 것도 잠시, 혜수는 단번에 거절했다.

"말도 안 되는 소리예요."

"그래? 나쁘지 않은 제안이라고 생각했는데."

"일하는 데 방해되니 그만 가요. 당신과 할 말 없어요."

더 이상 상대하기 싫다는 뜻을 온몸으로 내비치자 그제야 주혁의 발이 움직였다. 이렇게까지 순순히 물러나리라고는 생각하지 않았던 터라 혜수의 입술이 놀라움으로 살짝 벌어졌다.

"좋아. 당신이 원한다면."

"……."

"이만 나가 보도록 하지."

주혁은 그 스스로가 납득하지 않으면 절대로 물러나지 않는 성격의 소유자였다. 그래서 이혼 문제를 놓고 여태껏 질질 끌어 왔던 게 아닌가.

잘 가라는 인사는 굳이 건네지 않았다. 왔을 때와 마찬가지로 주혁은 당당하게 카페를 빠져나갔다. 또 한 번 딸랑거리는 종소리를 들으며 혜수는 축 처졌던 어깨를 바로 했다.

'무슨 생각이야……?'

하지만 그의 속내는 불투명한 유리처럼 아무것도 비치지 않았다. 어떻게든 알아내고 싶어 안간힘을 쓴들 무리였다.

이 문제에 관해 고민하고 싶지도 않고, 그럴 수도 없는 터라 잠자코 일만 했더니 그새 퇴근 시간을 훌쩍 넘겼다. 이제 그만 들어가서 쉬라는 미영의 등쌀에 떠밀리듯 카페 밖으로 나왔다. 그 순간, 낯선 인기척이 등 뒤를 덮쳤다.

"……!"

흠칫하며 돌아보는 찰나, 저도 모르게 탄성을 터뜨릴 뻔했다. 인기척의 주인은 역시나 권주혁이었다.

슬며시 곁으로 다가온 주혁은 아까 봤던 모습 그대로였다. 변함없이 단정한 정장 차림은 그가 그 이후부터 줄기차게 이러고 있었다는 사실을 방증하는 것 같았다.

"여기에서 뭐 하는 거예요?"

"얌전히 기다리라고 해서 기다린 것뿐이야."

"뭐라고요? 그런 적 없어요. 당신 집에 가라고 한 거지."

그러자 그의 눈에 아주 살짝 난처한 빛이 어렸다. 아니, 정확하게 표현하자면 상처받은 눈빛에 가까웠다.

"그 집, 당신 집이잖아."

단호한 긍정에 순간적으로 할 말을 잃고 말았다. 그러고 보니 처음 집에 데려왔을 때, 주혁은 그렇게 말했었다. 자신에게 주기 위해 마련한 집이라고. 마음 편히 있을 곳을 선사하고 싶었다고.

요컨대 진정한 주인인 윤혜수가 존재하지 않는 집은 그에게 있어 남의 집이나 다름없는 셈이었다. 그러나 이제 와서 그 마음 씀씀이에 감동할 여유는 없었다.

"……안 받겠다고 했어요."

"그래도 이미 당신 집이야."

"됐어요. 당신 마음대로 해요."

또 한 번 단칼에 그의 말을 일축한 혜수는 부리나케 발을 옮겼다. 주혁과 입씨름할 생각은 없으니 최대한 빨리 이 자리를 뜨는 편이 최선이었다. 그러나 고작 세 발자국도 내딛지 못하고 멈추어야 했다. 주혁이 그녀의 팔을 잡아챈 탓이었다.

또다시 마주 보게 된 그는 딱히 할 말은 없어 보였다. 단지 무언가를 살피고 있을 뿐이었다. 그것이 바로 제 얼굴이었다는 사실은 조금 늦게 알아챘다.

"뭐 하는 거예요."

"아침보다는 나아진 것 같군."

"……."

"어제 그렇게 쓰러졌으면서 출근하다니……. 나를 얼마나 걱정시킬 생각이야."

또다. 다시 한번 실감하는 따스한 염려에 가슴 한구석이 바늘이 꽂힌 것처럼 쿡쿡거렸다. 벌써 몇 번째 느끼는 위화감인지 모를 일이었다.

대답 대신 시선을 맞추고 있자니 주혁의 다른 손이 이마로 슬그머니 다가왔다. 영 안심이 되지 않는다는 손길이었다.

"……."

"……."

머리카락을 부드럽게 넘기고 열을 재는 손끝을 뿌리칠까 말까 잠깐 고민했지만, 일단은 놔두었다. 그만두라고 말한들 먹힐 것 같지 않았고, 끽해봤자 몇 초에 불과했다. 눈만 몇 번 깜빡이다 보면 금세 흘러가 있을 시간.

"이상 없는 거 확인했으면 그만 가도록 해요."
"하루 종일 걱정시켰으면 이 정도는 괜찮잖아."
"아뇨, 충분해요. 그리고 언제까지 이럴 생각이에요? 누가 보면 어떡해요."
"그게 왜?"
"당신한테는 우습게 보이겠지만 여기, 내 직장이에요."
"……그렇군."
만에 하나라도 미영이 이 광경을 본다면 어떻게 둘러대야 할지 상당히 난감했다. 미영에게는 결혼했다고 밝혔지만, 그 이상은 아무것도 말하지 않았으니까. 주혁은 그 변명에 어느 정도 수긍했는지 살며시 손을 떼어냈다.
이마에 고스란히 배어든 그의 손길을 느끼며 혜수는 금방이라도 터져 나올 것 같은 한숨을 억눌렀다. 이 남자가 왜 이러는 것일까. 오늘 하루만도 벌써 몇 번이나 품었는지 모를 의문이었다.
그대로 아무 말도 하지 않고 걸었다. 주혁은 마치 길게 드리워진 그림자처럼 그녀의 뒤를 따랐다. 두 사람을 에워싼 침묵은 혜수가 건물 현관에 다다라서야 비로소 종료되었다.
"잘 자."
"……."
"갈게."
지금껏 단 한 번도 그를 돌아보지 않았건만, 나직하게 읊조린 인사에 무심코 고개가 돌려질 뻔했다. 바람에 흔들리는 머리카락 몇 개가 뺨을 아찔하게 간질였다.
뚜벅거리는 발소리가 조금씩 멀어졌다. 온 신경을 곤두세워 주혁의 기척에 집중하던 혜수는 문득 손등으로 이마를 꾹 눌렀다.
"어째서야……."
모르겠다. 아무것도. 손등을 타고 안쪽으로 스며드는 온기는 여느 때보다도 강렬했다.

아니, 흔들리면 안 된다. 이것은 어디까지나 잠깐의 변덕에 불과했다.

그래, 지금 귓가를 스치는 이 바람처럼.

* * *

다음 날.

아침부터 초인종을 누르는 이가 있었다. 싱크대 앞에서 못다 끝낸 설거지를 하고 있던 혜수는 고개를 갸웃거리며 고무장갑을 벗었다. 인터넷에서 주문했던 물건들은 거의 다 온 것 같은데, 무언가 빠지기라도 했나.

의문은 현관문을 열고 그 앞에 선 누군가와 눈을 마주쳤을 때, 절정에 달했다. 예고 없는 방문에 깜짝 놀란 혜수는 소리 없이 뒤로 물러섰다.

"안녕하십니까, 사모님."

"여기는 어쩐 일이죠?"

어제와 마찬가지로 반듯하게 차려입은 비서는 현관문이 열리자마자 인사부터 꾸벅 건네었다. 마지못해 인사를 받던 혜수는 바로 눈살을 찌푸렸다. 그의 손에는 쇼핑백 하나가 들려 있었다. 쇼핑백에는 익숙한 죽집의 마크가 새겨져 있었다.

"설마, 그건……."

"네, 맞습니다. 부사장님께서 사모님 드시라고 보내신 겁니다."

아침부터 죽을 사서 보내는 정성에 당황하는 것도 잠시, 비서는 허리를 숙여 무언가를 앞으로 끌고 왔다. 쇼핑백과는 비교할 수 없는 크기의 커다란 박스였다.

"아, 이것도요."

"뭔데요?"

"하루에 너무 많이 드시지는 말라고 하시더군요. 아직 몸이 좋지 않으실 테니까요."

눈앞에 떡하니 들이밀린 박스 안에는 수십 개의 맥주 캔이 차곡차곡 포개져 있었다. 죽집만큼이나 친숙한 브랜드의 맥주 캔을 본 순간, 머리가 살짝 띵했다.

주혁의 머릿속에 뭐가 들어 있는지 한번 열어 보고 싶은 심정이었다. 어제 그렇게 문전박대당했으면 그 드높은 자존심에 알아서 포기할 줄 알았다. 그러나 화를 내기는커녕 그는 오히려 한술 더 뜨고 있었다.

"안쪽에 들여다 놔 드리겠습니다."

"아뇨, 됐어요. 가져가세요."

"네? 그게, 저…… 사모님께서 받지 않으시면……."

"……."

칼 같은 거절을 들은 비서는 매우 난처한 얼굴이었다. 그다음 말은 듣지 않아도 알 것 같은 느낌에 혜수는 머리카락을 귀 옆으로 쓸어 넘겼다. 어떻게든 자신을 설득해야 한다는 절박함이 그의 굳어진 입가에 선명하게 깃들어 있었다.

비서를 방패로 내세워 절대로 거절하지 못하게 하는 수법이 교묘하면서도 치사했다. 굳이 이렇게까지 할 필요가 있을까. 얼음처럼 차갑고 무관심했던 평소와 완벽하게 대척점에 서 있는 행동이었다.

"받아 주시는 겁니까……?"

"이번뿐이에요. 다음은 없다고 전해 줘요."

"감사합니다."

또다시 허리를 굽혀 정중하게 인사한 비사는 박스를 번쩍 들어 집 안에 들어다 놓았다. 냉장고 옆에 자리한 박스를 바라보던 혜수는 잇새로 가느다란 한숨을 흘려보냈다.

'맥주는 마시지도 않던 사람이…….'

저번에 맥주를 사 들고 들어왔다가 마주쳤던 것을 똑똑히 기억하고 있었던 모양이었다. 어떻게 그런 사소한 것까지 머리에 담아 둘 생각을 했을까.

진심으로 놀라운 변화였다.

중간에 낀 비서를 난처하게 만들 수는 없으니 오늘만, 정말로 오늘만 받아주는 것이다. 부디 비서가 주혁에게 제 뜻을 잘 전달했으면 좋겠는데. 얼마 지나지 않아 시선을 거둔 혜수는 싱크대 앞으로 돌아갔다.

* * *

그러나 그것은 어디까지나 헛된 바람에 불과했다.

무려 일주일 동안 비서는 빠짐없이 똑같은 시간에 초인종을 눌러 아침 요깃거리를 건네었고, 출근할 때까지 건물 앞에 서 있었다. 따라오지 말라고 말없이 노려봐도, 투명 인간처럼 계속 무시했는데도 불구하고 소용없었다.

마치 주인을 지키는 개와도 같이 카페 주변을 온종일 빙빙 도는 비서에게 차마 화를 낼 수는 없었다. 이 모든 사달의 원흉은 그가 아니었다.

딩동.

오늘도 어김없이 초인종 소리가 집 안에 울려 퍼졌다. 혜수는 묵묵히 현관에 놓인 슬리퍼를 신고 문으로 다가갔다. 그녀를 향해 깍듯이 인사한 비서는 쇼핑백부터 내밀었다.

“어제와는 다른 보양식으로 준비해 봤습니다. 입맛에 맞으실지 모르겠습니다만…….”

“오늘도 하루 종일 있을 건가요?”

“거슬리시면 더 멀리 떨어져 있도록 하겠습니다.”

“아니에요. 그보다…….”

그에게서 쇼핑백을 받아 들며 혜수는 화제를 바꾸었다. 문제는 비서가 아니었다. 주혁이었다. 그 역시 매일같이 카페에 출근 도장을 찍고 있었고, 마땅히 그래야 한다는 듯 집까지 스스럼없이 따라오곤 했다.

비서의 경우와 마찬가지로 철저한 무시로 일관했는데도 주혁 또한 꿈쩍도 하지 않았다. 지난 일주일 내내 아침에는 비서를, 저녁에는 주혁을 만나야 했다. 끝을 모르고 이어지는 파상 공세를 과연 어디까지 견딜 수 있을지 모르겠다.

"주혁 씨는 언제까지 여기에 올 생각일까요?"

당연히 한 번쯤은 그런 질문이 날아오리라고 예상했던 듯 비서는 조심스레 대답했다.

"사모님 마음을 돌려놓으실 때까지…… 아닐까요?"

"……그렇군요."

"제가 참견할 사안이 아니라서 가만히 있었습니다만……. 한마디만 덧붙이자면 부사장님께서는 정말로 노력하고 계십니다."

"그래요. 알아요."

"아, 그렇다고 사모님 의중을 무시하는 건 절대로 아닙니다. 제 말은 신경 쓰지 마세요."

"……."

"그럼 맛있게 드십시오. 저는 내려가 있겠습니다."

주혁이 변화하기 위해 애쓰는 점은 잘 알고 있었다. 그러니 이렇게 매일같이 선물을 건네고, 본인의 존재감을 드러내려고 하는 터였다. 그렇지만 세상에는 돌이킬 수 없는 일도 있는 법이었다.

비서를 돌려보내고 식탁에 앉은 혜수는 쇼핑백을 풀었다. 만들어지자마자 바로 가져왔는지 쇼핑백 안에 든 도시락에서는 김이 모락모락 풍기고 있었다.

"장어 덮밥이네……."

이틀째 내리 죽만 가져왔던 터라 별생각 없이 또 죽이냐고 물었던 게 화근이었다. 졸지에 반찬 투정해 버린 셈이 되어 버렸다는 것은 그다음 날이 되어서야 깨달을 수 있었다.

그날부터 지금까지 이름도 들어 보지 못한 각종 보양식이 줄줄이 눈앞에 대령되었다. 살이 통통하게 오른 장어를 응시하던 혜수는 이내 조그마한 헛웃음을 터뜨렸다.

언제까지고 이런 식으로 실랑이하면서 이 이상한 관계를 어영부영 지속할 수는 없었다. 주혁에게는 한없이 안타깝고 허무한 일일지라도 여기에서 끝내는 게 옳았다.

'아무래도 한 번 더 말해야겠어.'

무작정 피하면 제풀에 지쳐 나가떨어지려니 했는데, 틀린 방법이었는지도 몰랐다. 생각보다 장기전으로 흘러가는 상황에서 지금처럼 무시하는 것은 능사가 아닌 듯싶었다.

맛도 모른 채 장어 덮밥을 꾸역꾸역 먹고 출근했다. 미영은 평소와 다름없이 밝은 미소로 반겨 주었다. 오늘도 언제나 같은 하루의 시작이었다.

"그나저나 혜수 씨, 들어오다가 봤어?"

"뭔데요?"

"기분 탓인지 모르겠는데, 저기 보이는 검은 차 말이야."

"검은 차……요?"

"요즘 들어 주차장에 계속 서 있는 것 같아서. 혹시 누구 차인지 알아?"

미영의 예리한 질문에 혜수는 잠깐 멈칫했다. 그녀가 누구를 지칭하고 있는지는 따로 묻지 않아도 충분히 짐작이 갔다. 비서였다. 어떻게든 그녀의 눈에 띄지 않기를 바랐는데, 결국 실패로 돌아간 모양이었다.

그나마 다행인 것은 이 짓도 오늘로써 끝날 것이라는 점이었다. 오늘 주혁을 만나면 반드시 담판을 지으리라. 그가 어떤 표정을 짓든지, 어떤 말을 하든지.

* * *

시간은 흐르고 흘러 어느 틈엔가 6시가 넘었다.

주혁이 카페 문밖에서 기다리고 있다는 것을 알게 된 후로부터 6시경이 되면 가슴이 조마조마했다. 설마 오늘도 왔을까 싶어서. 아직도 고집을 꺾지 않았나 해서. 그리고 유감스럽게도 예측은 틀리지 않았다.

퇴근 시간에 맞추어 카페에서 나온 혜수는 주차장을 흘끗 넘겨다보았다. 아니나 다를까, 주차장 구석에는 주혁의 차가 주차되어 있었다.

갑작스레 운전석의 문이 열리더니 주혁이 차 밖으로 몸을 내밀었다. 알아서 나와 주는 통에 불러내는 수고를 덜었다. 찰나의 망설임을 거두고 혜수는 그 자리에 멈추어 섰다.

"무슨 일이야? 항상 본체만체하고 가더니."

의외의 친절이라는 듯 그녀의 앞에 선 주혁은 고개를 갸우뚱했다.

"그런데도 계속 오는 이유는 뭐죠?"

"오늘처럼 한 번은 봐 주지 않을까 해서."

곧바로 귓전을 관통한 대답은 매우 능청스러웠다. 매사에 뻣뻣하게 굴던 주혁이 이만큼이나 유들유들하게 굴 수 있다는 사실은 요 며칠간 열심히 학습한 바였다.

"……그런 의도로 온 거 아니에요."

"아니, 당신이 말 걸어 준 것만으로도 기뻐."

첫날을 제외하고 계속 투명 인간 취급했던 게 어지간히 싫었는지 그는 은은하게 미소 짓고 있었다. 사진으로나 볼 수 있었던 얼굴을 본 직후, 가슴 한복판에 번개가 친 것처럼 찌르르했다. 그 바람에 주혁의 손에 들린 것이 무엇인지 조금 늦게 알아차렸다.

눈앞에 불쑥 들이밀린 것은 다름 아닌 커다란 장미 꽃다발이었다. 언뜻 세기에도 수십 송이는 됨 직한 붉은 장미꽃에서는 강렬한 향이 풍기고 있었다.

"이건……."

"비서에게 물어봤어. 여자들은 보통 뭘 좋아하는지."

"못 받아요."

"받아. 꽃은 죄가 없잖아."

"……."

딱히 반박할 말이 없었다. 머뭇거리던 혜수는 이내 꽃다발을 받아들었다. 바스락거리는 소리와 함께 품에 들어온 꽃다발은 한 팔로 안기 힘들 만큼 크고 묵직했다.

코끝을 아릿하게 찌르기 시작한 향 때문일까. 눈앞이 묘하게 어지러웠다. 그와 동시에 속눈썹이 빠르게 흔들렸다.

아니, 원인은 꽃이 아니었다. 바로 이 남자였다. 단 한 순간이라도 방심하지 못하게끔 만드는. 혜수는 가까스로 마음을 다잡았다.

"언제까지 이럴 생각이에요?"

그러자 주혁은 가볍게 맞받아쳤다.

"글쎄. 끝은 생각해 본 적 없어."

"계속하겠다는 건가요?"

"일단은?"

"이게 무슨 의미가 있죠?"

돌아보지도 않는 상대에게 말을 걸고, 기다리지 않는 상대를 뒤따르며, 받고 싶지 않아 하는 상대에게 선물을 건넨다. 그 오만한 성격에 비서까지 대동해 가며 일주일이나 버텼으면 많이 노력했다.

그런데도 그는 제 마음을 돌리기 전까지는 결코 그만둘 기세가 아니었다. 끈질긴 구애의 끝은 너무나 멀고 먼 탓에 감히 짐작조차 가지 않았다. 이래서야 곤란한데. 마음속으로 푸념하며 혜수는 꽃다발을 꽉 움켜쥐었다.

"이득은 많아."

"어떤 점에서요?"

"매일 당신을 볼 수 있지. 그리고 아무도 없는 집에 들어가지 않아도 되고."

"그게 무슨……."

넌지시 말을 흐리는 찰나, 주혁이 한 걸음 가까이 혜수에게 다가왔다. 가볍게 비틀린 입가에는 해묵은 그리움이 걸려 있었다.

"말 그대로야. 당신이 없는 집에는 가고 싶지 않아."

한 번도 생각해 보지 못했다. 아니, 상상조차 할 수 없었다. 주혁이 그 넓은 집에서 혼자서 지내는 풍경 따위. 아무도 없는 곳 특유의 스산한 기운을 느끼며 정물처럼 덩그러니 있는 모습 따위.

집과는 워낙 인연이 없는 남자였다. 권주혁은 항상 늦게 돌아왔고, 집에 들어와서도 일에 몰두했으며, 새벽부터 나가곤 했다. 집이라는 공간에 그 어떠한 미련도 없어 보였는데, 이렇게 어린아이 같은 투정을 할 줄이야.

"내가 없는 집이…… 싫다고요?"

지금 주혁의 얼굴에 흐르고 있는 쓴웃음은 가짜가 아니었다.

"응. 당신이 맞이해 주는 것에 너무 익숙해진 모양이야. 아무도 없는 집에 들어가기 싫네."

"……."

"당신은 어때? 혼자 있는 집이 쓸쓸하지 않아?"

연속적으로 이어지는 낯선 단어는 조금 놀라웠다. 주혁은 진심이었다. 사무치는 고독에 염증을 느끼며 자신이 그의 곁으로 돌아오기를 바라고 있었다.

까맣게 몰랐다. 외로움이라고는 눈곱만큼도 탈 것 같지 않은 그가 이 정도로 인간적인 감정을 느끼다니. 새삼스레 그 사실을 실감하며 혜수는 고개를 가로저었다.

"전혀요. 오히려 이제야 숨 쉴 수 있는 기분이에요."

"그 집이 당신에게는 그런 느낌이었군."

주혁의 목소리는 한결 낮아졌다. 그간의 일을 곱씹기라도 하는 것처럼.

"정확하게는 본가에서부터예요."

일종의 족쇄였다. 새장이었다.

너무나 넓은 터라 감히 끝을 가늠하기 힘들었던 집은 역설적으로 좁고도 좁았다. 어떻게든 살아남기 위해서, 숨 쉬고 싶어서 발버둥 칠 적마다 발목에 채워진 족쇄는 점점 조여들기만 했다.

눈앞에 아슬아슬하게 넘실거리던 절망의 물결은 마침내 자신을 덮쳤다. 저항하지 못하고 그 자리에 고꾸라져 버렸을 때, 아이러니하게도 자유를 얻었다. 인생이란 참 알 수 없는 지점에서 뒤집히기 마련이었다.

"뭐, 사실 예전부터 그랬지만요. 결혼으로써 탈출하고 싶었어요. 안일한 선택이었지만……."

"아니, 내게는 나쁘지 않은 선택이었어. 당신을 얻을 수 있었으니까."

그래, 그가 외도했다고 오해하기 전까지는 그런 줄 알았다. 언젠가부터 주혁을 사랑하게 되면서 아주 작은 희망을 품게 되었다. 어딘가 극적인 반전이 있을지도 모른다는. 뭐, 이제 와서는 전부 부질없는 짓으로 판명났지만.

"말했잖아요. 이제 다른 사람한테 의지하는 건 하고 싶지 않다고. 스스로 하고 싶어요."

마지막 말에 힘을 실은 혜수는 눈을 빛냈다. 언제나 본인 마음대로 해 왔던 주혁으로서는 전혀 수긍이 가지 않을 주장이었다. 그래도 그에게 전하고 싶었다.

"오해하지 마. 당신을 구속하고 싶은 게 아니야."

"이해……해 주는 건가요?"

"응. 당신이 하고 싶은 거라면 뭐든지 해도 좋아."

"……."

"그 대신, 날 밀어내지만 말아 줘. 그거면 됐어."

부메랑처럼 돌아온 것은 애타는 호소였다. 주혁은 지난 3년간 단 한 번도 본 적 없었던 모습을 오늘도 또 보여 주고 있었다. 아니, 이제는 헷갈릴 지경이었다. 과연 어떤 쪽이 그의 본모습인가 싶어서.

입술을 꼭 다문 혜수는 가만히 꽃다발로 눈길을 주었다. 여전히 코끝을 잠식하고 있는 강한 장미 향에 질식될 것 같은 기분이었다. 이 위험한 남자처럼.

'흔들리면 안 돼.'

그러니 정신을 바짝 차려야 했다. 갈림길에서 또 한 번 잘못된 선택을 하고 싶지는 않았다. 다시는 실수하지 않겠다는 다짐을 허무하게 부술 수는 없었다.

"……비서 붙여서 감시하는 건 그만둬요."

오랫동안 유지되었던 침묵을 깨고 나온 요구에 주혁은 아주 살짝 실망스러워했지만, 이내 본디대로 돌아왔다.

"당신의 안위를 위해서야. 내가 없는 사이에 무슨 일이라도 생기면 곤란하니까."

"내가 어떻게 지내는지 비서를 통해 수시로 보고받고 있잖아요?"

"그건 내 안위를 위해서. 당신 걱정하느라 일이 손에 잡히지 않아. 하루 종일 그러면 곤란하다고."

엉뚱한 반박에 혜수는 끝내 실소했다. 매사에 일을 최우선으로 여기고, 일밖에 모르던 그가 할 말은 아니었다.

"……당신이 내 걱정에 일을 못 한다니, 말도 안 돼요. 당신 인생의 기준은 회사잖아요."

"그 기준이 바뀌었는지도 모르지."

"……."

진심임을 증명하듯 유난히 진지한 눈빛이 뒤따랐다. 그 눈빛을 고스란히 받아 내며 혜수는 아랫입술을 살며시 깨물었다.

언제부터인지 몰라도 세상의 중심이 윤혜수가 되었노라고 정의하는 그에게 과연 어떤 식으로 응해야 할까. 깊은 고민에 싸인 발은 어느 틈엔가 한 발자국 뒤로 물러나 있었다.

"이 이야기는 이쯤 하고, 슬슬 갈까."

"……네."

난감한 기색을 눈치챘는지 그가 먼저 움직였다. 고개를 끄덕인 혜수는 묵묵히 걷기 시작했다.

그로부터 집에 도착할 때까지 한마디도 나누지 않았다. 침묵이 이렇게나 고마운 존재인 줄은 처음 알았다. 규칙적으로 저벅거리는 발소리만이 둘 사이에 허락된 유일한 소음이었다.

주혁은 최대한 보폭을 맞추어 걷고 싶은지 간간이 멈추어 서서 기다리곤 했다. 이 또한 처음이었다. 매번 그의 등만을 바라보곤 했으니까. 물론 요 며칠간은 복수하듯 자신이 앞섰어도 마음은 그렇지 않았다.

"……."

"……."

나란히 걷는다는 것이 이렇게나 존중받는 기분을 느끼게 해 주는 줄은 처음 알았다. 바로 어깨 옆에서 느껴지는 주혁의 존재감에 혜수는 가늘게 숨을 들이켰다. 이 남자는 어디까지 계산하고 자신을 밀어붙이고 있는 것일까.

"……도착했어."

잡념을 부수는 한마디에 한동안 잊었던 현실감이 몰려왔다. 혜수는 멍하니 눈앞에 위치한 건물을 올려다보았다. 건물은 여느 때처럼 어둠과 침묵을 동시에 두르고 있었다.

"들어갈게요."

"비서는…… 당신이 원하는 대로 하지."

"그래요."

"그 대신이라기에는 뭣하지만, 내가 찾아오는 건 허락해 줘. 어때?"

"오지 말라고 해도 올 거잖아요?"

"그렇기는 해."

주혁이 입꼬리를 끌어 올렸다. 부드러운 미소가 그 얼굴에 잠시간 떠올랐다가 사라졌다. 한 여자에게 열렬히 매달리는 남자만이 지을 수 있는.

그래서일까. 마음 주변에 겹겹이 쌓아 놓았던 장벽이 허물어지는 느낌이 들었다. 당연히 아주 약간이지만.

"……마음대로 해요."

"고마워."

"가요. 늦었어요."

하나를 잃었어도 하나를 얻어 만족스러워하는 표정과 함께 주혁은 어둠 속으로 사라졌다.

그가 완전히 모습을 감출 때까지 현관에 서 있던 혜수는 천천히 계단을 올랐다. 그때마다 품에 안은 꽃다발과 옷이 부딪치면서 연신 부스럭거리는 소리가 들렸다.

'장미꽃이 이렇게 향기로웠구나.'

드디어 혼자가 되자 꽃다발의 위상은 조금 전과는 비교할 수 없을 만큼 커졌다. 아직도 제 곁에 그의 온기가 남아 있는 것 같은 착각을 뒤로한 채 혜수는 꽃다발에 고개를 묻었다.

아름다웠다. 무척이나.

* * *

주혁은 정말로 약속을 지켰다. 비서가 올 시간이 되었는데도 집 안에 꽉꽉 들이찬 정적은 처음 눈을 떴을 때 그대로였다. 붙박이처럼 건물 앞에 주차되어 있던 비서의 차 역시 흔적조차 없었다.

그 덕분에 모처럼 홀가분하게 아침을 먹을 줄 알았다. 본의 아니게 메뉴 선택권을 제한당했던 터라 선택의 자유를 실컷 즐길 수 있을 것 같았다.

하지만 예상과 달리 그렇게까지 즐겁지는 않았다. 오히려 가슴 한구석이 묘하게 선득거렸다. 알 수 없는 감정의 정체를 정확하게 인지하기까지는 그다지 많은 시간이 걸리지 않았다.

'오늘도 올까?'

마음속을 부지런히 헤집는 감정은 다름 아닌 불안감이었다. 주혁이 제게 찾아오는 것이 자연스럽게 느껴지기 시작한 순간, 그의 변덕이 끝날지도 모른다는.

가랑비에 옷 젖는 것을 모른다고 했던가. 주혁은 의식하지 못하는 사이에 새로운 일상의 일부가 되어 있었다. 처음부터 그렇게 되기를 의도했든, 의도하지 않았든.

"……."

두려움의 끝은 허망함이었다. 두드려도 열리지 않는 마음의 문에 지쳐서 끝끝내 주혁이 돌아섰을 때, 그 엄청난 허탈함을 이겨 낼 수 있을까.

언젠가 와야 하는 그날을 떠올리고 있자니 문득 날카로운 칼로 살갗이 베이는 것 같은 느낌이 들었다. 문득 시야에 들어오는 장미꽃은 그 아찔한 사실을 공고하게 뒷받침하고 있었다. 격렬하게 뛰기 시작한 심장을 겨우겨우 가라앉힌 혜수는 부엌으로 걸어갔다.

아침을 먹는 둥 마는 둥 하고 카페로 출근했다. 오늘은 아침부터 비가 내려서인지 손님이 한 명도 없었다. 구석진 소파에 앉아 있던 미영은 혜수가 카페로 들어서자 이쪽으로 오라는 듯 손짓했다.

"혜수 씨, 잠깐 앉았다가 일해. 손님 없을 때 쉬어야지. 언제 쉬겠어?"

"괜찮아요."

"혜수 씨는 스스로를 몰아붙이는 경향이 있다니까? 나 그런 눈치 안 주는 거 알잖아. 쉬엄쉬엄해."

"감사합니다, 사장님."

"아르바이트생이 너무 열심히 일하니까 사장이 가만히 있는 게 죄송스러울 지경이야."

미영이 그 특유의 사람 좋은 미소를 곁들이며 일어섰다.

"음료 뭐 마실래? 간만에 솜씨 좀 부려 봐야겠네."

"아뇨, 제가 만들어 드릴게요."

"됐어, 앉아 있어. 아메리카노? 카푸치노? 아니면 스무디로 줄까?"

"아메리카노로 주세요."

마지못해 대답하자 타이밍 좋게도 미영의 핸드폰이 울렸다. 발신인을 확인한 미영은 눈을 동그랗게 떴다.

"아들? 학교 아직 안 갔어?"

"……."

"아니, 갑자기 머리가 아프다고? 너 아까 아침 먹을 때만 하더라도 멀쩡했잖아. 뭐? 자꾸 우기기야? 엄마가 뭐라고 했어?"

아들과의 실랑이에 돌입한 미영의 얼굴에는 기다렸다는 듯 미소가 사라졌다. 그 자리를 채운 것은 불평과 푸념이었다. 얼마간의 다툼 끝에 전화를 끊은 그녀는 입을 한 자나 내민 채 혜수를 돌아보았다.

"하여간 꾀병 부리는 건 도가 텄다니까. 전 남편도 딱 이랬거든."

"전 남편요……?"

"아차, 내가 말 안 했던가? 나 3년 전에 이혼했어."

"아……."

지금처럼 아들 이야기를 종종 들었던 것에 반해 남편 이야기는 한 번도 듣지 못했다. 그때는 대수롭지 않게 여겼는데, 알고 보니 사연이 있었다. 황급히 놀란 기색을 감추는 혜수를 향해 미영은 아무렇지도 않다는 듯 어깨를 으쓱했다.

"하나뿐인 아들내미인데, 이혼할 때 단점도 싹 빼놓고 올 수 있었으면 좋았을걸."

"……."

"뭐, 그래도 내가 낳았으니 끼고 살아야지 어쩌겠어. 가끔 학교 가기 싫다고 꾀부리는 것 빼고는 나름대로 귀엽다?"

"그런 것 같아요. 저번에는 일 도와준다고 카페에도 왔잖아요."

"그거, 사실 그래서 온 게 아니야."

"네?"

미영이 손수 내려 준 아메리카노를 마시며 그녀와 도란도란 이야기를 나누었다. 항상 생글생글 웃고 있어서 그런가, 아무것도 몰랐다. 그녀 또한 굴곡진 인생을 살아왔다는 것을.

다들 각자의 삶이 있고, 각자의 이야기가 있다. 한없이 평범해 보이는 미영도 그녀 인생에서는 단 한 명뿐인 주인공이었다. 누구나 한 번쯤은 비탈길을 걷고 있다는 사실에 조금이나마 위로가 되었다.

"저기, 사장님……."

그녀에게 공감하고 있다고, 자신도 비슷한 처지라고 밝히려던 찰나였다. 카페 문에 매달린 종이 가볍게 딸랑거렸다. 곧이어 문을 열고 들어오는 손님이 시야에 포착되었다.

하기야 지금이 아니라도 기회는 얼마든지 있다. 빠르게 충동을 누른 혜수는 밝은 인사와 함께 손님을 맞이하러 향했다.

10. 다시 시작되는 운명

여느 때처럼 하루는 잘도 흘러갔다.

본가에 있었을 때는 사실 하루가 너무 길어서 어쩔 줄 몰랐건만, 새삼스러운 현실이었다. 그 누구도 관심을 보이지 않는 곳에서 하릴없이 홀로 앉아 있다 보면 정말로 정물이나 인형이 된 기분이었다.

그래서 더더욱 주혁에게 의존할 수밖에 없었다. 그 외에는 숨구멍이 없었기에. 빛이 보이지 않았기에. 혼자서 감내해야 하는 현실의 중압감은 너무나 컸다.

하지만 그것도 어느덧 과거의 산물이 되어 버렸다. 지금처럼 분주하게 일하다 보면 시간이 금방 지나갔고, 외롭다는 감정이 끼어들 틈바구니는 없었다.

"어서 오세요."

입구에 들어선 손님을 향해 입에 밴 인사를 건네던 혜수는 살짝 멈칫했다. 이번 손님은 하필 술에 단단히 취해 있었다.

시뻘겋게 달아오른 얼굴 하며, 눈에 띄게 비틀거리는 걸음걸이, 그리고 결정적으로 온 사방에 진동하는 강한 술 냄새까지. 카페에 다른 손님이 없어서 망정이지, 불편을 끼칠 뻔했다.

"어이, 아가씨! 나 커피 하나만."

"주문은 카운터에서 해 주시면 감사하겠습니다."

"뭐어? 감히 손님한테 오라 가라야. 와도 네가 와야지!"

"……."

그는 육성으로 불만을 터뜨리며 아무 데에나 자리를 잡았다. 혀를 차며 일어서려는 미영을 제지한 혜수는 메뉴판을 들고 남자에게로 다가갔다.

"어떤 걸 원하세요? 메뉴판 보시고 주문 부탁드립니다."

눈앞에 메뉴판을 내밀었는데도 그는 취객답게 영 집중하는 기색이 아니었다. 도리어 혜수를 흘금거리며 이죽거릴 뿐이었다. 능구렁이처럼 음흉스러운 눈빛은 대놓고 그녀의 손에 꽂혔다.

"커피가 그게 그거지. 그나저나…… 아가씨 나이가 몇이야? 손이 참 곱네."

"주문은요?"

"하, 참……! 한다니까 기다려 봐. 그래서, 나이가 어떻게 된다고?"

그러면서 슬그머니 손을 더듬으려고 하는 통에 혜수는 모른 척 한 발짝 물러섰다. 허공에 헛도는 손을 보자마자 남자의 얼굴은 험상궂게 구겨졌다. 기분이 퍽 상한 모양이었다.

"아니, 여기는 왜 이렇게 기본이 안 되어 있어? 손 한번 잡는다고 닳나? 닳아?"

"손님, 여기는……."

"이봐요, 아저씨!"

뒤에서 지켜보던 미영이 더 이상 참지 못하겠는지 대뜸 끼어들었다.

"넌 뭐야?"

"이 카페 사장입니다만."

"사장? 여기 사장이 여자였어?"

"그게 무슨 상관이에요?"

"얌전히 집에서 애나 볼 것이지, 여자가 감히 사장이랍시고 나대? 그러니까 손님 접대가 요 모양 요 꼴이지."

"후…… 말 다 했어요?"

"그럼, 손님이 말도 못 하냐? 나 손님이야, 손님!"

막무가내로 폭언을 내뱉는 남자에게 미영은 머리끝까지 화가 난 모양이었다. 힘만 셌다면 강제로 그를 끌어냈을 것 같은 기세였다.

"방금 여자가 왜 사장하냐고 물었지? 애 키우려고 너 같은 진상 상대하면서도 사장한다, 왜? 너 따위한테 팔 커피는 없으니까 썩 나가!"

"뭐, 뭐? 너라고? 이 여자가 진짜!"

"그러면 뭐라고 부를까? 이 자식?"

적반하장 격으로 그가 테이블을 박차고 일어섰다. 쾅, 하는 굉음과 함께 의자가 나뒹굴었다. 남자가 미영의 어깨를 거칠게 떠밀려는 찰나, 혜수는 몸을 던져 그 우악스러운 손을 막았다.

"그만두세요!"

성난 고함이 카페 안을 요란하게 울렸다. 물론 통하지 않는 저항이었다. 이때다 싶은지 그는 냅다 혜수의 손을 움켜쥐었다. 손등과 손가락을 동시에 압박하는 낯선 감촉은 끔찍할 만큼 역겨웠다.

"하하하! 곱다, 고와……."

"이거 놔요!"

"조금만 기다려. 뭘 그렇게 빼? 너도 남자가 만져 주면 좋…… 으윽!"

그 순간, 어딘가에서 손 하나가 불쑥 튀어나왔다. 힘이 한껏 들어간 커다란 손은 혜수를 더듬으려던 남자의 팔을 꽉 쥐었다. 순식간에 행동을 저지당한 남자의 입에서는 고통스러운 비명이 흘러나왔다.

잠시 어안이 벙벙해 있던 혜수는 정신을 차리고 눈을 들었다. 바로 코앞에서 남자를 제압하고 있는 손의 주인은…… 권주혁이었다. 그를 뚫어져라 응시하는 주혁은 놀라우리만큼 싸늘한 표정이었다.

"너, 너 이거 안 놔? 놔!"

그러자 주혁의 손에는 한층 힘이 실렸다. 보란 듯한 손길에 그의 비명은 더더욱 커졌다. 남자가 비틀거리는 틈을 타 똑바로 선 미영은 꼴좋다는 듯 그를 흘겨보고 있었다.

"아악! 놓으라니까?"

"너부터 놓지? 감히 누구를 만져."

"아, 알았어, 알았어. 놓을게! 빨리 놔!"

남자가 혜수를 놓아주는 것과 동시에 주혁도 그의 손목을 해방했다. 그리고 두 사람 사이로 비집고 들어왔다. 이 이상 혜수와 남자 사이에 말썽이 생기지 않도록 원천 차단하겠다는 뜻이었다.

"주혁 씨……."

붉게 물든 손등이 아려 왔지만, 혜수는 전혀 신경 쓰지 않고 위를 올려다보았다. 눈앞을 가로막은 주혁의 뒷모습이 이렇게나 든든해 보이는 것은 처음이었다. 얼마간 손목의 상태를 확인하던 남자는 못마땅한 기색을 숨기지 않으며 주혁에게 눈을 부라렸다.

"이 자식은 또 뭐야?"

"나? 이 여자 남편인데."

"……!"

"나……남편?"

"그래."

"아, 유부녀가 왜 저렇게 처녀처럼 하고 다닌대……. 아무튼 형씨, 그렇다니 미안하게 됐수다."

그와는 비교할 수 없을 만큼 큰 주혁의 키와 체격에 압도당했기 때문일까. 성난 망아지처럼 콧김을 내뿜으며 펄펄 뛰던 남자는 몰라보게 고분고분해졌다. 잠시 그를 노려보던 주혁은 이윽고 미영에게 말을 걸었다.

"112에는 신고했습니까?"

"지, 지금 하려고요……."

"부탁합니다."

"아니, 내가 뭘 했다고 경찰을 불러? 방금 사과했잖아!"

"경찰한테 넘기는 걸 감사하는 게 좋을 거야. 지금 나한테 맡기면 그렇게 합법적으로는 안 끝날 것 같아서."

낮게 가라앉은 목소리에는 미처 가시지 않은 분노가 가득했다. 가까스로 화를 참고 있는 주혁의 모습에 하늘 높은 줄 모르고 빳빳하게 들려 있던 남자의 고개가 스르륵 내려갔다.

"미, 미안합니다! 술을 너무 많이 마셔서 내가 잠깐 미쳤나 봐요. 허허헛……."

"……."

"딱 한 번만 봐주면 안 되겠습니까? 서로 돕고 사는 세상이잖아요. 응? 아니, 왜 그런 표정이에요?"

머리를 조아리며 선처를 애걸하던 그는 오래지 않아 도착한 경찰의 손에 이끌려 사라졌다. 언제 그랬냐는 듯 축 처진 어깨는 덤이었다. 상황이 정리되자 미영은 재빨리 카페 문에 클로즈업 팻말을 내걸었다.

"사장님……."

"혜수 씨, 이만 들어가 봐."

"지금요?"

"응. 오늘은 어차피 글렀어. 괜히 또 진상만 만날라. 나도 일찍 들어가 보려고."

"네……."

"혜수 씨 남편분, 정말 고맙습니다. 도와주신 덕분에 별 탈 없이 지나갔네요."

"아닙니다."

다시 한번 울려 퍼진 미영의 감사 인사를 끝으로 오늘의 고된 일과도 종료되었다. 앞치마를 벗어 옷걸이에 정리한 다음, 혜수는 가방을 챙겨 들고 주혁과 함께 카페에서 빠져나왔다.

밖에는 아직도 비가 내리고 있었다. 혜수는 손을 뻗어 비의 강도를 확인했다. 비록 아침보다는 많이 잦아들었다고 해도 우산 없이 걸어갈 수 있을 만큼은 아니었다.

"우산 있어?"

주혁이 느닷없이 질문했다.

"네."

"나는 없는데. 같이 써도 되나?"

"……그래요."

오늘 도움도 받았겠다, 겨우 우산 하나 가지고 치사하게 굴고 싶지는 않았다. 혜수는 가방을 열고 우산을 꺼냈다. 그새 물기가 바짝 마른 우산은 촥, 하는 소리와 함께 시원스레 펼쳐졌다.

자신보다 한참 높은 위치에 있는 그를 위해 팔을 높이 들어야 했다. 그때였다. 우산 손잡이를 붙들고 있던 손에 예고 없이 부드러운 감촉이 얹혔다.

"내가 들지."

"네?"

대답을 재촉하듯 손등과 맞닿은 손바닥에 힘이 실렸다. 그럴듯한 제안은 거절할 이유도, 명분도 찾기 어려웠다. 혜수는 하는 수 없이 주혁에게 우산을 건네었다.

우산을 쓴 채 이대로 그와 단둘이 집까지 걸어가야 한다. 한 번도 겪지 못했던 상황에 의식적으로 거리감을 유지하고 있으려던 노력은 소용없었다.

문득 어깨가 끌어 당겨졌다. 손등에 이어 어깨에도 옮겨 온 온기는 무척이나 따뜻하고 포근했다. 까딱하다가는 마음을 빼앗겨 버릴 것처럼.

"그렇게 멀리 떨어져 있으면 젖잖아."

"……."

"좀 더 붙도록 해."

이럴 줄 알았다면 우산을 큰 것으로 살 것을 그랬다. 혜수는 마음속으로 후회하며 슬며시 그의 곁에 밀착했다. 최대한 조심스럽게 움직였는데도 어깨가 부딪쳤다. 그러자 주혁은 마치 그 품에 감싸 안는 것처럼 그녀의 어깨를 어루만졌다.

한 걸음씩 뗄 때마다 미묘한 긴장감이 치솟았다. 모든 감각을 단 한 곳에만 집중한 탓인지 우산 천에 빗방울이 부딪치는 소리가 유난히 크게 들려왔다.

고작해야 우산을 함께 쓰고 걸어가는 것뿐이었다. 그게 뭐라고 이렇게까지 떠는 것일까.

'왜 이렇게 멀어…….'

오늘따라 집에 가는 길이 이상할 만큼 길게 느껴졌다. 아니, 원인은 이미 한참 전에 나와 있었다. 비에 젖은 숨결이 느껴질 만큼 가까운 거리에서, 마치 자신을 보호하듯 하며 터벅터벅 걷고 있는 이 남자 때문이었다.

"……괜찮아?"

"네, 괜찮아요."

"그렇게 끝내도 되겠어? 소송이라면 나한테……."

취객에게는 경찰이 왔다는 것만으로도 굉장한 벌이 되었을 터였다. 그 정도로도 충분했다. 혜수는 살며시 입술을 달싹였다.

"그럴 필요 없어요. 그나저나 아까 정신없어서 인사를 못 했네요."

"……."

"당신 덕분에 아무 일 없이 끝났어요. 고마워요."

짧게나마 감사의 마음을 전하는 찰나, 주혁의 걸음이 멈추었다.

"왜 그래요?"

"아니, 당신한테 고맙다는 말 들은 거, 처음인 것 같아서."

"그건……."

"듣기 좋네."

보기 좋은 호선을 그리는 입매에 한순간이나마 숨이 멈추는 기분이었다. 요 며칠간 그가 웃는 모습을 몇 번이나 봤는지 모를 일이었다. 정물 같던 이 남자에게도 생기란 것이 있었다. 감정이 존재했다.

순간순간 그 사실을 절감할 때마다 가슴 깊은 곳에서부터 알 수 없는 동요가 시작되었다. 혈관을 타고 삽시간에 온몸 구석구석 뻗어 나간 감정의 정체는 부정할 수 없을 만큼 사랑을 닮아 있었다.

"당신……."

"네?"

"얼굴이 빨간데. 혹시 아까……."

"그런 거 아니에요."

"그럼?"

"살짝 더워서 그래요. 옷을 껴입었더니……."

주체할 수 없을 정도로 뜨거워진 몸에 혜수는 어쩔 줄 몰라 하며 걸음을 빨리했다. 아무 생각도 하지 않고 걸은 덕분인지 어느덧 시야로 들어서는 건물은 매우 낯익은 종류였다.

"우산 가지고 가요. 난 이만 갈게요."

도망치듯 자리를 뜨려는 그녀를 붙잡은 것은 다름 아닌 그의 손이었다.

"잠깐."

"……?"

"오늘도 맥주 한잔할 거야?"

"글쎄요……. 우울하니까 마시고 싶을 수도요?"

"……나도 같이해도 될까?"

약간의 머뭇거림을 딛고 튀어나온 권유는 제법 의외였다. 기다렸다는 듯 손목을 뒤덮는 열기는 자신의 몸에서 느껴지는 것 이상이었다.

"우리 집에서요?"

"응."

명백한 유혹의 빛을 띤 눈동자였다. 주혁과 섹스할 때면 모든 것을 잊을 수 있었다. 하루 중, 유일하게 주어진 안도의 시간이었다.

그 단단한 몸에 다리를 얽고, 몸속 깊이 침입한 열기를 만끽하며, 고개를 젖히고 쉴 새 없이 신음함으로써 스스로의 존재 가치를 인식할 수 있었다.

숨이 가빠지는 순간순간, 좋았다. 끊임없이 밀려오는 쾌감은 넋을 잃을 만큼 아찔했다. 한껏 부푼 욕망의 존재감이 만족스러웠다. 그를 좀 더 느끼고 싶었다. 손에 쥐고 싶었다.

그때는 정말로 그것뿐이었다. 그 어떤 것에도 안심할 수 없던 자신에게 허락된 단 하나의 특혜. 권리. 자격.

이제는 다른 것으로도 그 행위를 대체할 수 있게 되었지만, 불현듯 머릿속에 떠오르는 기억까지 지울 수는 없었다. 혜수는 가만히 그의 말을 곱씹었다.

"안 되나?"

"그건……."

주혁을 지금 집에 들인다면 처음으로 되돌아갈 것이었다. 짐작이 아니었다. 확신이었다. 혜수가 눈에 띄게 머뭇거리자 주혁의 눈빛은 금세 변했다. 마치 그럴 줄 알았다는 듯이.

"오늘은 우산 빌리는 것으로 만족해야겠네. 이건 빌려주는 거 맞지?"

"맞아요."

"돌려주려면 또 만나야 하니까."

"……."

"들어가."

굳이 다음을 강조하는 이유는 빤했다. 완벽하게 기울어져 있던 무게추가 드디어 움직이기 시작했다는 뜻이었다. 아주 조금씩 흔들리는 마음을 느끼며 혜수는 다급하게 뒤돌아섰다.

그대로 현관문을 밀어젖히던 손길이 슬그머니 멈추었다. 어쩐지 뒤통수가 따가웠다. 설마, 하는 의문 어린 시선은 곧바로 그의 얼굴에 내려앉았다.

'어째서…… 가지 않는 거지?'

정장과는 지독하게 어울리지 않는 하늘색 우산 속의 주혁은 여전히 미소 짓고 있었다. 혜수는 아무것도 보지 못한 척 현관으로 들어갔다. 그러나 정신없이 뛰는 심장까지는 차마 막을 수가 없었다.

그의 손길이 닿았던 어깨가 간질간질했다. 손바닥의 감촉이 스며들었던 손등이 바짝바짝 타들어 가는 느낌이었다. 어느 모로 보나 흔들리는 모습에 어이없기도 하고, 한편으로는 아찔하기도 했다.

계단을 오르기 직전, 혜수는 조심스럽게 제 어깨를 감싸 안았다. 아직도 고스란히 남아 있는 타인의 온기에 제멋대로 입술이 떨렸다.

"읏……."

지금 거울을 본다면 틀림없이 놀랄 터였다. 뺨에서 피어오르는 강렬한 열기에, 그리고 정처 없이 흔들리는 눈동자에.

어떻게 정리한 마음인데, 어떤 마음으로 돌아설 결심을 했는데, 이렇게 속절없이 빠져들 수 있단 말인가. 몇 번이나 부정하려고 애써 봐도 소용없었다. 문고리를 돌리는 손은 이미 돌이킬 수 없는 감정으로 젖어 들어 있었다.

'씻자. 씻고…….'

물의 힘을 빌려 온몸을 흐트러뜨리는 이 감정을 씻어내 버리자. 지워 버리자. 그러나 욕실에 들어선 직후, 거울이 시선을 빼앗으면서 모든 다짐은 물거품처럼 부스러졌다.

아니나 다를까, 거울 속의 자신은 누가 봐도 사랑에 빠진 얼굴이었다. 얼굴 전체에 번진 홍조는 착각도, 가짜도 아니었다.

바보 같다. 아니, 바보였다.

* * *

풀리지 않는 고민을 억지로 침잠시켰기 때문일까. 아침부터 시작해 카페에 도착했을 때까지도 머릿속이 이상하게 번잡스러웠다.

오늘도 주혁이 카페에 들를 것이다. 어제 빌렸던 우산을 돌려주기 위해서. 참으로 그럴듯한 핑계였지만, 거절하지 않았던 쪽은 자신이라 할 말이 없었다. 혜수는 쓰게 웃으며 미영에게 인사했다.

"안녕하세요."

"응, 잘 들어갔어? 아니, 잘 들어갔겠지. 혜수 씨 옆에 보디가드처럼 딱 붙어 있던데?"

머그잔 두 개를 들고 온 미영은 기다렸다는 듯이 주혁의 이야기를 꺼냈다.

"미리 말씀 못 드려서 죄송해요."

"응? 혜수 씨가 나한테 왜 죄송해. 뭐, 솔직하게 말하면 궁금하기야 했지. 결혼했다면서 혼자 산다니까."

"……."

"뭔가 사연이 있겠거니 했는데, 친해지면 말해 줄까 싶었지."

"그러셨어요?"

"나도 이러고 산 지 벌써 3년이 넘었다. 그래서 내심 혜수 씨도 나랑 비슷한 처지인가 했거든. 그런데 갑자기 나타나서 남편이라니……. 혹시 주말 부부인 거야?"

주말 부부라니, 그렇게 생각할 수도 있겠다 싶었다. 이쯤 되면 확실하게 진실을 알려줘야 했다. 물론 처음부터 숨길 생각도 없었지만.

"비슷한 처지 맞아요. 이혼하는…… 중이에요."

본의 아니게 아픈 상처를 건드렸구나 싶었는지 미영의 얼굴에 낭패감이 어렸다.

"아하……. 혜수 씨를 워낙 다정한 눈빛으로 보고 있어서……. 미안해, 혜수 씨."

"아니에요."

"사실 요즘 건물 앞에 고급 세단이 자꾸 서 있나 싶었어. 혜수 씨 남편이었을 줄은 꿈에도 몰랐네."

"죄송해요. 이제 그런 일 없도록 할게요."

"아니, 아니야. 주차 정도야 뭐. 덕분에 어제 도움도 받았고?"

"……이해해 주셔서 감사합니다."

간결한 인사를 마지막으로 이 화제가 끝나고, 일에 집중할 수 있을 줄 알았다. 그러나 미영은 뜻밖에도 대화를 이어 갔다.

"부부 사이의 일이라는 거, 남이 모르는 일투성이지만 말이야. 이혼도 정말 못 할 짓이기는 하더라. 내가 겪어 봐서 잘 알아."

"그런가요……."

"응, 나야 도저히 재활용 불가능한 쓰레기라 버릴 수밖에 없었어. 그렇지만 혜수 씨는 좀 다른 것 같아서."

씁쓰레한 미소를 머금은 그녀는 정확하게 자신의 속내를 꿰뚫고 있었다. 이 또한 인생 선배로서의 연륜일까. 그 말에 마음속으로 동조하며 혜수는 머그잔을 빤히 내려다보았다.

그 어떠한 파문도 없이 고요하게 멈추어 있는 까만 물결. 하지만 아주 약간의 자극만 주어진다면 언제든지 흔들릴 준비가 되어 있었다. 흔들리고, 흔들리다 못해 종국에는 질펀하게 흘러넘쳐 버릴 터였다. 마치 제 마음처럼.

"……그러게요. 절대로 같이 살 수 없겠다고 생각했는데, 사실 요즘은 잘 모르겠어요."

외도한 것도 아니었다. 아이를 바라지 않은 것도 아니었다. 그리고 무엇보다도 이제는 윤혜수라는 사람을 향한 진심이 보이기 시작했다. 차갑게 얼어붙어 있던 마음에 어느새 굵은 금이 그어지고 있었다.

그의 마음에 일어나기 시작한 거친 파도를 모른 척하기란 진심으로 어려운 일이었다. 무심결에 미묘해지는 표정을 눈치챈 듯 미영은 나직하게 고했다.

"혜수 씨, 흔들릴 때는 그냥 흔들리는 것도 답이야."

"네……?"

"고층 건물이나 다리도 그렇잖아. 맞서려고 하면 오히려 뚝 끊어져 버려. 그럴 때는 오히려 바람에 맡기는 게 맞다는 거지."

"……."

"잘 고민해 봐. 동생 같아서 그러는 거니까 너무 기분 나빠 하지는 말고."

"그런 적 없어요. 감사한걸요."

"그게…… 살아 보니까 마음 가는 대로 움직이는 게 답이더라. 그 순간에만 가능한 것도 있어. 그때가 지나면 영원히 놓치는 거야."

미영의 말처럼 인생이란 본래 그런 것이었다. 한순간만 망설여도 지나가 버리고, 단 1초도 돌이킬 수 없었다.

아닐 것이라고, 그러지 말아야 한다고 끊임없이 부정하며 제동을 건다면…… 이번에도 틀림없이 후회할까. 그때 그랬어야 했다고. 못 이기는 척 주혁의 손을 잡았어야 했다고.

* * *

퇴근할 즈음이 되자 어김없이 주혁이 카페로 찾아왔다. 걷잡을 수 없이 흔들리는 마음을 인정하고 나니 그를 똑바로 올려다보는 게 너무나 어려워졌다.

쿵, 쿵, 하고 불규칙적으로 뛰는 심장 소리가 들릴 것 같았다. 머리카락으로 간신히 가린 뺨의 홍조도, 몰라보게 뜨거워진 귓불도 전부 들킬 것 같았다. 그래도 어떻게든 티를 내지 않기 위해 안간힘을 썼다.

어제와 다름없이 나란히 걸었다. 오늘 별일 없었냐, 아무 일도 없었다,

그래도 영 안심이 되지 않는다는 안부 확인을 끝으로 주혁은 잠시 끊어졌던 대화의 흐름을 회복했다.

"벌써 주말이군."

"네."

"주말에는 뭐 하지? 이번 주도 계속 집에 있을 예정인가?"

"아마도요."

이제 주혁은 자신의 행동 패턴을 완벽하게 꿰뚫고 있었다. 그동안 열심히 쫓아다닌 성과가 있어 보였다. 그 점에 피식 웃음이 터지려는 것을 참고 혜수는 그의 얕은수를 지적했다.

"우산, 언제 줄 거예요?"

"아, 깜빡했어. 놓고 왔네."

그럴 리가. 일부러 가져오지 않은 것이다. 오늘도, 내일도, 그리고 그가 지겨워질 때까지 만날 구실을 만들기 위해서. 아무래도 우산을 하나 더 사야겠다는 생각이 들었다.

"그래요? 그럼 다음에 가져다줘요."

"아니, 내일 어때?"

"네?"

"내일 돌려줄 테니…… 나오지 않겠냐는 뜻이야."

다음 날은 토요일이었다. 카페에 출근하지 않는 이틀 중의 하루.

혜수가 아무런 대답을 하지 않자 주혁은 좀 더 대범하게 유혹의 신호를 보냈다.

"당신과 데이트하고 싶어. 어때?"

"……."

그간 줄기차게 따라다녔던 그로서는 별다른 파급력이 없는 데이트 신청이었지만, 받아들이는 쪽으로서는 전혀 아니었다.

겨우겨우 안정을 되찾았다고 여겼던 심장의 고동이 또다시 엉망진창이 되었다. 이번에야말로 그에게 들킬지도 모르겠다. 그러나 조금 전처럼 아무렇지 않은 척할 엄두가 나지 않았다.

미친 듯이 흔들렸다. 눈앞이 어지러울 정도로. 이리저리 흔들리다 못해 끝끝내 쓰러져 버릴 것 같았다. 어느 순간부터 나 버린 균열은 구멍을 만들었고, 아귀가 맞지 않게 된 벽은 그대로 무너져 내렸다.

'흔들릴 때는 그냥 흔들리는 것도 답이야.'

'살아 보니까 마음 가는 대로 움직이는 게 답이더라.'

미영의 조언이 귓가에 메아리쳤다. 혜수는 양손을 힘 있게 그러쥐었다. 어찌나 힘을 주었는지 손톱이 손등을 아프게 찔러 올 정도였다.

"안 되면 어쩔 수……."

"좋아요."

"뭐?"

언제나처럼 거절하리라고 생각했는지 주혁은 퍽 놀란 눈빛이었다. 무심코 멈추어 버린 그를 올려다보며 혜수는 한마디 덧붙였다.

"좋다고요."

"정말……이야?"

"그냥 해 본 말이었나요? 그러면 어쩔 수 없고요."

"그럴 리가."

바로 일축한 주혁은 자신과 다르게 감정을 숨기지 않았다. 어린아이처럼 구김살 없는 미소가 그의 얼굴을 빠르게 뒤덮었다. 그렇게나 좋을까.

너무나도 멋있었지만, 한편으로는 야속했다. 고작 저런 미소 따위에 이토록 흔들리다니. 겨우 저런 것으로 제 마음을 사정없이 휘저어 놓다니. 그러면서도 따라 웃고 싶은 충동을 억누를 수가 없었다.

한 번의 맞선과 세 번의 데이트. 그리고 상견례.

그게 끝이었다. 사랑 없는 결혼에 데이트는 사실 큰 의미가 없었다. 실제로 주혁은 세 번의 데이트 중에서 두 번을 늦었고, 한 번은 데이트하던 도중에 헤어져야 했다.

그래도 그렇게까지 아쉽지 않았다. 그런 결혼이었으니까. 처음부터 그렇게 될 줄 알고 시작했으니까.

'이제 와서 데이트라니…….'

길었다면 길고, 짧았다면 짧은 결혼 생활을 끝내고 이혼하는 마당에 데이트라니. 처지가 바뀌어도 너무 바뀌었지만, 이상할 만큼 들썩이는 마음을 멈출 수는 없었다.

* * *

다음 날.

옷장 문을 연 혜수는 구석에 걸어 두었던 원피스를 집어 들었다. 정교하게 짜인 흰 레이스가 바람에 나풀거렸다. 카페 아르바이트로 번 돈을 몇 달 치 모아도 부족할 만큼 고가의 원피스였다.

"아……."

원피스를 잠자코 몸에 대 보자 자연스럽게 한탄 섞인 한숨이 흘러나왔다. 대현 그룹의 신데렐라로서 살아왔던 그간의 기억이 머릿속을 채운 탓이었다.

몸에 딱 맞는 치수의 원피스는 아이러니하게도 제게 전혀 맞지 않는 옷이었다. 대현 그룹의 체면을 지키라면서 건네받은 옷들은 너무나 불편했고, 어색했다. 아무리 예쁘고 화려해도 이 원피스를 입고 있자면 언제나 죄인이 된 느낌이었다.

얼마간 회상에 잠겨 있던 혜수는 원피스를 제자리에 돌려놓고 청바지를 꺼냈다. 모처럼의 데이트인 만큼 최대한 마음 편히 즐기고 싶었다.

띠리링.

여느 때처럼 청바지와 셔츠를 챙겨 입고 머리카락을 빗고 있을 무렵이었다. 핸드폰이 울렸다. 집 앞에 도착했다는 주혁의 메시지였다. 혜수가 가방을 챙겨 나오자 그는 부드러운 고갯짓으로 환영의 뜻을 대신했다.
"오늘은 늦지 않았네요."
"오늘은?"
주혁은 만나기로 했던 시간보다도 무려 20분이나 빨리 왔다. 그만큼 들떴다는 방증일까. 아니에요, 하고 혜수는 서둘러 얼버무렸다.
"그나저나 어디 가는 거예요?"
"일단 밥부터 먹지."
"좋아요."
어제 본인이 알아서 데이트 코스를 준비하겠다고 호언장담했던 모습이 떠올랐다. 이런 데에는 아무런 관심도 없으면서 말이었다. 얼마나 제 마음에 쏙 드는 곳을 골랐을지 조금 궁금했다.
하지만 그가 인도한 장소는 제법 의외였다. 차 문을 열고 P레스토랑의 간판을 확인하던 혜수의 얼굴이 살짝 흐려졌다. 혹여나 잘못 봤나 싶어서 눈을 비비고 봐도 변한 것은 없었다.
"여기는……."
"별로야?"
"아니요. 별로라기보다는……."
역시나 주혁은 잊고 있었다. 이 레스토랑은 바로 주혁과 처음 만났던 맞선 장소였다. 주방장이 혼신을 다해 만들어 낸 크림 파스타는 무척이나 맛있었지만, 사실 긴장한 나머지 거의 먹지는 못했다. 당연한 일이었다.
'우연……이겠지?'
그렇게 여기는 편이 현명했다. 요즘 들어 시시콜콜한 것까지 기억하고 있다고 해도 벌써 3년이라는 세월이 흘렀다. 둘이 처음으로 마주 앉았던 장소 따위는 아무래도 상관없을 터였다.
3년 만에 들어서는 레스토랑 내부는 기억 속 그대로였다. 다만 변한 게 있다면 구석에 있는 피아노였다. 그때는 검은색 그랜드 피아노였던 것 같은데,

이번에는 흰색으로 바뀌었다. 정중하게 인사를 건넨 지배인은 두 사람을 창가 자리로 인도했다.

"크림 파스타, 어때?"

메뉴판을 건성으로 들추던 그의 입에서 나온 질문에 혜수는 또 한 번 의문에 휘말렸다. 알고 그러는 것인지, 모르고 그러는 것인지. 크림 파스타는 하필 맞선 때 선택했던 메뉴였다.

"……좋아요. 당신은요?"

"나도 그걸로 하지."

주문을 받은 지배인이 물러나자 주혁은 사뭇 초조한 눈길로 주변을 둘러보았다. 그 모습은 마치 한시라도 빨리 그녀가 이곳에서의 기억을 떠올려 주기를 바라는 것 같았다.

"당신, 여기 왔던 거 생각나?"

"설마…… 알고 데려온 거예요?"

"응."

단호하게 끄덕여지는 고개로 보건대 거짓말은 아니었다. 그렇다면…….

"그럼 크림 파스타도……."

"좋아한다고 말했잖아."

"그걸 기억하고 있었어요?"

그 순간을 다시금 되풀이하는 듯 주혁의 입가에 옅은 미소가 번졌다.

"그때 당신, 굉장히 긴장했었지. 헤어질 때까지 쩔쩔매고 있었잖아."

"그건 맞선이 처음이라……."

"나도 처음이었어."

"뭐가요?"

"비즈니스보다도 파스타를 먼저 말하는 여자는."

바로 어제 일처럼 눈앞에 펼쳐지는 광경 속의 윤혜수는 지금보다 훨씬 앳되었고, 그만큼 순수했다. 처음으로 겪어 보는 맞선에 허둥지둥하는 모습을 여과 없이 보여 버렸는데, 그게 꽤 인상적이었던 모양이었다.

"그래서 더 마음에 들었는지도 몰라."

"마음에…… 들었다고요?"

"이제 와서 하는 이야기지만, 사실 할아버지의 명령을 거절할 수도 있었어. 워낙 미신을 맹신하는 분이시라 똑같이 되돌려줄 수도 있었거든."

"주혁 씨……."

"그런데도 아무것도 하지 않았지. 그때는 충동적이라고 생각했는데, 이제는 알 것 같아."

갑작스러운 고백에 당황하는 것도 잠시, 주혁의 입술은 계속해서 움직였다.

"어제 어디로 가야 하나 고민하면서 당신이 뭘 좋아하는지 생각해 봤는데, 아무것도 모르더라고."

"……."

"그나마 당신 속마음을 딱 한 번 들었던 게 여기였어. 그 어색한 만남에서 가장 솔직했다니, 조금 웃기더군."

"그렇네요."

3년 전에도 주혁과 이렇게 마주 보고 있었다. 그렇지만 그때는 이 남자와 이런 관계가 될 줄은 상상도 못 했다. 태석과 권 회장이 시키는 대로 결혼하고, 주혁이 원하는 대로 이혼하리라고 생각했는데. 인생은 역시 한 치 앞을 모르는 법이었다.

테이블 위에 올려놓았던 손끝이 가볍게 떨렸다. 침묵을 지키던 혜수는 문득 손등에 닿은 무언가를 느끼고 속눈썹을 들어 올렸다. 주혁의 손이었다.

"그런 의미에서 우리, 다시 시작하는 건 어때?"

"네?"

"나랑 연애부터 다시 해 보자고."

"……!"

부드러운 저음에 실려 귓가로 전해진 제안은 자못 놀라웠다. 연애부터 다시 하고 싶다니. 이번에는 절대로 실수하지 않겠다는 듯 그의 얼굴은 묘하게 엄숙했다.

어디까지나 혼자만의 착각이겠지만, 어쩐지 3년이라는 시간을 눈 깜짝할 새 되돌린 것 같은 기분이었다. 어떻게 답해야 할지 몰라 눈만 깜빡이고 있던 혜수는 저도 모르게 자리에서 일어났다.

"화장실…… 다녀올게요."

"그래."

주혁은 예상외로 고개를 선뜻 끄덕였다. 지금 당장 대답을 들려주지 않아도 된다는 태도에 안심하고 그의 앞을 벗어날 수 있었다.

이 교묘한 남자는 처음부터 이럴 작정이었다. 이럴 생각으로 이곳에 데려온 것이다. 다급한 걸음걸이로 레스토랑을 빠져나온 혜수는 아무 곳에나 멈추어 섰다.

전력으로 질주한 것처럼 심장이 마구 뛰었다. 금세 숨이 턱까지 차올랐다. 그래도 좀처럼 귓가를 맴도는 목소리를 떨칠 수가 없었다.

"다시…… 시작하자고?"

너무나도 달콤한 제안이자 유혹이었다. 주혁은 아무것도 모르던 처음으로 돌아가서, 이 모든 아픔과 슬픔을 없었던 것으로 만들어 보자고 말하고 있었다. 그렇다면 두 번 다시 후회하지 않을 것이라고.

그 순간, 미친 듯이 흔들리던 마음의 추가 완전히 반대쪽으로 기울어지고 말았다. 소리도 없이, 단 한 순간에. 더할 나위 없이 완벽한 패배였다.

혜수는 조심스레 옷자락을 움켜쥐었다. 눈앞이 아득했다. 머릿속이 아찔했다. 그러나 전신을 덮친 격랑의 감정을 온전히 제 것으로 소화할 시간은 그렇게 길지 않았다.

"……!"

허공을 헤매던 시선이 돌연 멈춘 이유는 뜻밖의 만남 때문이었다. 평상시처럼 화려하게 차려입은 수연이 지인들과 함께 웃으며 이쪽으로 걸어오고 있었다. 그녀와 눈이 마주치는 것은 시간문제였다.

"어라? 너……?"

"……."

약간의 유예가 물러간 다음, 수연은 대놓고 얼굴을 찌푸렸다. 혐오 어린 눈빛을 똑바로 받아 내며 혜수는 허리를 꼿꼿이 세웠다. 다른 사람도 아니고 그녀를 하필 이곳에서 마주칠 줄은 몰랐다. 운명의 장난은 오늘도 참으로 짓궂었다.

"뭐야, 아는 사람이야?"

수연의 옆에 서 있던 장신의 남자 한 명이 혜수를 손끝으로 가리켰다.

"알지, 매우 잘."

"누구인데?"

"얘를 뭐라고 소개해야 하나……."

"……?"

혜수를 지그시 응시하는 수연의 얼굴에는 여느 때와 같은 표정이 띄워졌다. 흡사 벌레라도 발견한 듯한 표정, 한시도 상대하고 싶지 않은 표정.

역겨움이 가득한 얼굴을 맞대고 있노라면 한없이 익숙한 모멸감이 꾸물꾸물 올라왔다. 수연은 손에 든 커피를 빨대로 한 모금 쪽 빨고는 무심하게 답했다.

"집에서 일하는 도우미?"

"도우미? 어쩐지……. 그런데 도우미가 여기는 어떻게 온 거야?"

"글쎄, 일 그만두고 퇴직금이라도 넉넉하게 받았나 보지."

"……!"

수연의 지인들은 신기하다는 눈초리로 혜수를 빤히 훑었다. 그들의 모욕적인 시선은 물론이거니와 말도 안 되는 표현에 저절로 몸이 움직였다.

혜수가 그녀에게로 가까이 다가가자 이것 봐라? 하는 듯 수연의 눈매가 한결 가느스름해졌다.

"지금 무슨 말을 하는……."

"무슨 말이냐니."

혜수의 말을 뚝 끊은 수연은 고개를 숙여 그녀의 귓가에 속삭였다.

"……그럼 네가 정말로 우리 집 며느리라도 된 줄 알았어?"

"……."

차가운 비난이 귀 안을 거세게 파고들었다. 그렇게 묻는다면 답할 말이 없었다. 그 집안에서 윤혜수는 도우미보다도, 아니, 기르는 개만도 못한 존재였으니까. 당혹감과 굴욕감이 한데 겹쳐 몰려왔다.

어금니를 꽉 악물며 수연을 노려보는 찰나, 수연이 한 걸음 물러났다. 보란 듯이 비틀린 그녀의 입꼬리에는 그 특유의 비웃음이 짙게 걸려 있었다.

"이거 다 마셨는데 좀 버려 줘."

방금까지 마시고 있던 커피였다. 애초에 받을 생각도 없었지만, 수연의 속셈은 그게 아니었다. 혜수가 뭐라고 답하기도 전에 수연은 손에서 커피를 놓았다.

팍, 하는 소리와 함께 커피 컵이 바닥에 나뒹굴면서 신발과 바지에 시커먼 액체가 튀었다. 순식간에 발끝이 축축해졌다. 수연의 지인들은 대충 사정을 짐작했는지 뒤에서 대놓고 킥킥거리고 있었다.

요란한 웃음소리가 귓가에 물결쳤다. 화가 났다. 처음부터 끝까지 자신을 하찮은 벌레 취급하는 그녀에게, 그리고 약간의 개심도 없는 태도에. 이제는 더 이상 참을 수가 없었다. 인내심은 슬슬 한계치에 도달한 상태였다.

"이런, 너 때문에 튄 거 안 보여? 여전히 굼뜨네. 그러니까 잘렸겠지만."

"그만하죠?"

눈에 불꽃이 튈 만큼 그녀를 노려보며 혜수는 낮게 으르렁거렸다. 혜수가 이렇게까지 세게 나올 줄 몰랐다는 듯 아주 잠깐 수연의 눈썹이 꿈틀거렸다. 상상조차 못 한 반전에 불쾌한 기색이 가득 깃든 눈초리가 뒤따랐다.

"뭐니, 너? 집에 있을 때는 한마디도 못 하더니, 버려지니까 눈에 뵈는 게 없지?"

"누가요? 나는 내 의지로 나간……."

"됐고. L매장에 수선 맡긴 거 있으니까 그거나 가져와. 너 때문에 갈아입어야 하잖아."

"잠깐만요!"

말허리를 툭 자른 것도 모자라 터무니없는 요구를 던진 수연은 콧방귀를 뀌며 혜수를 지나쳤다. 그녀의 시선은 이미 다른 곳을 향해 있었다. 바로 P 레스토랑이었다.

지인들을 이끌고 당당하게 입구로 들어가려던 수연이 우뚝 멈추어 섰다. 문 앞까지 나온 지배인은 연신 허리를 굽실거리고 있었다. 꽤 난처한 기색이 그 얼굴에 뚜렷했다.

"……죄송합니다만 지금은 이용하실 수가 없습니다. 다음에 찾아 주시면 감사하겠습니다."

"하, 내가 왔는데 안 된다고? 누가 왔는데 감히 나를 못 들어가게 해?"

"그게……."

"말을 왜 못 하는데? 여기 망하는 꼴 보고 싶어?"

아무래도 주혁이 레스토랑을 통째로 빌린 듯했다. 어쩐지 테이블 주변에 손님이 단 한 명도 없다 싶었는데, 이런 속사정이 있었을 줄은 몰랐다.

빠르게 옷매무새를 정돈한 혜수는 무표정한 얼굴로 입구를 향해 걸었다. 그녀가 다가온 줄도 모르고 지배인에게 항의하던 수연은 주변의 분위기가 이상해진 것을 감지하고 뒤를 돌아보았다.

"너 왜 여기 있어? 내가 분명……."

수연이 조금 전에 그랬던 것처럼 혜수 또한 그녀의 말을 뚝 끊었다.

"들어가도 될까요?"

"오셨습니까? 물론이지요."

예의를 다해 혜수를 맞이하는 지배인의 모습에 수연은 도저히 믿을 수 없는지 앙칼지게 소리쳤다.

"방금 뭐야……! 쟤는 된다고? 내가 안 되는데?"

"네, 이분이 바로 예약하신 손님이십니다."

"하! 지금 얘 때문에 날 안 받겠다는 거야? 당장 예약 취소해. 내가 누구인 줄 알고!"

그녀의 주특기인 우기기가 나왔다. 수연은 본인이 불리할 때 고래고래 소리를 지르며 고집을 피우는 버릇이 있었다.

이만큼이나 열받게 했으니 자신의 승리였다. 물론 그녀는 무조건 인정하지 않을 테지만. 못 본 척 안으로 들어가려는 순간, 누군가가 눈앞을 가로막았다.

"아니, 안 돼. 네가 다른 곳에 가."

나직하면서도 단호한 거절의 주인공은 다름 아닌 주혁이었다. 바깥이 소란스러운 통에 무슨 일인가 하고 나와 본 것 같았다. 그를 발견한 수연은 마치 귀신이라도 본 듯한 표정을 지으며 딱딱하게 굳었다.

"오, 오빠……?"

"응."

"그러면…… 예약한 사람이 오빠였어?"

본능적으로 심상치 않은 낌새를 눈치챘는지 수연의 고개가 홱 틀어졌다. 주혁 또한 혜수에게로 눈을 돌렸다. 거의 동시에 두 사람의 시선을 받은 혜수는 당연히 주혁을 선택했다.

"늦었네. 무슨 일 있었어?"

"……아뇨. 별일 없었어요."

"뭔데? 어째서 둘이 함께 있는 거야?"

"부부가 같이 밥 먹는 게 이상한 일은 아닐 텐데."

대수롭지 않은 듯한 그의 대꾸에 수연은 더더욱 펄펄 뛰기 시작했다.

하기야 명희로부터 둘이 이혼한다고 전해 들었을 것이니, 지금의 상황을 쉽게 믿을 수 있을 리 없었다.

"그럴 리가 없잖아! 오빠, 이게 어떻게 된 일이야? 얘랑은……."

"당신, 옷이 왜 이렇지?"

"아……."

두 번 연속으로 발언을 제지당한 수연의 얼굴은 붉으락푸르락하다 못해 금방이라도 터져 버릴 것 같았다. 그러나 주혁은 아랑곳하지 않고 혜수의 신발과 바지를 살폈다.

자신의 대답 여하에 따라 수연의 처분이 갈릴 것이다. 혜수는 대답 대신 수연을 쳐다보았다. 의미심장한 눈빛에 최고조로 치솟았던 수연의 의구심과 분노는 언제 그랬냐는 것처럼 가라앉았다.

가장 강한 자에게는 넙죽 엎드리면서 본인보다 약하다고 느끼면 사정없이 짓밟는다. 지난 3년 동안 뼈저리게 실감했던 현실은 이제 바뀌었다. 우위에 선 쪽은 수연이 아니라 자신이었다.

"아가씨가 실수로 커피를 놓쳐서요."

"뭐?"

"난 괜찮으니까 너무 뭐라고 하지 마요. 아가씨는 원래 좀 덤벙거리는 타입인 거 알잖아요."

"……!"

"그 대신, 갈아입을 옷 가져와 주기로 했어요. 그렇죠, 아가씨? L매장에 수선 맡긴 거 있다면서요."

"확실해?"

수연을 타깃으로 삼은 주혁의 질문, 아니, 확인 사살은 매우 냉랭했다. 고작 커피 좀 쏟은 것 정도로 이토록 차가워질 줄 몰랐는지 수연은 보기 드물게 긴장해 있었다.

"으응……."

"……그럼 얼른 가서 가져와."

"알았어."

꼬리를 내린 개처럼 수연이 곧바로 종종걸음을 쳤다. 어리둥절해 있던 수연의 지인들도 너 나 할 것 없이 퇴장했다. 어느덧 입구에는 세 사람만이 남았다.

"윤혜수……."

아무리 자연스럽게 넘어가려고 했어도 의심을 피할 수는 없었던 듯했다. 혜수는 어색하게 주혁의 팔을 끌어당겼다.

"밥 먹어요. 배고파요."

"……그래."

"앉아 계십시오. 바로 내오도록 하겠습니다."

다시금 테이블로 돌아왔어도 한번 가라앉은 분위기가 그렇게 빨리 정상화될 리는 만무했다. 지배인이 땀을 뻘뻘 흘리며 가져온 음식들도 이미 어색해진 분위기를 환기하기에는 한참 모자랐다.

좀 전과는 사뭇 다른 정적이 두 사람 사이를 맴돌고 있었다. 파스타를 먹기는커녕 식기에 손조차 대지 못한 채 혜수는 묵묵히 주혁과 시선을 교환했다.

"솔직하게 말해 줘. 수연이가 커피를 쏟은 건 정말 실수였어?"

주혁의 조심스러운 질문에 혜수는 씁쓸하게 웃었다. 아니나 다를까, 수연의 말투나 표정을 통해 본능적으로 둘 사이에 무언가가 있다고 짐작한 모양이었다.

"그게 중요해요?"

"중요해. 그 외에는 또 뭐가 있었어? 권수연이 당신한테 또 뭘 했냐고."

"정말 별거 아니에요."

그가 제 곁에 없었던 동안, 그 집에서 어떤 꼴을 당했는지 논한다면 이 정도는 진짜로 별일 아니었다. 그러나 주혁은 진심으로 심각한 모습이었다.

지금 당장 듣지 않으면 직성이 풀리지 않을 것 같았다.

"말 안 하면 당사자에게 직접 묻지."

혜수는 재빨리 고개를 저었다.

"아니에요. 아가씨 지인들이 내가 누구냐고 묻더라고요. 그래서 아가씨가 나를 도우미라고 했고, 퇴직금 두둑하게 받아서 좋은 곳에서 식사하냐고 하더군요."

"도우미? 당신, 그걸 그냥 듣고 있었어?"

"딱히 반박할 수가 없더라고요. 그리고 도우미가 차라리 나았으니까."

"뭐……?"

"그 집에서 나는…… 투명 인간이었어요. 아니면 정물. 쓰임새도 없고, 그 누구의 관심도 받지 못하는 그런 존재."

"……."

"차라리 허드렛일이라도 하라고 했으면 버티기 쉬웠을지도 모르겠네요."

사실이었다. 철저한 무시와 완벽한 멸시, 그리고 완전한 질시가 지배하는 삶이었다. 처음부터 끝까지. 돈에 팔려 온 결혼이란, 돈을 대가로 내어 준 인생이란 바로 그런 것이었다.

쉽게 나올 수 없는 단어에 주혁은 상당히 놀랐는지 눈을 크게 떴다. 충격에 휩싸인 검은 속눈썹이 위아래로 요동쳤다. 무의식적으로 벌어진 입술 사이로는 깊은 한숨이 흘러나왔다.

"왜 그렇게 아무렇지 않은 얼굴로 말하는 거야……."

"당연한걸요. 나한테는 이게 보통이고, 일상이었으니까요."

당신은 아무것도 몰랐겠지만, 이라는 푸념은 일부러 뱉지 않았다. 그가 알고 싶지 않아서 몰랐던 것도 아니니까. 물론 아무것도 모르는 것도 죄라고는 하나, 굳이 상처와 짐을 얹어 줄 필요는 없었다.

사람은 본래 여러 가지의 모습이 있는 법이었다. 주혁에게는 한없이 상냥하고 다정한 어머니인 명희도 제게는 사나운 괴물이었고, 추악한 악마였다.

"후……."

그러나 이 남자는 어째서인지 단 한마디로도 모든 것을 눈치채 버렸다. 원치 않았던 결과를 맞닥뜨린 혜수는 가만히 숨을 삼킬 뿐이었다.

괴로움이 가득 담긴 신음과 함께 주혁은 그의 이마에 손을 얹었다. 커다란 손이 얼굴을 반 넘게 가리는 바람에 그가 지금 어떤 표정을 짓고 있는지는 볼 수 없었다.

"주혁 씨……."

그녀의 부름에 응하듯 주혁이 천천히 중얼거렸다. 마치 목 안에 들어찬 단단한 응어리를 내뱉듯이.

"……미안해."

"네?"

난생처음 그 입으로 듣는 사과가 선사한 충격은 엄청났다. 무심결에 바들바들 떨리는 어깨와 손끝은 결코 과장된 것이라고 볼 수 없었다.

나직하게 사과를 건넨 주혁은 여전히 괴로워하고 있었다. 선명하게 파인 미간의 주름과 흔들리는 눈동자는 그 마음에 깃든 번뇌를 선명하게 증명하고 있었다.

'갑자기 사과하다니…….'

미안하다고, 잘못했다는 말은 그 누구에게도 들을 수 없으리라고 생각했다. 사실 기대는커녕 상상조차 해 본 적 없었다. 이것은 그저 자신이 견뎌야 할 짐이자 업보였으니까.

그런데 어쩌면 마음속 어딘가에서는 틀림없이 바라고 있었던 것인지도 몰랐다. 누군가가 진심으로 맞부딪쳐 오기를. 진정으로 용서를 구해 오기를.

"그게……."

"나는 정말…… 당신에 대해 몰랐군……."

"……."

"그 정도일 거라고는 생각 못 했어. 미안해."

다시 한번 울려 퍼지는 목소리는 조금 전보다 한결 낮아져 있었다. 연달아 가해진 충격은 끝끝내 마음의 동요를 불러왔다.

왠지 모르게 울컥하는 느낌에 혜수는 눈을 꼭 감았다. 가장 깊은 곳에서부터 올라온 뜨뜻미지근한 액체가 속눈썹에 스며들었다.

이 미묘한 기분을 뭐라고 표현해야 할지 알 수 없었다. 굳이 비유하자면 정신없이 몰아치는 소용돌이 한가운데로 떠밀린 것 같았다. 얼떨떨했다.

"……."

그간 참고, 참고, 또 참았다. 응어리가 되고, 앙금이 되고, 마침내 마음속 깊이 가라앉을 때까지.

그래야 하는 줄 알았다. 그렇게 하는 것이 맞는 줄 알았다. 그런 식으로 홀로 삭이고 버티면 언젠가는 이 끔찍한 수렁에서 벗어날 수 있을 줄 알았다. 참으로 바보 같게도.

하지만 주혁은 이제 그러지 않아도 된다고 말하고 있었다. 그럴 필요가 없다고 전하고 있었다. 가장 깊숙한 곳까지 파고들었던 고통을 씻어내 주는 한마디는 오래도록 허공을 돌고 또 돌았다.

"내가 어떻게 해야……."

"아뇨, 괜찮아요."

거짓이 아니었다. 이 정도면 충분했다. 그의 진심이 귓전을 타고 마음 한가운데에까지 닿았다. 혜수는 살며시 미소 지으며 눈가에 고인 눈물을 털어냈다.

그러자 주혁은 도저히 견딜 수 없다는 듯 그녀에게로 다가왔다. 잠자코 허리를 숙여 혜수의 뺨에 아롱진 눈물을 닦아내는 손길은 제법 침착했다. 그러나 그의 검은 눈 안에는 형언할 수 없는 폭풍이 깃들어 있었다.

여태껏 아무것도 몰랐다는 데 대한 자책감, 그녀를 혼자 놔두었다는 데 대한 죄책감, 그리고 이미 지나가 버린 과거에 대한 후회감이 한꺼번에 섞여버린 지금, 주혁은 그 어떤 말도 제대로 할 수 없어 보였다.

"항상 괜찮다고 하지만, 사실 괜찮은 게 하나도 없잖아."

"이번에는 진짜예요. 복수한 거 봤잖아요."

"고작 그 정도로……."

혜수는 뺨에 머물러 있는 손가락을 살짝 어루만졌다. 언제나처럼 부드럽고 따뜻한 감촉이 손끝을 건드리고 가슴속까지 전해졌다.

수연에게 소리도 지르고, 아무렇지도 않게 받아치고, 태연스럽게 요구했다. 3년 전의 자신이었다면 상상도 못 할 짓을 감행할 수 있었던 것은 전적으로 주혁의 공이었다.

"당신이 도와준 덕분이에요."

"……."

"그래서 이런 것도 할 수 있었어요. 그러니까 더는 신경 쓰지 않아도 돼요."

"윤혜수……."

주혁이 입술을 달싹이는 찰나, 그의 등 뒤로 누군가가 다가왔다. L매장으로 옷을 가지러 갔던 수연이었다.

잔뜩 일그러진 얼굴을 한 그녀의 어깨에는 큼지막한 쇼핑백 하나가 걸쳐져 있었다. 못마땅한 눈초리로 두 사람을 번갈아 바라보던 수연은 마지못해 혜수에게 쇼핑백을 내밀었다.

"가져왔어. 됐지?"

그녀로서는 여기까지가 최선인 모양이었다. 하기야 그 자존심에 직접 옷까지 찾아와 건네었다. 그것도 발가락의 때만도 못한 존재로 무시하던 상대에게. 엄청나게 화가 나는 상황일 터였다.

그러나 황급히 몸을 돌려 레스토랑을 빠져나가려던 수연의 계획은 실패로 돌아갔다. 주혁이 불쑥 그녀의 손목을 잡아챈 탓이었다.

"아니, 멈춰."

"왜 그래, 오빠?"

시키는 대로 얌전히 갈아입을 옷도 가져왔겠다, 영문을 알 수 없다는 듯 수연의 눈이 동그래졌다.

"아직 안 했잖아."

"내가 뭘?"

"사과."

예상치 못한 강경한 태도에 혜수와 수연 모두 놀란 표정을 감추지 못했다. 먼저 정신을 차리고 볼멘소리를 터뜨린 쪽은 수연이었다.

"뭐? 내가 왜……."

"커피, 실수로 쏟았다며."

"그거야……."

"그럼 사과해야 하지 않겠어?"

"……."

방금까지와는 전혀 다른 매정한 말투였다. 어떻게든 핑계를 대며 버티려고 애쓰던 수연은 냉기가 물씬 도는 주혁의 모습을 보고는 포기한 듯했다. 입술을 잘근잘근 깨물며 내뱉은 사과는 모깃소리처럼 작았다. 그래도 확실하게 그녀의 목소리를 들을 수 있었다.

"……미안……해."

처음으로 사과하는 만큼 수연의 얼굴은 온통 굴욕감과 치욕감으로 범벅이 되어 있었다. 사정없이 깨물어 댄 붉은 입술에는 금세 조그마한 핏방울이 맺혔다.

평상시 그녀를 바라볼 때의 자신이 이런 얼굴이었겠구나, 하고 새삼 실감했다. 용케도 그것을 보면서 즐겼다 싶었다. 정말이지 성격 나쁜 모녀가 아닐 수 없었다.

"틀려."

물론 주혁은 수연보다 한 수 위, 아니, 몇 수 위였다. 칼 같은 지적에 수연은 바로 발끈했다.

"또, 왜!"

"존댓말 써야지."

"뭐? 나랑 얘 동갑이야. 그런데 어째서……."

"그 전에 내 아내고, 네 손윗사람이야."

"그건……!"

"앞으로는 윗사람에 대한 예의를 갖춰서 대하도록 해."

"……."

분한 듯 고개를 푹 숙이는 수연에게서는 강한 노기가 느껴졌지만 거기까지였다. 주혁을 거스른다면 어떤 일이 터질지 몰랐다. 그리고 힘의 우위는 자신보다도 수연이 훨씬 잘 알고 있을 것이었다.

"미안해요. ……새언니."

조금 전보다 큰 목소리로 읊조린 사과는 처음 겪는 입장의 변화를 다시 한번 인식시켰다. 항상 마음에 들기 위해 안절부절못하는 쪽은 자신이었다. 상처받는 쪽도, 고통받는 쪽도, 군림하는 쪽도, 짓밟는 쪽도 처음부터 모두 정해져 있었다.

그런데 이제는 완벽하게 뒤바뀌고 말았다. 변해 버렸다. 손바닥 뒤집듯 현격하게 달라진 상황에 미묘한 쾌감이 차올랐다. 이 또한 어쩔 수 없는 변화였다.

"미안……하다니까요."

"……."

"새언니……?"

혜수가 도통 집중하는 기미를 보이지 않자 초조해진 수연이 연거푸 중얼거렸다. 파르르 떨리는 그녀의 속눈썹은 이미 아래로 축 처진 지 오래였다.

수연의 내면을 탐욕스럽게 먹어 들기 시작한 그 감정이 뭔지 너무나도 잘 안다. 뼈에 사무치도록 잘 아는 종류였다. 혜수는 두 사람 몰래 쓰게 웃었다.

굴욕, 치욕, 모욕, 능욕이 한데 섞여 회오리친 감정의 끝은…… 지독하리만큼 아픈 무력감이었다. 그 어떤 짓을 해도 안 된다는 것을 깨달았을 때, 사람은 결국 포기하게 되는 것이다.

내세울 만한 것이라고는 자존심밖에 없던 수연이 이제야 그런 감정을 알게 되었다는 점이 조금 우습지만. 그래도 이 정도 선에서 끝내는 편이 좋을 듯싶었다.

"알았어요. 그만해도 돼요."

"정말? 아, 정말요……?"

"네."

혜수의 고개가 끄덕여지기 무섭게 주혁은 수연을 향해 다음 지시를 내렸다.

"됐어. 앞으로는 조심해."

"응……."

"가 봐."

혜수의 앞에서 꼴사납게 울고 싶지는 않은지 수연은 가까스로 눈물을 삼켰다. 그리고 흡사 맹수에게서 달아나는 것처럼 레스토랑의 입구로 빠르게 걸어가 버렸다.

순식간에 텅 비어 버린 공간을 응시하던 혜수는 이윽고 눈을 돌렸다. 그는 아주 당연한 일을 벌였다는 표정을 짓고 있었다.

"괜찮다고 했잖아요. 신경 쓸 필요 없다고도 했고요."

"아니, 앞으로는 이런 일에 괜찮아하지 마. 그리고 난 계속 신경 쓸 거야."

"주혁 씨……."

"당신에 대해 누구보다도 더 잘 알고, 이런 일 당하지 않게 할 테니까."

주혁은 다짐하듯 말을 이었다.

"그러니까 당신도 가만히 있지 마. 당신, 그렇게 대해도 되는 사람 아니야."

"……!"

그 어떤 일이 일어나더라도 자신을 지키겠으며, 한편이 되어 주겠다는 약속은 진심으로 든든했다. 주혁의 손길이 닿지 않았는데도 온몸에 훈기가 도는 느낌이었다.

'이제 혼자가 아닌 걸까?'

구석에 덩그러니 놓여 먼지만 쌓여 가는 정물 같은 처지를 실감할 때마다 외로웠다. 그 누구의 시선도 받을 수 없는 투명 인간처럼 대해질 적마다 괴로웠다.

그렇지만 이제는 이 남자가 제 곁에 있다. 손을 뻗었을 때, 제 손을 잡아 줄 누군가가 앞에 있다. 그 사실이 감격스러운 나머지 또다시 울먹울먹할 뻔했다. 기다렸다는 듯 촉촉해지는 눈가를 느끼며 혜수는 찬찬히 숨을 가다듬었다.

앞으로 무슨 일이 벌어질지는 모른다. 어떤 상황에 직면할지도 알 수 없었다. 그렇지만 지금 이 순간만큼은 세상의 모든 이를 적으로 돌려도 괜찮았다. 모두가 자신을 등져도 상관없을 것 같았다.

……그와 함께라면.

* * *

주혁의 주문대로 지배인은 차갑게 식어 버린 음식들을 전부 바꿔 주었다. 몇 년 만에 먹는 크림 파스타는 정말로 맛있었다. 살짝 과장하자면 처음 먹었을 때와 비교하지 못할 만큼 굉장한 맛이었다.

만족스러운 식사를 끝내고 집으로 돌아가는 차 안에서도 주혁은 옷을 사야겠다며 내내 성화였다. 매사에 초연히 굴던 그가 이렇게 시시콜콜한 불평을 늘어놓을 수 있다는 사실은 처음 알았다.

"정말로 안 사 줘도 되겠어? 제대로 얼룩졌잖아."

"네. 다 말랐어요. 아가씨한테 갈아입을 옷 가지고 오라고 한 건 그냥 복수하기 위해서 한 말이었어요."

"……."

"어쨌든 저건 어떡하죠?"

"내가 알아서 본가로 보낼 테니까 걱정하지 마."

"고마워요."

애써 수선한 옷은 틀림없이 쓰레기통에 처박히거나, 가위로 조각조각 난도질당할 터였다. 권수연은 그 굴욕을 맛보았는데도 얌전히 이 옷을 걸칠 만한 성격이 못되었다.

손이 떨릴 만큼 고가의 옷이라도 눈 하나 깜짝하지 않고 얼마든지 망가뜨릴 수 있다. 수연은…… 아니, 그녀들은 그런 사람들이었다. 태생부터 오만하기 이를 데 없는.

생각에 잠겨 있다 보니 그새 집에 도착했다. 주차장에 차를 세운 주혁은 안전벨트를 풀었다. 그런 그를 물끄러미 바라보던 혜수는 조심스럽게 몸을 기울였다.

"주혁 씨, 잠시만요."

"응?"

그는 조금 뒤에 일어날 일을 눈곱만치도 예상하지 못한 눈치였다. 하기야 스스로도 이럴 줄 몰랐다. 이것은 어디까지나 충동, 그 이상도 그 이하도 아니었다.

코끝에서부터 어지러이 얽히기 시작한 숨결은 무척 유혹적이었다. 주혁의 팔을 꽉 붙들어 중심을 잡은 다음, 혜수는 그대로 그의 입술에 키스했다.

오랜만에 맛보는 입술은 아주 따뜻했고, 놀라울 정도로 부드러웠다. 그의 손길처럼. 품처럼.

"이건 뭐야……?"

"당신 말대로 해 봐요. 우리, 연애부터 시작해요."

"……."

갑작스러운 입맞춤에 잠시 굳어 있던 주혁이 재빨리 그녀의 목덜미를 감싸 쥐었다. 살갗으로 배어들기 시작한 낯익은 감촉에 혜수는 눈을 감았다.

시야가 차단되는 것과 동시에 감각이 고도로 활성화되었다. 그 덕분에 한결 확실하게 느낄 수 있었다. 뇌리에 각인시킬 수 있었다.

살며시 열린 입 안으로 침입하는 혀의 존재감을, 깊은 곳까지 스며드는 달뜬 숨결을, 혀뿌리에서부터 정신없이 뒤엉키는 타액을, 그리고…… 권주혁이라는 남자 자체를.

침대 밖에서 나누는 첫 키스였다. 달콤한 고백도, 달착지근한 데이트도 없었던 부부였던 만큼 둘만의 온기를 공유하는 이 순간이 너무나도 새삼스러웠다. 쉴 틈 없이 혀를 섞으며 혜수는 다른 손으로 주혁의 셔츠를 움켜쥐었다.

질펀하게 젖어 든 입술 사이로 음란한 마찰음이 울려 퍼질 때마다, 질척이는 타액이 제 것과 섞여 목 안으로 넘어갈 때마다, 타액을 머금은 혀가 구석구석 빠짐없이 안쪽을 탐할 때마다 털끝에서부터 바짝 솟아오르는 느낌이었다.

"응……."

빈틈없이 맞닿은 입술을 타고 물이 쏟아져 내리듯 그의 감정이 빠르게 밀려 들어왔다. 거칠게 파고들어 왔다.

가장 깊은 곳, 그리고 결코 닿을 수 없으리라고 여겼던 곳까지.

11. 깊이 파고드는 열망

말도 안 된다. 아니, 이럴 수는 없었다. 허겁지겁 레스토랑을 빠져나온 수연은 이를 악물었다.

"미쳤어, 미쳤어!"

육성으로 온갖 거친 말을 뱉어내도 화는 도저히 씻길 줄 몰랐다. 어떻게 이럴 수가 있는지. 머리끝까지 솟구쳐 오른 격노에 시야가 순간적으로 가물가물했다.

"하……!"

평생 친하지도 않았고, 좋아하지도 않았어도 권주혁은 하나뿐인 오빠였다. 그는 여러 가지 의미에서 수연 자신과 가장 가까운 곳에 있었다. 혜수와는 태생부터 달랐으며, 그녀가 감히 쳐다볼 수 없을 만큼 높은 곳에 있는 남자였다.

그런데 어떻게 이딴 짓을 벌일 수 있단 말인가.

주혁은 현재 완전히 미쳐 있었다. 그것도 한낱 아무것도 아닌 여자 따위에게. 단 한 번도 본 적 없었던 모습은 분노를 넘어 두려움마저 일게 했다.

'어떻게 이럴 수가 있지?'

주혁의 그런 눈은 처음이었다. 혐오, 격분, 힐난이 한데 섞인 검은 눈동자는 얼음보다도 차디찼다. 하지만 그런 눈으로 봐야 할 대상은 자신이 아니었다. 윤혜수였다.

심지어 주혁은 그것도 모자라 그녀에게 사과까지 종용하고 있었다. 그 위압적인 태도에 눌려 난생처음 미안하다는 말을 입에 담았더니 토할 것 같았다.

주차장으로 달려오다시피 한 수연은 서둘러 스마트 키를 꺼냈다. 가장 아끼는 붉은색 스포츠카인데도 홧김에 차 문을 걷어찰 뻔했다.

"아아악! 짜증 나!"

비명을 닮은 고함이 차 안에 울려 퍼졌다. 그와 동시에 수연은 운전대를 쾅쾅 내리치기 시작했다. 얇은 핸들 커버가 그대로 찢겨 나갔다.

운전대를 거의 부술 기세로 두드린 탓에 손가락이 얼얼했다. 공들여 네일 아트를 받은 손톱은 이미 두어 개가 부러져 있었다.

"미치겠네……."

한참이나 노기를 폭발시키던 수연은 있는 힘껏 미간을 일그러뜨렸다. 이러고 있을 때가 아니었다. 한시라도 빨리 명희에게 이 열받는 소식을 알려야 했다.

* * *

"……김 이사, 그럼 그 문제는 그렇게 처리하도록 하세요."

"알겠습니다."

최측근답게 김 이사는 약간의 군소리도 없이 곧장 명을 받들었다. 그의 고분고분한 태도에 명희는 웃음을 띠며 차를 홀짝였다. 사뭇 고상한 몸짓이었다.

"그리고 하나 더. 회장님께서 돌아가시자마자 바로 주혁이 이혼도 언론에 공표할 예정입니다. 언제든 언론사에 내보낼 수 있도록 기사도 준비해 두세요."

"네, 차질 없이 준비하겠습니다."

"화진 그룹과는 어떻게 되고 있죠?"

"사장님께서 부사장님을 매우 좋게 생각하고 계십니다. 이혼은 그다지 신경 쓰지 않는 눈치이셨습니다."

"다행이야. 괜히 쓸데없는 흠이 생겨서 큰일을 그르치는 줄 알았네."

화진 그룹은 어느 모로 보나 대현 그룹과 사돈을 맺기에 적절했다. 천박하고도 탐욕스러운 윤혜수 따위와는 감히 비교조차 불가능할 만큼. 그 여우 같은 여자를 집에서 쫓아내니 일이 술술 풀려 갔다.

이제 주혁과 화진 그룹의 손녀를 이어 주기만 하면 된다. 이 얼마나 잘 어울리는 한 쌍인가. 주혁이 혜수와 함께 있는 광경을 볼 때마다 속이 확 뒤집히곤 했는데, 더 이상 그럴 필요가 없었다.

'그깟 미신에 밀려서…….'

권 회장은 말도 안 되는 미신 때문에 혜수를 선택했다. 그 망할 것 때문에 좋은 혼처를 몇이나 놓쳤던가. 그런 줄도 모르고 고개를 빳빳이 든 채 며느리로 인정해 달라니.

생각할수록 역겹고 어이가 없었다. 분수도 모르고, 주제도 모르면서 어떻게든 제 자리를 지키려고 드는 모습이. 행동이. 태생부터 없이 살아온 것들이란 다들 그런 모양이었다.

"여하튼 관장님, 날짜는 언제쯤으로 생각하시는지요? 저쪽에서는 꽤 서두르는 눈치입니다."

"흠…… 그건 조금 더 기다려요."

"네."

명희는 눈살을 가늘게 찌푸렸다. 혜수야 이미 사라졌으니 상관없는데,

정작 주혁이 문제였다. 얼마 전, 주혁이 제게 다녀갔던 일을 떠올리자 다시금 화가 치밀었다.

'내가 뭘 그렇게 잘못했다는 거야?'

그저 혜수에게 본인의 처지를 명확하게 인식시켜 주었을 뿐인데 말이었다. 그런데도 어째서 주혁이 그 정도로 날뛰었을까. 지금도 이해가 가지 않았다.

권주혁은 살갑지는 않아도 착한 아들이었다. 자신을 한 번도 실망하게 한 적 없는 든든한 핏줄이었다. 장차 이 대현 그룹을 물려받을 후계자를 번듯하게 키워 냈다는 데 대해 명희가 가진 자부심은 상상 이상이었다.

"후……."

"관장님?"

"아무것도 아니에요."

주혁을 철저하게 망가뜨리고도 모른 척 눈을 부라리던 혜수였다. 저 잘났다고 비릿한 조소를 흘렸다. 생각할수록 짜증이 솟구치는 통에 명희는 차를 머금었다.

'그것은 집을 나가서도 끝까지 주혁이를 물고 늘어지네.'

물론 이 문제도 화진 그룹의 손녀를 며느리로 맞이하면 전부 해결될 터였다. 폭탄선언과 함께 매몰차게 돌아섰어도 그는 끝내 자신의 의견에 따를 것이었다. 그만큼 어미를 아끼는 아들이니까.

굴러 들어온 돌, 아니, 돌만도 못한 풀 따위에게 자신이 밀릴 일은 절대로 없었다. 지금 주혁은 본인의 뜻대로 흘러가지 않는 상황에 화가 나서 치기를 부리는 것뿐이었다.

잠깐 본인의 처지를 망각하고 있지만, 이내 제자리로 돌아오리라. 대현 그룹의 차기 주인이 있을 곳은 혜수의 옆자리가 아니었다. 더 높고, 더 찬란한 곳이었다.

"……."

차분하게 차의 맛을 음미하던 찰나, 집무실 바깥에서 누군가의 발소리가 들려왔다. 이곳에 올 만한 사람 중, 이런 식으로 방정맞게 뛰어다닐 만한 인물은 한 명뿐이었다.

테이블에 찻잔을 내려놓은 명희는 쯧쯧, 하고 혀를 찼다. 수연은 오늘도 천방지축으로 굴고 있었다.

'제 오빠의 반이라도 닮았으면 좋을 것을.'

수연은 이래저래 부족한 점이 많은 딸이었다. 하지만 아무리 모자라도 제 배 아파 낳은 자식이라고, 싫지는 않았다. 수연이 애교를 떨면서 어리광을 부릴 때는 저도 모르게 마음이 약해지곤 했다. 명희는 김 이사에게 짧게 명령을 내렸다.

"그만 나가 봐요."

"네, 쉬십시오."

김 이사가 나가는 것과 동시에 수연이 눈앞에 들이닥쳤다. 또 외출했는지 차림새가 제법 화려했다. 우아하고 품위 있게 다니라고 그렇게 일렀거늘. 하여간 지적할 거리가 한두 개가 아니었다.

"갑자기 왜 그러니? 그리고 내가 밖에서는 그렇게 다니지 말라고 했지."

"엄마! 그게 중요한 게 아니야!"

"무슨 일인데? 별거 아니라면 엄마 바쁘니까 나중에 하자."

적당히 끊고 넘어가려는 명희를 향해 수연은 답답하다는 듯 소리를 빽 질렀다.

"오빠 일이라고! 큰일 났다니까?"

"뭐? 주혁이?"

"오빠가 걔 다시 만나는 것 같아. 미친 거 아니야?"

"걔라면…… 설마 윤혜수?"

명희의 눈썹이 순간적으로 비뚤어졌다.

"응!"

"수연이 네가 착각한 거 아니니? 그럴 리가 없어."

분명 확인하고 또 확인했다. 혜수는 주혁이 구입했던 주상복합 아파트에서 지내고 있지 않았다. 홀로 짐을 싸 들고 나갔다던 경비원의 증언도 들었는데, 이게 무슨 소리인가.

"착각 아니라니까! 내가 방금 무슨 꼴을 당하고 온 줄 알아? 진짜 어이가 없어서……."

기다렸다는 듯 명희의 앞에 앉은 수연은 미주알고주알 털어놓기 시작했다. 그녀가 아까 어떤 일을 겪었는지, 얼마나 치욕스러웠는지, 주혁이 어떻게 이럴 수 있는지 등등.

수연의 입술이 부지런히 움직일 때마다 명희의 얼굴은 급격하게 구겨졌다. 윤혜수 그 발칙한 것이 또 일을 낸 게 틀림없었다.

'어떻게 꼬여 냈지?'

그 사달을 내고도 아무렇지도 않게 시야에서 사라졌을 때부터 알아봤어야 했다. 뒤통수를 맞아도 아주 제대로 맞았다. 어떤 잔재주를 부렸기에 주혁이 이렇게 망가져 버렸는지 모르겠다.

이쯤 되면 제 아들이 맞느냐고 되묻고 싶은 심정이었다. 그 착했던 아들이, 일밖에 몰랐던 순진한 아들이 대체 어쩌다가. 넘쳐흐르는 배신감 속에는 강한 의문이 똬리를 틀었다.

명희는 입술을 앙다물고 허공을 노려보았다. 간신히 죽여 놓았던 분노가 머리끝까지 차올랐다. 그러나 수연은 바짝바짝 타들어 가는 어미의 속도 모른 채 하염없이 투덜거리는 중이었다.

"……엄마, 듣고 있어? 오빠가 어떻게 나한테 그래? 개망신이야! 내 친구들 이제 어떻게 보라고 그따위 짓을 해!"

"그것이……."

"엄마, 엄마! 내 말 듣고 있는 거 맞아? 나 정말 쪽팔려 죽는 줄 알았다니까? 오빠 정말 미쳤어!"

"조용히 해!"

"왜, 왜 그래……."

명희가 소리치자 수연은 억울한지 눈을 깜빡였다. 그래도 시키는 대로 얌전히 입을 다물기는 했다.

"……."

"……."

숨 막히는 정적 속에서 명희는 힘껏 주먹을 쥐었다. 어찌나 세게 쥐었는지 손바닥이 아릴 지경이었다. 손끝은 이미 파들파들 떨리고 있었다.

'이런, 너무 안일했어…….'

혜수가 집을 나간 이유는 주혁과 이혼하기 위해서가 아니었다. 어쩌면 처음부터 그녀의 계략에 빠져든 것일지도 몰랐다. 주혁을 그 품에 안기 위한, 아주 저열하고도 치졸한.

두 사람을 좀 더 주의 깊게 지켜봤어야 옳았다. 그러지 못한 것은 명백한 패착이었다. 하기야 그 여우 같은 심보에 쉽게 떨어져 나갈 리가 없었는데.

'윤혜수를 어떻게 하지 않으면……!'

각서를 쓰든, 도장을 찍든 이번에야말로 완벽하게 헤어지게 만들어야 한다. 그러지 않는다면 영원히 주혁의 뒤를 떠도는 망령처럼 굴 테니까. 명희는 쓰디쓴 입맛을 다시며 굳게 다짐했다.

* * *

주혁과 열을 나눌 때면 늘 좋았다. 만족스러웠다. 몸속 깊이 전해지는 쾌감에 전율하며 그의 이름을 부르고 또 불렀다.

물론 한편으로는 불안한 것도 사실이었다. 그의 마음이 어디를 향하고 있는지 알 수가 없어서. 어느 곳에 머물렀는지 알 길이 없어서. 침대를 벗어나면 그는 본래 자신이 알던 남자로 돌아갔으니까.

그렇지만 이제는 아주 조금 알 것 같았다. 항상 무표정했던 얼굴에 번지는 열은 미소를, 무심했던 눈빛에 깃든 따스한 온기를, 그리고 그 자체를.

단순한 충동이라고 해도 좋았다. 순간적인 욕망에 불과하다고 해도 상관없었다. 지금은 주혁을, 이 온기를 온전히 제 것으로 만들고 싶을 뿐이었다.

"……."

주혁의 속눈썹이 가볍게 들어 올려졌다. 천천히 떨어지는 입술 틈으로 더운 숨이 피어올랐다. 혜수는 혀에 엉켜 든 타액을 목 안으로 흘려보냈다. 더없이 강렬한 키스에 발끝에서부터 야릇한 진동이 몰려왔다. 조금 더 느끼고 싶을 만큼.

"벌써 도착했군."

"그러네요."

"보내기 싫은데."

"네?"

"농담이야."

어깨에 흘러내린 머리카락을 넘겨 주는 손길은 평소와 같이 침착했다. 그러나 그 안에는 숨길 수 없는 흥분이 스며들어 있었다.

문득 이대로 시간이 멈추었으면 좋겠다는 생각을 했다. 정말로 잠깐이지만. 얼마간 숨을 고르던 혜수는 조심스레 말문을 열었다.

"갈게요."

"그래, 들어가."

차에서 나와 건물 현관에 들어설 때까지도 그의 차는 꿈쩍도 하지 않았다. 언제나 그랬듯이 그 자리에서 묵묵히 기다리고 있을 뿐이었다.

이 남자는 알게 되었다. 실감할 수 있게 되었다. 누군가를 기다린다는 것의 의미를.

"……."

그리고 자신 또한 깨닫고 말았다. 느끼고 말았다. 그것이 얼마나 기분 좋고 설레는 일인가를.

내일도 올까. 모레도, 글피도…… 헤아릴 수 없는 먼 미래에까지.

그럴 것이다, 혹은 그러지 않으리란 추측이 아니었다. 지금 제 마음속으로 파고드는 감정의 정체는 입술에 남은 온기만큼이나 뜨거운 열망이었다.

그랬으면 좋겠다고. 꼭 그러기를 바란다고.

다시금 눈앞으로 찾아온 것은 기회일까, 아니면 위기일까. 등 뒤의 기척에 귀를 기울이던 혜수는 가만히 바닥으로 시선을 떨구었다.

* * *

그 전날 워낙 폭풍 같은 일들이 몰아쳐서인지 일요일에는 아무것도 하지 않고 푹 쉬었다. 그 덕분에 컨디션을 완전히 회복할 수 있었다.

어제도 주혁은 저녁에 잠깐 얼굴을 비추었다. 낮 동안은 일하느라 정신이 없었다면서, 막 사 온 듯 온기가 밴 도시락을 건네고 사라졌다.

'무리하고 있을 텐데…….'

그런데도 주혁을 말리고 싶지 않았다. 그에게 일 순위가 되는 것의 기쁨이 얼마나 큰지 잘 알고 있기에 일부러 눈을 감고 모르는 척을 했다.

이 즐거운 유예가 얼마나 계속될지는 모르겠지만, 새로운 시작의 발판이라면 얼마든지 디딜 수 있었다. 그와 자신의 미래는 과연 어떻게 될까. 설렘의 너머에는 묘한 기대가 자리했다.

그래서일까, 카페로 출근하는 발걸음이 유독 사뿐했다. 카페 문을 열어젖히는 손길 또한 가볍기 그지없었다.

"뭐야, 이거……! 수상한데?"

혜수가 카페에 들어서자마자 미영은 유독 호들갑을 떨며 그녀를 맞이했다. 평상시에도 종종 과장된 제스처를 보여 주기는 했어도 이 정도는 아니었다.

"왜 그러세요?"

"혜수 씨 얼굴이 굉장히 밝네. 저 멀리에서부터 빛이 막 나더라니까?"

“제가요……?”

“응. 뭐 좋은 일이라도 생긴 거야?”

어딘가 짐작 가는 구석이라도 있는지 미영은 한쪽 눈을 찡긋했다. 어차피 숨길 생각도 없었고, 새로운 마음을 먹게 된 데에는 그녀의 도움이 컸던 터라 바로 밝히는 편이 좋을 것 같았다.

“실은 남편과 연애부터 다시 시작해 보기로 했어요.”

“연애?”

“네. 급하게 결혼한 거라 결혼 전에 만났던 시간이 길지 않았거든요.”

고작 네 번 만나고 웨딩 로드를 밟았다. 그때는 그 점에 별다른 불만이 없었는데. 조그마한 고백에 미영은 잠시 말을 아끼더니 이내 혜수의 어깨를 두드렸다.

“그렇구나……. 아무튼 고민하더니 잘됐다. 왜, 그런 말도 있잖아?”

“뭔데요?”

“결혼은 필수가 아니지만, 연애는 필수라는 거.”

“그런가요?”

미영의 너스레에 피식, 하고 실없는 웃음이 터졌다. 그 논리에 따르면 자신은 완전히 정반대의 삶을 살고 있었다. 연애를 필수로 해야 하는데, 결혼을 필수로 해 버렸으니 말이었다.

미영은 계속해서 연애에 대한 지론을 늘어놓았다. 이참에 주혁의 새로운 면모를 발견하면 좋겠다는 둥, 이번에는 가차 없이 쥐고 흔들어 보라는 둥 오지랖에 가까운 조언이었지만, 그래도 듣는 재미는 있었다.

“……만약에 남편이 또 속 썩이면 바로 말해. 뭐, 눈빛 보니까 그럴 일은 없어 보이지만?”

“그럴게요, 감사해요.”

“나는 무조건 혜수 씨 편이니까. 알잖아, 내가 혜수 씨 얼마나 아끼는지. 사실 처음 봤을 때부터 막 끌렸어. 아무래도 우리 전생에 인연이 있었나?”

가벼운 농담으로 마무리하는 그녀는 역시 좋은 사람이었다. 새삼 그 사실을 깨닫는 것과 동시에 죄책감이 밀려왔다. 카페를 그만두는 날까지 과연 미영에게 진실을 낱낱이 드러낼 수 있을까.

대답 대신 미소 지은 혜수는 서둘러 앞치마를 챙겨 입었다. 그래, 복잡한 것은 잠깐 잊어버리자. 제게 주어진 달콤한 유예를 즐기기만도 시간이 모자랐다.

부지런히 뛰어다니며 여느 때와 같은 일과를 보냈다. 이제야 한숨 돌리나 싶어 의자에 막 앉았을 즈음, 주혁이 카페 앞에 도착했다. 투명한 유리창 너머로 존재감을 발산하는 차에 미영은 혜수의 옆구리를 쿡쿡 질렀다.

"왔어, 왔어."

"네?"

"혜수 씨 남편, 아니…… 애인."

차에서 내린 주혁은 카페 안을 뚫어져라 응시하고 있었다. 자칫하다가는 눈이 마주칠 듯한 느낌에 혜수는 저도 모르게 고개를 비틀었다. 새삼스레 부끄러웠다.

"들어와서 기다리라고 해. 항상 차에서 기다리는 것 같던데."

보다 못한 미영이 혜수 대신 해금령을 내렸다.

"아니에요. 괜찮아요."

"그냥 들어오라는 거 아니야. 저렇게 훤칠하고 잘생겼는데 아깝지도 않아? 제대로 써먹어야지."

"네?"

"저기 앉아서 커피만 마시고 있어도 저절로 홍보가 될걸? 이 동네 소문 정말 빠르거든. 아, 지은이 엄마가 와서 봐야 하는데."

"그래도요……."

"괜찮아, 괜찮아. 어차피 커피 한잔 대접할 생각이었으니까 빨리 불러와."

이렇게까지 권하는데 거절하기란 어려웠다. 가게 밖으로 나온 혜수는 조심스레 주혁의 차로 다가갔다. 운전석의 창문을 연 주혁은 사뭇 의아하다는 눈길로 그녀를 올려다보았다.

"어쩐 일이야? 끝나려면 아직 좀 남았잖아."

"사장님이 들어와도 좋다고 하네요."

"그럼 그렇게 하지."

약간의 지체도 없는 즉답에 무심코 입꼬리가 실룩일 뻔했다. 하기야 언제 올지 모르는 상대방을 하염없이 기다리는 것은 꽤 못 할 짓이었다. 직접 겪어 본 당사자로서 확신할 수 있었다.

주혁과 나란히 돌아오자 미영은 이미 테이블에 커피 두 잔을 준비해 놓고 기다리고 있었다. 주변에 맴도는 커피 향은 제법 향기로웠다.

"또 뵙네요. 그동안 잘 지내셨어요? 제가 신세 지고는 못 사는 성격이라……. 커피 한잔 드시고 가세요."

"감사합니다."

그가 의자에 앉는 틈을 타 미영은 혜수의 팔을 붙들었다.

"혜수 씨도 같이 마시고 가."

"제 거였어요?"

뜻밖의 권유였다. 어쩐지 그녀가 커피를 두 잔이나 내놓았다 싶었다.

"그럼, 누구 거겠어? 사장 권한이니까 퇴근할 때까지 둘이 이야기 좀 하다가 가."

"하지만……."

"말했잖아. 나, 혜수 씨 편이라고. 남편이랑 새롭게 연애하고 싶다면서?"

"……."

"모처럼 시간 빼 주는 건데, 흥 안 나니까 천천히 마셔."

때마침 카페 안으로 손님 두 명이 들어왔다. 카운터로 미영이 떠나자 혜수는 주혁의 앞에 놓인 의자를 끌어당겼다. 아무 말도 없이 머그잔을 기울이던 그는 살짝 놀란 눈치였다.

"일 안 해도 돼?"

"네. 그래도 된다고 하셨어요."

"흠……."

"당신이 생각하는 그런 거 아니에요."

"내가 뭘 생각했는데?"

혜수는 대답을 미루고 머그잔을 들었다. 주혁과 아무렇지도 않게 농담을 주고받고, 서로에게 다정한 눈빛을 보내며 커피를 마신다.

단 한 번도 해 보지 못했던 일을 하고 있는 지금, 묘하게 꿈을 꾸는 것 같은 느낌이었다. 혀끝에 맴도는 아메리카노 특유의 쓴맛만이 현실감을 일깨우는 유일한 존재였다.

"커피 향이 좋네요."

"그래? 그리고 또 뭘 좋아하지?"

"네?"

"커피 향 말고도 당신이 어떤 걸 좋아하는지 궁금해서."

이런 류의 질문 또한 처음 들어보는 것이었다. 엊그제 레스토랑에서 했던 약속을 지키려는 모양인지 주혁의 시선은 제법 곧았다. 혜수에 대해 하나하나 확실하게 알아내겠다는 의지가 담긴 눈빛이었다.

사소하기 짝이 없는 질문을 던지면서도 눈을 빛내는 이런 남자는 모른다. 전부 처음이었다. 하지만 낯설다는 감정 틈으로 설레는 감정이 스며드는 것은 막을 수가 없었다.

"……영화요."

"영화?"

어렸을 때부터 영화 보는 것을 좋아했다. 그냥 영화가 아니라 클래식 영화. 잔잔하게 흘러나오는 배경 음악에 취해 배우들의 연기를 감상하고 있다 보면 시간이 훌쩍 지나가곤 했다.

가세가 기울면서 한가롭게 영화를 볼 시간 따위는 없어졌다. 대학생 때는 학비와 생활비를 마련하기 위해 이리 뛰고 저리 뛰느라 너무나 바빴다. 그나마 숨통이 트일 만한 기회를 얻었을 때는 영화와 너무 멀어져 있었다.

"당신이 영화 보는 건 거의 못 봤던 것 같은데."

"정확히는 볼 수 없었던 거죠. 어머니가 거실에 나와 있는 걸 싫어하셨으니까."

"……."

"그 대신, 너무 심심해지면 서재에서 책을 읽었어요. 고상, 품위, 교양…… 대현 그룹의 신데렐라한테는 그런 게 없었거든요."

어떻게든 명희나 수연의 눈에 들고 싶어서 아등바등했던 적도 있었지만, 어느 순간부터는 체념하게 되었다. 그녀들은 애초에 윤혜수라는 사람을 똑바로 봐 줄 의지가 없었다.

"그랬군."

원래도 낮은 주혁의 목소리는 한결 가라앉아 있었다. 혜수는 급히 손을 저었다.

"당신 탓하려고 하는 거 아니니까 오해하지 말아요. 그냥 그랬다는 것뿐이었어요."

"알아. 그럼 보고 싶은 영화는 있어?"

"음, 대학교 다닐 때 언뜻 봤던 건데……."

아무렇지도 않게, 아무것도 아니라는 듯이, 아무짝에도 쓸모없는 이야기를 한다. 그러면서 저도 모르게 웃는 것이다. 그와 함께 아주 작은 일상의 조각을 하나씩 짜 맞출 때마다 가슴이 찌르르 아파 왔다.

……사랑이었다.

부정할 수 없을 만큼.

* * *

누군가를 사랑하게 되면 그 사람에 대해 알고 싶어진다. 그것은 누구에게나 예외 없이 적용되는 법칙과도 같았다.

권주혁이라는 남자가 궁금했다. 그에 관해 묻고 싶었다. 그러나 그가 자신을 받아들여 주었을 때는 오직 침대에서뿐이었다.

서로 대화하지 않는 부부, 서로를 이해하지 못하는 부부, 서로의 마음을 모르는 부부는 마치 금이 간 살얼음판과도 같았다.

계약으로 묶여 있다고 한들 언제 깨져도 이상하지 않을 정도로 아슬아슬한 관계였다. 그래서 언젠가는 반드시 파탄이 나리라고 비감 비슷한 예감을 하곤 했다.

'그런데도 이렇게 되다니…….'

미끄러지듯 유연하게 주차장으로 진입한 주혁의 차를 바라보며 혜수는 묘한 감상에 휩싸였다. 처음에 느꼈던 민망함은 어디 가고, 이제는 그가 눈앞에 앉아 있는 광경을 아무렇지도 않게 여기게 되었다.

주혁은 콜드 브루를 가장 좋아했다. 커피를 별로 즐기지 않는 타입인 줄 알았는데, 꽤 의외의 모습이었다. 잠자코 머그잔에 담긴 커피를 들이켜는 그를 간간이 흘끗거리다 보면 어느덧 퇴근할 시간이 닥치곤 했다.

카페에 들어온 주혁은 여느 때와 다름없이 구석에 자리를 잡았다. 그의 지정석이었다.

"오늘은 좀 늦을 것 같아요. 미리 말하지 못해서 미안해요."

주혁에게 커피를 가져다주며 혜수는 미안한 표정을 지어 보였다. 평상시 이 시간대에는 손님이 많은 편이 아닌데, 이상하게 얼마 전부터 붐비기 시작했다.

"아니, 신경 쓰지 마. 일하고 있으면 되니까."

"고마워요."

"다 끝나면 말해."

"그럴게요."

차에서 태블릿 PC를 꺼내 온 주혁은 커피와 함께 업무에 돌입했다. 미영은 그 바쁜 와중에도 그를 보고 마치 화보의 한 장면 같다고 찬사를 보냈다.

예전에는 마냥 불안했다. 주혁을 선망의 눈초리로 쳐다보는 여자들이 부담스러웠고, 그에게 어울리는 아내가 될 자신도 없었다. 그의 마음이 어디에 있는지조차 몰랐다.

하지만 지금은 안다. 잘 알게 된 나머지 문득 입가에 미소가 띄워질 정도였다. 이 정도로 믿음이 깃든 사이가 되기까지 참 오랜 시간이 걸렸다. 그를 훔쳐보던 혜수는 이내 주방으로 들어갔다.

꼬리에 꼬리를 물고 들어오는 손님들을 맞이하다 보니 시간은 미친 듯이 빠르게 흘러갔다. 드디어 미영이 일을 마무리해도 좋다는 뜻을 비치자 혜수는 재빨리 짐을 챙겼다.

"미안해, 혜수 씨. 오늘 너무 바빴지?"

"아니에요. 바쁘면 좋죠."

"아무래도 혜수 씨 남편 덕분에 손님이 는 것 같아. 요즘 매일 역대 매출 갱신이다?"

"그럴 리가요. 당연히 사장님 커피가 입소문 났기 때문일 거예요."

"하하, 그랬으면 좋겠는데. 아무튼 수고했고, 내일 봐."

"네, 들어갈게요."

미영에게 인사를 건네고 주혁이 차지하고 있는 테이블로 향했다. 그는 코앞까지 다가갔는데도 고개를 들지 않았다. 어지간히 집중한 모양새였다.

'가까이에서 보니까 더 멋진가……?'

퍽 우스운 감상이었지만, 이렇게 주혁을 내려다보고 있자니 이혼하고 싶다고 소리 높여 싸우던 때가 까마득했다. 사람 일은 역시 한 치 앞도 알 수 없는 법이었다.

"주혁 씨."

"……."

"아직 일할 게 많아요?"

재차 말을 건 후에야 반쯤 내리깔려 있던 속눈썹이 제자리로 돌아왔다. 미안, 하고 짧게 잘라 말한 주혁은 짐을 챙겨 들고 일어섰다. 카운터에 머그잔을 가져다 놓은 혜수는 조심스레 그의 뒤를 따랐다.

"바빠 보이던데. 힘들지 않았어?"

"그다지요. 그나저나 당신 덕분에 매출이 오른 것 같다고 사장님이 좋아하시더라고요."

"일단 나부터 한 잔씩 꼬박꼬박 마시고 있으니까."

그전에는 몰랐던 사실인데, 주혁은 의외로 능글맞은 면이 있었다. 감정이라고는 한 오라기도 없어 보이던 예전과는 너무나도 다른 모습이었다.

누군가를 진심으로 원하게 되면 이렇게 되는 것일까. 그 변화를 직접 체험하고 있는 지금, 그저 놀랍다는 감탄밖에 나오지 않았다.

"그러고 보니 구했어."

사뭇 자랑스러움이 가득한 말투에 혜수는 주혁을 돌아보았다.

"뭐를요?"

"〈사랑의 시작〉 DVD 말이야."

〈사랑의 시작〉은 며칠 전에 주혁과 이야기를 나누면서 잠깐 언급했던 영화였다.

굉장히 오래된 영화라 영상기록원 같은 데에나 자료가 남아 있을 줄 알았는데, 용케도 구해 왔다. 하긴, 이 남자에게 그럴 만한 돈이라면 얼마든지 있을 테니까.

"정말요? 옛날 영화인데도 DVD가 있나 봐요. 신기하네요."

"당신 집에서 같이 볼까 하는데, 어때?"

"우리 집에서요……?"

"응, 오늘 금요일이잖아. 내일은 쉬니까 영화 보다가 늦어지면 자고 가도 되고."

"……."

속이 빤히 보이는 유혹에 차마 받아칠 말이 없었다. 혜수는 말없이 허공으로 시선을 돌렸다. 까맣게 물든 밤하늘을 장식하고 있는 달은 유난히 희끄무레했다. 짙은 달무리 때문이었다.

"이거, 러닝 타임이 꽤 길던데."

"사실 그렇게 재미있는 영화는 아닐 텐데요. 당신, 영화 별로 안 좋아하잖아요."

"누구와 보는지도 중요하니까. 그래서, 싫어?"

"싫다기보다는…… 곤란해요."

"왜?"

곧바로 승낙할 줄 알았는지 주혁은 몰라보게 심각해진 말투로 되물었다. 사실 그렇게까지 대단한 이유는 아니었는데, 이렇게 되면 없는 이유라도 만들어 붙여야 할 것 같았다. 건물 현관 앞에 멈추어 선 혜수는 머쓱한 얼굴로 답했다.

"집에 TV가 없거든요. 당분간 볼 시간이 없을 것 같아서 안 샀어요."

"아……."

그런 이유일 줄은 상상도 못 했다는 듯 주혁은 완전히 허를 찔렸다는 반응이었다. 하기야 집 안쪽까지는 들어와 본 적이 없으니 그럴 만했다.

"이런, 집에 TV부터 놓았어야 하는 거였나. DVD만으로는 준비가 미흡했군."

"뭐예요. DVD는 집에 초대받기 위한 구실일 뿐이에요?"

"그런 셈이야."

대놓고 욕망을 드러내는 그를 보고 있자니 저도 모르게 웃음을 터뜨릴 수밖에 없었다. 몹시 새삼스럽다는 점은 알지만, 이 목석같은 남자가 감정을 표시할 때면 가슴 한구석이 요동치곤 했다.

"다음에는 좀 더 제대로 준비해 오도록 하지."

주혁은 그새 계획을 수정한 모양이었다. 깔끔한 포기에 혜수는 살며시 그의 손등을 건드렸다. 솔직하게 고백하자면 거절할 생각은 처음부터 없었다. 물론 주혁은 영영 모르겠지만.

"……들어올래요?"

쑥스러운 빛을 듬뿍 담은 유혹은 제법 성공적이었다. 그러기만을 기다렸다는 것처럼 성큼성큼 움직이는 발에는 출처가 명확한 기대가 묻어 있었다.

그와는 무려 3년간 같은 집에서 살았다. 오히려 떨어져 있는 기간이 더 짧건만, 어째서 이렇게 떨리는지 모를 일이었다. 벅찬 가슴을 애써 누르고 현관문을 연 혜수는 조그맣게 속삭였다.

"어서 와요."

"초대받으니 기분이 이상하군."

구두를 벗고 현관에 올라선 주혁의 미간은 살짝 구겨져 있었다. 불쾌함이나 화라고는 볼 수 없는, 그저 한없이 미묘한 위화감의 발로였다.

그것은 자신도 마찬가지였다. 혼자 살기에 절대 좁은 곳이 아니었는데, 그가 들어오니 왜 이렇게 작게 느껴질까. 공간을 가득 채운 주혁의 존재감은 실로 거대했다.

딱 한 사람이 눕기에 적절한 침대, 자그마한 옷장과 화장대, 그리고 식탁으로 쓰이는 간이 테이블까지. 공간을 구성하는 요소들은 매우 단출했지만, 주혁의 눈은 빠짐없이 그것들을 훑고 또 훑었다.

"뭔가 마실 거라도 갖다 줄까요?"

이대로 계속 어색하게 서 있기는 뭣해서 건넨 질문이었다. 잠시 고민하는 것 같던 그가 이내 답을 내놓았다.

"그럼 맥주로."

"맥주요?"

"응. 비서가 가져오지 않았어?"

"그랬었죠……. 당신이 한창 선물 공세 할 때 4층까지 직접 가져다준 거 알아요?"

힘겹게 가져다준 맥주 캔은 일부는 냉장고로, 그리고 일부는 아직 박스 안에 들어 있었다. 종종 생각날 때마다 꺼내 마시곤 했는데, 주혁이 이것을 원할 줄은 몰랐다.

"그러지 않아도 충분한 포상과 휴가를 준 참이야."

"아무리 그래도 그렇죠. 갑자기 맥주라니, 내가 얼마나 당황했는데요."

"당신이 좋아하는 걸 모르니 어쩔 수 없었어. 뭐라도 받아 줄까 해서 일단 보내 봤지."

핑계 없는 무덤 없다는 말답게 정말 그럴듯한 이유였다. 잠시 키득거리던 혜수는 냉장고에 있던 맥주를 꺼냈다. 투명한 이슬이 맺힌 맥주는 무척 차가웠다.

와인도, 칵테일도 아닌 맥주를 둘이 나란히 앉아서 마실 줄은 꿈에도 상상하지 못했다. 그것도 이렇게 좁고 허름한 집에서.

여러모로 기념비적인 상황이었다. 그와 가볍게 건배한 혜수는 시원하게 몇 모금 들이켰다. 목구멍으로 찔끔찔끔 흘러드는 알싸한 액체의 감각에 취해 있을 무렵, 주혁은 금세 한 캔을 다 비우고 고개를 돌렸다.

오래지 않아 떨어져 나갈 줄 알았던 눈길은 꽤 오랫동안 한곳에 머물렀다. 그녀의 얼굴이었다. 천천히 입술을 축이고 있던 혜수는 끝내 의문을 표했다.

"왜 그렇게 봐요?"

"이러고 있으니 당신에 대해서 또 하나 알게 된 것 같은 기분이야."

"뭔데요?"

"당신, 의외로 술을 잘 마신다는 거. 설마 매일 이러는 건 아니지?"

놀라움 반, 핀잔 반이 섞인 감상에 볼이 살짝 달아올랐다. 사실 일부러 그러려던 것은 아니었지만, 요즘 들어 하루 한 캔씩 따는 게 습관이 되었다. 차갑게 식은 맥주를 맛볼 때마다 몸이 노글노글하게 녹아내리는 기분이었다.

"청바지에 캔 맥주를 마시는 여자는 별로예요?"

혜수는 부드럽게 눈웃음쳤다. 딱 반 캔 정도만 마셨을 뿐인데도 어쩐지 취해 버린 느낌이었다. 영화를 누구와 보는지 중요한 것처럼 술 또한 그랬다. 혼자 마시는 술보다 둘이 마시는 술이 훨씬 맛있었고, 빨리 취했다.

"아니. 예쁘게 차려입고 억지웃음 짓던 때보다 지금이 더 예뻐."

"……."

"그리고 당신이 이렇게 잘 웃는 줄은 몰랐어. 농담할 줄도 알고."

"그러게요. 나도 몰랐어요."

이 남자와 지금처럼 진심으로 웃고, 농담할 날이 오리라고는 감히 상상할 수 없었다. 주혁과는 늘 할 말이 없었으니까. 당연히 웃을 만한 일도.

그에 동의한다는 듯 주혁은 혜수에게로 슬며시 몸을 기울였다. 갑작스레 코앞까지 닥친 손가락은 더할 나위 없이 다정하게 입가를 어루만졌다.

"묻었어."

대답은 할 수 없었다. 입술과 입꼬리를 번갈아 훔치던 손길은 차츰차츰 대범해졌다. 맥주의 자취를 좇아 턱까지 내려온 손끝이 찬찬히 목선을 더듬기 시작했다. 간지러웠다.

"……."

살갗에 퍼지는 아찔한 감각에 혜수가 무심코 턱을 치켜드는 찰나였다. 주혁은 기다렸다는 듯 그녀의 목덜미를 움켜쥐며 입술을 맞추었다.

야한 물소리와 함께 뿌리에서부터 혀가 거칠게 섞였다. 마음껏 입 안을 휘젓는 혀의 감각에 자연스럽게 눈이 감겼다. 물론 거기에서 끝이 아니었다. 비어 있던 다른 손은 어느덧 혜수의 셔츠 단추를 끄르고 있었다.

혀와 타액이 엉켜 들 때마다 입 안 깊숙한 곳으로 파고드는 열망에 뼈가 시릴 정도였다. 눈을 감은 덕분에 그 강렬한 열기가 온몸에 파도처럼 휘몰아쳤다.

단추가 반이 넘게 끌러진 셔츠 사이로 뜨겁게 달아오른 공기가 밀려들었다.

아니, 정확하게는 그의 손이었다. 쇄골을 더듬고, 가슴을 움켜쥐는 손에서는 한없이 위험한 욕망의 향이 물씬 풍겨 왔다.

점점 교묘해지는 손길을 따라 혀의 움직임 또한 격해졌다. 혜수는 살며시 그의 목덜미에 손을 둘렀다. 옷과 옷이 부딪쳐 나는 소리는 매우 난잡하게 들렸다.

"으음……."

그러나 그 어떤 소리도 잇새로 흐르는 신음과는 비교할 수 없었다. 연신 들썩이는 가슴을 느끼며 혜수는 끊임없이 그와 혀를 얽었다.

만족할 만큼 그녀의 입술을 탐한 주혁은 슬며시 고개를 숙였다. 촉촉하게 젖어 든 입술의 두 번째 목적지는 바로 붉은 기운이 감돌기 시작한 목덜미였다. 치아를 세워 아프지 않게 물면서 하나하나 살갗을 더듬어 가는 통에 그를 안고 있던 팔이 흠칫했다.

이 감각, 이 쾌감…… 오랜만이었다. 순간적으로 눈물이 핑 돌 만큼 그리웠던 온기가 밀착한 부분을 타고 몸속 깊이 스며들었다. 부드럽게 목덜미를 훑어 내려가던 입술은 이윽고 아찔한 속삭임을 엮어 냈다.

"안고 싶어."

욕망을 가감 없이 토해내는 입술을 거부할 길은 없었다. 이 남자를 원한다. 그가 자신을 원하는 만큼, 아니, 그 이상으로.

혜수는 입술을 여는 대신 주혁의 목덜미를 끌어안고 있던 손을 밑으로 내렸다. 단단한 허리에 손이 감기자 그것을 신호탄으로 여긴 듯 주혁이 성큼 일어섰다.

당연한 말이지만 그다음 순서는 정해져 있었다. 기다렸다는 것처럼 바닥으로 떨어진 셔츠를 눈으로 확인할 겨를이 있을 리 만무했다.

"윤혜수."

나직한 부름과 함께 주혁은 혜수를 침대에 넘어뜨렸다. 풀썩, 하고 베개가 흔들렸다. 꽤나 음탕한 진동이 흘러간 후, 무방비하게 널브러진 그녀의 몸에 또 다른 몸이 겹쳐졌다.

"생각해 보니까 말을 안 한 것 같아서."

"뭘요?"

"사랑해."

너무나도 달콤한 고백이었다. 한 번도 들은 적 없었던, 그리고 듣지 못하리라고 여겼던. 선명하게 다가오는 현실감에 그의 옷자락을 붙잡고 있던 손끝이 바르르 떨렸다.

단 한마디만으로도 가슴속이 그득하게 채워지는 느낌이었다. 채워지다 못해 주체할 수 없이 뜨거워졌다. 참으로 놀라운 마법이었다.

"이게 사랑이 아니면 말이 안 되겠더라고."

"……."

"다른 게 아니었어. 내가 당신한테 느끼는 모든 감정이 바로 사랑이었던 거야."

"……."

"왜 아무 말이 없어. 여전히 내 말에 신뢰가 안 가?"

"아니요, 기뻐서……."

"그렇군."

어느 틈엔가 바짝 붙은 하반신의 열기는 엄청났다. 최대로 흥분한 성기는 너무나도 뜨거웠다. 저것과 완벽하게 맞닿는다면 마치 햇빛을 만난 솜사탕처럼 뚝뚝 녹아내릴 것 같았다.

"주혁 씨……."

파르르 떨리는 입술을 움직여 부른 이름은 힘겹게 눌러 두었던 정욕을 부추겼다.

주혁의 시선은 여전히 단 한 사람에게로 고정되어 있었다. 완벽하게 욕망으로 채워진 검은 눈동자는 무척이나 색정적이었다. 이제 겨우 셔츠만 벗겨졌을 뿐인데도 완벽한 알몸이 되어 버린 느낌이었다.

그 바람에 손끝이 닿을 때마다, 입술이 스치고 지나갈 때마다 살갗에 소름이 마구 돋아났다. 솜털까지 허공으로 솟아오르는 것 같은 감각에 도통 입을 다물 수가 없었다.

"어쩐지 더 예민해진 것 같은데."

"그런 말…… 읏! 하지, 마요……."

생리적인 반응이라고 대꾸할 여력은 처음부터 없었다. 바깥에 노출되는 순간부터 꼿꼿해져 있던 가슴은 주혁의 입술이 닿자마자 극도로 흥분했다.

유두 끝에서부터 시작되어 등줄기까지 찌릿하게 만드는 전율은 착각이 아니었다. 그와 동시에 아래쪽이 흥건하게 젖어 드는 느낌이었다.

"……으읏……!"

능숙한 놀림으로 브래지어의 후크를 끌러 바닥에 던진 주혁은 또다시 키스해 왔다. 미처 가시지 못한 열이 거듭 뒤엉켰다.

얼마 못 가 주인을 잃어버린 청바지와 속옷이 허공을 낮게 날았다. 혜수는 멍하니 그 광경을 지켜보았다. 그와 동시에 달칵, 하고 벨트가 풀리는 소리가 그녀의 귓전을 음탕하게 간지럽혔다.

곧이어 벌려진 다리 사이로 주혁이 자리를 잡았다. 그새 열로 익어 버린 매트리스와 푹 꺼진 베갯잇이 축축했다. 가쁜 숨을 몰아쉬며 그를 받아들이는 찰나, 주혁이 나긋하게 중얼거렸다.

"당신은 항상 날 미치게 해."

한껏 열을 띤 숨결이 귓불과 목덜미를 한꺼번에 얼렀다. 뜨겁고, 뜨거웠다. 금세 넋을 잃고 매료될 만큼.

욕정으로 범벅이 된 거대한 살덩어리가 있는 힘껏 제 안으로 파고드는 감각은 더없이 아찔했다. 질을 넘어 아랫배 전체가 묵직한 이물감으로 꽉 찼다. 할 수 있는 반응은 오직 주혁을 붙잡고 가늘게 신음하는 것뿐이었다.

잔뜩 벌어진 허벅지 안쪽은 그의 움직임에 맞추어 불규칙적으로 경련했다. 그때마다 빠짐없이 다리 사이에서 푸욱, 퍽 하고 외설적인 마찰음이 들려왔다. 후끈해진 공기가 민감해질 대로 민감해진 사타구니를 몇 번이나 훑었다.

"응…… 흐읏……."

주혁이 한층 허리를 세워 안쪽으로 치닫자 하반신 전체가 단단하게 조여들었다. 쉴 새 없이 요동치는 엉덩이와 허리에 시트가 거칠게 감겼다.

성기와 성기가 맞닿은 부분에서부터 시작된 에로틱한 고통은 이미 명백한 쾌감의 영역이었다. 폭발할 것처럼 맹렬하고, 또한 격렬하게 퍼져 나간 쾌락의 불꽃은 순식간에 온몸을 사르기 시작했다.

"하윽, 주혁, 씨……!"

그 숨 막히는 열기 탓일까. 엷은 베일로 가린 것처럼 눈앞이 점점 가물거렸다. 아니, 정확하게는 울고 있었다. 도저히 견딜 수 없는 쾌감으로 인한 생리적인 눈물이었다. 그의 품에 안겨 있을 때면 언제나 한계까지 치달았다. 걷잡을 수 없는 황홀경으로 사정없이 빨려들었다.

무절제한 육욕의 집성체는 마땅히 해야 할 일을 하는 듯했다. 산산 조각이 난 이성은 이미 쾌락의 물결에 휩쓸려 간 지 오래였다. 귓가에 요란하게 메아리치는 교성은 불순한 빛으로 얼룩져 있었다.

"잡힐 듯 잡히지 않아서…… 더 당신 몸에 집착했던 것 같아."

"……으, 흣……."

"이렇게 안고 있어야 내 것이라는 게 실감 났거든."

딱딱하게 부풀어 오른 성기가 은밀한 곳으로 침입할 때마다 아랫배가 욱신욱신하게 쑤셔 왔다. 그와 함께 형언할 수 없을 만큼 어마어마한 쾌감이 전신을 짓눌렀다.

"아응……!"

질 안쪽에서부터 흘러내려 허벅지 안쪽을 적시는 액체의 감촉은 무척 끈적거렸다. 땀과 체액으로 척척해진 음모가 그의 성기에 달라붙었다가 떨어지는 것을 반복했다.

주혁이 제 몸 위에서 움직이는 순간순간, 시야가 격하게 흔들렸다. 허리가 뒤틀리고, 발가락에 힘이 들어갔다. 쉼 없이 열을 공유하는 두 사람의 이마는 구슬땀으로 젖어 있었다.

성기가 깊숙이 박혔다가 빠져나가는 찰나마다 손끝에서부터 흥분감이 차올랐다. 질의 주름 하나하나가 성기를 감싸고 조여드는 것 같은 이 감각을 어떻게 설명할 수 있을까.

주혁과 열렬하게 이어지고 있는 지금, 아무것도 떠오르지 않았다. 아니, 떠올릴 수 없었다. 조금만 더, 좀 더 강하게, 하고 쾌락을 갈구하는 몸에는 단 하나의 감정밖에 남아 있지 않았다.

하지만 싫지 않았다. 오히려 안심하며 매달리는 쪽에 가까웠다. 간절하게 손을 내뻗고 싶을 뿐이었다. 제 몸을 온통 감싸고 있는 강렬한 열에, 가장 깊숙한 곳까지 밀려드는 아득한 쾌감에, 그리고 이 모든 것의 결정체라고 할 수 있는 이 남자에게.

"하아, 흑…… 얼른……!"

극심한 갈증이 목 안쪽을 정신없이 두드렸다. 땀인지, 눈물인지 모를 액체가 입술로 흘러들면서 찝찌름한 맛이 입 안에 퍼져 나갔다.

그것마저도 아깝다는 듯 주혁은 그녀의 눈가에 입술을 내리눌렀다. 절정까지 치달은 쾌감에 눈앞이 완전히 흐려졌을 즈음, 문득 귓가에 부드러운 고백이 전해졌다.

"……사랑해."

연거푸 헐떡이는 숨 사이로 섞이는 목소리는 너무나도 섹시했다. 혜수는 눈을 깜빡이며 위를 올려다보았다. 어렵사리 회복한 시야를 잠식하고 있는 것은 다름 아닌 그의 얼굴이었다.

좀 더 많은 말을 하고 싶어 보였지만, 끝끝내 입술을 비집고 흘러나온 것은 단 한마디였다. 그 정도로도 충분하다는 듯이.

"윤혜수, 사랑해."

* * *

"……."

"……."

격정적인 정사의 여파가 오롯이 남은 몸은 여전히 열로 충만한 상태였다. 혜수는 조그맣게 숨을 들이켰다. 빈틈없이 밀착한 주혁은 그녀의 머리카락을 부드럽게 더듬고 있었다.

언제라도 안쪽으로 들어올 준비가 되어 있는 듯 아래쪽에서 전해지는 열기가 대단했다. 하긴, 아직 이 밤이 지나가려면 한참 남았다. 꾹꾹 눌러 담아 두었던 욕구를 모조리 쏟아내려면 당연히 한두 번으로는 모자랄 터였다.

그나저나 침대가 좁은 것이 어쩌면 다행인지도 모르겠다. 그렇지 않았다면 틀림없이 예전처럼 나란히 누워 있었을 터였다. 좁힐 듯 좁혀지지 않는 간격을 깨닫고 또 깨달으면서. 섹스가 끝난 후의 주혁은 매번 그 모양이었다.

"저건 뭐야?"

엉뚱한 상념에 잠겼던 혜수는 느닷없이 던져진 질문을 듣고 고개를 돌렸다. 그의 손끝이 가리키고 있는 것은 침대 맡에 쌓아 두었던 책들이었다.

"책 같은데."

"맞아요."

몇 권이나 쌓아 올린 책의 정체는 중고등학교 문제집과 임용 대비 문제집이었다. 미영과는 정이 듬뿍 들었지만, 앞으로도 계속해서 혼자 살아가려면 카페 아르바이트로 만족할 수는 없었다.

"다시 임용 공부하는 거야?"

"네. 하도 쉬었더니 많이 잊어버렸지만요."

얼마간 책에 머물러 있던 주혁의 눈길이 미련 없이 돌아왔다. 머릿속 어딘가로 치워 버렸던 기억을 상기하는 듯 약간의 침묵이 이어졌다.

"당신은 원래 교사가 꿈이었어?"

혜수는 소리 없이 고개를 끄덕였다. 그의 말처럼 교사는 오랫동안 간직해 왔던 꿈이었다. 막 달성하기 직전, 허무하게 버려야 했지만.

"그랬군……."

"사실 돌아가신 친어머니가 교사셨거든요. 그래서 어린 시절부터 막연히 동경했는데, 대학도 결국 그쪽으로 갔네요."

"이것도 당신이 되찾고 싶은 거야?"

"……."

어떻게 대답해야 할까. 그렇다고 한다면 또다시 그에게서 떠나 갈 것이라고 오해하지는 않을까.

혜수가 아무런 대답도 하지 않자 주혁은 미소와 함께 그녀에게 살짝 키스했다. 떨어질 듯 말 듯 아슬아슬한 거리감을 유지한 입술에서는 꽤 놀라운 제안이 튀어나왔다.

"그렇다면 내가 도와주도록 하지. 당신이 포기한 것들, 전부 이루게 해 줄게."

"전부요? 그럼 학교라도 세워 주나요?"

"못할 것도 없지. 이사장은 어때?"

"이사장요?"

"기왕 교사하는 거, 가장 높은 곳에서 하라고."

터무니없는 소리를 너무나도 당당하게 하는 통에 그만 웃음이 툭 터지고 말았다.

"됐어요. 나는 아이들이랑 직접 부딪치는 평교사가 취향이에요. 이사장은 너무 높아요."

높은 곳에서 내려다보는 것도 아무나 하는 일은 아니었다. 만약에 태생부터 그런 게 정해져 있다면 단연 이 남자가 으뜸이었다.

그냥 웃자고 한 농담이었는데도 주혁의 표정은 의아스러울 만큼 진지했다. 혜수는 슬쩍 그의 눈치를 살폈다.

"아이…… 좋아했군."

"네? 뭐……."

"아무것도 아니야."

"……."

급히 끝맺음한 그의 얼굴에는 누가 봐도 씁쓸한 빛이 감돌았다. 별다르게 덧붙이지 않았어도 서로의 생각을 어렴풋이 짐작할 수 있었다.

어처구니없이 아이를 잃고 난 후, 주혁도 절대로 괜찮지 않았다. 유난히 냉정했던 모습은 어쩌면 바깥으로 토해내지 못한 슬픔의 다른 이름이었을지도 몰랐다.

그 당시에는 알지 못했지만, 이제는 안다. 이 남자도 소중한 아이를 잃은 가련한 부모라는 것을. 미처 드러내지 못한 마음의 이면에는 아픔이 숨어 있었다는 것을.

잠시 그와 시선을 맞추던 혜수는 이윽고 허리를 비틀어 주혁의 품에서 빠져나왔다. 그리고 슬그머니 그 몸 위에 올라탔다. 예고 없는 행동의 의미를 통 짐작하지 못하겠는지 주혁의 눈썹이 가볍게 움직였다.

"왜 그래?"

질문의 대답은 키스였다. 쪽, 하는 귀여운 소리를 곁들이며 그의 반듯한 이마에 입술을 가져다 대자 주혁은 그제야 눈치챈 듯했다.

"애 취급하는 건가."

혜수는 그의 가슴에 양손을 짚으며 속삭였다. 손끝에 닿은 탄탄한 가슴팍은 아직도 뜨거운 열을 간직하고 있었다.

"마음대로 생각해요. 그렇지만 당신, 의외로 유치하니까요."

"처음 듣는 소리군."

"나도 처음 알았어요. 당신한테 그런 모습이 있을 줄은."

항상 완벽한 부사장으로서의 모습만 봐 왔다. 단 한 방울의 피도 눈물도 없는, 흡사 살아 있는 얼음 같은 남자.

하도 그런 모습만 봤던 탓에 원래 그런 남자인 줄로만 알았는데, 알고 보니 아니었다. 최근에 주혁이 보여 준 여러 가지 모습을 통해 그 역시 감정을 지닌 인간이란 점을 여실히 깨달을 수 있었다.

그때는 왜 몰랐을까. 아니, 어째서 보이지 않았을까. 일방통행이라고 생각했기에 더더욱 부딪힐 엄두가 나지 않았던 것일지도 모르겠다. 혜수의 대꾸에 주혁은 어이없다는 듯 피식피식 웃었다.

"나도 동감이야. 나한테 이런 면이 있는 줄 몰랐어."

"그런데 어떡하죠? 나는 그런 면이 더 좋은데."

"뭐, 당신 취향이라면 고려하도록 하지."

"많이 변했네요."

"당연하잖아. 어떻게 돌린 마음인데."

주혁의 커다란 손이 불현듯 허리를 끌어당겼다. 그가 원하는 대로 몸을 숙이며 혜수는 입꼬리를 끌어 올렸다.

당연한 순서를 밟는다는 듯 겹쳐지는 입술을 느끼고 있을 동안, 거칠게 일어난 욕망과 다시 한번 연결되었다. 아래쪽에서 시작된 찌릿찌릿한 감각에 허리를 똑바로 세우는 게 불가능할 정도였다.

"읏……."

그 바람에 상반신에도, 하반신에도 힘이 확 들어갔다. 워낙에 강렬한 자극이 주어져서일까. 뿌리 끝까지 삽입당하는 찰나, 에로틱한 떨림이 침대에 퍼져 나갔다. 침대 끝부분에 위태롭게 걸쳐져 있던 시트는 결국 바닥으로 완전히 떨어지고 말았다.

어지럽게 출렁이는 머리카락을 감싸 쥔 주혁은 그녀를 힘껏 끌어안았다. 다시금 몸속 깊은 곳까지 남김없이 들이찬 성기의 존재감을 느끼며 혜수는 잠자코 숨을 들이마셨다.

겨우 식은 줄 알았던 공기는 어느덧 열을 띠고 주변을 맴돌고 있었다. 그 어떤 짓을 해도 쉽게 식을 것 같지 않은 강한 열기가 살갗으로 내려앉았다.

"다시는 잃지 않을 거야."

귓가를 간지럽히는 다짐은 여느 때와 마찬가지로 묘한 울림이 있었다.

* * *

주혁은 눈을 떴다.

어슴푸레한 새벽빛이 방 안에 가득 차 있었다. 낯선 풍경이었으나 어색하지는 않았다. 제 품에서 곤히 잠든 그녀 덕분이었다.

좁디좁은 침대에서 꽉 껴안은 채 있자니 혜수가 숨을 쉴 때마다 그녀를 안은 손이 야릇하게 진동했다. 쉴 틈 없이 오르락내리락하는 가슴 끝에는 붉게 물든 유두가 자리하고 있었다.

"……."

규칙적인 숨소리에 귀를 기울이던 주혁은 눈앞에 보이는 목덜미에 천천히 입술을 맞추었다. 언제나 느끼는 것이지만 지나치게 부드러운 몸이었다.

마냥 부드럽기만 한 것은 아니었다. 너무나 달았다. 단 것은 원래 좋아하는 편이 아닌데도 계속해서 맛보고 싶을 만큼. 물고 또 물어서, 끝내는 흔적도 없이 삼키고 싶어지는 욕구가 샘솟았다.

'이상해.'

자신이 이렇게까지 소유욕이 강한 편이었나. 아니라고 단언할 수 있었다. 단 한 번도 빼앗겨 본 적이 없었기에 애당초 소유욕 자체를 느껴 보지 못했다는 표현이 적절했다.

하지만 윤혜수는 달랐다. 그녀에게만큼은 욕망을, 욕구를 절제할 수가 없었다. 손안에 움켜쥐고 있어도 알 수 없는 갈증이 몰려왔다. 조금만 더, 한 번만 더, 하고 기이한 갈급에 시달려야 했다.

'정말 나답지 않군…….'

간밤의 흔적이 역력한 목덜미에 몇 번이고 붉은 자국을 덧씌웠다. 향기로운 살 내음이 코끝을 몇 번이나 간질였다. 그런데도 워낙에 피곤했는지 혜수는 좀처럼 깨어나지 않았다.

그 점에 묘한 스릴감을 느끼며 키스를 퍼붓던 주혁은 문득 눈살을 찌푸렸다. 갑작스레 진동하기 시작한 핸드폰은 두 사람을 감싸고 있던 정적을 일거에 부수었다.

—부사장님, 통화 가능하십니까?

핸드폰 너머에서 들리는 비서의 목소리는 다급하기 그지없었다. 주혁은 본능적으로 큰일이 터졌음을 직감했다.

"무슨 일이야?"

—회장님께서 별세하셨습니다.

"……."

핸드폰을 쥔 손이 아주 잠깐 흔들렸다. 드디어, 인가. 조부인 권 회장의 예정된 죽음은 대현 그룹의 지배권이 드디어 제 손에 넘어왔다는 것과 동의어였다.

"바로 가도록 하지."

주혁은 곧바로 전화를 끊었다. 그러나 핸드폰을 화장대에 올려놓고 침대로 돌아왔을 때에는 이미 혜수가 깨어나 있었다.

"지금 가야 해요?"

아쉬움이 느껴지는 눈빛은 무척이나 사랑스러웠다. 잠에서 막 깨어났다는 사실을 증명하듯 살짝 상기된 뺨도, 보기 좋게 흐트러진 머리카락도, 느릿느릿하게 깜빡여지는 기다란 속눈썹도.

그래도 오늘은 어쩔 수 없이 그녀를 두고 가야 했다. 그곳에는 두 번 다시 제 발로 걸어 들어가고 싶지 않을 테니까.

적당히 둘러댈 수도 있었지만, 주혁은 일단 솔직하게 밝히는 선택지를 골랐다. 여태껏 이런 식으로 오해와 갈등을 빚어 왔던 터라 또다시 실수하고 싶지 않았다.

"……할아버지께서 돌아가셨어."

혜수의 커다란 눈망울이 순간적으로 흔들렸다. 둘의 결혼을 추진했던 당사자의 죽음인 만큼 제법 여러 가지의 감정이 교차하는 것 같은 모습이었다.

"그렇군요……."

"곧 빈소가 차려질 거야. 가 봐야 할 것 같아."

그러니 발인을 끝낼 때까지는 만나지 못한다는 뜻이었다. 미안함의 표시로 혜수의 머리를 쓰다듬어 주려던 손길이 멈추었다. 침대에서 일어난 그녀가 난데없이 팔을 붙잡은 탓이었다.

"나도…… 가도 돼요?"

뜻밖의 부탁에 주혁은 고개를 갸우뚱했다.

"당신이? 어머니도, 친척들도 올 거야. 무리할 필요 없어."

"괜찮아요. 당신 옆에 있으려면 감수해야 하는 것들이잖아요."

"……."

"그러니 갈게요."

그를 빤히 쳐다보는 혜수의 눈동자에는 어느덧 동요가 사라지고 결연한 의지가 담겨 있었다. 흔들림 없는 그 모습이 너무나 예쁜 나머지 그녀에게 키스하고 싶다는 충동이 가슴 한복판을 거칠게 휘저었다.

"정말 괜찮겠어?"

"그럼요."

확신 어린 대답에 주혁은 그녀의 어깨를 한쪽 팔로 휘어 안았다. 어쩌자고 이 여자는 이렇게나 사랑스러운 것일까.

예전에는 미처 몰랐다. 그저 본능적인 욕구라고만 생각했다. 육체적인 끌림으로밖에 여기지 않았다. 아무것도 알지 못했고, 알 생각조차 하지 못했다. 물론 이제라도 깨달았으니 다행이지만.

"그 대신, 하나만 명심해. 아무것도 하지 않아도 당신은 내 아내야."

* * *

벼르고 벼르던 날이 비로소 왔다.

상복을 차려입은 명희는 분주하게 빈소를 준비하고 있었다. 그녀 특유의 매서운 눈빛이 허공을 싸늘하게 갈랐다. 지금부터 발인이 끝나는 순간까지 티끌만 한 오점이라도 있어서는 안 되었다.

대한민국의 근현대사와 궤적을 같이하는 권 회장의 별세는 한동안 국내외를 떠들썩하게 만들 만큼 엄청난 특종이었다. 이미 빈소 앞에는 기자들이 장사진을 치고 있었다. 이곳에 있는 모든 것이 실시간으로 언론에 공개될 터였다.

'그러니 지금이 적기야.'

옛것이 물러간 자리는 반드시 새것이 채우게 된다. 그 말처럼 얼룩진 과거를 청산하고 새로운 청사진을 제시하기에도 매우 적합한 때였다.

상복 소매를 다소곳하게 정리한 명희가 다시금 빈소를 확인하고 있을 무렵이었다. 그녀의 수족인 김 이사가 황급히 달려오는 게 보였다. 매사에 신중한 그답지 않은 모습에 명희는 혀를 끌끌 찼다.

"엄숙해야 할 빈소에서 경거망동하다니. 이게 무슨 짓입니까?"

"심려를 끼쳐 죄송합니다. 그렇지만 워낙에 큰일이라 그만……."

"무슨 일이죠?"

"그게, 부사장님께서……."

"부사장? 주혁이가 왜요?"

뭐가 그리도 마음에 걸리는지 김 이사는 좀처럼 대답을 하지 못하고 있었다. 주혁의 일이라니, 무엇이기에. 정체불명의 불안감이 엄습하는 것을 느끼며 명희는 그를 닦달했다.

"똑바로 말해 봐요."

차갑게 굳은 명희의 표정을 본 김 이사는 마지못해 입을 열어 소식을 전달했다.

"윤혜수 씨와 같이 빈소로 오시는 중이라고 합니다."

그에게서 나오면 안 되는, 아니, 나올 수 없는 이름을 들은 명희의 안색은 급격히 새파래졌다.

"뭐? 지, 지금 뭐라고……?"

"그러니까 부사장님께서 윤혜수 씨와……."

"확실해? 와전된 게 아니라?"

"그렇습니다. 믿지 못하시겠으면……."

"닥쳐요!"

"죄송합니다……."

명희의 앙칼진 외침에 김 이사는 어깨를 확 움츠렸다. 평상시 사람들 앞에서는 고상한 가면을 쓰고, 어떻게든 품위를 지키려고 노력하는 그녀였다. 그런데도 이토록 거친 언사를 구사할 정도면 엄청나게 화가 났다는 뜻이었다.

"대체 뭐 하는 거야……!"

입술을 짓씹듯 하며 의문을 토해내는 명희의 눈동자는 그 끝을 가늠할 수 없는 분노로 이글거렸다. 어느새 힘 있게 쥐어진 주먹은 이미 사시나무 떨리듯 떨고 있었다.

한 걸음도 제대로 내디딜 수 없을 만큼 격노했기 때문일까. 한순간 그녀의 몸이 휘청했다. 그녀를 부축하려는 김 이사의 손길을 뿌리친 채 명희는 낮게 신음했다.

'권주혁, 이 못난 놈……. 기어이 사달을 낼 생각이야?'

얼마 전에 수연이 찾아와 울먹였을 때, 바로 움직였어야 했다. 혜수를 향한 주혁의 감정은 타다 남은 잔정 따위가 아니었다. 생각보다 상황이 심각한 것 같았다.

태생부터 간교한 혜수는 그렇다 쳐도 어째서 주혁마저……. 머릿속이 온갖 생각으로 그득했다. 안절부절못하며 명희를 바라보던 김 이사는 조심스레 그녀에게 말을 걸었다.

"관장님, 그럼 부사장님 이혼 관련 기사는 어떻게……."

그는 가장 마음에 걸렸던 문제를 건드리고 있었다. 울고 싶은데 뺨 맞은 격이 된 명희는 그 즉시 악을 썼다.

"당연한 소릴! 전부 중지하세요, 지금 당장!"

이 상황에서 주혁의 이혼 기사를 내 봤자 악성 루머로 취급될 뿐이었다. 대중은 조만간 이곳에 도착할 윤혜수의 모습만을 기억할 것이었다.

"……인가요?"

"네, 오셨나 봅니다."

"모시러 가죠."

누군가가 왔는지 입구가 웅성웅성했다. 설마 이렇게나 빨리. 등줄기를 뒤덮다 못해 살갗으로 박히는 불안감에 명희는 이를 꽉 물었다. 건너편에서 있던 경호원들 몇몇이 빠르게 입구로 이동했다.

저 멀리에서 익숙한 이들이 모습을 드러냈다.

주혁과 혜수였다.

12. 약속의 무게

권 회장이 죽었다.

주혁으로부터 그 사실을 통보받았을 때, 사실 적잖이 당황할 수밖에 없었다. 언젠가는 이렇게 될 것을 알고 있었는데도 불구하고.

'부디 좋은 곳으로 가셨기를…….'

유일하게 이 결혼에 호의적인 모습을 보였던 단 한 사람이었기에 그의 사망은 제게 제법 복잡 미묘한 감정을 불러일으켰다.

지금부터 또다시 많은 것이 달라질 터였다. 이 모든 것의 시초이자 원인이었던 권 회장이 더 이상 이 세상에 존재하지 않는다는 것은 매우 큰 의미였다.

대현 그룹의 유일한 후계자인 주혁은 이제 가장 높은 곳에 올라설 것이고, 그의 혈육인 명희의 위세 또한 하늘 높이 치솟을 게 틀림없었다.

빈소에 있을 게 분명한 명희는 자신을 본다면 어떤 반응을 보일까. 아무리 강단 있게 마음을 먹었어도 그녀의 모습을 상상할 때마다 긴장이 되는 것은 어쩔 수 없었다.

"괜찮아."

동요하는 기색을 읽었는지 주혁이 슬쩍 그녀의 손을 붙잡았다. 손등과 손바닥이 겹쳐지면서 다소 떨림이 가라앉았다. 그의 격려에 보답하듯 혜수는 부드럽게 미소를 지어 보였다.

"아무것도 걱정할 필요 없어. 내가 있으니까."

"네, 알아요."

그가 제 곁에 있어 준다면 명희의 차가운 눈빛도, 가슴을 찌르는 독설도 아무 일 없었다는 것처럼 견뎌낼 수 있었다.

그래, 그렇게 따지면 아무것도 아니었다. 별일 아니었다. 그러니 지금은 이 따스한 손에 몸을 내맡기면 그만이었다. 혜수는 알았다는 뜻으로 허리를 꼿꼿이 폈다.

대현 그룹의 위상을 증명하듯 병원 근처에는 방송국 마크를 단 차량이 곳곳에 서 있었다. 운전기사는 그들을 피해 솜씨 좋게 차를 운전했다.

"권주혁 부사장이다!"

병원 입구에 차가 진입하자마자 여기저기에서 셔터가 터졌다. 먼저 차에서 내린 주혁은 재빠르게 손을 뻗어 기자들로부터 혜수를 보호했다. 그의 도움하에 혜수는 당당하게 빈소를 향해 걸었다.

"옆은? 와이프인가 본데?"

"아, 그 신데렐라? 저번 주에 불화설 지라시 돌지 않았나?"

"멀쩡히 나타난 걸 보니 아닌가 봐."

"됐고, 일단 찍어!"

곧이어 기자들을 헤치고 나타난 경호원들은 두 사람에게 깍듯이 인사를 건네었다. 간만의 특종인 만큼 그럴듯한 사진을 찍기 위해 혈안이 된 기자들은 너도나도 카메라를 들이대었다.

경호원들의 제지에도 누군가가 팔을 뻗어 왔다. 눈앞으로 쑥 뻗어진 팔에 혜수가 살짝 멈칫하는 찰나, 주혁은 보란 듯이 그녀를 품에 안으며 기자들을 노려보았다.

"조심해."

"고마워요."

혜수의 입술이 달싹여지는 것과 동시에 온 사방에서 플래시가 번쩍거렸다. 오늘 자 포털 사이트의 메인을 장식할 최고의 사진이 정해지는 순간이었다. 조부의 사망을 애도하러 황급히 달려온 대현 그룹의 후계자와 그의 사랑을 듬뿍 받는 사랑스러운 아내로.

"가지."

혜수를 놓아준 주혁은 그대로 그녀의 손을 꼭 잡았다. 반드시 곁에 있겠다는 다짐과도 같은 스킨십이었다. 그에게서 느껴지는 부드러운 온기를 위안으로 삼으며 혜수는 정신없이 고동치는 가슴을 억눌렀다.

경호원들과 함께 빈소로 들어간 직후, 바로 명희를 만날 수 있었다. 표독스럽게 뜨인 눈에서는 시퍼런 안광이 번뜩였다. 어지간히 화를 다스릴 수 없는 모양이었다.

주혁을 등지고 뛰쳐나왔을 때, 다시는 저 모습을 볼 일이 없으리라고 생각했다. 하지만 이렇게 제 발로 찾아왔으니 인생은 정말 모를 일이었다. 그 점에 슬며시 쓴웃음이 맺혔다.

"왔습니다. 어머니."

"……."

"안녕하세요."

짤막하게 보고하는 주혁을 따라 혜수는 공손하게 고개를 숙였다. 그런 그녀를 본척만척하며 명희는 대뜸 주혁의 팔부터 이끌었다.

"주혁이 너, 나 좀 잠깐 보자!"

"손님들 맞이하지 않으셔도 됩니까?"

"그게 지금 문제가 아니잖아?"

명희의 한마디 한마디에는 강렬한 노기가 배어났지만, 그 대상은 권주혁 한 명뿐이었다. 명희는 오늘도 자신을 아예 존재하지 않는 사람처럼 취급하고 있었다.

물론 늘 당해 왔던 일이라 그런지 명희의 의도와 달리 별다른 타격은 없었다. 그러나 곧장 미간을 찌푸리는 주혁은 생각이 좀 달라 보였다.

"그전에 인사 안 받아 주십니까? 어머니 며느리인데."

"뭐? 지금 무슨 말을……."

"목소리 낮추세요. 다른 사람들 보면 안 되지 않습니까."

"권주혁……."

"표정이 굳었습니다. 좀 더 웃으셔야죠."

"……어서 와라."

"네."

잇따른 굴욕에 서슬 퍼렇던 명희의 기세가 아주 약간 누그러들었다. 그제야 주혁의 고개가 살짝 돌려졌다. 명희를 따라가 봐도 괜찮겠냐는 의미였다.

눈짓을 받은 혜수는 가볍게 고개를 끄덕였다.

* * *

진짜였다. 거짓이 아니었다. 물론 믿지 않을 수 없었지만, 그래도 일말의 기대감이란 게 있는 법이었다.

주혁은 정말로 혜수를 데리고 빈소에 나타났다. 고개를 빳빳이 쳐들고 자신을 째려보던 혜수는 기세등등하게 소복을 차려입고 있었다. 무조건 와야 할 곳에 왔다는 듯 자신감 넘치는 태도에 속이 뒤집혔다.

어디에서 굴러먹다 온 씨인지도 모르면서, 얻다 대고 감히 맏며느리 행세인가. 연이은 충격을 이기지 못하고 그만 눈알이 밖으로 튀어나올 것 같았다.

빈방에 들어가자마자 명희는 주혁의 뺨을 후려쳤다. 거친 마찰음이 방 안을 울렸는데도 그는 눈썹 하나 비뚤어지지 않았다. 아무렇지도 않은 것 같은 눈빛은 진심이었다.

"주혁이 네가, 네가! 어쩌자고 이런 짓을 벌여? 여기가 어디라고 저년을 데려오는데? 응……?"

파들파들 떨리는 명희의 목소리에도 주혁은 전혀 아랑곳하지 않는 기색이었다.

"대현 그룹 맏며느리입니다. 당연히 와야 할 곳이죠."

건조한 대답에 명희는 제 귀를 의심했다. 막연히 머릿속으로만 떠올리는 것과 누군가의 입으로 듣는 것은 하늘과 땅만큼이나 차이가 현격했다. 특히 그 대상이 금쪽같이 아끼던 아들이라면 더더욱.

"대체 누가 맏며느리야! 그까짓 게 감히…… 하……. 너 왜 자꾸 이러니? 화진 그룹에서도 당연히 올 텐데 뭐라고 생각하겠느냔 말이다."

"화진 그룹에서 조문 오는 게 그녀와 무슨 상관이죠?"

상관이 없기는. 주혁은 이미 다 알면서도 짐짓 능청을 떨고 있었다. 하나뿐인 아들이 주는 충격은 혜수가 주는 것과는 차원이 달랐다. 그의 가슴팍을 쥐어뜯으며 명희는 거의 울부짖듯 소리를 질렀다.

"너 알잖아! 그 집 손녀와 널 연결하려고 내가 얼마나 애썼는지!"

늘그막에 미신에 제대로 빠진 권 회장은 손주의 귀하디귀한 혼사를 망쳤다. 한낱 종이 쪼가리에 불과하다고 생각했던 사주팔자가 이렇게나 위력을 발휘하는지는 주혁의 결혼을 통해 처음 실감했다.

이미 어긋나 버린 것을 어떻게든 되돌리기 위해 어찌나 심혈을 기울였던가. 얼마나 무던히도 노력했던가. 그러나 이 바보 같은 아들은 어울리지도 않는 여자에 미쳐서 모든 것을 희멀건 물거품으로 전락시켜 버렸다.

"아뇨, 쓸데없는 일을 하셨어요. 저한테 아내는 윤혜수 한 사람뿐입니다."

단호한 일축에 명희는 이마를 짚었다. 열로 후끈거리는 머리는 익다 못해 펑, 하고 터져 버릴 것 같은 느낌이었다.

“너, 너 제정신이니? 내가 널 그 자리에 올리려고 얼마나 노력했는데……! 한 번도 실망시킨 적 없던 너잖아. 응, 주혁아……. 너 진짜 왜 이러니? 대체 왜! 왜…….”

믿을 수가 없었다. 아니, 차마 믿고 싶지 않은 것인지도 몰랐다. 끝없는 현실 부정에 사로잡힌 입술은 앵무새처럼 똑같은 말만을 반복하고 있었다.

비명과도 같은 명희의 추궁이 끝나기도 전에 주혁은 그녀의 말허리를 잡아챘다.

“사랑합니다.”

“뭐?”

“윤혜수, 진심으로 사랑한다고요.”

그 자리에 거의 쓰러질 지경이던 명희는 마침내 소스라치게 기함했다. 사랑이라니. 있을 수 없으며, 있어서도 안 되는 단어였다. 그런데도 주혁은 불가능한 것을 말했다. 입 밖으로 선언했다.

갑작스레 눈앞이 캄캄해져 왔다. 어디에서부터 어떻게 꼬여 버렸을까. 그 어떤 것도 제 뜻대로 되지 않으리란 암울한 직감이 전신을 거칠게 꿰뚫었다.

“그깟 사랑 놀음 따위에……! 주혁이 너, 그년한테 속고 있는 거야. 그 여우 같은 년이 순진한 널 꼬드겼다고! 내가 그년을 당장……!”

뭐라도 좋았다. 이대로 뛰쳐나가 혜수를 밀치든, 뺨을 때리든, 네깟 년이 누구를 넘보느냐고 소리소리 지르든. 하지만 그 모든 것은 단지 머릿속의 상상으로만 끝나야 했다.

금방이라도 몸을 돌릴 것 같은 명희를 그 자리에 붙잡아 놓은 것은 다름 아닌 주혁의 냉혹한 지적이었다.

“그래도 괜찮으시겠어요? 보는 눈이 이렇게 많은데.”

“……!”

“일반적인 장례식이 아니라 대현 그룹의 청사진을 보이는 자리 아닙니까.”

"그게……."

"어머니 뜻대로 일이 진행되도록 놔두지 않겠습니다. 절대로요."

주혁의 눈매는 일순간 기가 질릴 만큼 매섭고 날카로웠다. 그의 이런 모습을 본 적은 이로써 두 번째였다.

칼날같이 예리한 눈빛을 마주한 찰나, 저도 모르게 다리에 힘이 풀려 버렸다. 온몸이 난도질당하는 기분을 느끼며 명희는 털썩 주저앉았다. 그 바람에 둥그렇게 부푼 치맛자락이 허공에 펄럭였다.

이렇게 어미를 쏘아보는 아들은 모른다. 대놓고 반기를 들겠다고 작정하는 아들은 모른다. 하지만 이 모든 것은 명백한 현실이었다. 그 사실이 너무나도 억울하고 원통한 나머지 눈물이 울컥 터지려고 했다.

"마지막으로 말씀드리지만, 이제 혜수 건드릴 생각은 추호도 하지 마세요. 최선을 다해 막을 겁니다."

"……."

"어머니가 주신 모든 걸 이용해서 말이죠."

차갑게 가라앉은 목소리로 덧붙이는 주혁은 나무랄 데 없는 거대한 맹수였다.

낳고 기른 어미의 목덜미라도 단숨에 물어뜯을 준비를 마친.

* * *

굴지의 대현 그룹을 일궈 낸 거물의 사망답게 장례식은 5일장으로 성대하게 진행되었다.

권 회장의 죽음을 애도하기 위해 정계와 재계의 유명 인사들이 빈소에 총집합했다. 끊임없이 이어지는 조문객의 행렬에 명희는 그 이후로도 혜수를 투명 인간 취급하며 무시했다. 소식을 듣고 뒤늦게 달려온 수연 또한 마찬가지였다.

'여전하구나.'

어차피 일이 마무리될 때까지 이곳에 있어야 하는 터라 어찌 보면 잘된 셈이었다. 그렇게 생각하니 마음이 한결 편해졌지만, 주혁을 도와 사람들을 맞이하고 있자니 꽤 고되었다. 얼른 끝내고 집으로 돌아가고 싶었다.

그래도 최대한 티를 내지 않기 위해 혜수는 몸을 똑바로 세웠다. 그런 그녀를 본체만체하던 명희의 눈이 일순간 화등잔만 하게 커다래졌다.

침통한 얼굴로 찾아온 이들은 여태껏 찾아온 조문객들과 별반 다를 바가 없었다. 그러나 조금 전까지도 태연스럽기만 하던 그녀가 웬일로 이렇게 격한 반응을 보이는지 의문이었다.

"박 회장님……."

박 회장이라고 불린 은발의 노신사는 명희의 손을 굳게 맞잡고 애도의 뜻을 표했다.

"회장님께서 이리도 허망하게 가실 줄이야……. 삼가 고인의 명복을 빕니다."

"와 주셔서 감사합니다. 이렇게 오시다니……."

"어떻게 안 옵니까. 우리가 어떤 사이인데."

"감사……합니다."

명희의 목소리는 이상할 정도로 파들거리고 있었다. 하지만 박 회장은 그다지 신경 쓰지 않는 눈치였다. 그의 관심사는 이미 명희를 넘어 주혁에게 온통 쏠려 있었다.

"그나저나 주혁 군은 오랜만에 보니 더 멋있어진 것 같군."

"안녕하십니까."

"아, 자네와는 처음이지? 내 손녀일세."

그의 옆에는 앳되어 보이는 여자가 서 있었다. 주혁에게 수줍은 인사를 건네는 그녀의 뺨은 묘하게 발그스름했다. 물론 그녀가 그러든 말든 잠자코 인사를 주고받은 주혁은 무감한 말투로 대꾸했다.

"손녀분에 관한 이야기는 많이 들었습니다. 회장님의 자랑이시라고요."

"하하, 그 정도는 아닐세. 뭐, 워낙에 우리 하영이가 재원이라는 소리는 많이 듣지만 말이야."

"할아버지도 참……."

박 회장의 칭찬이 부끄러운 듯 여자는 입술을 삐죽였다. 이윽고 그들에게서 시선을 떼어 낸 주혁은 부드럽게 혜수의 팔을 잡았다.

"당신도 인사하도록 해. 처음 뵙지? 화진 그룹분들이야."

"네……?"

그제야 명희가 왜 이렇게 긴장했는지 깨달을 수 있었다. 분명 예전에 들었던 기억이 있었다. 화진 그룹의 손녀와 주혁의 혼담을 추진 중이라고.

말로만 듣던 당사자가 이렇게 눈앞에 나타나다니. 명희가 그렇게 며느리로 삼고 싶어 했던 화진 그룹의 손녀는 내로라하는 재벌가의 여식답게 굉장히 단아했다.

가까스로 동요를 감춘 혜수는 그들을 향해 조심스럽게 고개를 숙였다. 손녀를 대할 때와는 썩 다른 주혁의 태도에 의구심이 들었는지 박 회장이 흠, 하고 작게 헛기침을 했다.

"그런데 이쪽은 누구인지……."

지난 3년간 거의 저택에 숨어 살다시피 한 혜수였다. 당연한 말이나 박 회장이 그녀의 얼굴을 기억하고 있을 리가 없었다. 그의 질문에 주혁은 눈초리를 날카롭게 번득였다.

"제 아내입니다."

"……!"

"아내……라고?"

귓가를 가로지르는 명쾌한 선언에 박 회장과 손녀, 그리고 그들의 뒤를 따르던 조문객들은 하나같이 당황스러워했다. 가장 놀란 이는 바로 화진 그룹의 손녀였다. 도무지 믿을 수 없다는 듯 일그러진 그녀의 미간은 불쾌한 기색을 듬뿍 품고 있었다.

"이분이…… 주혁 씨의 아내분이시라고요? 못 오시는 줄 알았는데, 아닌 것 같네요……."

그러자 주혁은 보란 듯이 혜수의 손을 감싸 쥐었다. 예고 없이 손등을 덮어 오는 온기가 살짝 놀라웠지만, 혜수는 이내 입꼬리를 끌어 올렸다. 대강이라도 장단을 맞추겠다는 뜻이었다.

"아내가 요즘 몸이 안 좋아서 올 수 있을지 걱정이었는데, 굳이 온다고 해서요."

"……."

"당신, 괜찮아? 피곤하면 언제든지 들어가서 쉬어."

"괜찮아요."

금세 혜수의 입가에 어린 아름다운 미소는 화진 그룹 사람들만을 위해서가 아니었다. 사색이 되어 이 광경을 지켜보고 있는 명희와 수연에게 과시하고, 증명하는 것이기도 했다. 윤혜수와 권주혁이 과연 어떤 관계인지. 그리고 그녀들에게 어떤 반격을 취할 것인지.

두 사람의 다정한 모습에 상황 파악이 끝났는지 박 회장은 잠시간 아무런 말도 꺼내지 못했다. 그저 눈가를 있는 대로 찌그러뜨릴 뿐이었다. 지금 그의 속내에는 거칠디거친 폭풍이 몰아치고 있을 것이었다. 틀림없었다.

"……참 보기 좋구먼. 이혼은 생각지도 못할 만큼."

뒤늦게 터져 나온 감탄 아닌 감탄에 주혁은 바로 응수했다.

"이혼이라니요. 전혀 그럴 일 없습니다."

"……."

"회장님께서 뭔가 오해하신 것 같군요."

어제까지는 오해가 아니었겠지만, 오늘부터는 사정이 한참 달라졌다. 두 사람을 쳐다보던 박 회장의 표정은 급속도로 싸늘해졌다.

주변을 얼려 버릴 것 같은 한기를 내뿜으며 박 회장은 명희의 곁으로 다가갔다. 마치 들으라는 듯 중얼거리는 그의 목소리에는 미처 억누르지 못한 분노가 깃들어 있었다.

"관장님, 저와 나중에 따로 하실 말씀이 있을 것 같습니다."

"……."

"일이 다 끝나면 연락하시죠. 기다리겠습니다."

노기를 잔뜩 띤 박 회장의 모습에 명희는 그저 그 자리에 못 박힌 듯 서 있었다.

* * *

우여곡절 끝에 모든 일정이 끝났다. 체감상으로는 정말 길고 길었던 닷새였다.

그 기간의 행동만으로도 시중에 떠돌던 불화설은 언제 그랬냐는 듯 쏙 들어가 버렸다. 명희 또한 일정이 끝난 직후, 수연을 데리고 황급히 저택으로 돌아갔다. 다시는 상대하고 싶지 않다는 것처럼.

"우리도 이만 가지."

"그래요."

자연스럽게 깍지를 끼는 손은 여전히 따뜻했다. 주혁은 장례식이 치러지는 동안, 줄곧 이런 식으로 손을 잡아 주었다.

살갗과 살갗이 마주 닿을 때마다 실감할 수 있었다. 그가 제 곁에 있다고. 그러니 마음 놓고 있어도 된다고. 주혁이 친히 한 약속의 무게는 아주 무거웠다.

혜수는 천천히 주혁을 따라 걷기 시작했다. 주차장에 세워진 그의 차에 올라탔을 때에야 겨우 숨을 돌릴 수 있었다. 바짝 긴장해 있던 신경이 비로소 느슨하게 풀어졌다.

"안색이 안 좋아 보여."

걱정을 꾹꾹 눌러 담은 주혁의 눈길은 제법 꼼꼼했다.

"괜찮아요. 조금 피곤해서 그래요."

솔직히 말하자면 피로가 쌓이지 않을 수가 없었다. 며칠이 넘게 익숙지 않은 장례 절차를 밟았고, 1년에 한 번 볼까 말까 한 친척들을 차례차례 만나야 했으며, 간간이 명희와 수연도 신경 써야 했다.

가볍게 웃어 보인 혜수는 손끝으로 살며시 그의 손등을 쓸었다. 부드러웠다. 절대로 놓아주지 않겠다는 듯이 꽉 잡힌 손은 너무나도 든든했다.

"고생 많았어."

"당신이야말로 괜찮아요?"

"뭐가?"

"이렇게 되면…… 곤란해지는 것 아닌가요."

대충 사정을 짐작하고 있었던 친척들도 하나같이 주혁과 자신을 보고 수군거렸다. 파경을 맞기 직전으로 알려졌던 부부가 전혀 그런 기색이 없으니 의아할 만도 했다.

하기야 명희만 하겠냐마는. 정성을 다해 추진했던 혼사가 주혁의 말 한마디에 깡그리 박살이 난 지금, 그녀의 눈에 보이는 것은 얼마 없을 터였다. 짜증, 분노, 증오를 제외하고는.

사뭇 조심스러운 물음에 주혁은 고개를 저었다.

"내가 곤란한 건 당신이 무리하다가 또 쓰러지는 것뿐이야."

그렇게까지 약하지 않건만 공교롭게도 최근 두 번이나 쓰러졌다. 모르기는 몰라도 상당한 스트레스가 누적된 모양이었다. 정신적인 고통은 육체에 반드시 악영향을 끼쳤다.

"그 정도로 약골은 아니에요."

"아니어도 나한테 기대."

"너무 어리광 받아 주면 앞으로 어떡하려고 그래요?"

"부려도 돼. 얼마든지. 당신은 그래도 괜찮아."

"……."

그와 이런저런 말을 주고받고 있자니 몸에 남아 있던 피로가 조금씩 씻겨 나가는 느낌이었다. 이렇게 계속 단둘이 있으면 얼마나 좋을까.

멍하니 그런 것을 생각하고 있는데, 문득 주혁이 손에 힘을 실었다. 한결 강하게 잡힌 손바닥으로 그가 미처 전하지 못했던 수많은 감정이 열기의 형태를 띠고 밀려들어 왔다.

"드디어 약속했던 기간이 끝나 버렸네."

"네?"

"우리 결혼 말이야. 할아버지가 돌아가실 때까지였잖아."

지난날을 회고하는 듯 주혁의 목소리는 평소보다도 훨씬 낮았다.

"그렇네요……."

이미 한참 전에 퇴색되어 버린 약속의 유효 기간은 길어야 삼사 년이었다. 처음부터 끝이 있으리란 것을 알고 결혼했지만, 어느 순간부터 그를 사랑하게 되면서 의식적으로 잊고 살았다.

아니, 잊고 싶었다. 모른 척하고 싶었다. 위기가 닥치면 모랫바닥에 얼굴을 처박고 얌전히 웅크려 있는 칠면조처럼.

그 무엇도 변하지 않았으면 했다. 바뀌지 않았으면 했다. 주혁이 허락하는 한 그와 함께 있고 싶었다. 권주혁이라는 남자를 사랑하고 싶었다. 명희가 주혁의 사진이 담긴 서류 봉투를 내밀기 전까지는.

"그러니 다시 약속해도 될까?"

"네?"

그가 과연 어떤 의도에서 이야기하는 것인지 한 번에 이해가 되지 않았다. 의문에 사로잡힌 혜수는 얼른 위를 올려다보았다.

대답 대신 주혁에게 붙잡혀 있던 손이 들어 올려졌다. 눈앞까지 떠오른 그녀의 손등에 입술을 맞춘 주혁은 나지막하게 고했다.

"평생 나와 함께해 줘."

새롭게 제안된 약속의 유효 기간은 까마득할 만큼 길었다. 너무나 긴 나머지 감히 그 끝을 헤아릴 수 없을 정도였다. 그 기나긴 시간의 길이를 실감하듯 손끝이 아주 약간 떨렸다.

"왜, 싫어?"

"싫다기보다는……."

"싫은 게 아니면 됐어. 그 정도로도 충분하니까."

"……."

그와 처음 약속했을 때는 이럴 줄 상상도 못 했다. 묘한 감동과 회한이 빠르게 차올랐다.

잔잔하게 멈추어 있던 표면에 드디어 돌멩이 하나가 던져졌다. 기다렸다는 듯 출렁거리는 마음은 웬만해서는 진정시킬 수 없을 것 같았다. 아니, 그런 게 가능할 리가 없었다.

"우리 사이에 부족한 건 내가 채울게."

"주혁 씨……."

"그러니 당신은 이렇게만 있어 줘."

"……."

손등에 또렷하게 새겨진 입술의 감촉은 더없이 보드라웠다. 시간이 허락하는 한 계속해서 즐기고 싶을 만큼. 쉴 새 없이 두근거리는 가슴을 진정시키다 보니 어느덧 차는 집 앞에 도착해 있었다.

현관에 선 혜수는 나지막한 감탄을 내뱉었다. 낯익은 전경을 보니 이제야 살 것 같았다. 아무리 좁고 허름해도 이곳은 자신의 집이었다. 그 점에 형언할 수 없는 안도감을 느꼈다. 마음 편히 머물 수 있는 곳이 이토록 중요했을 줄이야.

'다리가 아프네.'

꼭 필요한 경우를 제외하고는 온종일 서 있었기 때문에 다리가 아프지 않을 수가 없었다. 뻐근한 기운이 종아리에서부터 장딴지까지 올라왔다.

침대에 앉은 혜수는 다리를 쭉 폈다. 적당히 주무르면 나을까 싶어서 만지고 있는데, 주혁이 슬며시 옆으로 다가왔다.

"내가 해 줄까?"

"당신이 한다고요?"

"응. 다리 아픈 거잖아."

"그냥 조금요……."

마사지를 받으면 받았지, 해 본 적은 단 한 번도 없다고 장담할 수 있는 그였다. 그런데도 자신 있게 손을 뻗는 모습에 살짝 웃음이 날 것 같았다.

주혁은 그의 무릎 위에 그녀의 다리를 올렸다. 그 바람에 저절로 상체가 뒤로 젖혀지고 말았다. 침대에 누운 꼴이 된 혜수는 흐트러진 머리카락을 옆으로 치웠다.

"괜찮다니까요."

강한 만류에도 그의 손은 여전히 다리에 머물러 있었다.

"편히 누워 있어. 내가 해 줄게."

"네……."

결국 주혁이 시키는 대로 그의 마사지를 받을 수밖에 없었다. 침대 헤드에 상체를 기댄 혜수는 말없이 눈앞의 광경을 관찰했다. 커다란 손이 힘 있게 종아리를 누를 때마다 기묘한 감각이 허벅지로, 옆구리로 파고들었다.

'어쩐지 기분이 이상해…….'

평생 타인의 시중을 받으며 살아온 그가 손수 제 다리를 만져 주고 있다니. 신기하기 짝이 없는 상황이었다. 하긴, 그렇게 따지자면 근래에 놀랍지 않은 경우가 드물었다.

"아프지는 않아?"

"아뇨, 좋아요."

한동안 종아리를 주무르던 손이 천천히 위로 올라왔다. 마사지는 당연히 처음 해 보는 것일 텐데도 그의 손놀림은 매우 능숙했다. 이 남자가 못 하는 일이 과연 존재할까. 문득 엉뚱한 감탄이 차올랐다.
여하튼 주혁이 힘써 준 덕분에 다리에 쌓였던 피로감이 많이 가셨다. 뭉쳐 있던 근육이 거의 풀린 느낌이었다.
"이제 그만해도 돼요. 충분해요."
"그래? 또 어디 불편한 곳 없어?"
한마디 운이라도 띄우면 그 즉시 자세를 바꿀 기세였다. 주혁의 눈앞에서 쓰러졌던 날 이후로 시작된 과잉보호는 여태껏 멈추지 않았다. 혜수는 눈웃음과 함께 그의 손목을 조심스럽게 건드렸다.
"배고프지 않아요? 저녁 차릴게요."
그러면서 슬그머니 침대에서 내려오려던 시도는 실패로 돌아갔다. 그렇게 하도록 내버려 두지 않겠다는 듯 주혁이 갑자기 허리를 잡아당긴 탓이었다.
한없이 무방비한 상태였던 몸은 곧장 중심을 잃었다. 어렵지 않게 혜수를 무릎에 앉힌 주혁은 그대로 그녀의 어깨를 감싸 안았다.
"읏…… 내려 줘요."
뒤에서 안겨 버렸기 때문인지 뒷덜미에 그의 숨결이 바로 닿았다. 막 닿을 듯 말 듯 한 입술을 느낀 찰나, 오싹할 만큼 야릇한 진동이 등허리에 일었다.
혜수의 말을 듣는 둥 마는 둥 하던 주혁은 본격적으로 행동을 개시했다. 팔뚝을 꾹꾹 누르는 손길은 아까 다리를 주무를 때와는 명백히 달랐다.
"거기는 괜찮은데요."
"혹시나 해서."
어느 순간 귓가에 밀착된 입술이 가볍게 숨을 불어 넣었다. 그 바람에 반사적으로 어깨가 움찔거렸다.
그 틈을 타 팔뚝을 더듬고 있던 손은 살며시 옆쪽으로 진출했다. 봉긋 솟아오른 가슴은 그 손에 금세 쥐일 것 같았다. 자신의 허락만 떨어진다면.

"나는 당신이 더 고픈데. 당신은 어때?"

"……."

엉덩이골에 달라붙기 시작한 뜨거운 열망은 오늘도 최고조에 도달해 있었다. 그새 아래로 내려온 입술이 목덜미와 깊게 맞붙었다. 야릇한 마찰음을 들으며 혜수는 고개를 끄덕였다.

집에 돌아오자마자 침대에서 뒹구는 게 조금 민망해도 그를 밀어내고 싶지 않았다. 오히려 바라는 바였다. 허벅지 안쪽을 저릿하게 달구기 시작한 욕망은 혼자만의 것이 아니었다.

"한순간도 떨어지고 싶지 않아."

"나도요."

그대로 침대에 눕혀질 줄 알았건만, 주혁은 뜻밖에도 자세를 바꾸지 않았다. 단단한 무릎에 앉은 상태에서 대놓고 들추어지는 셔츠를 내려다보고 있자니 무척이나 민망했다.

셔츠 속으로 들어온 손가락은 빠르게 위쪽으로 올라갔다. 브래지어 밑으로 파고들며 살갗을 쓰다듬는 손끝에 온몸이 근질근질했다.

드디어 바깥으로 드러난 가슴을 어루만지며 주혁은 혜수의 입술을 찾았다. 거의 동시에 입술이 열리면서 누구의 것인지 모를 숨결이 마구 엉켰다.

얼마나 격렬하게 휘감기고 있는지, 뿌리 끝까지 비틀린 혀는 마치 뽑혀 나갈 것 같았다. 그 바람에 미처 삼키지 못한 타액이 입술을 타고 턱으로 질질 흘러내렸다.

순식간에 목까지 번지는 끈적끈적한 감각은 더할 나위 없이 야했다. 끊임없이 들리는 물소리 또한 에로틱하게 달궈진 분위기를 부추기는 일등공신 중 하나였다.

"하, 응……."

몸을 반쯤 비틀어 그의 목덜미를 껴안은 혜수는 가느다란 교성을 내뱉었다. 스스로 느끼기에도 사뭇 음탕한 소리였다.

잔뜩 흥분한 그를 느끼는 지금, 너무나도 숨이 가빴다. 하지만 입 안에 가득한 혀의 자취를 좇을 여력은 없었다. 비어 있던 주혁의 손이 아랫배로 향하면서 잠시간 마비되어 있던 감각이 되살아났다.

순식간에 찌릿해지는 등줄기는 머지않아 닥쳐올 쾌감을 또렷이 기억하고 있었다. 온몸에서 뿜어져 나오는 후끈후끈한 기운 때문일까. 주변의 온도가 단번에 몇 도는 올라간 듯한 기분이었다.

"아직이야. 벌써 그 표정은 일러."

"네?"

"이제 시작이니까."

"읏……!"

기다렸다는 듯 아랫도리로 파고든 주혁은 불룩한 둔덕을 공략하기 시작했다. 검은 수풀로 숨겨져 있던 내밀한 곳은 언제 그랬냐는 듯 그를 반겼다. 손끝만 닿아도 자지러질 것 같은 느낌은 착각이 아니었다. 질펀하게 젖어 들기 시작한 성기 안쪽으로 깊숙이 손가락을 밀어 넣으며 주혁이 숨을 삼켰다.

한없이 뜨거운 이 남자의 품에서, 단 한 명밖에 허락되지 않은 온기를 받아들이고 있다. 제 것으로 만들고 있다. 그 순간, 표현 불가능한 만족감이 전신을 부드럽게 감쌌다.

진심으로 행복했다.

* * *

지난 며칠간이 어떻게 지나갔는지도 모르겠다. 놀랍도록 위압적이었던 주혁의 모습과 단단히 화가 난 박 회장의 모습을 곱씹고 곱씹다 보니 어느새 장례 절차가 마무리되어 있었다.

콧김을 씩씩 내뿜으며 저택에 들어선 명희는 제일 먼저 눈에 띈 화병을 있는 힘껏 치켜들었다. 순식간에 흙빛이 된 고용인들이 그녀를 말리려고 들었지만 부질없는 짓이었다.

쨍그랑!

허공에 높이 떠올랐던 화병은 오래지 않아 바닥으로 추락했다. 날카로운 소리와 함께 손바닥만 한 도자기 파편이 사방으로 튀었다.

화병에서 새어 나온 물이 빠르게 바닥을 적셨다. 엉망이 된 꽃들이 여기저기에 마구 흩어졌다.

"아악!"

그와 동시에 집 안이 떠나가라 소리를 질렀는데도 도저히 분이 풀리지 않았다. 오히려 짜증만 가중될 뿐이었다. 명희는 두 손으로 머리를 감싸고 다시 한번 절규했다.

"과, 관장님……."

"엄마!"

그 누구도 격분에 찬 그녀를 막을 수는 없어 보였다. 완전히 겁에 질린 고용인들은 와들와들 떨며 지켜볼 뿐이었다. 뒤따라 들어온 수연 또한 난생처음 목격하는 명희의 모습에 패닉이 된 상태였다.

화병 다음에는 아끼고 아끼던 달항아리가 희생양이 되었다. 국내에서도 최고로 손꼽히는 장인의 작품이 세 동강이 나기까지는 많은 시간이 필요하지 않았다.

"아아악! 읏……."

목이 터져 나갈 것처럼 비명을 질러 대던 명희는 이내 고개를 들었다. 워낙에 거친 몸짓이어서일까. 눈앞이 어질어질했지만, 그 와중에도 지저분해진 바닥이 보였다.

화병처럼, 달항아리처럼 모든 것이 망가져 버렸다. 어떻게, 어떻게 이럴 수가 있을까. 왜!

"권주혁 네가 어떻게……!"

형편없이 부서진 도자기처럼 한 번 깨진 신뢰는 회복되지 않는 법이었다.

애쓰고 애써 붙여 보려고 해도 소용없었다. 아직도 뇌리에는 차갑게 식은 박 회장의 눈동자가 남아 있었다.

아니, 더더욱 열받는 것은 주혁과 혜수였다. 사랑스럽고 착한 아들이었던 주혁은 어느 틈엔가 제 어미에게도 송곳니를 들이대는 극악무도한 맹수가 되어 있었다.

가슴속 깊은 곳까지 사무치는 분노에 그만 눈물이 터질 것 같았다. 꽃과 파편이 널브러진 바닥을 쏘아보며 명희는 입술을 짓깨물고 또 짓깨물었다.

힘이 잔뜩 들어간 치아가 스치고 간 자리에서는 기다렸다는 듯이 핏방울이 솟아올랐다. 혀끝에 닿은 피의 맛은 금방이라도 퉤, 하고 뱉어내고 싶을 만큼 썼다.

"그년이 문제야, 그년이……!"

그래, 엄밀히 따지자면 주혁에게는 죄가 없었다. 그 망할 윤혜수가 문제였다. 그녀만 없었어도 착한 아들이 이토록 사납게 변할 리 만무했다.

한참이나 입술을 짓씹던 명희는 턱 끝까지 차오른 숨을 힘겹게 삼켰다. 가만두지 않겠다. 결코.

"절대로, 절대로 가만 안 둬……. 이렇게는 안 돼!"

혜수를 향한 강렬한 적의와 분노가 그녀의 검은 눈동자에서 뚝뚝 흘러넘치고 있었다.

* * *

"……아직도 5시밖에 안 됐네."

저도 모르는 사이에 벽시계를 살피며 중얼거리던 혜수는 흠칫하며 뒤돌아섰다. 방금 혼잣말한 것을 미영이 들었을까 염려된 까닭이었다.

주혁은 보통 6시가 넘어서야 카페에 도착하곤 했다. 그가 오려면 한 시간도 넘게 남았는데 벌써 초조해지다니. 얼른 주혁의 생각을 떠나보내고 일에 집중하려던 찰나, 옆에서 미영이 키득거리는 소리가 들렸다.

"어머, 어떡해. 시계가 닳겠어."

"아…… 죄송합니다."

역시나 그녀가 들어 버린 모양이었다. 속마음을 들킨 것 같아 제법 민망했다. 혜수는 머쓱함이 가득한 손길로 앞치마를 꼭 쥐었다.

"죄송하기는, 혜수 씨도 참……. 내가 다 흐뭇한데."

"……."

"혜수 씨 보니까 나도 연애하고 싶다. 이건 내가 할 테니까 얼른 들어가서 남편 맞이 꽃단장이나 해."

"사장님……."

사실 오늘 일찍 퇴근해도 되냐고 미리 양해를 구하기는 했다. 그렇지만 지금은 퇴근하기에 너무 이른 시각이었다. 한사코 괜찮다고 거절했는데도 미영은 혜수를 카운터 밖으로 밀어냈다.

"데이트잖아, 데이트. 원래 초반에 확 밀어붙여야 하는 거야."

평소와 같은 충고를 곁들이는 미영의 얼굴에는 환한 웃음꽃이 피어나 있었다. 혜수는 그녀를 향해 고마움 반, 미안함 반이 섞인 시선을 보냈다.

"감사합니다."

"고마우면 빨리 합쳐. 이번에는 진짜 잘살아 봐야지?"

"……."

"그럼 데이트 잘하고. 내일 봐, 혜수 씨."

"네."

본인과 비슷한 처지라고 느꼈는지 미영은 유독 관대한 구석이 있었다. 더 이상 그녀의 호의를 거절하기도 뭣해서 시키는 대로 가방을 집어 들고 나왔다.

미영의 바람처럼 이번에는 잘될 수 있으려나. 이미 한 번 실패했던 전적이 있기 때문인지 완벽하게 확신하기란 어려운 일이었다.

'모르겠어.'

주혁을 사랑한다. 그것은 절대로 부정할 수 없는 사실이었다. 오래전부터, 그리고 지금까지 그에게 한결같이 끌리는 마음을 품고 살아왔다.

그러나 그렇다고 한들 주혁과의 결혼 생활이 잘되리란 보장은 없었다. 결혼은 온전히 두 사람만의 결합이 아니었으니까. 집안과 집안의 결합인 만큼 그와 자신 사이에는 생각보다 많은 것이 얽혀 있었다.

그래도 달라진 점이 아예 없지는 않았다. 그때는 돈 때문에 떠밀리듯 결혼했지만, 지금 제 손안에는 작게나마 선택권이란 게 존재했다.

'평생 나와 함께해 줘.'

문득 귓바퀴를 스치는 낮은 목소리는 매우 달큼한 약속을 담고 있었다. 그 말을 몇 번이고, 몇십 번이고 곱씹을 때마다 가슴이 따스한 온기로 가득 찼다.

다시는 그러지 말자고 다짐했는데도 또다시 기대하고 있다. 바라고 있다. 이번만큼은 다를지도 모른다고. 이번에야말로 성공하지 않을까 싶어서.

'복잡한 생각은 그만두자.'

확신도, 확답도 할 수 없는 상황에서 계속 불안해하기만 한다면 머릿속만 혼란스러워질 뿐이었다. 모든 것이 불확실한 상황이었지만, 어쩐지 마음 한구석에서 알 수 없는 용기가 찰랑거렸다. 충동이 넘실거렸다.

딱 한 번만 더 믿어 보고 싶다고. 단 한 번만 의지해 보자고.

그러니 습관적으로 따라붙는 두려움은 떨치고 즐거운 것만, 행복한 것만, 아름다운 것만 떠올리자. 겹겹이 쌓인 현실의 벽 따위는 까맣게 잊어버린 채.

상념을 털어내기 위해서라도 걸음을 빨리할 수밖에 없었다. 팔로 흘러내릴 듯 말 듯 한 가방끈을 추켜올린 혜수는 집을 향해 바삐 발을 옮겼다.

미영의 조언을 충실히 좇아 모처럼 옷장 속에서 썩히고 있던 원피스를 꺼냈다. 오랜만에 입은 원피스는 살짝 불편했지만, 최대한 예쁘게 보이고 싶었다.

그런 마음을 알아주는 것처럼 퇴근 후, 집 앞에 도착한 주혁은 여느 때와 달리 복장에 반응했다.

"웬일로 원피스를 입었네."

"네? 뭐……."

"갑자기 입은 이유가 뭐지?"

"딱히…… 그냥 입은 것뿐이에요."

"난 또 나한테 잘 보이고 싶어서 그런 줄 알았지."

"……."

굳이 답할 필요는 없었다. 이미 다 알고 있다는 듯 다정한 미소와 함께 손이 내밀린 덕분이었다. 혜수는 짐짓 딴청을 부리며 그의 손을 잡았다.

오늘의 데이트 장소는 야경이 아주 아름다운 퓨전 한식 레스토랑이었다. 예약석으로 안내받은 혜수는 창밖에 펼쳐진 광경을 보고 감탄을 금치 못했다.

"정말 예뻐요."

"그러게. 예쁘네."

"지금 뭘 보고 말하는 거예요?"

"당신 얼굴."

"기껏 여기까지 왔는데, 야경에 집중 좀 해요."

사실 야경은 그렇게까지 좋아하는 편이 아니었다. 애당초 밤에 나갈 일이 거의 없었을뿐더러, 누군가와 함께 야경을 본다는 것 자체가 어색했다.

하지만 끝없이 펼쳐진 빛의 무리는 너무나 황홀했다. 얼마간 홀린 듯이 야경을 바라보던 혜수는 이윽고 제 옆에 선 주혁에게로 눈을 돌렸다.

"이제야 날 봐 주네."

"미안해요. 심심했어요?"

"아니, 당신 보느라 심심한 줄 모르겠던데?"

"그게 무슨 말이에요……."

권주혁은 단연 낮보다 밤을 닮은 남자였다. 깊고, 무겁고, 차갑고. 그러나 어둠이 있어야 빛이 돋보이는 법이었다. 눈앞을 온통 잠식한 이 매혹적인 풍경처럼.

혜수는 물끄러미 그를 응시했다. 무척이나 많은 의미를 품은 시선이 공중에서 묵묵히 뒤얽혔다.

이 남자와 평생 함께하는 게 가능할까. 이번에는 실패하지 않고 잘할 수 있을까. 기울어질 대로 기울어진 마음과 달리 머리는 어렴풋이 다른 가능성을 계산하고 있었다.

모순적이었다. 이제야 주혁은 감정에 이끌려 움직이기 시작했는데, 자신은 계속해서 두려워한다는 점이.

"그 눈빛, 당장 키스하고 싶다는 거야?"

"네? 여기서는……."

"알아. 여기서는."

주혁이 다시 한번 눈가를 휘었다. 진심으로 행복하다는 듯이. 그 얼굴을 보자 아무것도 생각할 수가 없었다. 지금은 손끝에서부터 전신에 퍼지는 이 기쁨을 즐기고 싶을 뿐이었다.

이런저런 잡담을 곁들이며 저녁 식사를 마쳤다. 고작해야 밥 한 끼 같이 먹은 것에 불과하건만, 정말 즐거운 경험이었다. 조금 과장해서 식사 내내 웃음이 끊이지 않았다.

식사도 만족스럽게 끝냈겠다, 이제는 집으로 돌아가나 했다. 그러나 뜻밖에도 주혁은 차를 정반대 방향으로 돌렸다.

"또 가고 싶은 곳이 있는데. 괜찮아?"

"지금요?"

혜수는 고개를 갸웃했다. 꽤 늦은 시간이었다. 피곤할 텐데 또 어디를 간다는 것인지.

물론 거절할 생각은 없었다. 내일은 주말이기도 하고, 그와 단둘이 있는 이 달콤한 시간을 조금이라도 늘리고 싶었다.

"어딘데요?"

별 뜻 없이 던진 질문의 답은 꽤 놀라웠다.

"우리 집."

"……!"

퇴원 후, 단 이틀밖에 머무르지 않았던 집이었다. 그러고 보니 주혁은 아직도 그 집에 혼자서 지내고 있었다. 아무도 반겨 주지 않는 집이 무척이나 쓸쓸하다고 나지막이 속삭였던가.

그렇게 반응할 줄 알았다는 듯 운전대를 잡은 주혁의 손은 미약하게 동요하고 있었다.

"지난번에 못 봤던 영화, 같이 볼까 해서."

"아……."

"불편하면……."

"아니에요. 좋아요."

흔쾌히 승낙한 끝에야 주혁은 안정을 되찾았다. 혹여나 거절당할까 봐 그답지 않게 긴장한 모양이었다. 이 냉정한 남자도 신경을 바짝 곤두세울 때가 있구나 싶어 문득 입꼬리가 들썩였다.

차창에 살그머니 스며드는 어둠을 만끽하다 보니 금세 주차장이었다. 짐을 싸 들고 이곳을 나갔을 때에는 다시 돌아오리라고는 꿈도 꾸지 못했다. 주혁과 이런 관계가 될 줄은 더더욱 몰랐다.

'굉장히 오랜 시간이 지난 느낌이야…….'

한 걸음, 한 걸음씩 차분하게 떼며 혜수는 주위를 둘러보았다. 불과 몇 개월 사이에 너무 많은 사건이 일어났기 때문일까. 이 집에 왔다가 떠났던 게 까마득한 과거의 일 같았다.

간만에 넘은 현관문 안쪽의 풍경은 기억 속 그대로였다. 먼저 중문을 열어젖히고 거실로 간 주혁은 이상하게도 불을 켜지 않았다. 시커먼 어둠만이 묵직하게 내려앉은 거실은 아무것도 보이지 않았다.

'이건 무슨 향기지?'

어딘가에서 은은하게 풍겨 오는 향은 마치 장미꽃의 향을 닮아 있었다. 주혁이 이 집에 꽃을 사 두었을 리가 없는데, 이 또한 기이한 일이었다.

"주혁 씨?"

느닷없이 왜 이러는지 모르겠지만 일단은 불을 켜야 할 듯싶었다. 혜수는 기억을 더듬어 스위치가 있는 곳을 찾았다. 다행히 달칵, 하고 손끝에서 자그마한 소리가 들려왔다.

기다렸다는 듯 온 세상이 밝아졌다. 그 순간, 혜수의 입은 끝끝내 벌어지고 말았다.

"이건……!"

놀랍게도 거실 바닥을 장식하고 있는 것들은 수없이 많은 장미꽃잎이었다. 거실 끝에서부터 시작된 붉은 꽃잎들은 안방으로 이어져 있었다.

깜짝 놀란 혜수는 얼른 주혁을 돌아보았다. 그는 자못 민망스러운지 고개를 돌린 채 시선을 맞추지 못했다. 아주 살짝 발개진 뺨으로 짐작건대 이 모든 것은 그의 소행이 확실했다.

"길이에요?"

"걸어가 보지 그래."

"네."

꽃잎을 찬찬히 따르는 발끝은 앞으로 닥칠 상황에 관한 설렘과 긴장으로 젖어 있었다. 곧이어 안방에 도달한 혜수는 작게 감탄사를 터뜨렸다.

깔끔하게 정리된 침대 중앙에는 조그마한 상자가 하나 놓여 있었다. 상자 주변을 장식하고 있는 꽃잎은 하필 귀여운 하트 모양이었다.

"이게 뭐예요?"

"열어 봐."

설마, 하는 마음을 누르며 혜수는 묵묵히 상자를 집어 들었다. 상자 안에 든 것의 정체는 매우 고급스러운 느낌의 벨벳으로 제작된 반지 케이스였다.

"……."

조심스럽게 케이스를 여는 손끝은 파들파들 떨고 있었다. 불현듯 찡해지는 코끝은 절대 착각으로 여길 수 없었다.

영롱하게 반짝이는 다이아몬드 반지를 보는 찰나, 심장이 쿵 하고 떨어지는 느낌이었다. 빠르게 뜨거워지는 눈가는 이미 눈물을 밖으로 내보낼 준비를 마쳤다.

"주혁 씨……."

3년 전에도 비슷한 반지를 받았지만, 그때와는 비교할 수 없을 만큼 감동이 몰려왔다. 누군가에게 반지를 받는다는 것이 이토록 심금을 울리는 일인 줄은 처음 알았다.

지금도 뇌리에 또렷이 남아 있었다. 무표정한 얼굴과 심드렁한 손길로 반지를 건네던 그의 모습이. 그리고 자신 또한 그 행위가 얼마나 의미 있는지도 몰랐다. 단지 결혼을 위한 수많은 절차 중 하나였을 뿐이었다.

'너무 달라. 달라서…….'

그만 목이 메고 말았다. 난생처음 겪는 감정이 목 안쪽을 정신없이 두드렸다. 자신을 향한 그의 마음이 더없이 기쁘면서도, 한편으로는 가슴 한구석이 아릿하게 저렸다. 이상했다.

혜수가 소리 없이 눈물을 삼키고 있을 동안, 주혁은 큼지막한 꽃다발을 그녀의 눈앞에 내밀었다. 주변에 퍼지는 꽃향기는 무척 강렬했다.

"윤혜수, 나와 결혼해 줄래?"

다정한 프러포즈가 귓가를 울렸다. 그에 응하듯 뜨거운 눈물 한 줄기가 눈가를 타고 턱으로 떨어져 내렸다.

물론 눈물의 자취는 길지 않았다. 따사로운 감촉이 예고 없이 뺨으로 스며들었다. 손끝으로 어렵지 않게 눈물을 훔쳐 준 주혁은 그대로 그녀를 품에 안았다.

"알아, 당신 마음. 바로 대답 안 해도 돼. 얼마든지 기다릴게."

"……."

"그냥, 전하고 싶었어. 내 마음을."

"……고마워요."

안다. 이미 알고 있다. 그러니 굳이 이렇게 하지 않아도 괜찮았는데. 충분했는데…….

멍하니 그의 품에 안겨 있자니 멎은 줄로만 알았던 눈물이 새삼스레 비어져 나왔다. 또다시 흔들리기 시작하는 어깨를 느꼈는지 주혁은 시선을 똑바로 맞추었다.

검게 빛나는 눈동자에 순간적으로 제 모습이 떠올랐다. 폭풍처럼 몰아닥친 사랑에 어쩔 줄 몰라 하는 제 마음이 고스란히 비쳤다.

다시금 뺨에 와 닿은 감촉의 정체는 손가락이 아니었다. 입술이었다. 진심으로 사랑스럽다는 듯 주혁은 눈물로 젖어 든 혜수의 뺨에 몇 번이나 입맞추었다.

"사랑해."

* * *

그날 밤.

새빨간 장미꽃잎이 나뒹구는 침대에서 주혁과 격하게 사랑을 나누었다. 아랫배를 넘어 하반신 전체에 가득 찬 그의 존재감을 무한히 실감했다. 그 단단한 어깨에 대고 끝없이 야릇한 한숨을 토해냈다.

"하, 아읏……!"

흥건하게 젖은 시트를 따라 녹진녹진한 감촉이 전신을 휩쓸었다. 제일 깊은 곳까지 도달한 욕망을 느끼고 또 느꼈다. 마땅히 그래야 한다는 듯이. 응당히 그럴 수밖에 없다는 것처럼.

제멋대로 안쪽을 휘젓던 성기는 내벽을 온통 그의 흔적으로 덧칠해 버렸다.

투명한 액체가 기다란 자취를 그리며 침대로, 허벅지로 쉼 없이 떨어져 내렸다. 그때마다 질척질척한 감각이 사타구니 안쪽으로 빠짐없이 파고들었다.

"……윤혜수."

가파른 숨과 적나라한 신음을 비집고 얽혀드는 상냥한 속삭임은 너무나도 달았다. 온몸이 순간적으로 마비될 만큼.

살짝살짝 떨리는 속눈썹 아래 새카만 눈동자가 빛났다. 색정적인 시선이 몸을 훑을 때마다 살갗 밑으로 기어들어 가 있던 쾌감이 꿈틀거렸다.

끊일 듯 끊이지 않고 퍼부어지는 고백은 상당 부분 쾌락을 닮아 있었다. 마치 감전이라도 된 듯 머리끝에서 발끝까지 아찔한 불꽃이 튀어 올랐다.

무자비하게 느껴질 만큼 어마어마한 쾌감이 하반신을 잇달아 침범했다. 땀에 젖은 손끝이 예민해질 대로 예민해진 부근을 연거푸 쓸어내렸다. 정교하고도 내밀한 놀림이었다.

주혁의 움직임에 맞추어 에로틱한 경련이 이곳저곳으로 퍼져 나갔다. 도저히 견딜 수가 없는 통에 혜수는 고개를 뒤로 젖혔다. 허덕거리는 숨을 타고 안쪽으로 흡수되지 못한 열이 바깥으로 슬금슬금 새어 나왔다. 빠르게 힘을 잃어가는 다리는 이미 그의 허리에 꽉 감긴 지 오래였다.

"날 봐."

"주혁, 씨…… 응……."

"그래, 그렇게 항상 나만을 느끼고 바라봐 줘."

"하읏!"

타오르고, 타오르다 못해 흔적도 없이 녹아내릴 것 같았다. 지금 공중에 이리저리 흩날리는 굵은 땀방울처럼.

차마 사랑하지 않고는 안 될 이 남자를 온몸으로 만끽하는 순간순간, 확신할 수밖에 없었다. 바랄 수밖에 없었다.

언제까지고 이 아득한 열락에 잠겨 있고 싶다. 영원히, 영원히.

* * *

밤새 섹스했기 때문인지 온갖 곳이 찌뿌드드했지만, 그럭저럭 참을 만했다. 이런 고통이라면 몇 번을 되풀이해 겪어도 좋았다.

기분 좋은 아픔을 즐기며 주혁의 제안처럼 〈사랑의 시작〉을 온종일 느긋하게 감상할 계획이었다. 그런데 갑작스럽게 비서의 전화가 걸려 오면서 모든 것이 허사가 되었다.

모처럼의 여유를 방해받은 주혁은 못내 아쉬운 얼굴이었다. 그래도 어쩔 수 없는 터라 오늘만큼은 회사에 그를 양보하기로 했다.

"미안해. 오늘은 같이 있고 싶었는데."

운전석 쪽의 차 문을 닫는 손길에는 아직도 미련이 묻어나 있었다. 이 남자는 이렇게 가끔 어린아이 같은 면모를 보여 주곤 했다.

어떻게든 제 손을 놓기 싫어 하는 모습이 유치하면서도 사랑스러웠다. 혜수는 괜찮다는 뜻으로 생긋 미소 지었다.

"아니에요. 얼른 가 봐요."

"응, 끝나고 바로 전화할게. 저녁은 같이 먹자."

"기다릴게요."

주혁을 돌려보내고 계단을 오르는 혜수의 품에는 장미꽃 다발이 한 아름 안겨 있었다. 하나도 시들지 않은 꽃에서 풍기는 향은 유독 그윽했다.

그뿐일까. 가방 안에는 주혁이 건네었던 반지 케이스도 들어 있었다. 곳곳에 남은 그의 흔적을 좇는 것만으로도 외로움이 싹 가셨다. 이루 말할 수 없는 행복감이 전신에 내려앉았다.

집에 들어와 편한 옷으로 갈아입은 혜수는 반지를 쥐고 침대에 걸터앉았다. 손안의 다이아몬드 반지는 어젯밤과 다름없이 아름답게 빛나고 있었다. 온 사방으로 뻗어 나가는 오색의 광채에 눈이 부셨다.

'결혼이라…….'

이 반지를 왼손 약지에 끼우면 그와의 관계는 완벽하게 굳혀진다. 더는 되돌릴 수도, 돌이킬 수도 없을 터였다.

그러나 이제는 망설이고 싶지 않았다. 이 이상 멈칫하고 싶지 않았다. 이번은, 이번만큼은 다를 테니까. 귓가에 오래도록 맴돌았던 달착지근한 약속처럼.

“주혁 씨, 나도…….”

마지막 속삭임은 끝내 입 밖을 넘어서지 못했다. 사실 아껴 두었다고 표현해야 옳았다. 이것은 반드시 그와 눈을 마주한 채 전하고 싶으니까.

하염없이 반지를 바라보던 혜수는 조심스레 왼손을 들어 올렸다. 의무감에, 책임감에 끼워졌을 뿐인 기존의 결혼반지는 꼭 필요한 경우가 아니면 화장대 서랍을 벗어나지 못했다.

그렇지만 지금 제 눈앞에 놓인 반지는 확연하게 달랐다. 주혁과 함께하는 미래에 관한 기대감과 행복감으로 물들어 있었다. 그래서일까, 더더욱 아름다워 보였다.

“…….”

자못 떨리는 손길로 반지를 집어 들어 약지에 끼우려던 찰나였다. 난데없이 핸드폰이 울리는 통에 눈길이 자연스럽게 그쪽으로 쏠렸다.

발신인만 확인하고 넘어가려던 혜수는 일순간 눈을 크게 떴다. 그녀의 동공은 걷잡을 수 없이 흔들리고 있었다.

명희였다.

13. 단 한 번의 부정

권 회장의 장례식 이후로 2주가 흘렀다. 즉, 명희를 마지막으로 만난 지도 벌써 그만큼이 지났다는 뜻이었다.

장례식이 치러지는 동안, 자신을 내내 외면했던 그녀였다. 화진 그룹과의 혼담이 어그러지면서 엄청나게 화가 났으리라고는 익히 짐작했지만, 하필 오늘이라니.

당장 본가로 오라는 명희의 명령을 거부할 수는 없었다. 어차피 한 번은 넘어야 할 산이었다. 주혁의 등 뒤에 숨어 잠깐 회피한다고 사라질 문제는 아니었다.

'결국 와 버렸네.'

오랜만에 들르는 저택은 이전과 다름없이 살풍경한 위용을 자랑했다. 잠시 망설이던 혜수는 화려하게 장식된 초인종을 눌렀다.

예전에는 이곳이 너무나 거대한 감옥 같아서 견딜 수가 없었다. 당장 뛰쳐나오고 싶은 충동을 억누르다 보면 하루가 훌쩍 지나가 있곤 했다.

그러나 멍하니 올려다보고 있는 지금, 생각보다 저택에 발을 디디는 게 두렵지 않았다. 그렇게까지 떨리지 않았다. 모르는 사이에 많이 성장한 모양이었다.

"저예요."

—…….

고용인은 아무런 대답 없이 철문을 열어 주었다. 다시금 마음을 다잡은 혜수는 뚜벅뚜벅 현관으로 걸어갔다.

명희는 거실의 소파에 다리를 꼰 채 비스듬히 앉아 있었다. 얼굴을 보자마자 소리를 지르며 화를 표출할 줄 알았건만, 예상외로 차분한 모습이었다.

"왔니? 앉아라."

맞은편에 앉을 것을 지시하는 목소리 또한 이상하게 침착했다. 그 바람에 의문이 구름처럼 부풀어 올랐다.

"네."

이래서야 저 속내에 무엇이 들어앉았는지 모를 일이었다. 명희의 눈치를 살피던 혜수는 소파에 공손하게 자리를 잡았다.

그녀를 주시하는 명희의 눈동자는 놀라울 정도로 차가웠다. 장례식장에서는 좀 더 감정적이었던 것 같은데, 그새 분노를 다스리기라도 했나.

"저……."

"이혼은 어떻게 진행되고 있니?"

"……."

주혁과 어떤 관계인지 장례식 때 뻔히 봤으면서도 명희는 시치미를 뚝 떼고 있었다. 꼬일 대로 꼬인 실타래 같은 본성이 그 짧은 시간 동안 변할 리는 없었다.

"보시다시피 주혁 씨와 저, 서로 사랑해요."

"그게 뭐? 그런 감정놀음 따위 길어야 3년이야."

"그런 게 아니라……."

애써 목소리를 가다듬어 받아치려던 보람은 없었다. 변명이든, 해명이든 그 어떤 것도 듣기 싫다는 표정과 함께 명희의 입술이 대놓고 비틀렸다.

"그건 됐고, 네 위자료 말이다. 네가 우리 집에 와서 한 건 없지만, 또 그렇다고 매정하게 내보낼 수도 없으니까. 넉넉하게 계산했다."

"아뇨, 위자료 받을 이유 없어요. 어머니, 저……."

"어머니?"

힘겹게 유지되던 평화 아닌 평화는 단 한 단어로 인해 무참히 깨져 버렸다. 도저히 그것만큼은 용납이 되지 않는지 명희가 느닷없이 소파의 팔걸이를 내리쳤다.

"……!"

쾅, 하는 굉음이 둘 사이에 울려 퍼졌다. 어찌나 힘주어 내리쳤는지 팔걸이를 붙잡은 명희의 손은 벌벌 떨리고 있었다.

금세 눈앞으로 밀어닥칠 거센 폭풍을 예감하면서도 이대로 물러날 수 없었다. 피하는 것만이 능사는 아니었다. 지난 3년간, 뼈저리게 깨달은 교훈이자 진리였다.

혜수는 고개를 똑바로 들고 명희와 눈높이를 맞추었다. 커다란 바늘로 찔리는 듯한 시선이 머리를 관통했다.

"이혼, 하지 않을 생각입니다. 주혁 씨와 다시 한번 잘해 보고 싶어요."

안타깝게도 마지막 힘을 쥐어짜 응한 효과는 없었다. 혜수를 노려보던 명희는 이내 낮은 한숨을 터뜨렸다. 부정할 수 없을 만큼 확실한 야유였다.

"하, 재미있구나. 무척 재미있어……."

"왜 그런 반응이세요?"

혜수의 물음에 잔뜩 비틀려 있던 명희의 입꼬리에 싸늘한 조소가 떠올랐다.

"그런데 어쩌니. 넌 안 받는다고 해도 이미 다 받아 간 것을."

"그게 무슨 말씀이시죠?"

"네 위자료, 네 부모가 한 푼도 남김없이 가져갔어."

"……네?"

"못 들었니? 이미 다 끝난 일이란 말이다."

지금 누가 누구의 위자료를 받아갔단 말인가. 순간적으로 바보나 멍청이가 된 것 같은 느낌이었다. 밀물처럼 밀려온 충격을 견디지 못한 나머지 눈앞이 아찔했다.

핑핑 돌기 시작한 머릿속을 느끼며 혜수는 가까스로 주먹을 쥐었다. 하지만 어떻게든 평정을 되찾으려는 노력은 수포로 돌아갔다. 명희의 얼굴에 깃든 것은 형용할 수 없을 만큼 엄청난 경멸이었다.

"그걸 왜……."

"위자료를 준다고 하니 한마디 거절도 없이 넙죽 받더구나. 이혼에 대해 그 어떤 것도 함구하고 받아들인다는 각서도 흔쾌히 썼지."

"……."

"네 가족들은 원래 그 모양이잖니? 새삼스럽지도 않았어. 태생부터 그런 족속들이니까."

"그럴 리가 없어요……."

"내가 거짓말을 할 것 같으냐? 확인해 봐라."

제대로 모멸감을 선사하던 그녀는 차마 만지기도 싫다는 듯 서류 봉투를 테이블에 휙 던졌다.

그 안에는 각서가 한 장 들어 있었다. 태석, 경화, 그리고 예은의 이름과 서명이 또렷하게 적힌. 부정하고 싶은 진실을 정면으로 맞닥뜨린 순간, 맥이 탁 풀렸다.

머리를 망치로 얻어맞아도 이 정도로 충격적이지는 않을 것 같았다. 어떻게 말 한 마디도 없이 이런 짓을. 두 눈으로 똑똑히 목격한 가족들의 만행은 정말로 경악스러웠다.

'말도 안 돼……!'

순식간에 가슴속을 잠식한 것은 형언할 수 없는 참담함이었다. 비참함이었다.

이미 연을 끊었다고 생각했던 가족들은 끝까지 제 발목을 붙잡고 늘어지는 중이었다. 또 한 번 자신을 벼랑 끝으로 밀어 넣었다. 죽을 때까지 빠져나올 수 없는 수렁에 갇힌 기분이었다.

끝난 줄 알았는데, 끝나지 않았다. 아직도 끝이 아니었다. 끝은 멀고도 멀었다. 너무나 처참하게도. 그렇다면 어디까지 가야 끝을 맛볼 수 있는 것일까. 서류를 빤히 내려다보던 혜수는 입술을 질끈 깨물었다.

"그런 거, 저는 한 마디도 들은 적 없어요. 저와는 상관없는 일이에요."

그러나 안간힘을 다한 항변에도 명희의 비난은 멈추지 않았다. 아니, 멈추게 할 수 없었다.

"뻔뻔하구나. 설마 더 받아 내고 싶은 거니?"

"그런 게 아니에요. 저는……!"

"닥쳐! 네가 안 받는다고 자존심 내세워도 결국 이게 네 본질이고, 네 수준이야."

"어머니!"

혜수가 목소리를 높여 명희를 부르자 그녀는 진절머리 난다는 듯 벌떡 일어섰다. 허공에 높이 떠오른 명희의 손은 극도의 분노를 주체하지 못하고 있었다.

"그놈의 어머니 소리는 그만 집어치우라고 했을 텐데? 이 기생충 같은 것들이 네 가족이라는 건 변하지 않잖아?"

기생충.

잘 깎인 화살촉처럼 귀에 와 박힌 단어였다. 혜수는 순간적으로 숨을 멈추었다.

남의 살을 파먹고 살면서도 그 어떤 죄의식조차 없는 존재.

오직 생존이라는 허울 좋은 미명하에 숙주가 지쳐 쓰러질 때까지 끝없이 들러붙고, 또 들러붙는 것들.

당연히 자신도 예외는 아니었다. 명희의 눈에는 모조리 똑같아 보일 터였다. 윤혜수도, 그녀의 가족들도.

비참했다. 무참했다. 그렇게 끊어내려고 노력했는데, 애썼는데, 어째서 결과는 이 모양일까. 설명할 수 없는 감정이 파도처럼 몰아닥쳤다. 정신을 다잡지 않는다면 금방이라도 휩쓸려 갈 것 같았다.

"네가 주혁이와 잘된다고 해 봐. 네 가족들이 가만히 있을 것 같아?"

"……."

"무려 10억이야, 10억."

저주에 가까운 명희의 비아냥거림이 끊임없이 귓전에 메아리쳤다.

10억 원.

일반적으로는 평생 일해도 모을까 말까 한 거금이었다. 돈에 눈이 먼 가족들은 또다시 윤혜수를 팔았다. 그럴 수 있어 기쁘고, 반갑다는 듯이.

마치 돌이라도 된 것처럼 넋을 놓고 있던 혜수는 천천히 눈꺼풀을 들어 올렸다. 쉴 틈 없이 두방망이질치는 심장은 거의 떨어져 나갈 듯한 느낌이었다.

"……가족들과는 사실상 절연한 사이예요. 원하신다면 호적을 정리하도록 하겠습니다."

어렵사리 뱉어낸 제안에 명희는 날 선 코웃음으로 응답했다.

"절연 좋아하시네. 네 아비가 대현 병원 VIP 병동에 입원했었던 건 아니? 사돈댁이랍시고 뭘 요구했는지는 알고?"

"그건……."

"네가 안 내준…… 아니, 못 내준 그 병원비를 대체 누가 부담했다고 생각해?"

"병원비……요?"

그러고 보니 미처 그 문제까지는 생각하지 않았다. 그저 자신이 돌아서면 된다고만 여겼을 뿐, 그 이후에 가족들이 어떻게 행동했을지는 관심 밖이었다.

그럴 줄 알았다는 듯 명희의 시선이 한결 냉랭해졌다. 벼르고 벼른 결정타를 드디어 선보인다는 눈치였다.

"내 아들이야."

윤혜수의 남편이 아니라 서명희의 아들이라는 표현은 정확하게 심장에 날아와 꽂혔다. 그것은 끝을 모르는 어둠으로 떨어지는 느낌과 무척 닮아 있었다.

"주, 주혁 씨가 그건 어떻게……."

"전혀 몰랐던 모양이네. 뭐, 그 문제는 그렇다 치자. 네 가족들, 돈도 없으면서 뻔뻔스럽게 대현 그룹을 팔더구나. 처음부터 끝까지."

"……."

"네가 아무리 끊는다고 난리를 쳐도, 너 역시 그 더러운 피를 받았잖느냐? 너도, 네 가족들도 평생 그런 식으로 추잡하게 우리 그룹에 먹칠하며 살겠지. 안 봐도 뻔해."

허튼소리는 아니었다. 실제로 가족들은 대현 그룹의 이름을 팔았고, 자신의 이혼을 이용해 돈을 받아 챙겼으니까.

추저분하기 짝이 없는 가족들의 행태를 두둔하고 싶지는 않았다. 하지만 이대로 함구한다면 명희의 폭언을 군소리 없이 인정한다는 뜻이기도 했다.

혜수가 아무런 말도 하지 못하고 있자 그제야 명희는 아주 약간 누그러든 모습이었다.

"아, 주혁이를 사랑한다고 했니? 그럼 더더욱 네가 빠져야지. 화진 그룹이 주혁이와 우리 대현 그룹에 얼마나 도움이 되는 줄 알아? 아무것도 못 해 주는 너와는 차원이 달라. 완벽하게 다르다고."

"……어머니."

"그러니 주혁이를 위해서 헤어져 주렴. 주혁이는 네 옆에 있으면 완전히 망가질 거야. 사랑한다며? 내 아들, 그렇게 망쳐 버리고 싶니?"

"……."

명희의 한마디, 한마디는 흡사 비수처럼 심장을 찢고 부스러뜨렸다. 아무것도 해 줄 수 없으며, 도리어 발목만 잡을 뿐인 기생충이 본인의 처지를 망각하고 감히 사랑을 논한다.

그런데도 단 한마디조차 반박할 수 없다는 게 서러웠다. 돈. 돈. 그깟 돈이 뭐라고, 이렇게 사람을 비참하게 만들 수 있는가.

미어질 대로 미어진 가슴은 끝끝내 터져 버릴 것 같았다. 어느 틈엔가 가슴 한가운데에 들어앉은 묵직한 돌덩어리에 숨이 막혔다.

그다음에 펼쳐진 일은 사실 제대로 기억나지 않았다. 아니, 머릿속에서 아예 지워 버렸다는 쪽이 적절했다. 휘청거리며 저택을 빠져나온 혜수는 문득 요란한 클랙슨 소리를 듣고 고개를 들었다. 차 한 대가 아슬아슬한 거리에서 멈추어 있었다.

"미쳤어요? 똑바로 보고 다녀요!"

창문 틈으로 빼꼼히 고개를 내민 중년의 남자가 그녀를 향해 삿대질했다. 멍청히 걷다 보니 그만 찻길에 들어선 모양이었다.

"죄송합니다."

"대낮부터 재수가 없게끔…… 쳇!"

연이은 사과 끝에 겨우겨우 남자를 보낼 수 있었다. 흐릿하게 물든 시야에 때마침 비어 있는 택시가 한 대 들어왔다. 그 순간, 저것을 타야 한다는 생각밖에 들지 않았다. 기를 쓰고 택시를 잡은 혜수는 운전기사에게 소리쳤다.

"기사님, 최대한 빨리 가 주세요!"

어떻게든 만나야 했다. 무슨 수를 써서든지 얼굴을 봐야 했다. 이 말도 안 되는 촌극의 원흉들을.

* * *

정신없이 달리고 달려 가족들이 살고 있는 아파트에 도착했다. 무조건 집에 있어야 할 텐데. 아니, 집에 없다면 어디든지 쫓아가리라. 초인종을 누르는 손끝은 제어 불가능한 절망에 휩싸여 있었다.

—누구세요? 어라, 윤혜수……?

다행히도 인터폰을 통해 예은의 목소리가 들려왔다. 곧이어 문이 열렸다.

"갑자기 어쩐 일이야? 연락은 하고 오지."

"……."

유난히 친근하게 구는 예은을 피해 혜수는 집 안으로 들어갔다. 거실에 들어선 찰나, 또 한 번 가슴이 철렁 내려앉았다. 소파 옆에도, 테이블 위에도, 온 사방에 명품 브랜드의 쇼핑백과 상자가 즐비했다.

고작 이런 것 때문에 이들은 또 한 번 자신을 등졌다. 버렸다. 끝없는 비참함 속으로 내몰았다. 인두겁을 쓰고도 차마 이럴 수는 없었다.

"이게 다 뭐예요?"

그새 예은을 쫓아 나온 경화는 어색하게 웃었다.

"아, 이거 말이야? 사부인이 예은이 꾸밈비 주셨거든. 너도 알다시피 기왕 시집가는 거, 최고로 해 줘야지."

"예은이 결혼…… 허락받으신 건가요."

"호호호, 그럼! 그쪽에서 예은이를 어찌나 예뻐하시는지 몰라. 사위도 얼마나 살가운데."

"……."

"아차! 혜수 네 것도 보내 주셨다. 봐라, 어머머……! 얘가 지금 뭐 하는 거야?"

경화가 어딘가에서 황급히 꺼내 온 상자가 손에 쥐어지는 법은 없었다. 결코.

혜수는 눈앞에 들이밀린 상자를 힘껏 던져 버렸다. 바닥으로 툭 떨어진 상자 밖으로 가방끈 같은 기다란 것이 삐져나왔다. 그러자 경화는 대번에

도끼눈을 뜨고 치받았다.

"너 미쳤니? 이게 얼마짜리인 줄 알고 이래!"

끽해야 몇백만 원짜리였다. 아무리 비싸 봤자 한낱 물건일 뿐이었다. 그런데 이따위 것에 자존심과 자긍심을 내던지고, 기생충으로 전락했다고 생각하니 구토감이 몰려왔다. 역겨웠다.

"예은이 결혼 자금으로 5억, 필요하다고 하셨잖아요. 그 돈은 어디서 구하셨어요?"

"그건……."

"말씀해 보세요!"

독기 어린 질문에 어안이 벙벙해하던 경화는 오래지 않아 백팔십도 돌변했다.

"들었니? 그래, 네 위자료 받은 거로 채웠다."

너무나도 태연스러운 대답이었지만 기막혀할 틈은 없었다. 그게 뭐 어떠냐는 것 같은 뻔뻔한 태도에 화가 용암처럼 솟구쳐 올랐다.

"그걸 왜 받으세요! 어떻게 저한테 한 마디도 없이……!"

"당연히 쫓겨나는 마당에 챙길 거라도 챙겨야지. 그럼 그냥 맨몸으로 쫓겨나?"

"어머니!"

피를 토하는 것 같은 혜수의 외침에 경화의 눈매가 가늘어졌다.

"네가 아직 세상 물정을 몰라서 그래. 어쩔 수 없이 내가 대신 받았다. 그게 뭐 그렇게 잘못이니?"

"뭐라고요……?"

"줄 때 받아야지. 뭐라도 챙길 수 있을 때 챙겨야 하는 거야."

그녀는 그 돈이 어떤 돈인 줄 뻔히 알면서도 막무가내로 굴고 있었다. 자신과 주혁이 완전히 끝난다는 것을 전제로 받아 낸 돈이 아닌가.

명희가 주는 돈을 받는다는 게 어떤 의미인지 모를 리 없었다. 끝없는 모멸과 멸시의 대가로 거액이 주어졌고, 가족들은 스스로 기생충이 되는 길을 택했다.

"당장 돈 돌려주세요! 그 돈, 그렇게 받으면 안 되는 거 잘 아시잖아요. 써 버리면 안 되는 것도 알고 계시잖아요! 그런데 어떻게, 어떻게 그러실 수 있어요……?"

"얘가 왜 이래?"

"어머니, 제발요! 돌려주세요!"

연거푸 애원하며 혜수는 경화의 팔을 꽉 붙잡았다. 그러나 피맺힌 절규에도 그녀는 그저 귀찮아할 뿐이었다. 듣기 싫다는 기색이 그 얼굴에 역력했다.

"없어."

"없을 리가 없잖아요? 그 큰돈을 어떻게 그렇게 짧은 시간에……."

"정말 없다니까?"

"말도 안 돼요. 그러지 마시고 얼른……."

"너 이러다가 애먼 사람 잡겠다? 나만 썼니? 내가 다 썼어?"

"그럼요?"

"이 집구석에서 돈 쓸 만한 위인이 누가 또 있겠어? 응?"

그제야 소파 구석에 멀뚱멀뚱하게 앉아 있던 태석이 눈에 들어왔다. 태석은 주먹을 말아 쥔 채 계속해서 헛기침만 해 대고 있었다.

"아버지……."

지독히도 메스꺼운 현실에 목소리가 파르르 떨렸다. 혜수의 부름에 대신 답하듯 경화가 카랑카랑하게 쏘아붙였다.

"그래, 나머지는 도박 빚 진 거 갚았어. 저놈의 인간, 내가 진짜로 저 망할 손모가지를 잘라 버리든가 해야지."

"……."

"아이고, 내 팔자야! 남의 속도 모르고 어디에서 도끼눈을 뜨고 대들어,

대들긴? 죄다 네 아버지 빚이니 이제 억울할 것도 없지?"

"진짜로…… 그 돈을 다 썼다고요……?"

"그래! 먹고 쓰려고 해도 한 푼도 없다. 어쩔래?"

무려 10억 원이었다. 그렇게 큰돈이 순식간에 공중 분해되고 말았다는 데 대한 상실감은 상상 이상이었다.

이제 다 틀렸다. 전부 끝났다. 한 푼도 돌려받을 수 없게 되었으니 명희를 찾아갈 명분도, 낯도 사라졌다. 분노와 절망이 한데 섞인 손이 부들부들 떨렸다.

"정말, 어떻게…… 다들……."

죽도록 비참했어도 명희의 앞에서 차마 터뜨리지 않았던 눈물이었다. 이것은 마지막 자존심이기도 했으니까. 하지만 이쯤 되니 그 모든 저항과 노력이 소용없어졌다. 쓸모없어졌다.

급격히 뜨거워지는 눈시울을 느끼며 혜수는 태석을 돌아보았다. 그래도 피를 나눈 관계랍시고 아주 약간 양심의 가책을 느낀 모양이었다. 태석은 고개를 홱 돌려 그녀의 시선을 피했다.

"……아버지."

"으흠……."

"아버지……! 저, 아버지 딸이에요. 저희 가족이잖아요……. 읏, 그런데 어떻게…… 저한테 이러실 수가 있어요……."

그들과 피를 나누었으며, 그 어떤 짓을 해도 악연의 고리를 끊지 못하리란 사실이 이토록 원망스러울 수가 없었다.

이럴 수는 없었다. 이렇게까지 절망하게 할 수 없었다. 미친 듯이 뿌예지는 시야에는 미처 흘러내리지 못한 눈물이 가득했다.

기대했다. 바랐다. 이제는 달라질 수 있을 것이라고. 앞으로는 잘될 수 있을 것이라고. 그렇게 하고 싶었다. 그렇게 될 줄 알았다. 그런데…… 역시나 아니었다. 절망은 희망의 한가운데에 얼굴을 묻은 채 가만히 웅크려 있었다.

희망이 가장 부풀어 올랐을 때, 절망이 드디어 고개를 내밀었다. 그 순간, 언제 그랬냐는 듯 모든 것이 부서졌다. 처음부터 없었던 것처럼.

저도 모르게 바닥에 주저앉은 혜수는 고개를 떨구었다. 속눈썹에 맺힌 눈물의 무게가, 어깨를 짓누르는 현실의 무게가 견딜 수 없이 무거웠다.

"흑, 읏……."

그동안 어떤 취급을 받았는데, 어떤 멸시를 받고 살았는데. 하지만 가족들은 아무것도 상관없다는 모양새였다. 아무래도 좋다는 모습이었다. 오직 돈만 있다면.

돈이 모든 것을 해결해 줄 수 있냐고 물으면 그들은 분명 그렇다고 대답할 터였다. 실제로 빚도 갚고, 결혼 자금도 마련했고, 가지고 싶었던 물건도 샀다. 그 외에 또 무엇이 필요한가.

처음부터 없었다. 가족 간의 사랑, 애정, 행복…… 그들에게 자신이 바라던 것은 존재하지 않았다. 그 어떤 것도.

'나는…….'

쉼 없이 흘러내리는 눈물이 닿은 볼은 마치 타들어 가는 것 같았다. 서럽기 그지없었다. 어느새 으스러질 듯 쥐어진 주먹에 손바닥이 저려 왔다. 구멍이 났다고 해도 믿을 수 있을 정도로 아팠다.

정말로 노력했다. 진심을 다해 바꾸려고 애썼다. 그런데도 어째서 결과는 똑같은 것일까. 아무리 발버둥 쳐도 헤어 나올 수가 없는 것일까.

지긋지긋했다. 그와 동시에 손끝에서부터 힘이 빠져나갔다. 간절했던 기대의 끝은 체념이었다. 절실했던 바람의 종착역은 절망이었다. 이번에도, 마찬가지로.

구슬픈 울음소리에도 경화는 아랑곳하지 않았다. 이 또한 늘 있는 혜수의 고집이라는 듯이.

"얘, 너무 그러지 마."

"……."

"권 서방은 아직 너한테 마음이 있는 것 같더라. 다행이지 않니? 권 서방한테 잘 이야기해 보면 뭐라도 하나 던져 주겠지."

"주혁…… 씨요?"

듣고 싶지 않았던 이름이 끝내 귓가를 관통했다. 그 찰나의 순간, 방금까지 부글부글 끓고 있던 피가 놀랍도록 차가워졌다.

'기생충 같은 것들이 네 가족이라는 건 변하지 않잖니?'

어딘가에서 명희의 날 선 비웃음이 들려왔다. 틀림없는 환청이었지만 바로 옆에서 들려오는 것처럼 또렷했다. 명희는 옳았다. 틀리지 않았다. 한계까지 내몰린 현실을 꿰뚫고 있었다. 너무나도 비참할 만큼.

연이어 떨어지는 눈물을 닦을 생각도 하지 못한 채 혜수는 천천히 몸을 일으켰다. 멈출 기미가 없는 눈물 탓인지 시야가 굉장히 뿌옜다.

"갈 거면 이거라도 가지고 가."

조금이나마 달랠 마음이 들었는지 경화는 손에 쥐고 있던 상자를 내밀었다. 10억 원이라는 큰돈은 고작 명품 가방 하나로 쪼그라들어 있었다. 혜수는 매몰차게 그녀의 손을 뿌리쳤다.

"얘가 또……!"

"저 좀 내버려 두세요. 제발! 서로 모르는 사이처럼 지내자고요."

"뭐? 또 그런다. 가족의 연이 그렇게 쉽게 끊어지는 줄 알아?"

"……."

"넌 절대로 우리랑 연 못 끊어!"

타박하는 듯한 어투로 지껄이는 말은 당연하게도 귀에 전혀 들어오지 않았다.

등 뒤에서 계속 구시렁거리는 목소리가 들려왔다. 그러나 돌아볼 수는 없었다. 만약 그랬다면 그대로 경화의 멱살을 잡고, 그녀의 몸을 흔들어 버릴 것 같았다. 그 뻔뻔한 얼굴에 대고 외치고 말 것 같았다.

당신들 때문이라고. 또 이렇게 망쳤다고.

그리고…… 이제는 예전과 다르다고.

* * *

바람이 유난히 차가웠다.

아니, 차가운 것은 제 몸일 터였다. 시뻘건 불꽃과 같이 타올랐던 분노가 사그라든 곳에는 싸늘하게 식은 절망만이 남았다. 오한과 한기가 더불어 피어올랐다.

선택권은 없었다. 처음부터. 그랬던 주제에 감히 착각했다. 오판했다. 제 손으로 무언가를 바꿀 수 있으리라고 믿었다.

'다 끝났어.'

이미 진작에 끝이 났는데, 이렇게 또다시 끝을 맞이하게 될 줄은 정말로 몰랐다. 이런 결말에 도달할 줄 알았다면 애초에 아무것도 기대하지 말 것을. 바라지 말 것을.

수십 번을 후회하고, 수백 번을 절망했다. 그렇지만 아무것도 바뀌지 않았다. 줄곧 그래 왔던 것처럼. 더없이 행복했던 유예의 시간은 종료되었다. 이제는 정말로 끝이었다.

[지금 출발해.]

주혁의 메시지를 뚫어져라 내려다보던 혜수의 눈가에는 못다 흘린 눈물이 그렁그렁 어려 있었다.

회사 근처의 카페이니 주혁은 얼마 못 가 도착할 것이었다. 그 기다림의 시간이 무척이나 길게 느껴지면서도, 한편으로는 영원히 오지 않았으면 했다.

잔잔하게 미소 짓는 얼굴로 들어서는 주혁을 만나면 무슨 말부터 꺼내야 할까. 어떤 표정을 지어야 할까. 상상 속의 광경이 눈앞에 펼쳐질 때마다 눈물이 뚝뚝 떨어졌다.

'이러면 안 돼…….'

혜수는 피딱지가 두어 군데 내려앉은 입술을 다시 한번 깨물었다. 한바탕 운 얼굴을 주혁이 본다면 이해하지 못할 터였다. 받아들이지 못할 게 분명했다.

겨우겨우 눈물을 그치고 멀거니 카페 입구만을 응시하고 있으려니 금세 시간이 흘러갔다. 입구의 문이 여남은 번 열렸다가 닫힌 후에 드디어 주혁이 모습을 드러냈다.

"……."

자신을 찾는지 주혁의 시선은 얼마간 허공을 더듬었다. 여기저기 돌아보던 검은 눈동자는 오래지 않아 단 한 곳에 멈추었다. 눈이 마주치자마자 꼬마전구에 깜빡, 하고 불이 들어오는 것처럼 그 입가에 미소가 번졌다. 상상 속에서보다도 훨씬 멋진 얼굴이었다.

이 남자는 대체 언제 웃나 싶었다. 뭘 해야 웃는지 궁금했다. 물론 이제는 안다. 그 무감각한 표정이 어떨 때 바뀌는지. 무심한 그를 웃게 하려면 어떻게 해야 할지.

'하지만 더 이상 소용이 없네…….'

이제야 겨우 깨닫게 되었는데 말이었다. 전부 부질없어졌다는 점이 뼈저리게 슬펐다.

"오래 기다렸어?"

다정한 물음에 혜수는 살며시 고개를 흔들었다. 다행히 주혁은 그녀의 이상을 모르는 눈치였다.

"방금 왔어요."

"그거 다 마시면 바로 밥 먹으러 나갈까?"

테이블에 놓인 커피는 아직 한 모금도 마시지 않은 상태였다. 원래도 커피의 쓴맛을 즐기는 편이었지만, 지금은 차마 실감조차 못 할 만큼 쓰디쓸 것 같았다. 아니, 쓰라릴 것 같았다.

"아니요. 좀 앉을래요?"

스스로 느끼기에도 평상시보다 한참 가라앉은 목소리였다. 그나마 다행인 게 있다면 울었다는 흔적이 남아 있지 않다는 점이었다. 잠시 의아해하던 주혁은 이내 그녀의 뜻을 따랐다.

"무슨 일…… 있었어?"

걱정이 묻어나는 어투에 발끝에서부터 천천히 무너져 내리는 기분이었다. 무너지고, 부서져서, 마침내 언젠가는 흔적조차 남지 않게 되리라.

혜수는 파르르 흔들리는 속눈썹을 느끼며 입술을 열었다. 그새 바싹 말랐어도 눈가에 가해진 무게는 여전히 무거웠다.

"하나 묻고 싶은 게 있어요."

"뭔데?"

"아버지 병원비, 당신이 냈나요?"

"아, 그건……."

"아버지가 입원하셨던 건 어떻게 알았어요?"

"당신 쓰러졌을 때, 주치의한테 들었어."

"그렇군요."

굳이 확인한 것은 다른 이유에서가 아니었다. 한 번만, 딱 한 번만 부정하고 싶어서였다. 당연히 아닌 것을 알면서도.

그것이 그렇게 못 할 짓이냐는 듯 주혁의 얼굴에 어린 의문은 쉬이 사라지지 않았다. 그래, 아예 못 할 짓은 아니었다. 형편이 어려운 장인의 병원비를 사위가 기꺼이 내줄 수도 있는 것 아닌가.

하지만 그래서는 안 되었다. 악연의 고리를 그 손으로 직접 이어지게 내버려 둘 수는 없었다.

"왜 그래?"

혜수는 가만히 반지 케이스를 그의 앞으로 밀었다. 반지가 들이밀릴 줄은 꿈에도 몰랐는지 주혁의 눈동자가 거칠게 흔들렸다.

"대답, 지금 해도 되나요?"

"응."

"역시 안 되겠어요."

"……뭐?"

한 번도 끼워 보지 못했던 반지를 돌려주는 지금, 차라리 다행이라는 생각밖에 들지 않았다. 만약 그랬다가는 한 줄기의 미련을 덧붙이는 꼴밖에 되지 않았을 테니까.

"미안해요."

나지막한 사과를 들은 주혁의 얼굴은 그야말로 흙빛이 되었다. 방금까지 역력하던 웃음기가 삽시간에 자취를 감추는 광경은 꽤 뼈아팠다. 그를 보고 있노라면 심장이 아프게 조여들었다.

"갑자기 그게 무슨 말이야? 설마 병원비 내드린 거, 당신한테 말 안 해서 그래? 그건……."

"네, 알아요. 당신한테는 별일 아니었겠죠."

백만 원이든, 천만 원이든, 일억 원이든 돈은 그에게 그다지 중요한 문제가 못 되었다. 그러나 자신에게는 아니었다.

돈은 많은 것을 주었고, 동시에 많은 것을 앗아 갔다. 끊임없이 이어지는 돈과의 시소게임은 너무나도 힘들었고, 힘겨웠다.

그렇지만 이제 이 짓도 끝이었다. 지쳤다. 완벽하게.

그리고 인정했다. 받아들이기로 했다. 자신이 있을 곳은 여기, 주혁의 곁이 아니었노라고.

아무리 고고한 척 꽃을 피우고 있어도 연꽃의 뿌리는 시커먼 진흙탕에 깊숙이 박혀 있는 법이었다. 뿌리부터 진흙과 함께하고 있는 이상, 벗어나기 위해 발버둥 칠 필요가 없었다.

어차피 근본부터 비틀렸으니까. 그런데도 무엇을 위해 그토록 애썼던가. 허무하고 또 허무했다. 축 처진 어깨에 허탈함이 축축하게 배어들었다.

"그럼 왜……."

반지 케이스를 꽉 움켜쥐는 손은 숨길 수 없는 동요가 엿보였다.

"그 별것 아닌 일 때문에 나는 당신과 결혼했어요."

가족들을 도와줄 돈이 필요했다. 그게 제 의무라고 생각했고, 그들을 위한 일이라고 믿었다. 주혁에게는 정말로 별것 아니었을 테지만.

"사실 꼭 당신이 아니었어도 상관없었어요. 돈만 많이 받을 수 있다면 다른 남자와도 결혼했을 테니까."

"윤혜수."

결혼을 폄하하는 뉘앙스에 다소 감정이 상한 듯했지만, 주혁은 어떻게든 티를 내지 않으려는 모습이었다. 그보다 자신을 달래는 게 급해 보였다.

"미리 말하지 못한 건 미안해. 난 그저 당신이 또 신경 쓸까 봐……."

"이유는 아무래도 좋아요. 주혁 씨, 우린 안 돼요. 내 딴에는 잘해 보고 싶어서 노력했는데…… 역시나 안 된다는 걸 알았어요. 그뿐이에요."

가족들을 단호하게 끊어 내면 되는 줄 알았다. 냉정하게 거부하면 된다고 생각했다.

틀렸다. 아니었다. 오산이었다. 자만이었다. 뫼비우스의 띠처럼 변함없이 똑같은 자리만을 맴돌고 있다는 것을 지금껏 왜 몰랐을까.

기생충은 숙주가 죽지 않으면 사라지지 않는다. 주혁과 함께 있는 한 가족들은 끝까지 손을 뻗을 것이고, 영원히 절망의 고리에서 벗어나지 못할 터였다. 여전히 근본부터 부정당할 것이 분명했다.

그러니 이 이상 버틸 자신이 없었다. 몇 번이나 확인 사살당한 현실은 지독히도 아팠다. 절망스러웠다.

"뭐가 안 되는데."

"당신과 나는…… 처음부터 어울리지 않았어요."

차분하게 현실을 짚어 보고 있는 지금, 눈물이 날 것 같았다. 아니, 어쩌면 눈물이 떨어지고 있는지도 몰랐다. 그런데도 도저히 입술을 멈출 수가 없었다. 앞으로도 끊임없이 이런 일이 반복된다고 생각하니 진심으로 끔찍했다.

"그렇게 놀란 표정 짓지 않아도 돼요. 그저 각자의 자리로 돌아가는 것뿐이에요."

"그게……."

바로 반박하려는 그의 말을 끊고 혜수는 가늘게 덧붙였다.

"어차피 무슨 짓을 해도 잘될 수 없는 사이였어요. 그럴 수 있다고 아주 잠깐 착각했던 거지."

"……."

"누가 그러더라고요. 태어날 때부터 이미 위치가 정해져 있는 거라고. 정말 분했지만, 인정할 수밖에 없었어요. 실제로 그랬으니까."

"그런 말 함부로 하지 마. 남이 무슨 상관이야?"

주혁은 답답하다는 듯 한숨을 내뱉었다. 눈에 띄게 찌푸려진 미간에는 불쾌감이 가닥가닥 서려 있었다.

"아니, 상관있어요. 나와 함께 있으면 당신도 망가질 거예요. 사실 이미 망가졌는지도 모르지만……."

칼날처럼 예리하게 심장을 쑤시던 명희의 말은 거짓이 아니었다. 주혁은 변했다. 사랑을 모르던 남자는 사랑을 알게 되었다. 함께한다는 것의 진정한 의미를 깨닫게 되었다.

그가 변해서 행복했다. 변해 줘서 기뻤다. 비록 너무나도 짧았지만.

"여기는 당신이 있을 곳이 아니에요. 당신은 당신에게 맞는 자리로 돌아가요."

그것은 주혁을 위한 행동이 아니었다. 그에게 어울리는 행복도 아니었다. 명희의 선언을 기점으로 찰나의 유예는 끝났다. 더는 지속하고 싶지 않았다.

그러기에 자신은 너무나 지쳤다. 양어깨를 짓누르는 현실의 압박이 너무도 버거웠다.

오랫동안 떠메고 있던 짐을 추스를 동안, 주혁이 가장 빛나고, 가장 높은 곳으로 돌아가기를 바란다. 감히 쳐다볼 수조차 없을 정도로. 그것이 바로 그에게 걸맞은 자리였다.

"이러지 말고 차분하게 이야기해 봐. 대체 왜 그러는 거야?"

정처 없이 흔들리는 주혁의 눈동자에는 온갖 감정이 고여 있었다. 잔뜩 당황한 그를 빤히 바라볼수록 가슴이 차가워졌다.

놀랍도록 강한 한기가 살갗을 두드리기 시작했다. 추웠다. 불현듯 찾아온 추위에 입술이 덜덜 떨렸다. 그리고 언젠가 아무것도 느낄 수 없을 만큼 꽁꽁 얼어붙을 것이었다. 일종의 예감이었다.

"한계를 절감하면 포기하고 싶어진다고 하잖아요? 나한테는 지금이 그래요."

"당신. 정말……."

"그동안 고마웠어요. 우리 이만 헤어져요."

침착하게 속삭인 혜수는 의자에서 엉덩이를 떼어냈다. 느닷없는 통보에 완벽하게 동요한 주혁은 잠시간 아무 반응도 보이지 않았다.

"내가 하고 싶은 말은 여기까지예요. 갈게요."

"……윤혜수!"

반 박자 늦게 다급한 외침이 허공을 갈랐다. 하지만 뒤를 돌아볼 수는 없었다. 이미 다짐하지 않았나. 똑같은 실수를 또 반복하고 싶지 않다고.

주혁은 자신을 잡지 말았어야 했다. 끝까지 좇아오지 말았어야 옳았다. 감정이 시키는 대로, 마음이 이끄는 대로 발을 옮긴 결과는 이다지도 처참했다.

숨이 턱에 닿도록 빠른 걸음이었지만, 그는 어렵지 않게 그녀를 붙잡았다. 갑작스레 잡힌 손목이 찌릿찌릿한 통에 혜수는 천천히 고개를 돌렸다.

"가지 마. 잠깐만 기다려……!"

도무지 믿을 수 없다는 듯 찌푸려진 미간, 살짝 벌어진 채 도통 그다음 말을 엮어 낼 수 없는 입술, 도저히 안정을 되찾지 못하는 눈동자까지.

주혁은 떨고 있었다. 무척이나.

항상 자신감에 차 있던 손길은 엄청나게 동요하고 있었다. 그의 떨림이 살갗을 타고 가슴속까지 파고들어 왔다. 마침내 심장까지 도달했을 때, 모든 감각이 일거에 멈추었다.

"이러지 말아요. 놔요."

"당신이야말로……. 아니라고 말해. 얼른……!"

"아뇨, 그럴 수 없어요."

"어째서……."

"이제 지쳤어요. 그만하고 싶어요."

"지쳤다니……."

대답 대신 무감한 눈동자가 느릿하게 주혁을 올려다보았다. 그 눈 안에 아무것도 비치지 않는 것을 확인한 그는 조금 전처럼 딱딱하게 굳었다.

"……."

주혁은 더 이상 그녀를 잡지 않았다. 아니, 애초에 잡을 수 없는 것인지도 몰랐다. 정말로 끝났으니까. 진정한 결말이니까.

어느새 자유로워진 손목을 확인한 혜수는 자그맣게 숨을 들이켜며 발을 떼었다. 등 뒤에서는 아무런 소리도 들려오지 않았다. 다행이었다.

힘겹게 카페를 나서자마자 기다렸다는 듯 눈물이 터질 줄 알았다. 아까 카페에서 그랬던 것처럼 숨죽여 울 줄 알았다. 그런데 어쩐 일인지 눈물이 한 방울도 흘러나오지 않았다.

까칠하게 마른 눈가는 단지 아릿한 고통만을 흘려낼 뿐이었다. 마음껏 울고 싶은 심정이건만 울 수도 없다니. 조여들 대로 조여들었던 심장이 마침내 쪼그라드는 느낌이었다.

"윽……."

이상 징후는 눈언저리에서만 나타나지 않았다. 목 어딘가에 무언가가 걸린 것만 같았다. 입 밖으로 뱉어낼 수도, 삭이지도 못하는.

아팠다. 슬펐다. 그러나 여전히 쓰라리기만 할 뿐, 눈물은 조금도 흘러나오지 않았다.

가만히 입술을 핥으며 서 있자니 문득 귓가가 먹먹했다. 곧이어 세상의 소리가 사라졌다. 아니, 잃어버렸다.

* * *

무뎌진다는 것은 제법 괴로운 일이었다. 지난 3년의 세월을 통해 뼈아프게 학습한 사실이었다.

수없이 깎이고 또 깎여서, 마침내 아무런 고통과 괴로움을 느끼지 못하게 된 순간, 눈앞에는 깊디깊은 절망이 존재했다. 바닥을 가늠할 수 없는 어둠이 기다리고 있었다.

그렇다는 점을 이미 알고 있었기 때문에 다시는 겪고 싶지 않았다. 보고 싶지 않았다. 하지만 끝끝내 이럴 수밖에 없었다.

마비라도 된 것처럼 꿈쩍도 하지 않는 팔다리를 겨우겨우 움직여 집에 돌아온 직후였다. 세상에서 자신을 받아 줄 단 한 곳에 도착했다는 점을 증명하듯 온몸에 열이 치솟았다.

"으흑……."

반쯤 흐느끼다시피 하며 침대에 누워 있다는 게 거짓말 같았다. 어제는 그렇게 행복했는데. 최고의 기쁨을 누리고 있었는데. 순식간에 급반전된 현실은 너무나도 잔혹했다.

베개로 배어들기 시작한 땀은 뜨뜻미지근했다. 그대로 시트를 뒤집어쓴 채 끙끙 앓았다. 옴짝달싹 못 한 상태에서 한나절 넘게 소모한 후에야 카페로 출근해야 한다는 사실을 깨달았다.

'연락…… 드려야지.'

가냘픈 신음과 함께 혜수는 힘없이 핸드폰을 집어 들었다. 미영에게는 미안해도 하루…… 아니, 넉넉하게 일주일쯤 쉬자. 그 정도면 충분히 회복할 수 있을 터였다. 아무렇지도 않게 벗어나 일상으로 돌아갈 수 있을 것이었다. 지겹도록 따라붙고 있는 이 묘한 이물감으로부터.

—……세상에, 어떡해? 괜찮으니까 푹 쉬어.

연락을 받은 미영은 곤란함보다는 걱정 어린 빛을 먼저 내비쳤다.

"죄송해요, 사장님."

—아니야. 요즘 무리하는 것 같더라니……. 카페 걱정은 하지 말고 컨디션 회복하도록 해.

"네…… 감사합니다."

짤막한 인사를 끝으로 전화는 끊어졌다. 방 안에는 다시금 정적이 찾아왔다.

숨소리조차 들리지 않을 만큼 고요한 곳에서, 아무런 생각도 하지 않고 눈을 감고 있었다. 잠을 자는 것은 아니었다. 그저 가라앉아 있을 뿐이었다.

한없이 밑바닥으로, 밑바닥으로 내려가던 몸은 어느 순간 흠칫했다. 잘못 들은 게 아니라는 점을 증명하듯 제 곁에 깃든 침묵은 또 한 번 파편이 되었다.

딩동.

초인종 소리였다.

딩동.

또다시 날아들어.

딩동.

귓전을 점령한.

시트를 걷고 일어선 혜수는 현관을 향해 귀를 기울였다. 무려 세 번을 연속해서 울린 초인종은 단 한 명의 소행이 틀림없었다. 주혁이었다.

"……."

정황상 미영이 전했을 가능성이 컸다. 그러니 바로 집으로 들이닥친 것이겠지. 우두커니 서 있던 혜수는 이내 현관문을 향해 홀린 듯이 걸어갔다.

딩동.

기대하듯, 바라듯, 조심스럽게 눌린 초인종이었다. 아마도 최후의 최후까지 쥐어짜 낸 인내심이었던 듯했다. 초인종 소리가 끊어진 다음에는 쾅쾅, 하고 현관문이 요란하게 두들겨졌다. 조금 전과는 비교할 수 없을 만큼 커다란 소리였다.

"……나와 봐. 안에 있는 거 알고 있어."

주혁의 낮은 목소리에 심장이 쿵, 하고 떨어졌다. 혜수는 어깨를 푹 수그렸다.

"윤혜수."

"……."

"우리, 이야기 좀 해."

사뭇 간절한 애원이 귓가를 울릴 때마다 숨이 멎는 기분이었다. 아니, 정확하게는 숨을 쉴 수가 없었다. 턱을 넘어 입술까지 차오른 감정에, 목 안을 완전히 점령한 정체불명의 이물감에 질식할 것 같았다.

혀를 살며시 깨물며 혜수는 서둘러 눈꺼풀을 닫았다. 속눈썹이 위아래로 두어 번 흔들렸다. 눈가는 어제와 다를 바 없이 지독하게 쓰라렸다.

"당신…… 거기 있잖아. 내 말 듣고 있잖아."

"……."

"제발 아무 반응이라도 보여 줘. 뭘 해도 좋으니까…… 제발."

"……."

마지막 속삭임은 거의 울음에 가까웠다.

그러나 아무 말도 할 수 없었다. 단 한마디도.

14. 외로운 짐승

사랑은 벼락같이 찾아온다.

제 품 안에서 깊이 잠든 혜수를 볼 때마다 가슴이 울렁거렸다. 형언할 수 없는 만족감이 가슴 깊은 곳에서부터 뭉근하게 차올랐다.

손끝을 스치는 부드러운 머리카락이 좋았다. 오롯이 자신만을 담은 커다란 눈동자가 예뻤다. 쉴 틈 없이 제 이름을 불러 대던 붉은 입술이 사랑스러웠다.

하지만 처음으로 실감하게 된 감정은 오래지 않아 변질될 수밖에 없었다. 처음부터 그렇게 되어야만 한다는 듯이.

"……."

이제야 마음이 통했다고 생각했다. 이제 겨우 부부로서의 진정한 첫걸음을 내디뎠다고 느꼈을 때, 그녀는 어째서인지 이별을 고했다.

느닷없이 행해졌던 이혼 통보와는 완전히 다른 느낌에 직감했다. 윤혜수는 이번에야말로 끝을 원하고 있다고. 이유 모를 절망은 그녀의 내면을 완벽하게 침식한 상태였다.

놀랍도록 급변한 상황에 당황스러워할 겨를은 없었다. 한없이 달콤하기만 했던 사랑은 격렬한 분노로, 때로는 깊은 절망으로, 쓰디쓴 체념으로 탈바꿈하며 자신을 미친 듯이 뒤흔들었다.

"……윤혜수."

오늘도 혜수는 한 발자국도 움직이지 않았다. 주혁은 미동도 없는 현관문을 조심스레 쓸어 보았다. 차갑게 식은 표면에서는 쇠 비린내가 풍기고 있었다. 어제와 한 치도 변함없는 풍경이었다.

"……."

줄곧 반복된 몸짓은 조금도 지겹지 않았다. 이미 돌아설 대로 그녀의 마음을 돌릴 수만 있다면 그 어떤 짓을 해도 상관없었다.

혜수가 응답하기만을 기다리며 우두커니 서 있던 주혁은 이윽고 짧게 한숨을 쉬었다. 문을 두드린 지 벌써 한 시간이 넘었지만 문 안쪽에서는 아무런 소리도 들리지 않았다.

지난 일주일간, 퇴근하자마자 혜수의 집으로 찾아가 굳게 닫힌 현관문을 두드렸다. 또 하나의 일상이 되어 버린 기다림은 너무나도 잔혹하고, 잔인했다.

'항상 이런 기분이었던 건가…….'

어느 정도는 그녀의 기분을 알고 있다고 생각했는데, 전혀 아니었다. 오산이었다. 오만이었다. 카페에서 커피를 마시면서 기다리는 것과는 차원이 다른 고통이었다.

과연 언제 나올지, 언제쯤 만날 수 있을지 손톱만큼도 기약할 수 없었다. 끝을 알 수 없는 기분은 정말로 최악이었다.

그러면서도 실낱같은 기대를 버리지 못했다. 언젠가는 이 문이 열리지 않을까. 그 가녀린 손을 붙잡을 수 있지 않을까. 미안하다고, 잘못했다고 말할 수 있지 않을까.

한편으로는 두렵기도 했다. 단 한 순간이라도 자리를 떴을 때, 이 문이 열릴까 봐. 혜수의 얼굴을 볼 수 있을까 봐. 기대와 두려움은 이미 한 몸이 된 것이나 마찬가지였다.

하지만 지금껏 철저하게 배신만 당했다. 언제 끝날지 가늠조차 불가능한 기다림 속에서 주혁이 할 수 있는 일은 하나뿐이었다. 쉰 목소리로 그녀의 이름을 부르며 아주 작은 희망을 품는 것.

"당신……."

주혁은 나직한 신음과 함께 바닥에 주저앉았다. 엉덩이를 타고 올라오는 시멘트 바닥의 찬 기운은 놀랍도록 강했다.

그 상태에서 몇 번이나 머리카락을 쓸어 올리며 한숨을 쉬고 또 쉬어도 문이 열리는 법은 없었다. 이 얼마나 피 말리는 짓인가.

'뭘 어떻게 해야 하는 거야?'

순간순간 짜증이 솟구치다가도 싸늘하게 식은 혜수의 눈동자를 떠올리면 몸에 한기가 돌았다. 그녀는 그런 시선으로 자신을 봐서는 안 되었다. 그런 눈빛을 보내면 안 되었다.

가까스로 얻어 낸 온기를 다시는 잃을 수 없었다. 아니, 잃고 싶지 않았다. 이토록 허무하게.

그러니 최선을 다해 끝까지 따라붙어 보는 것이다. 끝끝내 이 문이 열리고 말 때까지.

* * *

오늘은 새벽부터 비가 내렸다.

가느다란 빗방울이 창문을 불규칙적으로 두드렸다. 시큼한 비 냄새에 눈을 뜬 혜수는 나지막이 한숨을 흘렸다.

여전히 숨이 턱 막혔다. 목에 걸린 것은 도통 아래로 내려갈 기미가 없었다. 이래서야 명희의 냉혹한 눈빛을 온몸으로 받아내야 했던 때 같았다.

'그만 일어나야지.'

침대와 화장실, 부엌만을 오가는 사이, 일주일이 금세 지나갔다. 지난 일주일 동안 주혁은 하루도 빠짐없이 찾아와 초인종을 눌렀고, 현관문을 두드렸으며, 거친 목소리로 자신을 불렀다.

그리고 자신 또한 단 한 번도 응하지 않았다. 주혁에게는 미안한 일이었지만, 차라리 이러는 게 나았다. 처음부터 모질게 끊어내지 못했기에 다시 한번 시작할 희망을 품었던 것이 아닌가.

희망 고문은 이 정도로 족했다. 희망의 다른 이름이 절망이라는 사실을 깨닫는 순간, 그는 빠져나올 수 없는 구렁텅이로 잠기고 말 것이었다.

"아직은 괜찮아. 아직은……."

이렇게 어설픈 자기 위안이라도, 서투른 자기 합리화라도 하지 않는 것보다는 나았다. 스스로를 세뇌하듯 중얼거리며 혜수는 침대를 벗어났다.

일주일 만에 걸어 보는 길은 자못 낯설었다. 이럴 리가 없는데 싶어도 어색한 감정은 사라지지 않았다. 그새 익숙해져 버린 모양이었다.

아주 살짝만 눈을 들어도 바로 보이는 단정한 옆얼굴에. 머리 위에서 들리던 다정한 목소리에. 그리고 제 손을 힘주어 잡던 커다란 손에.

발을 뗄 때마다 낭패감이 허리를 진하게 훑어 내렸다. 권주혁은 새로운 일상에 아주 자연스럽게 스며들어 있었다.

'그러고 보니…….'

하필 제 손에 들린 것은 주혁이 빌렸다가 돌려주었던 하늘색 우산이었다. 삶 곳곳에 남은 그의 흔적은 너무나도 강했다.

저도 모르게 입술을 꽉 깨문 혜수는 우산을 받쳐 든 손에 힘을 실었다. 아무래도 또 이사 가야 하나. 꼬리표처럼 따라붙는 기억은 한두 개가 아니었다.

비가 내리기 때문일까. 가까스로 도착한 카페 안은 한산했고, 미영이 서 있는 카운터에는 그 이상의 적막이 감돌고 있었다.

그녀와 눈을 마주친 혜수는 얼른 고개를 숙였다. 장장 일주일 만의 만남이었다.

"어서 와, 혜수 씨."

"죄송합니다……."

"죄송하긴, 뭐가. 그런 말 안 해도 돼. 이제 괜찮은 거야?"

"네."

사실 하나도 괜찮지 않았지만, 계속해서 미영을 걱정시킬 수는 없었다. 그러나 미영은 일부러 지은 미소의 진의를 속속들이 알고 있는 것 같았다. 그녀의 얼굴에 옅은 쓴웃음이 번졌다.

"잠깐 우산 내려놓고 이리 와 봐."

"네?"

"혜수 씨 못 나오는 사이에 신메뉴를 하나 개발했거든. 맛봐 줘."

"아……."

얼마 지나지 않아 미영이 가지고 온 머그잔에는 검은빛의 액체가 담겨 있었다. 달콤한 향으로 짐작건대 초콜릿이었다.

"커피가 아니네요?"

"다크 초콜릿에 바닐라를 섞은 거야."

"원래 초콜릿 별로 안 좋아하지 않으셨어요?"

"가끔은 아찔할 만큼 단 게 먹고 싶은 법이라서. 혜수 씨는 그런 적 없어?"

"저도 초콜릿은 썩 좋아하지 않아서요. 그렇지만 사장님 건 굉장히 맛있어 보이네요. 감사합니다."

머그잔을 받아 든 혜수는 조심스레 향을 음미했다. 초콜릿은 커피와 또 다른 매력이 있었다. 그녀의 표현처럼 눈앞이 아득할 만큼 깊은 단맛이 혀끝을 타고 목으로 넘어갔다.

'달아…….'

그래도 그 덕분에 목 안을 점령하고 있던 덩어리를 아주 조금 씻어낼 수 있었다. 이대로 발끝까지 내려갈 수 있었으면 좋았을 것을.

"그나저나 아무것도 안 물어보시네요."

안쓰러움을 가득 담은 미영의 눈빛에 혜수는 작게 속삭였다. 미영은 무려 일주일이나 앓아누워야 했던 이유가 틀림없이 궁금할 터였다. 그런데도 그 어떤 질문도 미영의 입술에서 흘러나오지 않았다. 언제나 제 일에는 오지랖을 부리곤 했건만.

주혁과 완전히 헤어졌다. 다시는 돌아보지 않겠다고 다짐하며 그를 외면했다. 일주일 동안 거부하고, 또 거부했다. 미영이 알면 얼마나 기막혀할는지 모를 일이었다.

"나 이혼할 때 말이야. 주변 사람들은 전부 걱정된다고 하는 말인데도 듣기 힘들더라. 관심이 벅찼어."

"사장님……."

"그래서 일부러 괜찮은 척하곤 했어. 그랬더니 그것마저도 상처가 되더라."

"……."

"혜수 씨는 나처럼 그러지 마. 힘들면 힘든 티 내고, 아프면 아픈 티 내. 시간이 지나면 언젠가 진짜로 괜찮아질 테니까."

"……네."

"그래, 그거면 됐어."

행복했던 시간을 잊어버릴 수 있을까. 그와의 시간을 과거의 일부로 전락시키는 게 가능할까. 하지만 시시때때로 치미는 의문은 아주 조금씩 작아지고 있었다. 이렇게, 이런 식으로 줄어들다 보면 언젠가 흔적조차 남지 않을 것이었다. 과연 그날이 언제 올지는 알 수 없어도.

아니, 언젠가는 온다. 반드시. 색이 바래듯 감정은 식기 마련이었다. 그러니 그때까지 버티고 또 버텨야 했다. 여태껏 그래 왔듯이.

초콜릿 음료를 한 잔 다 마신 후에야 앞치마를 입을 수 있었다. 여느 때와 같이 의욕 넘치는 손길로 테이블을 닦고, 집기를 정리했다. 드문드문 들어오는 손님을 맞이하고, 음료를 내 왔다.

그런데도 때때로 시각을 확인하기 위해 벽으로 돌려지는 시선을 막을 수는 없었다. 계속해서 비어 있는 테이블에 자꾸만 신경이 쓰이곤 했다.

'생각보다 많은 게 변했었나 봐.'

한시라도 빨리 친숙해져야 했다. 더 이상 주혁이 존재하지 않는 풍경에, 6시가 넘어도 채워지지 않는 테이블에.

하지만 주혁은 생각보다 훨씬 집요하고 끈질긴 남자였다. 멍하니 생각에 잠겨 있던 혜수는 문득 눈앞을 채우는 검은색 물체에 퍼뜩 정신을 차렸다.

"저건……?"

주혁의 차였다. 아무 일도 없었다는 듯 운전석의 문을 열고 밖으로 나온 그는 차의 색과 똑같은 검은색 우산을 쓰고 있었다.

"……."

"……."

결코 그럴 리가 없는데도 눈이 마주친 것 같은 느낌이 들었다. 혜수는 서둘러 고개를 숙여 주혁을 외면했다.

예전처럼 도망칠 생각은 없었다. 그의 사정권 내에서 달아나고 싶지 않았다. 단지 보여 주고 싶을 뿐이었다. 당신이 무슨 짓을 해도 소용없다고. 이미 끝났다고.

주혁의 마음을 짓밟고, 모른 척하는 게 얼마나 잔인한 짓인지 잘 안다. 너무나도 잘 아는데, 이 정도의 극약처방이 아니라면 돌아서게 할 수 없을 것 같았다. 포기시킬 수 없을 듯했다.

"왔네."

어느 틈엔가 혜수의 곁에 다가온 미영이 작게 중얼거렸다. 잠시 창밖을 내다보던 미영은 이내 혜수에게로 시선을 돌렸다. 잠자코 쏟아지는 눈빛은 마치 무언의 질문과도 같았다. 주혁을 어떻게 하고 싶으냐는.

물론 답은 정해져 있었다. 처음부터.

카페 밖에 아무도 서 있지 않은 것처럼 태연스레 행동했고, 아무렇지도 않게 일을 했다. 퇴근할 시간이 되자 아무 일도 없었다는 듯 카페에서 나온 혜수는 일순간 모든 행동을 멈추었다.

이 고집스러운 남자는 아직도 가지 않았다. 떠나지 않았다.

"이제야 보네."

담담한 목소리였지만 왠지 모르게 서글픈 느낌이었다. 축축하게 젖어 든 검은 우산에서는 끊임없이 물방울이 떨어졌다.

아니, 이런 기분이 든 이유는 단지 귓가를 추적추적 적시는 빗방울 때문이었다. 그 몰래 파들거리기 시작한 손가락 때문도, 흔들리는 숨결을 뱉어 내는 입술 때문도 아니었다.

주혁이 살며시 우산을 젖혔다. 분명 비를 맞고 있는데도 그의 새카만 눈동자는 물기 한 점 없이 메말라 있었다. 끝나지 않는 기다림에 지쳐 버린 사람 특유의 것이었다.

"……."

"……."

그렇게 돌아선 후로 고작 일주일이었다. 그러나 그동안 어지간히 마음고생이 심했는지 낯빛 또한 묘하게 창백했다.

혜수가 아무런 답도 하지 않고 발을 떼자 주혁 또한 말없이 그녀의 뒤를 따랐다. 그림자처럼 따라붙는 발소리에 모든 감각 기관을 총동원하다 보니 어느덧 집 앞이었다.

"윤혜수."

빗소리에 섞여 들리는 제 이름은 무척이나 애절했다. 금방이라도 뒤를 돌아보고 싶을 만큼. 물론 어디까지나 충동의 영역이었다.

야멸치게 현관문을 열고 안으로 들어가야 한다. 그의 시야에서 사라져야 한다. 그칠 듯 그치지 않는 빗줄기 뒤에 숨어, 아무것도 보이지 않는다는 것처럼.

"잠깐이면 돼. 정말…… 잠깐만."

애타는 호소가 다시금 귓전을 간지럽혔다. 입술이 바르르 떨렸다.

"……."

그렇지만 카페에서 처음 얼굴을 마주했을 때와 마찬가지로 단 한 마디도 흘려 낼 수 없었다. 혜수는 묵묵히 우산을 고쳐 썼다. 완강한 거부의 몸짓이었다.

절대로 놓치지 않겠다는 듯이 툭 뻗어져 나온 커다란 손이 그녀의 팔을 붙잡았다. 무심코 뿌리치는 찰나, 눈앞을 뒤덮고 있던 검은 우산이 바닥으로 떨어졌다.

"가지 마."

순식간에 나뒹군 우산만큼이나 검디검은 머리카락이 애처롭게 흔들렸다. 절묘하게도 빗줄기가 강해졌다. 그래서일까. 마음먹은 것과 달리 선뜻 고개를 돌리기가 힘들었다. 빈틈없이 맞물린 입술을 유지할 수도 없었다.

"지금 뭐 하는 거예요? 얼른 우산 써요……!"

"괜찮아. 이렇게라도 하지 않으면 당신이 안 봐 주잖아."

나직하게 받아치는 주혁은 그사이에 흠뻑 젖어 있었다. 몸도, 마음도. 하물며 말라 버릴 대로 말랐다고 느꼈던 눈동자까지, 모조리.

이 남자는 대체 어디까지 밀어붙일 심산일까. 모르겠다. 알 수 없었다. 금세 젖어 든 머리카락 끝에는 투명한 물방울이 매달렸다. 망연히 올려다보고 있자니 가슴이 뻥 뚫린 것처럼 시렸다.

"……미안해."

오랫동안 곱씹고 또 곱씹었다는 사실을 증명하듯 애달픈 사과였다. 팔에 느껴지는 떨림이 한결 강해졌다.

"뭐가 미안해요."

그가 사과할 일이 아니었다. 이렇게까지 비참한 표정을 지으며 절망할 이유가 없었다.

이것은 어디까지나 스스로의 문제였다. 진창에서 뒹굴 수밖에 없는 제 운명에 대한 원망이었다. 그런데 어째서 주혁이 이러는 것인지. 그 역시 피해자나 다름없는데도.

또 한 번 숨이 막혀 왔다. 눈시울이 시큰해졌다. 그러나 그때와 마찬가지로 눈물은 나오지 않았다. 무엇에 꽉 막히고 만 듯이.

"전부. 내가 잘못했어."

"……."

"모든 게 다 내 잘못이니까 헤어지자는 말만은 하지 말아 줘."

"이러지 마요. 이런 거, 당신답지 않아요. 놔요."

이 정도로 어깨를 늘어뜨린 모습은 처음이었다. 이런 남자는 모른다. 이만큼이나 좌절하고, 절실하게 애걸하는. 혜수는 조심스레 그의 손등에 자신의 손가락을 얹었다. 살갗에는 빗물의 흔적이 고스란히 남아 있었다.

손끝으로 배어드는 물방울은 너무나 차가웠다. 이가 시릴 정도로. 그에게서 온기를 빼앗아 간 것 같다고 느끼기가 무섭게 주혁이 살며시 중얼거렸다.

"나다운 게 뭐지? 당신이 없으면 내가 나로 있을 수가 없는데."

"그건……."

"나한테는 당신이 필요해."

"……."

이대로라면 틀림없이 흔들린다. 요동치고 말 터였다.

안 된다. 그렇게 되어서는 안 되었다. 제발. 사정없이 전신을 때리는 위기감에 혜수는 날카롭게 소리쳤다.

"그만해요. 끝났다고 했잖아요. 이제 그만……!"

또다시 얼음 같은 현실을 확인하는 찰나였다.

우뚝 솟은 산 같던 그가…… 무너졌다. 허물어져 내렸다. 완벽하게.

"……!"

주혁이 갑작스레 무릎을 꿇은 것과 동시에 간절함을 가득 시선이 허공에서 맞부딪쳤다. 혜수는 우산을 내던지고 그에게 덤벼들었다. 빗물에 젖을 대로 젖어 든 어깨는 손등보다도 서늘하게 식어 있었다.

"주혁 씨!"

어쩔 줄 모르는 외침이 두 사람 사이를 스치고 지나갔다. 주혁은 그녀의 손을 힘 있게 쥐었다. 쉴 새 없이 뒤엉키고, 쉴 틈 없이 뒤얽히는 감정이 바짝 맞닿은 살갗을 통해 전해졌다.

"부탁이야. 제발……."

"……."

"난 당신밖에 없어."

애끓는 호소가 빗소리에 천천히 섞였다. 그 순간, 드디어 깨달을 수 있었다. 목 안에서 끈질기게 맴돌고 있는 덩어리의 정체를.

그것은 사랑이었다.

미처 사라지지 않은. 차마 부서지지 못한.

그러나 끝날 것이다. 지금이 아니더라도, 언젠가는.

"……."

문득 빗줄기가 거세졌다. 옷 속으로 세차게 들이치는 물방울은 지독할 만큼 찼다. 똑바로 서 있을 수조차 없을 만큼.

돌아서야 한다. 돌아서야만 했다. 그래야 이 애타는 절규에서 벗어날 수 있을 테니.

"그만 일어나요."

"……."

"주혁 씨."

재차 그를 불러도 주혁은 꼼짝도 하지 않았다. 마치 그 자리에 돌처럼 굳어 버린 듯한 모습이었다.

'주혁이는 네 옆에 있으면 완전히 망가질 거야.'

저주를 닮은 명희의 예언은 옳았다. 그 말처럼 주혁은 망가졌다. 무너졌다. 단 하나, 사랑 때문에.

"마음대로 해요. 난 이만 들어갈 테니까."

심연으로 철저하게 굴러떨어진 그를 더는 두고 볼 수 없어서 힘겹게 발을 돌렸다. 끼익, 하고 현관문을 밀어젖힐 때까지도 등 뒤의 인기척은 그대로였다.

하나씩, 하나씩 계단을 올라 집에 도착했다. 비로소 혼자가 되어서야 바닥에 주저앉을 수 있었다.

"어째서…… 당신과 나는……."

평범하게 만나지 못했을까. 남들처럼 사랑하지 못했을까. 만약 그랬다면 이렇게 끔찍하지도, 처절하지도 않았을 텐데.

문밖에서는 계속해서 비가 내렸다.

덧없는 눈물을 닮은.

* * *

그렇게 얼마나 쭈그려 앉아 있었는지 모르겠다. 온몸에 도는 서늘한 기운도 기운이지만, 똑같은 자세를 유지하고 있었더니 종아리와 발바닥이 찌릿하게 저렸다.

'이제 갔을까?'

뻣뻣해진 허벅지를 두드리며 일어선 혜수는 창문으로 다가갔다. 창문을 열자마자 습기 가득한 바람이 뺨을 질척하게 두드렸다.

"윽……."

반쯤 벌어진 입술에서는 조그마한 경악이 터져 나왔다. 아직도 눈앞에는 검은 우산이 뒹굴고 있었다. 완전하게 뒤집어진 채 그대로 비를 맞고 있는 우산은 몹시도 위태위태했다.

몸이 멋대로 움직였다. 신발의 뒤축을 대충 꺾어 신고 계단을 마구 뛰어 내렸다. 또다시 정면으로 마주하게 된 풍경은 소름이 끼칠 만큼 똑같았다.

"……."

지친, 그리고 젖은 눈동자가 그녀를 향했다. 이쯤 되면 도저히 마음을 억누를 수가 없는 터라 혜수는 다짜고짜 그의 목을 끌어안았다.

"당신, 왜 안 갔어요……? 내가 언제 나올 줄 알고, 이렇게 무작정 기다리고 있으면 어떡해요……."

물에 빠진 생쥐도 주혁보다는 멀쩡할 것 같았다. 흐늘흐늘하게 변한 옷은 몸에 찰싹 들러붙어 있었다. 그를 안은 손에 힘을 줄 때마다 묘한 물소리와 함께 손바닥 가득 물기가 배어났다.

"그러게. 언제 올지 모르는 사람을 기다리는 건 힘든 일이었어."

팔 안에서 나지막한 자조가 들려왔다.

"그러니 돌아가지 그랬어요. 내가 안 내려왔으면……. 또 밤새 있을 생각이었어요?"

"그런데도 당신은 3년이나 기다렸지."

"네?"

"언제 올지도 모르는 나를 기다리면서 그 집에서 버텼잖아."

"……."

"진작 알았어야 했어. 그러지 말았어야 했어."

"주혁 씨……."

"당신을 혼자 내버려 두지 않았다면…… 이혼 이야기가 나올 일도 없었을 텐데. 그렇지?"

"아니에요. 우리는……."

"그게 제일…… 후회돼."

잔뜩 갈라진 목소리가 전하는 고백에 놀랄 틈은 없었다. 힘없이 치켜진 속눈썹 아래, 그의 눈에서 투명한 물방울이 툭 하고 떨어졌다.

이내 사라져 버린 그것은 빗물일까, 아니면 눈물일까. 혜수는 홀린 듯이 그를 내려다보았다.

"사랑해, 윤혜수."

"……."

"사랑해……."

허공을 울리는 고백은 무척이나 쓸쓸했다. 감히 만질 수는 없는지 주혁의 손끝은 그녀의 뺨 근처에서 멈추었다. 그새 빗물에 흠뻑 젖은 머리카락이 몇 가닥 달라붙어 있었다.

코앞에서 움직이지 않는 손의 존재감은 컸다. 얼마간의 시선 교환을 끝으로 혜수는 그에게서 물러났다.

"정말 안 되겠어?"

기다렸다는 듯 귓가를 관통하는 질문은 아련하기 짝이 없었다. 이미 몇 번이나 들은 것이었다. 그리고 몇 번이나 똑같이 대답할 수밖에 없었다.

"그래요. 안 돼요."

"내가 이렇게 부탁해도……?"

가슴 절절한 애원은 사뭇 슬프기까지 했다. 간곡히 매달리는 그의 모습을 보고 있노라면 흔들리지 않는 게 이상했다.

하지만 아무리 마음이 아파도 여기까지였다. 한 번만 더, 한 발자국만 더, 하고 나아갔을 때의 결과는 너무나도 잘 아는 바였다.

"네……."

"……."

한숨과 침묵은 종이 한 장 차이였다. 어느덧 입을 다문 주혁의 얼굴에는 단 하나의 감정밖에 남아 있지 않았다. 아무리 안간힘을 다해도 소용없을 때 깨닫게 되는 극도의 절망.

삽시간에 빛을 잃은 눈동자는 흡사 죽은 것 같았다. 그 점에 새삼스레 덜컥이는 심장을 느끼며 혜수는 거듭 못을 박았다. 주혁에게도, 자신에게도.

"이러는 거 부담스러워요. 두 번 다시 안 했으면 좋겠어요."

"……."

"대답해요."

"……그래."

"이만 가요. 들어갈게요."

입술을 깨물며 외면한 직후, 드디어 부스럭거리는 소리가 들렸다. 줄곧 꿇고 있던 무릎을 반듯이 편 주혁은 우산을 주워 들었다.

끊임없이 사선으로 내리그어지는 빗줄기 사이로 그의 뒷모습이 성큼 섞여 들었다.

온전히, 혼자였다.

끝이 없는 어둠 속으로 사라질 때까지.

* * *

비는 지겹도록 내렸다.

한 발짝 옮길 때마다 옷에서, 구두에서 떨어지는 물방울이 바닥을 적셨다. 먼지 한 톨도 없는 바닥에 선명하게 찍힌 발자국은 유달리 시커멨다.

'정말로…… 끝난 건가.'

현관 어딘가에 아무렇게나 우산을 내팽개친 주혁은 선뜻 집 안으로 들어서지 못했다. 물에 잔뜩 불은 재킷을 겨우 팔에 걸쳤을 뿐이었다.

'말도 안 돼.'

불과 일주일 남짓이었다. 행복의 정점에서 굴러떨어져, 밑바닥의 밑바닥으로 잠기기까지 걸린 시간은.

믿기지 않았다. 믿을 수가 없었다. 그토록 행복한 얼굴로 웃었는데. 제 품 안에서 기쁜 듯이 잠들었는데. 그 사랑스러운 온기가 틀림없이 제 것이 되었다고 생각했는데.

그러나 단 하루 만에 모조리 엉망진창이 되었다. 처음부터 없었던 것처럼 날아가 버렸다. 어떻게 이럴 수 있는 것일까. 아무리 애써 봐도 도무지 현실감이 돌아오지 않았다.

"윤혜수……."

완벽하게 무너진 현실을 순순히 받아들일 수 없었다. 완전하게 바닥을 드러낸 관계를 선선히 납득할 수 없었다.

그래서 지난 일주일 내내 매달렸다. 처절하게 혜수의 집 문을 두드렸고, 줄곧 그녀가 나오기만을 기다렸다. 목이 쉬도록 그녀의 이름을 불렀다.

죽을힘을 다해 노력했다. 누군가를 이만큼이나 간절하게 붙잡아 본 적도, 진심을 전하기 위해 애쓴 것도 처음이었다. 물론 하나도 통하지 않았지만.

'……진심이었지.'

더없이 절박한 심정으로 무릎까지 꿇고 애걸했다. 마지막이 될지도 모른다는 절망감에 휩싸여 절실하게 빌고 또 빌었다.

흔들리는 눈동자로 자신을 내려다보던 혜수는 마치 울기 직전의 얼굴을 했다. 그러면서도 그녀의 입술은 모진 선언을 내뱉고 있었다.

처음으로 겪는 실패의 맛은 두 번 다시 느끼고 싶지 않을 만큼 씁쓸했다. 한참이나 현관에 서 있던 주혁은 문득 오한을 느끼고 드디어 구두를 벗었다.

온몸이 물먹은 솜처럼 무거웠다. 방으로 가기는커녕 소파 근처에 가는 것조차 짜증이 북받쳤다. 귓불에 늘어진 머리카락을 대강 쓸어 넘긴 주혁은 그대로 소파에 드러누웠다.

사흘 밤낮을 꼬박 새운 것처럼 머릿속이 멍했다. 아무것도 들어오지 않았다. 단 하나를 제외하고는. 계속해서 눈앞을 떠도는 혜수의 모습을 마주할 때마다 몹시 고통스러웠다.

"……."

몸에 기력이 하나도 없었다. 단 한 조각 남아 있던 희망이 깡그리 부서진 지금, 모든 감각이 사라진 것 같았다.

그 어떤 것도 뜻대로 할 수 없다는 무력감은 지독했다. 한동안 입술을 짓씹은 후에는 술병을 집어 들 수밖에 없었다. 술의 힘을 빌리지 않는다면 정말로 미쳐 버릴 것 같았다.

술이 흘러들어오면서 그제야 조금 열이 올랐다. 손끝에서부터 데워지는 느낌이 좋아서 마시고 또 마셨다. 알싸한 취기가 게걸스레 그의 몸을 집어삼켰다.

정신을 차리고 나니 술병이 테이블에 널려 있었다. 온 사방에 술 냄새가 진동했다. 지난 일주일 동안 질리게 목격했던 풍경이었다.

'갑갑해.'

목을 조이고 있던 넥타이는 풀린 지 오래였지만, 온몸이 밧줄로 구속당한 것처럼 답답했다. 손발을 꽁꽁 묶인 상태에서 할 수 있는 일이란 오직 술을 퍼마시는 것뿐이었다.

한 번도 겪어 보지 못한 상황이었다. 이 정도로 이성을 놓고 술에 의지한 것은. 정신적으로 완전히 한계에 몰린 스스로의 모습이 우습기 짝이 없었다.

테이블에 널브러진 술병을 바라보며 주혁은 미간을 찡그렸다. 불쾌했다. 화가 났다. 아니, 이제는 뭐가 뭔지 모를 지경이었다. 끊임없이 술병과 입술을 왔다 갔다 하는 손을 막을 수 없었다.

몸 전체가 물에 젖어 찢어진 종이처럼 너덜거렸다. 형체를 알 수 없을 만큼 갈기갈기 찢어진 마음이 괴로웠다.

"……보고 싶다."

그리고, 그리웠다.

다시 찾아오지 말라는 냉정한 명령이 또다시 귓가를 울렸다. 아니, 뭐라도 좋으니까 그녀의 목소리를 실제로 듣고 싶었다. 어떻게 해서든지 그 여린 어깨를 안고 싶었다. 부드러운 손을 잡고 싶었다.

왜 그랬는지 듣지 않아도 괜찮았다. 버리지만 말아 달라고, 외면하지만 말아 달라고 호소하고 싶었다. 곁에 있게 해 달라고 부탁하고 싶었다.

눈가가 미친 듯이 쓰라렸다. 그와 동시에 속눈썹이 아주 천천히 내려갔다. 가물거리는 시야를 느끼며 주혁은 한쪽 팔을 늘어뜨렸다.

차라리 꿈이었으면 좋겠다. 진짜가 아니었으면 하고, 바랐다.

자신을 둘러싼 이 모든 것이.

그러나 선명한 기대의 끝은 언제나 그랬듯이 섬뜩한 배신이었다. 다시는 겪고 싶지 않은 아픔이었다.

몇 시간 후.

절망에 몸부림치며 잠들었던 주혁은 끔찍한 두통과 함께 깨어났다. 흡사 모서리가 뾰족한 돌로 정수리를 콱콱 내리치는 느낌이었다.

'몇 시지?'

지끈거리는 이마를 감싸 쥔 채 비틀거리는 걸음으로 욕실을 찾았다. 샤워기 밑에 서서 냉기가 도는 물줄기를 몇 번이나 맞은 후에야 시야가 조금 밝아졌다.

오늘도, 어제도, 그제도, 혜수와 헤어진 이후로 모든 것이 뒤죽박죽이었다. 일상은 기약 없이 망가지고 있었다. 극심한 무력감과 함께. 주혁은 벽을 양손으로 짚었다. 흰 타일은 물기로 미끈거렸다.

'최악이군.'

대현 그룹의 부사장이라는 직함은 그를 움직이게 하는 최고의 원동력이었다. 그 어떤 것보다 회사가 우선이었고, 주변을 돌아볼 여유 따위는 없었다.

그런데 이제 와서는 회의감이 들 뿐이었다. 자신은 무엇을 위해서 여기까지 달려왔는가. 전부 가졌다고 생각했는데, 가장 간절하게 원하는 것은 어째서인지 손안에 남아 있지 않았다.

회사밖에 없던 인생에 전혀 다른 존재가 끼어들었다. 윤혜수였다. 혜수는 어느 틈엔가 그의 인생을 완벽하게 잠식했고, 그 사실을 깨닫자마자 자취를 감추었다.

눈앞에는 아무것도 없었다. 그녀가 사라진 현실에 머무르고 있는 것은 저밖에 모르던 외로운 짐승, 그 이상도 그 이하도 아니었다.

"후……."

으슬으슬 떨리기 시작한 어깨를 느끼고 주혁은 바닥으로 시선을 내렸다. 눈물을 닮은 물방울이 끊임없이 떨어지고 있었다. 그날 이후, 제 마음속에 줄곧 내리기 시작한 비처럼.

간신히 샤워를 끝냈는데도 출근할 엄두가 나지 않았다. 드레스 룸에 들어선 주혁은 느리게 주변을 훑었다. 옷걸이에 걸린 셔츠들을 보고 있자니 잊고 있었던 기억이 떠올랐다.

'항상 해 주곤 했었지.'

새삼스러운 감상이었다. 정말로 별것 아니었다. 혜수는 넥타이를 매어 주고, 손목의 커프스 버튼을 채워 준 다음, 부드러운 미소와 함께 현관까지 그를 배웅하곤 했다.

그때는 몰랐다. 그 사소한 일상의 편린이 그토록 소중했는지. 그리고 다시는 제 손아귀에 돌아올 수 없을지도 모른다는 사실을.

드레스 룸에 얼마나 서 있었을까. 문득 귓가를 스치는 초인종 소리에 주혁은 퍼뜩 상념에서 깨어났다. 절실히 외면하고 싶었던 현실의 무게가 등허리를 아프게 짓눌렀다.

"죄송합니다. 내려오실 때가 됐는데도 통 나타나지 않으셔서……. 연락도 안 받으시고요."

주차장에서 기다리다 못해 실례를 무릅쓰고 올라온 모양이었다. 대충 걸친 가운을 본 비서는 굉장히 난처한 기색이었다. 아무리 그라도 이렇게까지 어수선한 상태일 줄은 몰랐을 것이었다.

"들어와."

"그럼 실례하겠습니다."

집 안에 발을 들인 직후, 비서의 얼굴은 완벽하게 흙빛이 되었다. 테이블에 흩어진 술병이며, 마르다 만 재킷이며, 언뜻 보기에도 엉망이 된 집의 상태에 깜짝 놀란 게 틀림없었다.

'알 게 뭐야.'

심드렁한 눈빛으로 그를 쳐다보던 주혁은 소파로 다가갔다. 비서까지 찾아왔으니 슬슬 출근 준비를 해야 할 텐데, 묘하게 의욕이 생기지 않았다.

그가 소파에 털썩 주저앉는 찰나, 비서의 눈이 동그래졌다. 이 또한 처음 있는 일이었다. 언제나 새벽같이 출근했고, 밤늦게 퇴근했으니까.

그간 세웠던 원칙이나 기조는 혜수와 감정적으로 얽히게 되면서부터 모두 깨졌다. 처음부터 그런 것은 없었다는 듯이.

권주혁의 세상은 언제부터인지 몰라도 윤혜수가 중심이 되었다. 모든 것은 그녀를 중심으로 돌고 있었고, 그녀가 원하는 대로 흘러가고 있었다.

"아침 회의…… 미루도록 할까요?"

그를 면밀하게 살피던 비서가 어렵사리 물었다. 말없이 고개를 끄덕이려던 주혁은 이내 관심사를 변경했다.

"그러고 보니 저번에 지시했던 건 어떻게 됐지? 알아봤나?"

궁금했다. 알고 싶었다. 그 전날까지 행복에 젖어 있던 혜수가 왜 그렇게 돌변했는지. 사랑한다는 고백에 수줍은 듯 미소 짓던 그녀가 어째서 영원한 이별을 고했는지.

그 이면에는 반드시 무언가가 있을 것이라고 믿었다. 분명 말하지 못한 이유가 있을 터였다. 그러지 않고서야 차마 이럴 수가 없었다.

"네, 오늘 출근하시면 보고드리려고 했습니다."

"여기서 해."

"그게…… 일주일 전에 관장님께서 사모님을 본가로 부르셨다고 합니다. 고용인들의 증언입니다."

"어머니가?"

비서의 보고를 듣던 주혁은 양미간을 좁혔다. 설마 또 명희가 끼어들었을까 싶었는데, 이번에도 짐작은 틀리지 않았다. 이제부터 진정한 본론인지 비서는 마른침을 꿀꺽 삼켰다.

"둘이 무슨 이야기를 했지?"

"부사장님과 사모님의 이혼 위자료에 관해서입니다."

"이혼…… 위자료?"

"네. 사모님 몰래 사모님의 친정 부모님께 드린 모양입니다."

"당사자도 모르는 이혼 위자료를 본인들끼리 주고받았다?"

말도 안 되는 소리를 듣는 순간, 전신의 피가 싹 식는 느낌이었다. 자신이 모르는 사이에 그녀에게 과연 어떤 일이 벌어졌던 것인가.

순식간에 부풀어 오른 의심을 불식시키듯 비서의 목소리가 한결 낮아졌다.

"그전 주에 관장님 개인 계좌에서 전액 현금으로 10억 원이 인출된 것을 확인했습니다. 그런데……."

의미심장하게 시작된 그의 보고는 끊임없이 이어졌다. 힘 있게 눈살을 찌푸린 주혁은 저도 모르게 혀를 찼다.

"……그렇군."

비록 단 한 마디였지만 지금 느끼는 감정을 나타내기에는 모자람이 없었다. 그의 의중을 살피던 비서가 조심스럽게 질문했다.

"어떻게 할까요?"

"그냥 내버려 둬."

"알겠습니다."

장인인 태석은 원래 권 회장의 비서였다. 한때는 그의 수족으로 여겨질 만큼 유능했지만, 도박에 빠져 가산을 탕진하기 시작한 이후로 사람이 변했다.

혜수의 가족들이 돈이라면 사족을 못 쓴다는 사실은 잘 알고 있었다. 권 회장이 결혼을 제안했을 때, 그들은 진심으로 기뻐했다. 한 푼이라도 더 뜯어내기 위해 혈안이 되었고, 입 안의 혀처럼 굴었다.

'상상 이상이야.'

맏딸의 이혼을 빌미로 명희에게 돈을 받아 낼 줄은 몰랐다. 그녀의 가족들은 예상을 넘을 만큼 탐욕스럽고 비열했다. 오직 돈만 좇는 그들에게 혜수의 행복은 안중에도 없었다.

물론 문제는 조만간 알아서 자멸할 그들이 아니었다. 명희였다. 조부의 장례식을 계기로 겨우 잠잠해졌나 싶었는데, 뒤에서 그런 계략을 꾸미고 있었다니.

'그래서 그런 질문을 했던 건가…….'

잇새로 가느다란 한숨이 새었다. 그날, 병원비를 대신 내주었냐며 묻던 혜수는 대답을 듣고 단단히 실망한 기색이었다. 완벽하게 허무해하는 눈빛. 완전히 지친 듯 파리해진 낯빛.

동의도 없이 자존심을 건드렸나 싶어서 당황했는데, 아니었다. 그보다 훨씬 복잡한 문제였다.

"……."

엄밀히 따지고 보면 사실 병원비 따위는 문제 축에도 끼지 못했다. 어차피 돈만 바라는 족속들이니까. 돈으로 해결할 수 있는 문제는 식은 죽 먹기보다도 쉬웠다.

그러나 명희가 끼어들어 혜수의 가족들을 이용했다면 사정이 한참 달라졌다. 가장 약한 고리에 손대어 내면을 부수는 방법에 혜수는 또다시 당한 셈이었다. 이미 한 번 겪었건만.

'어디까지 망가질 건지 모르겠어.'

엉망이 된 것은 자신만이 아니었다. 윤혜수가 먼저였다. 지극히 궁색한 변명이지만, 알지 못했던 사이에 혜수는 천천히 망가져 가고 있었다.

추악함의 끝을 보여 주는 명희에게 진절머리가 났다. 악랄함의 절정을 달리는 그녀의 행태가 지긋지긋했다. 이 비슷한 감정을 혜수 또한 절실하게 느꼈을 터였다.

'누가 그러더라고요. 태어날 때부터 이미 위치가 정해져 있는 거라고.'

'어차피 무슨 짓을 해도 잘될 수 없는 사이였어요. 그럴 수 있다고 아주 잠깐 착각했던 거지.'

환청처럼 맴도는 처연한 목소리에 새삼스러운 충격과 분노가 밀려왔다. 이래서 혜수가 지쳤다고 말했나. 그토록 떠나고 싶어 했나. 아무도 찾지 않는 곳으로. 그 누구와도 엮이지 않는 곳으로.

'……그저 각자의 자리로 돌아가는 것뿐이에요.'

온전히 체념으로만 구성된 선언을 상기하는 순간, 머릿속이 놀랍도록 차가워졌다. 아침부터 애를 써도 되지 않던 게 단번에 이루어졌다.

넘쳐흐를 듯 부글부글 끓어오르던 감정은 언제 그랬냐는 것처럼 싸늘하게 식었다. 이제야 개운해진 머릿속을 실감하며 주혁은 평상시의 무표정으로 돌아왔다.

드디어 해야 할 일이 정해졌다. 느닷없이 중심을 잃고 요란하게 흔들리던 세상이 비로소 바로 세워졌다. 어렵게 똑바로 선 만큼 한 치도 망설일 틈이 없었다.

"……부사장님?"

그의 이상을 눈치챘는지 비서는 잠깐 말을 끊었다.

"새로운 지시를 내리도록 하지."

"네? 네! 말씀하십시오."

갑작스레 벌어진 입술에 그의 얼굴에도 기묘한 비장감이 감돌았다. 바짝 긴장한 비서를 향해 주혁은 날카롭게 눈을 빛냈다.

"전에 조사했던 대현 아트 센터 비자금 세탁 건, 바로 추진하도록 해."

* * *

돈만 있으면 다 된다. 돈만 있으면 그 어떤 것이든 상관없다. 돈만 있으면 무슨 짓이든지 다 할 수 있다.

명희가 제일 경멸하는 족속들이었다. 돈이라는 질 낮은 울타리에 갇혀서, 오직 돈만을 바라보고 뒤쫓는. 그리고 윤혜수와 그녀의 가족들은 처음부터 끝까지 그 울타리를 벗어나지 못했다.

'위험해…….'

끝도 모르고 들러붙는 것들을 딱 좋은 타이밍에 아슬아슬하게 쫓아 보낼 수 있었다고 여겼는데, 알고 보니 아니었다. 주혁은 생각보다 더 미쳐 있었다.

그래서 최후의 수단을 쓸 수밖에 없었다. 본래 뱀을 죽이기 위해서는 뱀을 풀어야 하는 법이니까.

두 번 다시 엮이기 싫었던 것들을 찾아가 적선하듯 돈을 던져 주었다. 10억 원이 적은 돈은 아니었지만, 앞으로의 미래를 고려한다면 그 정도는 투자할 만했다.

혜수는 꿈꾸고 있었다. 참으로 어처구니없게도 말이었다. 그와 동시에 그녀는 믿고 있었다. 그녀의 가족들과 본인은 다르다고. 끊어 낼 수 있으리라고.

"하……."

권 회장이 별세함으로써 대현 그룹의 며느리는 이제 자신을 밀어 내고 대현 그룹의 안주인이 될 것이었다. 주혁은 당연하다는 듯 그 자리를 용인했다.

주혁을 방패 삼아 주어져서는 안 되는 자리를 필사적으로 포기하지 못하는 모습이 역겨웠다. 붙잡아서는 안 될 사람을 붙들고 있는 게 구역질이 났다.

그러니 본인의 위치를, 자리를 확실하게 알려 주어야 했다. 윤혜수가 돌아갈 곳은 아득할 만큼 높은 곳이 아니라 차마 내려다보지 못할 정도로 낮은 곳이라고.

벌레는 벌레답게 밑바닥의 밑바닥에서 자기들끼리 꿈틀거리며 살면 그만이었다. 이쯤이면 충분했다. 더는 그것들을 보고 싶지 않았다.

"……."

돈을 숙주로 삼은 기생충들에게는 아주 효과적인 방법이었다. 알아서 돈에 발광하라고 놔두고, 그들과 자신 사이에 돌이킬 수 없는 선을 그어 버렸다. 그런데도 순간순간 치미는 불안감을 막을 수가 없었다.

자고로 폭풍 전야라고 했던가. 태석과 경화에게 돈을 건네고, 혜수에게 망신을 준 이후로 시간이 꽤 흘렀다. 이만큼이나 지났다면 틀림없이 주혁의 귀에도 들어갔을 터였다.

하지만 그동안 주혁은 아무런 반응이 없었다. 의아스러운 일이었다. 장례식 때까지만 해도 미쳐 날뛰던 그가 이렇게나 조용하다니.

강제로 이혼시킨 것에 대해 한 마디 항의라도 했어야 옳았다. 실제로 주혁은 혜수에게 거짓말했다는 사실을 알게 되자마자 바로 찾아와 따졌다. 이미 전례가 있기에 이 기묘한 유예는 더더욱 수상했다.

'그새 마음이 바뀐 건지…….'

아니면 제가 모르는 무언가가 있는 것인지. 안개에 싸인 듯 묘연한 주혁의 속내를 알 길은 없었다.

안절부절못하며 방 안을 서성이던 명희는 이윽고 미간을 구겼다. 느닷없이 들려오는 노크 소리는 괴이하게도 불길함을 담고 있었다.

"관장님, 부사장님께서 찾아오셨습니다."

"주혁이가 왔다고……?"

"네. 거실에 와 계십니다."

소파에 앉아 있는 주혁은 평소와 다름없이 무뚝뚝한 얼굴이었다. 무섭도록 굳게 다물린 입술에서 과연 무엇이 튀어나올지 모르겠다. 명희는 애써 평정을 가장하며 콧방귀를 뀌었다.

"그래, 여기는 갑자기 왜 왔어?"

"드릴 말씀이 있어서요."

"뭔데 그러니?"

"혜수가 헤어지자고 하더군요. 이혼 서류도 다시 보내왔고요."

그간 침묵했던 게 무색할 만큼 그는 다짜고짜 본론부터 들이밀고 있었다. 물론 여기까지는 아직 예상 범위였다. 머릿속으로 부지런히 맞받아칠 말을 고르는 명희의 입꼬리가 살짝 뒤틀렸다.

"이제야 제 주제를 깨달은 모양이구나. 잘 생각했다고 전해 주렴."

"그래도 저, 윤혜수와 못 헤어집니다. 절대로 이혼할 생각 없습니다."

"뭐? 이 녀석이 끝까지 정신을 못 차리고……! 그쪽에서 알아서 떨어져 준 지금이 기회야."

제아무리 발버둥 쳐도 별수 없었다. 김 이사의 보고에 의하면 혜수는 굉장히 독하게 주혁을 밀어냈다. 문전박대는 예사고, 모르는 사이처럼 냉정하게 굴고 있다고 했다.

권주혁은 자존심이 아주 강한 타입이었다. 두드려도 열리지 않는 문에 끝까지 덤빌 만큼 스스로를 낮출 아들이 아니었다. 그가 자신을 찾아온 이유는 어쩌면 제풀에 지쳐 나가떨어지기 직전이라는 무언의 표식인지도 몰랐다.

'그럼 슬슬 재추진해야겠군.'

화진 그룹과는 일이 틀어졌으니 다른 혼처를 찾아야겠다. 주혁과 혼사를 맺고 싶어 하는 곳은 널리고 널렸다. 그 어떤 여자를 골라도 혜수와는 비교 불가능이었다.

"여하튼 할 말은 그게 다니? 너도 나중에는 이 어미의 마음을 이해할 거다. 오히려 감사하다고 할 수도 있지."

"아니요, 그럴 일 없을 겁니다."

"지금이야 주혁이 네가 말도 안 되는 사랑 따위에 미쳐서 그런 게다. 세상에 여자가 그년 하나……."

"그게 무슨 상관이죠? 제 인생에서 여자는 윤혜수 한 명인데."

"걔는 너와 다시 잘될 마음이 없어! 알잖아? 너한테서 완전히 떨어져 나간 거."

"알고 있습니다."

"그런데도 끝까지 기다리겠다? 그년이 받아 줄 때까지? 나, 참!"

날 선 불평에 주혁의 눈빛이 놀랍도록 번득였다.

"지금 어머니를 찾아온 용건은 그게 아닙니다."

"그년 때문이 아니라고……?"

뜻밖의 반박에 찻잔을 기울이려던 손이 스르륵 멈추었다. 어딘가에 파묻힌 줄로만 알았던 불안감은 전혀 의식하지 못하는 사이에 전신을 휘감고 있었다.

이혼 문제가 아니라면 주혁이 여기에 올 일은 많지 않았다. 아니, 없다고 간주해도 무방했다. 저도 모르게 떨리는 손끝을 느끼며 명희는 주혁을 올려다보았다.

시선이 마주치는 찰나의 순간, 불안은 확신으로 탈바꿈했다. 단순히 자신에 대한 혐오나 분노가 아니었다. 그의 내면에 도사린 감정은…… 어째서인지 아무것도 없었다. 완벽하게 씻겨져 나간 상태였다.

"열어 보시죠."

두툼한 서류 봉투를 건네는 주혁의 목소리는 소름이 끼칠 만큼 건조했다. 명희는 서둘러 봉투로 눈을 돌렸다. 이혼 서류가 이 정도로 많지는 않을 텐데, 대체 무엇일까. 살갗을 넘어 가슴속 깊이 파고든 불안감은 정점에 달해 있었다.

"이건 뭐니……?"

"대현 아트 센터가 정치인들 비자금 세탁에 이용되었다는 증거들입니다."

"……!"

이게 무슨 소리인가. 상상조차 하지 못했던 도발은 마치 벼락처럼 전신에 내리쳐졌다.

잠시 넋이 나가 있던 명희는 쨍그랑, 하는 소리에 정신을 차렸다. 방금까지 손에 들고 있었던 찻잔은 어느덧 테이블로 자리를 옮긴 상태였다. 대여섯 조각이 난 채로. 황금빛 액체가 그 주변에 흥건하게 넘쳐흐르고 있었다.

"윽!"

뒤늦게 허벅지에 뜨거운 느낌이 확 몰려왔다. 찻잔이 깨지면서 찻물이 튄 모양이었다. 명희의 짧은 비명을 들은 고용인 두셋이 한꺼번에 거실로 달려왔다.

그러나 그녀들의 손에 몸을 맡길 틈은 없었다. 아무 일 없었다는 듯 지극히 무감각한 얼굴에 대고 명희는 벌컥 소리를 질렀다.

"이, 이걸 네가 어떻게……!"

15. 그대로의 마음

자신이 해야 하는 일, 제힘으로 할 수 있는 일이 있다면 그게 뭐든 상관없었다. 주혁을 괴롭히는 것들은 그런 게 아니었으니까.

아무것도 할 수 없다는 데에서 오는 무력감이었다. 현실의 벽을 넘어설 수 없다는 패배감이었다. 그런 감정들은 두 번 다시 맛보고 싶지 않았다.

"어떻게 알았냐니까!"

비명과도 같은 명희의 외침이 다시 한번 귓가를 찔러 왔다. 주혁은 느른히 속눈썹을 들어 올렸다. 완전히 사색이 되었다는 점을 증명하듯 그녀의 얼굴에는 핏기가 없었다.

대현 아트 센터와 정치권의 유착 관계를 알아내는 것. 그렇게까지 어려운 일이 아니었다. 차갑게 돌아서 버린 혜수의 마음을 돌리고, 그녀를 다시 품에 안는 것과는 비교할 수 없을 만큼 쉬웠다.

주혁은 잠자코 고용인들에게 물러나라는 손짓을 보냈다. 난데없는 파국에 벌벌 떨던 그녀들은 재빨리 본래의 위치로 돌아갔다.

"어머니가 깔아 놓은 양탄자만 밟고 이 자리까지 올라온 건 아니라서요."
"그게 무슨……!"
말 그대로였다. 돈과 권력이 깃든 곳은 필연적으로 진흙탕이 되기 마련이었다. 더없이 추악하고 잔악한.
"아, 이것도 어머니에게 배운 거긴 하네요."
"뭐……?"
"눈앞의 적을 가장 효율적으로 처리하는 방법이 뭔지."
"그래서! 이 어미를 검찰에라도 넘기겠다는 거니? 지금?"
이 상황이 어찌나 충격적인지 명희는 차마 어깨를 떨지조차 못하고 있었다. 그저 사력을 다해 눈을 부릅뜬 채로 그를 노려보고 있을 뿐이었다.
물론 그것도 여기까지였다. 날 선 눈빛을 온몸으로 받아 내며 주혁은 태연스레 대꾸했다.
"넘길 수야 없죠."
"그래, 그래야지……. 암……."
명희의 입술을 비집고 가느다란 한숨이 흘러나왔다. 그 머릿속에 깃든 생각은 묻지 않아도 빤했다.
그녀는 눈에 띄게 안심하고 있었다. 낳고 길러 준 어미를 직접 검찰의 손에 넘길 정도로 아들이 미치지는 않았다고. 역시 모자지간이란 끊을 수 없는 관계라고.
그러나 그게 아니었다. 이쯤 넘어가리란 것은 값비싼 착각에 불과했다.
"검찰에 구속돼도 잘해야 3년입니다."
"응?"
"노령이라는 점을 감안한다면 그 3년은 병원에서 보내실 가능성이 크죠. 어쩌면 집행유예로 끝날지도 모르겠네요. 틀림없이 최고의 변호사를 구하실 테니까."
"뭘 말하는 건지 모르겠구나……. 대체 무슨 말을 하고 싶은 게야?"

"그러니 고작 3년이면 안 된다는 뜻입니다."

"뭐, 뭣?"

단호한 말투에 한 번 더 충격을 받았는지 명희가 벌떡 일어섰다. 눈앞에 드리워진 그림자의 주인은 형언할 수 없는 경악으로 가득했다.

당연한 말이지만 일말의 동요도 일어나지 않았다. 이미 명희에 대한 감정은 식을 대로 식은 상태였다. 예전처럼 그녀의 악독한 면모에 화를 내고, 혐오할 만큼의 감정이 남아 있을 리 없었다.

그러니 단지 나직하게 명령할 뿐이었다. 손톱만 한 관심조차 없으며, 애초에 그럴 필요조차 없는 타인에게.

"떠나세요. 그럼 이건 제가 조용히 처리하겠습니다."

주혁은 보란 듯이 서류 봉투를 손끝으로 가리켰다. 언젠가 쓸 일이 있을까 싶어서 모아 두었던 자료를 이토록 요긴하게 써먹을 줄은 몰랐다.

이것들이 있다면 명희는 절대로 저항하지 못했다. 꼭꼭 숨겨 왔던 그녀의 치부는 상상 이상으로 컸고, 예상보다도 더러웠다. 이렇게 추악한 꼴을 보여서야 그렇게 멸시하던 혜수의 가족들과 다를 바가 없었다. 당연히 그녀는 평생 깨닫지 못할 테지만.

"주혁이 너……."

"머무실 곳으로는 플로리다 별장이 좋겠군요. 원래 자주 가시던 곳이기도 하고. 기후도, 날씨도 좋으니 은거하기로는 적절할 겁니다."

"진심으로…… 하는 말이야……?"

"네."

한 치의 거짓도, 과장도 섞여 있지 않은 완벽한 진심이었다.

"내 아들이 어떻게 나한테 이럴 수가 있어……. 응? 주혁아!"

"나쁜 선택지는 아닐 것 같은데요."

"세상에, 세상에……. 하……."

도저히 믿을 수 없는지 명희는 급기야 울먹이기 시작했다. 서러움이 철철

넘치는 목소리에도 주혁은 아랑곳하지 않고 입술을 움직였다.

"꼴사납게 언론에 오르내릴 일도 없고, 유치장 신세도 지지 않을 테니까요. 제법 편안한 은퇴죠."

"마, 말도 안 돼……. 너 나한테 왜 이러니? 왜!"

"그건 어머니께서 더 잘 아실 겁니다."

"권주혁!"

피맺힌 절규를 토해내는 그녀에게 돌아간 것은 최후의 통보였다. 얼음처럼 차갑기 그지없는.

"어머니께 드리는 마지막 기회입니다. 다시는 한국으로 돌아오지 마세요."

* * *

아무것도 보이지 않는 밤이었다. 숨소리조차 들리지 않을 정도로 고요한 어둠 속, 주혁은 홀로 건물의 현관을 지키고 있었다.

시간이 시간인 만큼 반쯤 열린 현관문 틈으로 왔다 갔다 하는 것은 오직 차디찬 바람뿐이었다. 누군가의 인영이 나타나는 법은 없었다. 고장 날 듯 말 듯 아슬아슬한 센서가 켜지는 일 또한.

"……자고 있나 보군."

그럴 만했다. 지금은 거의 자정에 가까웠으니까. 매일 아침 출근해야 하는 혜수로서는 당연히 잠자리에 들 시각이었다.

조그마한 혼잣말과 함께 주혁은 힘없이 차에 기대었다. 싸늘하게 식은 금속의 감촉이 재킷에 스며들었다. 오늘도 또 이렇게 만나지 못했다.

일종의 일상이 되어 버렸다. 하루 중, 빼먹을 수 없는 일과가 된 셈이었다. 한참 늦은 시각에 혜수의 집을 찾아와, 절대로 나타날 리 없는 기억 속의 모습을 그리며, 나지막이 한숨을 쉬는.

'한 달…… 아니, 조금 더 됐나.'

사실 시간의 흐름을 가늠할 수가 없었다. 혜수가 곁에 없는 현실은 무척이나 느리게 흘러갔지만, 때때로 엄청나게 빠르기도 했다. 하릴없이 건물 앞에 서 있는 지금 이 순간처럼.

그러나 여전히 기대하고, 바란다. 얼마 못 가 현실에 배신당할 것을 알면서도. 여태껏 그래 왔듯이 아무것도 없으리란 점을 깨닫고 있으면서도.

"……."

미처 가라앉지 못한 마음은 한숨의 형태를 빌려 공기 중으로 사라졌다. 이렇게 조금씩 바람에 흘려보내면 언젠가는 괜찮아질까. 언젠가는 잊어버릴 수 있을까.

아니, 결코 확신할 수 없었다. 의식하지 못하는 사이에 찾아온 사랑의 끝은 아무도 모르기 마련이었다. 당사자조차도.

'얼마나 기다려야 할까?'

숨을 내쉴 때마다 느껴지는 기다림의 무게에 질식할 것 같았다. 온몸을 뒤덮은 공허감은 역설적으로 너무나 무거웠다.

주혁은 고개를 들어 허공을 올려다보았다. 반짝이는 별은커녕 구름만 가득한 하늘은 한 치 앞을 알아볼 수 없을 정도로 어두웠다. 장마철도 아닌데 비가 또 오려는 모양이었다.

지겹다는 푸념 너머로 불현듯 그날의 풍경이 뇌리를 스치고 지나갔다. 혜수는 그 이후로 단 한 번도 만날 수 없었다. 그녀가 눈앞에 있다는 것은 잘 알고 있다. 손만 뻗으면 닿을 것 같은 착각은 착각이 아니었다. 그런데도 왜 이렇게 멀게 느껴질까.

윤혜수는 마치 신기루 같았다. 손끝에 잡힐 듯 잡히지 않으면서도 언젠가는 잡히리라는 믿음을 가지게 하는, 더없이 아름다운 신기루.

"……보고 싶어."

마침내 입술을 넘어선 소망을 터뜨리는 찰나였다. 주혁의 뒤로 누군가가 다가왔다. 발바닥과 땅바닥이 부딪쳐 나는 소리가 주변을 간간이 울렸다.

설마, 하는 생각에 급히 뒤를 돌아본 주혁의 눈에 이내 실망감이 어렸다. 밤하늘을 닮은 검은 길고양이 한 마리였다.

"야옹."

낯선 사람에 대한 경계심을 곤두세우는지 고양이가 작게 울었다. 그러면서도 도망가지도 않는 것이다. 그저 그 자리에 서 있을 뿐이었다. 단 한 곳에 고정된 노란 눈동자가 섬뜩하게 빛났다.

물론 고양이 따위에게 관심을 줄 만큼 여유롭지도, 한가하지도 못했다. 실망스러운 기색을 감추고 다시금 돌아서려던 주혁의 귀에 또 한 번 낯선 소리가 닿았다.

"주혁 씨……?"

"……."

"맞네요. 여기서 뭐 해요?"

아니, 착각이었다. 낯설지 않았다. 바람에 섞여 들리는 목소리는 한없이 익숙했다. 드디어 진짜 주인공이 나타났다는 듯 고양이가 어둠을 가르고 달아났다. 곧이어 보이는 혜수의 모습에 주혁은 나직하게 신음했다.

그녀였다. 윤혜수였다. 근 한 달 만에 만나는.

눈앞을 채운 것은 고양이의 눈동자만큼이나 노란 스웨터였다. 어둑어둑한 주변과 대비되어 눈에 확 띄었다.

"……."

"……."

이렇게 만날 줄은 정말로 몰랐다. 혜수도 예상외의 만남에 놀랐는지 선뜻 다가오지 못하고 있었다. 마치 방금 만났던 고양이처럼.

상관없었다. 자신이 그쪽으로 가면 되니까. 예전에도, 지금에도. 저벅거리는 발소리가 귓전을 메웠다. 그녀에게 천천히 다가갈수록 코끝을 더듬는 알싸한 향이 짙어졌다.

'술이라도 마신 건가.'

시간이 지나도 혜수의 술 사랑은 여전했다. 하루에 한 캔씩만 마시라고 그렇게 일렀건만. 주혁은 까칠하게 마른 입술 끝을 살짝 핥았다.

"잠든 줄 알았는데."

최대한 감정을 숨기고 무덤덤하게 대꾸하려고 했는데, 몸이 거부했다. 아주 살짝 떨리는 목소리는 불가항력적이었다. 급격히 가까워진 거리가 이제야 실감이 났는지 혜수의 눈동자도 잠시간 흔들렸다.

"만약 자고 있었으면요?"

"그냥 가려고 했어."

"그냥 간다고요……? 그럼 왜 왔죠?"

무척 새삼스러운 질문이었다. 이미 한 달쯤 매일같이 해 왔던 일인데. 하지만 주혁은 언제나 그랬듯이 목 안으로 답을 삼켜 버렸다.

"그러다가 만에 하나, 운 좋게 만나면……."

"……."

"확인하고 싶은 게 있어서."

마지막 기대였다. 지난 한 달간 줄곧 기다렸으니, 놔두었으니 아주 조금은 변했을까 싶어서. 그녀가 자신을 진심으로 사랑했다면 한순간이나마 흔들리지 않았을까 싶어서.

"당신, 아직도 그대로야?"

"……."

"정말로?"

얼마간 침묵을 지키던 혜수가 드디어 한 발자국 앞으로 다가왔다. 결 좋은 머리카락이 살짝살짝 찰랑였다.

당장 껴안고 싶다. 으스러질 듯 품에 넣고 싶다. 다시는, 다시는 헤어지지 않도록. 제게서 등 돌리지 못하도록.

그녀의 대답을 기다리며 주혁은 오래도록 강렬한 충동에 잠겨 있었다.

* * *

대략 두 시간 전.

혜수는 미영과 허름한 포장마차에서 술잔을 부딪치고 있었다. 이제 겨우 한 병을 나눠 마셨을 뿐이건만, 술기운이 넘실거리는 미영의 얼굴은 지나치게 발그레했다.

"너무 아쉽다, 혜수 씨……. 그래도 혜수 씨 꿈이었다니까 어쩔 수 없지."

소주 한 잔을 벌컥 들이켠 미영은 또 그 소리였다. 혜수는 곤란한 빛이 가득한 미소와 함께 비어 있는 그녀의 술잔에 술을 따랐다.

"아직 합격한 것도 아닌걸요."

"혜수 씨 같은 인재가 떨어질 리가 없어. 내가 보증할게."

"감사해요."

며칠 전, 근처 중학교에서 기간제 교사를 뽑는다는 공고가 떴다. 좋은 기회인 것 같아 지원했는데, 오늘 운 좋게도 면접을 볼 수 있게 되었다.

어렵게 운을 뗀 것에 반해 미영은 시원스레 허락해 주었다. 언제까지고 카페 아르바이트생으로 썩을 수만은 없다고 생각했다는 덕담은 덤이었다.

"왠지 그럴 것 같은 느낌이 왔어. 내 촉은 틀린 적이 없다니까?"

"그런가요?"

"응. 혜수 씨 합격하면 술 한 잔 더 하자. 오늘은 이별주고, 다음번에는 축하주로?"

지레 합격을 점치는 미영은 아직도 아쉬움을 떨쳐내지 못하고 있었다. 자신의 행복을 빌어 주는 그녀는 참 좋은 사람이었다. 그동안 미영과 함께 할 수 있어 행운이었다.

"그래도 다행이야. 이제는 진짜로 괜찮아 보여서."

"저요?"

미영은 대답 대신 고개를 끄덕였다. 묘하게 의미심장한 눈빛에 혜수는 직감했다.

비를 맞으며 애처롭게 호소하던 주혁을 등지고 돌아선 지도 벌써 한 달이나 지났다. 정확하게는 한 달을 꼬박 채우고 삼 일을 넘겼지만.

그동안 괜찮지 않았다. 괜찮을 리가 없었다. 그러나 그것은 주혁도 마찬가지였다. 주혁은 그날 이후, 단 한 번도 자신을 찾아오지 않았다.

'이렇게 조금씩 잊어 가는 거겠지…….'

부디 그랬으면 좋겠다. 그토록 가슴 시린 상처를 주고 매몰차게 외면했으니까. 촉촉하게 젖은 뺨에 아롱지던 투명한 물방울은 아직도 머릿속 어딘가를 떠돌고 있었다.

완전히 무너진 그의 모습을 떠올릴 때마다 숨이 막혔다. 상처투성이의 눈빛을 상기할 때마다 눈물이 날 것 같았다.

그러나 주혁에게 너무나도 미안해도 여기까지였다. 이제야 제자리로 돌아간 그를 흔들고 싶지는 않았다. 아주 조금이라도, 단 한 순간이라도.

"맞아요. 솔직히 말하면 아예 아무렇지 않은 건 아닌데…… 제법 괜찮아졌어요."

"그래. 시간이 약이라니까."

미영의 말처럼 버티고 버티는 것이 답이었다. 한 시간, 하루, 일주일, 한 달, 일 년…….

수없이 많은 시간을 떠나보내고 나면 언제 그랬냐는 듯 잊힐 터였다. 언젠가 수많은 과거의 일부분이 되어, 빛바랜 기억으로만 남아 있을 것이었다.

"처음부터 저와 안 맞는 사람이었어요. 차라리 이렇게 된 게 마음이 편해요."

안 되는 것을 억지로 한 결과, 파국을 맞이할 수밖에 없었다. 처음부터 미련과 고집을 부리지 않았으면 좋았을 것을. 수십 번을 후회하고, 수백 번을 회한에 사로잡혔다.

"맞는 말이야. 나와는 너무 다른 사람이니까. 사랑하는 것과 살아가는 건 별개의 문제지."

"그렇죠."

"나도 그 사람, 정말 사랑했거든. 그런데 안 맞는 건 어쩔 수 없더라. 아무리 노력해도 맞춰지지 않아서…… 결국 지칠 수밖에 없었어."

"……."

"사랑만으로도 안 되는 게 있는 줄은 그때 처음 알았어. 그래서 생각했지. 아, 사랑이 밥 먹여 주는 게 아니다……. 진심으로 사랑해도 안 되는 건 안 되는 거구나."

"……."

"진작 알았으면 반하지 않았을 거야. 아니지, 그래도 사랑하게 되더라. 사람 마음이 다 그런 게 아니겠어?"

그 당시를 회상하는지 미영의 입가에 살며시 웃음기가 맺혔다. 아픔과 슬픔이 한낱 쓰라린 미소로 변하기까지는 참으로 많은 시간이 걸렸으리라.

문득 까마득할 만큼 멀게 느껴졌다. 정말로 그때가 오기는 하나 싶어서. 아니, 와야만 했다. 언젠가, 라고 해도 좋으니까.

수많은 생각이 뒤엉키는 머리를 흔들며 혜수는 얼른 술잔을 들었다. 투명한 표면이 살며시 일렁였다. 그녀를 따라 미영도 술잔을 집어 들었다. 소주 특유의 향이 두 사람 사이에 번져 나갔다.

"자, 우울한 이야기는 여기까지 하고. 혜수 씨, 건배하자."

"네, 사장님."

"이번에는 뭐라고 할까……. 아, 그래. 혜수 씨의 새로운 출발을 위하여!"

"그게 뭐예요……."

그래, 잊어버리는 것이다. 떠나보내는 것이다. 아무것도 아니라는 듯이.

* * *

달도 뜨지 않는 밤이었다.

내일은 틀림없이 비가 올 것 같았다. 이제 그만 오면 좋을 텐데, 날씨는 어째서인지 자꾸만 자신을 배신하고 있었다.

그날 이후로 비만 오면 주혁이 생각났다. 당연한 일이었다. 그 처절했던 광경이 머릿속에서 지워지려면 아주 많은 시간이 필요했다.

'잘 지내고 있어야 할 텐데.'

온몸에 감도는 술기운 탓인지 새삼스럽게 그에 대한 걱정이 고개를 쳐들었다. 그러면서도 주혁에게 연락할 엄두는 조금도 나지 않았다.

그를 염려하면서도 상처를 준다. 여전히 그날의 기억을 품고 있으면서도 외면하기 위해 안간힘을 쓴다. 이 얼마나 모순적인 행동인가. 마치 두 개의 머리를 가진 뱀처럼 우스꽝스러운 모습이었다.

터덜터덜 걷던 혜수는 문득 그 자리에 멈추어 섰다. 잘못 본 게 아니었다. 착각도 아니었다. 있을 리 없는 인영이 눈앞에 어른거리고 있었다.

"주혁 씨……?"

"잠든 줄 알았는데."

마치 보지 못한다는 것을 전제로 한 말투였다. 그렇다면 여기에 왜 왔단 말인가.

혜수의 의문은 얼마 못 가 해결되었다. 금방이라도 그녀를 껴안을 듯 공중에 멈춘 손은 사뭇 간절해 보였다.

"……당신, 아직도 그대로야?"

애달픈 빛을 가득 띤 눈동자가 그 뒤를 따랐다. 눈빛만큼이나 애처로운 목소리에 실어 보낸 물음이 허공을 두드렸다.

주혁은 똑같았다. 달라진 게 전혀 없었다. 이 바보 같은 남자는 아직도 포기하지 못하고 있었다. 혜수는 가만히 숨을 삼켰다. 침묵을 긍정으로 받아들였는지 주혁은 한 번 더 입술을 열었다.

"정말로?"

그것은 더 이상 질문의 영역이 아니었다. 마지막 남은 기대였다. 바람이었다.

간간이 뺨을 간질이는 바람만큼이나 서늘한 기운이 가슴속에 침범했다. 술 때문에 분명 체온이 올랐을 텐데도 얼음을 딛고 선 듯한 기분이 들었다.

"……."

아팠다. 괴로웠다. 하지만 자신의 고통은 감히 그의 것과 비교조차 하지 못할 터였다.

그러니 더는 상처 주지 말자. 깨끗하게 접을 수 있도록, 그 어떠한 미련도 남기지 못하도록. 그것이 바로 영원한 이별을 고한 쪽이 할 수 있는 최대의 배려였다.

"변한 건 아무것도 없어요."

"윤혜수."

"몇 번을 물어봐도 그대로예요."

"……."

"그리고 앞으로도 달라질 건 하나도 없을 거예요."

마침표를 찍을 때, 저도 모르게 목소리가 아주 약간 떨렸다. 다행히 주혁은 눈치채지 못한 듯했다. 그의 관심사는 그저 지금 이 말에 과연 얼마만큼의 진심이 깃들어 있는지였다.

"……그렇군."

"네."

"알았어."

짤막한 수긍에 안도할 틈은 없었다. 그런 뜻에서 한 대답이 아니라는 듯 주혁이 서둘러 덧붙였다.

"그렇지만 이혼은 못 해 줄 것 같아."

"왜요?"

"당분간 한국에 없을 예정이라."

"당분간……? 어디 가요?"
"응. 해외 출장."
부사장이라는 직함에 어울리게 주혁은 종종 해외 출장을 떠났다. 길어야 한 달이었던 터라 굳이 이런 식으로 이혼을 거부할 이유가 없었다.
"그럼 다녀와서 처리해도……."
"아니, 2년쯤 예상해."
"네? 그럼……."
무심코 말을 이어 가려던 혜수는 급히 입을 다물었다.
2년.
눈앞이 아득해질 만큼 오랜 기간은 아니었다. 그렇지만 쉽게 가늠할 수 없을 정도로 긴 시간이기도 했다.
한 달이든, 2년이든 어차피 만나지 않을 것이다. 처음부터 없었던 사람처럼, 모르는 사이가 되어 살아갈 것이다. 그런데도 이상하게 가슴이 쓰라렸다.
겨우겨우 잊고 지냈던 이물감이 또다시 목 안에 차오르는 느낌이었다. 설명할 수도, 납득할 수 없는 감정은 금세 덩어리가 되어 목 어딘가에 진득하게 들러붙었다.
"직접 나오지 않아도…… 이혼은 성립돼요."
금방이라도 멜 것 같은 목에서는 퍽 우스운 핑계가 튀어나왔다. 그러자 주혁의 눈꼬리가 가볍게 휘어졌다.
"알아. 핑계일 뿐이야."
"……."
"사실 이혼 무효 소송도 생각해 봤는데, 이게 제일 깔끔한 것 같아서."
"……."
"그리고 한국에 있으면 언제까지 참을 수 있을지도 모르겠고."
그런 의미에서 볼 때, 해외 출장은 그가 선택할 수 있는 가장 최선의

답지인 모양이었다. 멍하니 시선을 마주치던 주혁이 예고 없이 고개를 숙였다.

부드러운 숨결이 귓가에 맴돌았지만, 단지 그것뿐이었다. 머리카락이 귀 뒤로 넘겨지는 일도, 입술이 귓불을 스치는 일도 없었다. 예전처럼, 그때처럼.

“잘 다녀올게. 당신도 아프지 말고 잘 지내.”

본능적으로 알 수 있었다. 마지막 인사였다. 그 순간, 입술이 멋대로 움직였다.

“언제 가요?”

“내일 아침 비행기야.”

“……!”

“못 보고 떠날 줄 알았는데, 이렇게라도 얼굴 보니 좋네.”

혜수는 눈을 크게 떴다. 머지않아 떠날 줄은 알았는데 하필 내일이라니. 빨라도 너무 빠른 출국이었다.

갑작스러운 통보에 가슴이 미친 듯이 뛰기 시작했다. 심장에서부터 시작된 동요는 삽시간에 전신을 혼돈의 도가니로 몰아넣었다. 당혹감으로 범벅이 된 눈빛이 허공을 마구 떠돌았다.

환청이 들리는 것 같았다. 지금이라면 아직 늦지 않았다고. 딱 한 번만, 단 한 순간만 손을 뻗는다면 그를 붙잡을 수 있노라고.

주혁은 자신이 그러기만을 기다리고 있었다. 무척이나 절실하게. 그렇지만 이번에도 아니었다. 아니, 그럴 수 없었다.

“잘…… 가요.”

나지막하게 인사를 건넨 혜수는 그대로 현관을 향해 걷기 시작했다. 어깨에도, 등에도 주혁의 시선이 느껴졌지만 못 본 척했다.

계단을 오르는 다리가 놀랍도록 후들거렸다. 힘겹게 한 층, 한 층 위로 올라가던 혜수는 끝내 비틀거리고 말았다. 한 발자국만 더 내디뎠다면 틀림없이 데굴데굴 굴러떨어졌을 것이었다.

미영은 분명 시간이 해결해 준다고 말했다. 그러나 어쩌면…… 정말로 어쩌면 평생 그를 잊지 못하는 게 아닐까. 죽을 때까지 이 시린 가슴을 느끼며 살아가게 되는 것일까.

'당신, 아직도 그대로야?'

그랬다. 그대로였다. 사랑은 끝나지 않았다.

처음부터, 줄곧.

* * *

6개월 후.

거짓말처럼 빠르게 흘러간 시간을 증명하듯 많은 것이 변했고, 달라졌으며, 바뀌었다. 지긋지긋하게 얽어매던 굴레에서 벗어나 새로운 삶을 살아가는 것은 꽤 의미 있는 일이었다.

'그러고 보니 어머니도, 예은이도 연락이 없네.'

무소식이 희소식이었다. 특히 가족과의 관계가 그랬다. 절대로 연을 끊을 수 없으리란 경화의 저주 비슷한 외침은 결국 실현되지 못했다.

'그게 벌써 몇 달 전 일이구나.'

가장 큰 변화는 바로 미영의 예언처럼 카페를 그만둔 것이었다. 무사히 기간제 자리에 합격한 덕분이었다.

몇 년의 공백을 딛고 정식으로 교단에 서게 된 터라 출근한 첫날은 너무나 떨렸다. 심장이 가슴을 뚫고 뛰쳐나올 것 같은 느낌은 오랜만이었다.

담임 역할도 맡게 되었다. 누가 혈기왕성한 중학생 아니랄까 봐 장난꾸러기들이 많았지만, 대부분 아이다운 순진한 면모를 간직하고 있었다.

아이들을 따라 온종일 분주하게 뛰어다니다 보면 금세 날짜가 바뀌어 있곤 했다. 하루가, 일주일이, 한 달이 쏜살같이 지나갔다. 연초에 새로 받은 달력을 벌써 몇 장이나 뜯었는지 몰랐다.

"……종례는 여기까지입니다. 다들 조심히 들어가요."

출석부를 챙겨 든 혜수는 빙긋 웃었다. 그녀의 말이 떨어지기 무섭게 어깨에 가방을 멘 학생들은 의자를 박차고 일어났다.

"안녕히 계세요!"

"그래, 내일 보자."

"죄송한데 질문 하나 해도 돼요? 다음 주에 수행평가 보는 거 말인데요……."

"선생님, 저기……."

종달새의 지저귐과 같은 종알거림이 여기저기에서 끊임없이 들려왔다. 이리저리 돌아다니며 존재감을 발산하는 아이들은 오늘도 생기가 흘러넘쳤다.

청소 당번들은 열심히 청소를 마치고 집으로 돌아갔다. 텅 빈 교실에 마지막으로 남아 창문을 닫던 혜수는 문득 운동장을 내다보았다. 뭐가 그렇게 좋은지 까르르 웃는 아이들의 모습이 눈에 들어왔다.

'행복해 보이네.'

티 없이 눈부신 미소에 저도 모르게 입가가 움직였다. 당연히 각자의 사정이 다 있겠지만, 저토록 해맑게 웃을 수 있는 이 순간만큼은 아무런 근심도, 걱정도 없어 보였다. 부러웠다.

마지막으로 저렇게 웃어 본 적이 언제였는지 모르겠다. 기억이 나지 않았다. 사실 그렇게까지 오래되지 않았을 텐데, 아주 멀고 먼 과거처럼 느껴졌다.

왜 그런지는 이미 뼈저리게 잘 알고 있었다. 현실의 시간과 다르게 마음의 시계는 한없이 천천히 움직였다. 어쩌면 처음부터 움직이지 않았을지도 몰랐다.

'당신이 이렇게 잘 웃는 줄은 몰랐어.'

귓전에 아른거리는 낮은 목소리는 순간적으로 울컥할 만큼 그리웠다. 그때처럼 웃는 얼굴을 그에게 다시 한번 보여 줄 수 있을까.

아니, 부질없는 바람이었다. 쓸모없는 상념은 이쯤 그만두어야 옳았다. 혜수는 급히 창문 걸쇠를 잠갔다.

교실 정리를 끝내고 교무실로 돌아왔더니 동료 교사들 몇몇이 테이블에 모여 있었다. 개중 누군가가 손을 흔들며 혜수에게 아는 척을 했다.

"오늘 혹시 퇴근하고 시간 돼요?"

"무슨 일 있으세요?"

"아, 옆 학교에 괜찮은 연수가 열린대요. 저희 다 같이 가기로 했는데, 선생님도 가실래요?"

권유해 준 것은 고마워도 저녁에는 하필 약속이 있었다. 절대 취소해서는 안 되는 중요한 약속인 터라 이들과 함께하지는 못할 것 같았다. 혜수는 자못 곤란한 표정을 띠었다.

"죄송해요. 선약이 있어서 안 될 것 같네요."

"아쉽네……."

"어쩔 수 없죠. 다음에는 꼭 같이 가요."

"그래요, 미리 메시지 보내 둘게."

테이블에 둥그렇게 둘러앉은 사람들은 다시금 연수를 주제로 한 수다 삼매경에 빠졌다. 자리에 앉아 그들의 이야기를 얼마간 엿듣던 혜수는 이내 노트북 전원 버튼을 눌렀다.

다음 주에 사용할 수업 자료들을 만들고, 잡무 두어 가지를 처리하다 보니 금세 퇴근할 시간이 되었다. 하나둘씩 몸을 일으키는 사람들을 따라 혜수도 짐을 쌌다.

'사장님 기다리시겠다. 얼른 가야지.'

약속의 주인공은 바로 미영이었다. 오늘은 미영의 생일로, 그녀와 퇴근 후에 저녁을 함께 먹기로 약속했다. 요즘 하도 바빠서 카페에 통 들르지 못했는데, 간만의 만남이었다.

교문을 나선 혜수는 종종걸음을 치며 근처의 베이커리로 향했다. 며칠 전부터 고르고 골라 주문한 수제 케이크는 무척 화려하고 예뻤다. 케이크가 담긴 상자를 건네는 제빵사의 얼굴에는 자부심이 넘쳐흘렀다.

'기뻐하셨으면 좋겠다.'

물론 미영이라면 어떤 것을 가져오든지 대환영할 터였다. 설렘과 기대감을 품고 걷던 혜수는 문득 걸음을 멈추었다. 가방 속에서 핸드폰이 울리고 있었다. 미영이었다.

―혜수 씨? 지금 전화 돼?

통화 수신 버튼을 누르자마자 미영은 다급하게 혜수를 찾았다. 그 점에 약간의 의문을 느끼며 혜수는 조심스레 대답했다.

"네, 사장님. 거의 다 왔어요. 조금만 기다려 주시면……."

―그게 아니야. 큰일 났어!

"왜 그러세요?"

엄청난 충격을 받았다는 듯 미영의 목소리는 이상할 정도로 떨리고 있었다.

―혜수 씨 남편 말이야…… 사고로 크게 다쳤대!

"네……? 주, 주혁 씨가요?"

―이게 웬 난리야? 나도 깜짝 놀랐어.

말도 안 되는 소식을 접한 찰나, 기다렸다는 듯 케이크를 든 손에서 힘이 빠졌다. 순식간에 씻겨 나간 현실감 때문인지 눈앞이 멍했다.

미영이 그 사실을 어떻게 알았는지는 하나도 중요하지 않았다. 바닥에 형편없이 나뒹굴고 있는 케이크 또한 마찬가지였다. 할 수 있는 일은 그저 넋이 나간 것처럼 핸드폰 너머에서 들려오는 소식에 귀를 기울이는 것뿐이었다.

―인터넷 기사 보니까 대현 병원에 입원한 상태래. 그런데 지금…… 사경을 헤매고 있다고…….

"……."

―나랑은 다음에 만나고, 당장 병원에 가 봐……! 응? 혜수 씨, 내 말 듣고 있어? 대현 병원…….

주혁이 죽음의 기로에 서 있다는 이야기를 들은 후부터는 자신이 현실에 존재하는지조차 의문이었다. 마치 끝없이 추락하는 롤러코스터를 탄 것 같은 기분이었다.

전화를 끊는 둥 마는 둥 하며 혜수는 허겁지겁 큰길로 뛰쳐나왔다. 운 좋게도 택시 한 대가 도로변에 정차해 있었다.

“기사님, 대현 병원으로 가 주세요. 빨리요!”

비명과도 같은 요구에 눈을 끔뻑이던 택시 기사는 부랴부랴 운전대를 돌렸다. 벌벌 떨리는 어깨를 양손으로 감싸 안은 혜수는 신음을 내뱉었다.

“어떻게, 이럴 수가…….”

믿을 수가 없었다. 아니, 애초에 현실인지도 의문이었다. 주혁의 사고를 곱씹을 때마다 깊고 깊은 악몽 속을 허덕이는 착각에 빠졌다.

외국에서 잘 지내고 있는 게 아니었던가. 아무 일 없이 잘살고 있지 않았었나. 신문 기사로 종종 접했던 주혁의 소식은 하나같이 긍정적인 것들뿐이었다.

그래서 더더욱 멀쩡할 것이라고 여겼다. 끊임없이 밀려드는 일에 치여 자신을 그리워할 겨를 따위는 없으리라고 생각했다. 그래야 마땅했고, 그렇게 되어야 옳았다.

그런데 어째서 이런 끔찍한 비극이 닥친 것일까. 단지 운명의 장난으로 치기에는 너무도 참혹했다.

이럴 수는 없었다. 아니, 이래서는 안 되었다. 하지만 눈앞에 닥친 것은 지독히도 잔혹한 현실이었다. 끔찍할 만큼 예리한 운명의 칼날은 끝내 그와 자신을 비켜 가지 않았다.

“…….”

발끝에서부터 사정없이 조여드는 느낌에 혜수는 입술을 세게 깨물었다. 곧바로 찢어진 표면에서는 핏방울이 망울망울 터져 나왔다. 소태처럼 쓴 피 맛을 느낄 새도 없이 눈가가 촉촉해졌다.

주혁에게 이별을 선언한 이후로 단 한 번도 흘리지 않았던 눈물이었다. 그간 목 놓아 울고 싶어지는 순간이 종종 닥쳤지만, 의외롭게도 눈물이 한 방울도 나오지 않았다. 그저 목만 아릿하게 멜 뿐이었다.

그러나 지금부터는 아니었다. 그럴 수 없었다. 단단하게 걸어 잠갔던 마음의 빗장이 드디어 풀렸다. 부스러기조차 찾을 수 없을 만큼 완벽하게 부서지고 말았다.

"흣……."

뜨거운 열이 깃든 눈물 한 줄기가 속눈썹을 비집고 턱으로 살며시 떨어졌다. 그것을 기점으로 봇물 터지듯 눈물이 쏟아져 내렸다.

정말로 오랜만에 흘리는 눈물이었다.

단 한 사람만을 위한.

* * *

도망치듯 택시에서 내린 혜수는 VIP 병동으로 달려갔다. 어찌나 빨리 뛰었던지 다리에 쥐가 날 정도였다. 사정 모르는 이들이 본다면 다들 왜 저러나며 어리둥절해할 게 분명했다.

"잠깐만요. 함부로 들어가시면 안 됩니다."

VIP 병동 정문에 다다랐을 때, 양복을 입은 경호원 두어 명이 혜수를 막아섰다. 강하게 뻗어진 남자의 팔에 갑작스레 멈추게 되면서 구두 한 짝이 벗겨졌다.

"권주혁, 대현 그룹 부사장이 여기 입원한 게 맞나요?"

"그렇습니다만 인터뷰는 금지입니다."

"저, 그 사람 아내예요. 제발 들어가게 해 주세요!"

"네? 사모님요?"

혜수를 이리저리 훑어보는 경호원의 눈에 당혹감이 어렸다. 어떻게 제

신분을 증명해야 하는가. 금방이라도 주저앉을 것 같은 몸을 추스르고 애원하려던 혜수는 아, 하고 소리를 질렀다.

“비서님!”

핸드폰을 귀에 댄 채 이쪽으로 걸어오던 비서는 그녀와 눈이 마주치자 그 자리에 우뚝 섰다.

“사, 사모님……?”

어떻게 여기에 올 수 있었냐는 뉘앙스를 신경 쓸 여유가 있을 리 만무했다. 혜수는 다짜고짜 비서에게 덤벼들었다. 그 바람에 아슬아슬하게 걸쳐져 있던 나머지 구두 한 짝도 어디론가 날아가 버렸다.

“어디죠? 주혁 씨는 어디에 있어요?”

“제가 안내해 드리겠습니다. 그런데 사모님 구두가…….”

“얼른요!”

그깟 구두가 무슨 소용인가. 주혁의 상태를 제 두 눈으로 똑똑히 확인하기 전까지는 그 어떤 것도 머릿속에 들어오지 않는 게 당연했다.

원망 어린 절규에 비서는 재빨리 병실의 호수를 읊어 주었다. 19층이었다. 사정을 파악한 경호원이 구두를 챙겨 드는 사이, 혜수는 엘리베이터로 다가갔다.

어느새 그녀의 곁에 따라붙은 비서가 한숨과 함께 경호원으로부터 구두를 건네받았다. 엘리베이터는 하필 19층에 멈추어 있었다.

눈물범벅이 된 눈으로 엘리베이터의 숫자가 바뀌는 광경을 보고 있자니 너무나도 초조했다. 조마조마했다. 고장 난 수도꼭지처럼 떨어지는 눈물은 끊임없이 뺨을 타고 옷 속으로 흘러들었다.

“제발, 제발……!”

애타는 호소가 병동 로비를 가득 울렸다.

무사하기를. 아무 일 없기를.

엘리베이터에서 내려 병실 문을 열어젖힐 때까지 걸린 시간은 얼마 되지 않았다. 그러나 체감상으로는 영원에 가까울 만큼 길고 길었다.

뭐라고 말을 걸려는 비서의 말을 깡그리 무시한 채 혜수는 병실 안으로 뛰어들었다. 어디에, 어디에 있는 것인가.

초조함과 간절함을 듬뿍 담은 눈동자는 이내 목표한 대상을 정확하게 찾아냈다. 침대 헤드에 등을 기대고 앉은 주혁이었다. 이곳이 병원이라는 사실을 증명하듯 그는 환자복 차림이었다.

"주혁 씨!"

쇳소리 비슷한 외침이 허공을 겨냥해 터져 나왔다. 틀림없었다. 그였다. 반년이 넘도록 만나지 못했던…… 만나지 말았어야 했던 남자가 제 앞에 버젓이 존재하고 있었다.

놀란 표정의 주혁과 시선이 얽히는 찰나, 몸이 멋대로 움직였다. 지극히 본능적인 행동이었다.

"당신이 여기는 어떻게……?"

당황스러운 기색이 배어든 저음이 귓전으로 파고들었다. 미처 대답할 생각도 하지 못한 채 혜수는 그의 목덜미를 냅다 끌어안았다.

따뜻했다. 살아 있었다. 가짜도, 착각도 아니었다. 주혁은 천만다행으로 무사했다. 왼쪽 팔의 깁스를 제외하고는 크게 다친 곳은 없어 보였다.

'다행이야.'

얼굴에 닿은 따스한 감촉은 폭발할 것처럼 뛰던 심장을 조금이나마 진정시켰다. 물론 쉼 없이 떨어지는 눈물은 그의 상태를 확인하고도 좀처럼 그치지 않았다.

"흐윽……."

"……."

"괜찮은 거, 맞죠……? 읏……."

"보다시피. 안심해."

바들바들 떨리는 어깨에 문득 부드러운 것이 안착했다. 주혁의 손이었다.

너무나 오랜 시간을 흘려보낸 다음에 느껴 보는 온기는 숨이 멎을 것 같이 강렬했다. 형언할 수 없는 감정이 가슴속 깊은 곳을 마구 찔렀다.

아무것도 떠올릴 수 없었다. 어떤 것도 할 수 없었다. 그저 그의 품에서 하염없이 눈물을 흘리는 것밖에는.

이래서야 평생 흘릴 눈물을 이 자리에서 한꺼번에 쏟아내는 기분이었다. 그래도 사정없이 진동하는 눈가가 안정을 되찾는 일은 없었다.

"……."

가만히 어깨를 다독이는 그는 기억 속에서처럼 상냥했다. 그의 품에 매달려 한참 운 후에야 겨우겨우 숨을 돌릴 수 있었다. 눈물의 흔적이 고스란히 남은 환자복을 꽉 쥔 채 혜수는 고개를 들었다.

흠뻑 젖은 속눈썹에서 미처 스러지지 못한 눈물방울이 또르르 굴러떨어졌다. 주혁은 불그스름하게 물든 그녀의 눈가를 조심조심 더듬었다.

"다 울었어?"

"네……."

"걱정하게 만들어서 미안해."

나긋하게 가라앉은 사과가 귓바퀴를 스쳤다. 그립고 그리웠던 목소리를 듣고 있자니 간신히 멎었던 눈물이 또 터지려고 했다.

다시금 찡하게 저리는 코끝을 느끼며 혜수는 천천히 그에게서 떨어졌다. 윤기가 흐르는 검은 머리카락, 심장 한구석을 자극하는 듯한 눈빛, 굳게 다물린 입술.

권주혁은 항상 상상으로만 그쳐야 했던 그 모습 그대로였다. 그립고 그리웠던 기억이 온전한 형체를 띠고 눈앞에 머물러 있었다.

"어떻게 된 거예요? 내가 얼마나, 얼마나 마음 졸인 줄 알아요……?"

그에게 큰일이 생겼다면 정말로 살 수 없을 것 같았다. 아니, 살 수 있을 리가 없었다. 거짓말처럼 반전된 상황에 다시 한번 진심으로 감사했다.

혜수가 질문하기만을 기다렸다는 듯 그녀의 등 뒤에서 답이 날아왔다.

"오보였습니다. 즉시 정정 보도를 냈는데, 포털 사이트에 반영이 제대로 되지 않은 것 같습니다."

"아……."

"그랬군."

고개를 끄덕인 주혁이 비서를 향해 넌지시 눈짓했다. 그의 의중을 대번에 알아차린 비서는 뜻 있는 미소와 함께 묵묵히 뒷걸음질 쳤다. 그의 퇴장으로 병실은 드디어 둘만의 공간이 되었다.

주혁에게 다시 안기고 싶은 충동을 누르며 혜수는 침대 끝에 걸터앉았다. 몇 번에 걸친 시선 교환은 바닥을 드러냈던 현실감을 반이 넘게 되돌려주었다. 머리끝까지 치솟았던 긴장감 또한 서서히 살갗 밑으로 가라앉았다.

"……오랜만이야."

때늦은 감상이 물러간 다음에는 사뭇 다정한 손길이 다가왔다. 손끝으로 뺨에 남은 눈물 자국을 지워 주는 그는 무척이나 신중한 모습이었다.

"그러게요."

"아픈 것도 괜찮군. 당신이 이렇게 와 주기도 하니까 말이야."

"그런 말 하지 마요."

"그렇게 걱정했어? 다시는 안 볼 것처럼 굴었으면서."

뼈 있는 농담에 혜수는 입꼬리를 살짝 끌어올렸다.

"당연하잖아요. 나랑은 못 봐도 어딘가에서 잘 지내고 있을 줄 알았어요."

반드시 그래야만 했다. 그러기를 소망했다. 그래야 제 마음도 조금이나마 편할 수 있었을 테니까. 그렇지만 이제 와서는 그 모든 노력이 전부 소용없어졌다. 부질없어졌다.

권주혁이 이 세상에서 사라졌다고 느꼈을 때, 윤혜수가 어떻게 되는지 똑똑히 확인했다. 만약 그가 잘못되었다면 완전히 미쳐 버렸을지도 몰랐다.

'……바보.'

퍽 새삼스러운 푸념이 입 안에 맴돌았다. 애써 부정하고, 단념하려고 했던 마음이 끊임없이 혀끝을 건드렸다. 당장이라도 바깥으로 터져 나오고 싶어 안달이 나 있었다.

"당신을 못 보는데도 내가 그럴 리 없잖아."

"……주혁 씨."

"내가 정말 잘 지내기를 바라면 항상 내 옆에 있어 줘."

"그건……."

한국을 떠난다고 이야기했을 때와 마찬가지로 그는 또 한 번 자신에게 손을 뻗고 있었다. 이번에야말로 꼭 붙잡아 달라는 것처럼.

주혁이 다쳤다는 소식을 듣자마자 무작정 병원으로 달려왔지만, 사실 그 다음 일은 손톱만큼도 생각하지 않았다. 그저 그가 너무 보고 싶었고, 무사한지 확인하고 싶었을 뿐이었다.

이미 끊겨 버린 말을 잇는 대신 혜수는 그와 얼굴을 똑바로 마주했다. 처음부터 줄곧 그래 왔다는 듯 주혁의 시선은 유난히 곧았다.

"……."

미동도 없는 새카만 눈동자에는 혼란스러워하는 제 모습이 오롯이 담겨 있었다. 잠자코 지켜보는 주혁은 그런 자신과 달리 일말의 흔들림도 없었다. 그 모습은 마치 단단한 뿌리를 땅속에 깊이 박은 나무 같았다.

"걱정했잖아? 나 말고는 아무것도 떠오르지 않을 정도로."

사실이었다. 그의 소식을 듣자마자 순식간에 머릿속이 텅 비었고, 삽시간에 눈앞이 하얘졌다. 단 한 명, 그를 제외한 모든 것이 관심 밖이었다.

"그만큼 날 좋아한다고밖에 생각되지 않는데."

"그게……."

"이제는 대답해 줬으면 좋겠어. 당신, 날 사랑해?"

아직 물러나지 않은 손끝이 뺨을 부드럽게 얼렀다. 그 순간, 눈 안쪽에 고여 있던 눈물이 툭 떨어져 내렸다.

사랑한다. 그에게서 완벽히 떠나갔다고 느낀 이후로도 사랑하지 않았던 적이 없었다. 살아가는 것은, 사랑하는 것이었다.

"……사랑해요."

과거형이 아니었다. 어디까지나 현재형이었다. 과연 언제 끝날지 모를. 아니, 어쩌면 영원히 끝나지 않을.

오래도록 품어 왔던 마음을 입 밖으로 밀어내고 있자니 또다시 눈물이 흘렀다. 말라 가던 뺨이 또 한 번 촉촉이 젖어 들었다. 사랑해요, 하고 혜수는 한 번 더 조그맣게 속삭였다.

"사랑해, 윤혜수."

그에 응하듯 귓가로 내려앉은 속삭임은 무척이나 달았다. 언제나 혼자서 지새워야 했던 밤에. 아주 가끔 그 달콤했던 고백을 되뇌었다. 숨죽여 몇 번을 되풀이해도 지겹지 않았다. 다시는 들을 수 없으리라고 생각했기에. 제 것이 아니라고 다짐했기에.

"알아요. 그렇지만, 우리는……."

"괜찮아. 더 이상 아무 말 안 해도 돼."

눈물을 훔친 손가락은 당연한 순서를 밟는다는 것처럼 어깨로 내려왔다. 또 한 번 닿게 된 주혁의 품은 조금 전보다 훨씬 뜨거웠다. 혜수는 그가 시키는 대로 말없이 울음을 삼켰다.

고장 난 줄로만 알았던 마음이 이제야 움직이기 시작했다. 동결되었던 시간이 자유롭게 풀려난 지금, 비로소 제대로 살아 있는 것 같은 기분이 들었다.

이런 느낌은 참 간만이었다. 이렇게 마음 편히 미소 지어 보는 것도. 이 남자는 정말 많은 것을 변하게 했다. 눈짓 하나만으로도, 손짓 하나만으로도.

혜수를 힘껏 껴안은 주혁은 그녀의 머리카락에 살포시 입술을 대었다. 촉, 하는 보드라운 마찰음이 한순간 귀 옆을 울렸다.

"다시는 날 떠나지 마. 안 된다는 말도 하지 마."

"……."

"이대로 내 곁에 있어 줘. 나머지는 내가 다 알아서 할 테니까."

"주혁 씨, 나는……."

"물론 놔줄 생각도 없지만."

다짐을 방증하듯이 어깨를 안은 손에 힘이 실렸다. 혜수는 한결 깊게 주혁의 품으로 파고들었다. 자신을 단단하게 감싼 가슴팍에서는 결코 멈추지 않는 고동이 느껴졌다.

……그것은, 사랑이었다.

"매일같이 후회했어. 좀 더 붙잡아 볼걸. 놔주지 말걸. 당신이 원하는 걸 들어주고 싶어서 포기했는데…… 그게 맞다고 생각했는데, 정말 내 마음대로 안 되더라."

마음먹은 대로 이루어지지 않았다. 그 어떤 순간에도.

뜻대로 되지 않았다. 그 어떤 일이 벌어져도.

사랑이란 원래 그런 것이었다. 아무런 이유나 논리도 없이, 마땅히 그럴 수밖에 없는 감정. 사랑은 거부도, 저항도 불가능했다. 속수무책으로 받아들일 수밖에 없었다.

"맞아요. 그런 게 사랑이에요."

"그런 건가……."

"사랑하기 진짜 힘들죠?"

"응. 그런데 당신이랑 하는 거면 할 만해."

"나도 그래요."

혜수는 살며시 그의 얼굴을 어루만졌다. 그러자 기다렸다는 듯 입술이 겹쳐졌다. 농밀하게 맞물린 입술을 통해 그의 온기가 심장까지 단번에 파고들었다.

그 순간, 오래도록 잠재워 두었던 열망이 깨어났다.

이 남자를 사랑한다. 아주 많이.

"반드시 당신 곁에 있을게요. 약속해요."

16. 멈추지 않는 고통

주혁이 퇴원하기까지는 일주일 남짓이 소요되었다. 사실 좀 더 입원했어야 했지만, 그가 고집을 부린 탓에 퇴원이 예상보다 빨라졌다.

첫날의 결례가 마음에 걸렸는지 혜수가 나타나자 경호원들은 유독 정중하게 허리를 숙였다. 그녀를 반기는 우렁찬 목소리가 로비에 한껏 울려 퍼졌다.

"안녕하십니까, 사모님."

연락을 받고 마중 나온 비서가 조심스레 알은체했다. 그의 인사에 혜수는 가벼운 미소로 받아쳤다.

"안녕하세요. 주혁 씨는요?"

"준비는 이미 한 시간 전에 다 마치셨습니다. 바로 내려오실 겁니다."

"빠르네요……."

곧이어 엘리베이터 문이 열리고 반깁스를 한 주혁이 나타났다. 시선이 마주 닿은 찰나, 무표정하던 얼굴에 부드러운 미소가 돌아왔다. 놀라울 만큼 빠른 변화였다.

그렇게 좋을까, 하는 푸념은 이내 입 안 어딘가에 묻혔다. 혜수는 그의 왼팔에 온 신경을 곤두세운 채 가만가만 주차장으로 걸었다.

“조심해요.”

“알고 있어.”

“깁스 보호대는 왜 뺐어요?”

“답답해서.”

“그럼 빨리 안 나을 텐데요. 당신, 그렇게 어린 나이 아니에요. 최대한 조심해야 한다고요.”

“알았어. 그나저나 방금 말투, 굉장히 선생님 같았는데.”

“어떻게 알았어요?”

미리 대기하고 있던 운전기사가 주혁을 부르는 통에 그 이유를 들을 타이밍을 놓치고 말았다. 주혁과 함께 뒷좌석에 올라탄 혜수는 회한 어린 눈길로 차 안을 응시했다. 이 차에 타는 것 또한 매우 오랜만이었다.

예전에는 둘이 나란히 앉아 갈 때, 아무런 이야기도 하지 않았다. 숨 막히는 침묵에 휩싸여 있다가 꼭 필요한 몇 마디만 나누곤 했다. 그나마도 주혁이 눈을 감아 버리면 없었지만.

그러나 이제는 상황이 백팔십도 달라졌다. 입만 열면 얼마든지 제 이야기를 들어 주고, 맞장구쳐 줄 사람이 바로 옆에 존재했다.

“나, 직업 바꿨어요. 중학교에서 일하고 있어요.”

“그래? 축하해. 꿈을 이뤘군.”

“정말로 축하하는 거 맞아요?”

다분히 진심에서 우러나오는 축하 인사라는 듯 주혁이 슬그머니 오른손을 뻗어 왔다. 혜수는 못 이기는 척 그의 손가락에 깍지를 꼈다.

언제나처럼 부드러운 촉감이 손끝을 살살 간지럽혔다. 그와 동시에 심장 한구석도 간질간질했다. 매번 실감하는 바이지만 너무나도 기분 좋은 동요였다. 이런 것이라면 평생 즐기고 싶었다.

"언제부터 일했어?"

"반년쯤 돼 가요."

"카페에 갔어도 만나지 못했겠어."

"그래도 며칠이면 찾았을 거잖아요?"

"그럼, 바로 찾아야지. 내 여자가 어디 있는지 모른다는 건 말이 안 되잖아."

주혁의 능글맞은 대답에 혜수는 결국 입꼬리를 들썩여 버렸다. 권주혁은 보기보다 능청스러운 남자였다. 그와 함께하는 시간이 늘어갈수록 주혁의 새로운 면모를 많이 알게 되었다. 제법 즐거운 재발견이었다.

얼음처럼 차가운 성격의 이면에는 불꽃처럼 뜨거운 열정이 숨어 있었다. 목석처럼 감정 없는 얼굴에 때때로 번지는 미소가 너무나도 아름답다는 것은 혼자만의 비밀이었다.

단단한 손끝이 실은 어찌나 다정한지, 냉기가 흐르던 눈동자가 얼마나 상냥한 빛을 머금을 수 있는지, 지금은 그 누구보다도 잘 안다. 그리고 주혁이 이런 남자라는 사실은 아무에게도 알리지 않으리라. 한동안 그 손의 온기를 만끽하던 혜수는 싱긋 웃으며 덧붙였다.

"아, 맞다. 운전면허도 땄어요."

"미리 들었으면 당신이 운전하는 차를 타는 건데."

"내가 운전하는 차에 탈 자신이 있어요? 틀림없이 후회할 거예요."

"아니, 기대할게."

그의 기대치가 과연 어느 정도인지는 모르겠다. 그래도 언젠가는 주혁과 같이 시원한 바닷바람을 맞으며 드라이브를 즐기면 좋을 것 같았다. 그런 일은 여태껏 한 번도 해 본 적 없었으니까.

"그리고 또 뭘 했지?"

"신문을 구독했어요."

"신문?"

의외의 대답이었는지 주혁은 바로 되물었다. 아차 싶어도 어쩔 수 없었다. 쓸데없이 집요한 이 남자에게 곤란한 듯 얼버무리면 끝까지 물어볼 터였다.

"……종종 당신 이야기가 나왔거든요."

"그걸로 충분했어? 나한테 직접 연락하지 그랬어."

"용기가 없었어요. 그게 맞다고 생각했고요."

"그랬군……."

"뭐, 이제는 직접 들으면 되니까요. 사실 신문에……."

아무것도 아닌 이야기를 아무렇지도 않게 하고, 아무 일도 아니라는 듯 웃어 보인다. 정말 별것 아닌데도 만족스러웠다. 너무나.

이 사소한 행복을 몰랐다. 이 시답잖은 기쁨을 알지 못했다. 하지만 뼈에 사무칠 만큼 깨닫게 된 지금, 끊임없이 입술이 움직일 뿐이었다.

두 사람을 태운 차는 이윽고 화려하게 장식된 아파트의 정문을 통과했다. 차에서 내린 주혁은 묘하게 감회에 젖은 표정을 짓고 있었다.

물론 이 정도로 놀라서는 안 될 텐데 싶으니 저도 모르게 피식, 하고 웃음이 터졌다. 실룩거리는 입꼬리를 손등으로 가린 채 혜수는 엘리베이터에 올라섰다.

"……."

현관에 들어선 직후, 가지런히 놓인 여성용 구두를 발견한 주혁의 눈이 보기 드물게 커졌다. 예상대로의 반응이었다.

"이건……."

다는 아니어도 제힘으로 들고 올 수 있는 것은 거의 가져다 두었다. 거실에도, 안방에도, 심지어 부엌에조차 그녀의 흔적이 남아 있다는 점에 주혁의 얼굴은 한결 미묘해졌다.

"여기 미리 왔었어?"

"비밀번호가 그대로더라고요."

"집주인도 아닌데 내 멋대로 바꿀 수는 없지."

주혁은 끈질기게 기다리고 있었다. 자신이 이곳으로 돌아오기를, 제 집으로 여겨 주기를. 오랜 기간에 걸친 구애는 이 순간이 되어서야 비로소 빛을 발했다.

고마웠다. 기뻤다. 끝까지 포기하지 않아 줘서. 여기까지 올 수 있도록 기다려 줘서. 기약 없는 기다림을 이기고 손안에 쥐어진 행복은 이제 시작이었다.

"배고프죠? 앉아요."

식탁 위에는 미리 차려 놓고 간 음식들이 소담스레 놓여 있었다. 고소한 냄새가 코를 찌르면서 뒷전으로 밀어 두었던 식욕을 끌어 올렸다.

국만 다시 데우면 되는 터라 싱크대를 향해 돌아선 혜수는 문득 흠칫했다. 갑작스레 뻗어 온 그의 팔이 허리를 꽉 안은 탓이었다. 순식간에 뒤에서 안겨 버린 자세가 되었다.

"주혁 씨……?"

그러자 주혁은 머리카락 사이로 드러난 혜수의 목덜미에 살짝 입 맞추었다. 일순간 감전이라도 된 듯 미묘한 전율이 흘렀다.

"당신과 있는 게 기분 좋아서."

"……그래요?"

"응. 당신이 있으니까 진짜 집에 돌아왔구나 싶어."

살갗에 닿는 뜨거운 숨결을 느끼며 혜수는 잠자코 숨을 들이켰다. 언젠가 주혁이 말했었다. 아무도 없는 곳에 있고 싶지 않다고. 자신이 맞아 주지 않는 집에는 들어가고 싶지 않다고.

어린아이 같은 투정은 진심이었다. 재차 목덜미를 스치는 입술은 그의 마음을 고스란히 담아내고 있었다. 그는 이제야 뼈저리게 깨달은 듯했다. 사랑하는 사람과 함께하는 일상의 소중함을.

잃어 본 자만이 절실함을 안다. 빼앗겨 본 사람만이 간절함을 안다. 아무것도 몰랐던 이 남자는 조금씩 인간적인 감정을 배워 나가고 있었다.

"그거 알아?"

불현듯 던져진 질문은 그대로 상념을 앗아갔다.

"출장 떠나기 전까지 당신이 썼던 방에서 계속 지냈어."

"……."

"당신은 고작 이틀밖에 머물지 않았지만, 이 집에서 그나마 당신의 흔적을 찾을 수 있는 곳은 거기뿐이었거든."

낮은 목소리가 전하는 속삭임을 듣고 있자니 자연스럽게 상상이 갔다. 주혁이 어떤 얼굴로 방 안을 서성였을지, 그리고 그곳이 얼마나 외롭고 차가웠을지.

다시는 그럴 필요가 없었다. 절망에 찬 한숨으로 얼룩졌던 밤은 끝났다. 혜수는 허리에 감긴 그의 손을 슬며시 쓰다듬었다.

'따뜻해.'

여전히 뜨거움을 간직하고 있는 손은 그 어떤 일이 있더라도 자신을 놓아주지 않을 것 같았다. 그 어떤 것에도 맞서서 지켜 줄 것 같았다. 그 점에 다시 한번 든든함을 느꼈다.

"부탁이 있어요."

혜수는 고개를 비틀어 주혁을 응시했다. 그녀의 갑작스러운 요구에 주혁의 눈에는 옅은 의문이 떠올랐다.

"뭐든 말해."

"당신만이 해 줄 수 있는 거예요."

이 집을 원하지 않는다고, 그가 필요 없다고 말했을 때, 주혁은 하나도 이해하지 못했다. 전혀 받아들일 준비가 되어 있지 않았다. 그 처절했던 순간을. 핏빛으로 물들었던 마음을.

하지만 이제는 말할 수 있었다. 원할 수 있었다. 주혁은 퍽 새삼스럽다는 듯 그녀의 등에 한결 밀착했다.

"많이 늘었군. 나는 못 할 거라고 했는데."

체감상 아주 먼 과거가 되어 버린 그때도, 그와 함께하는 지금 이 순간에도 주혁에게 바라는 것은 오직 하나밖에 없었다. 더 이상 혼자가 아니게 해 달라고. 제 몸을 받치는 이 손을 놓치고 싶지 않다고. 손등에 감도는 이 따스한 온기를 온전히 제 것으로 차지하고 싶다고.

한참이나 눈을 마주치던 혜수는 그의 옷자락을 움켜쥐었다. 꼭 그랬으면 좋겠다는 간절한 몸짓이었다.

"헤어지지 마요. 계속 내 옆에 있어 줘요."

"물론이야."

강한 확신을 담은 다짐은 오래지 않아 입술에 묻혀 안쪽으로 스며들었다. 몇 번이고 겹쳐지는 부드러운 입술에 혜수는 느른히 속눈썹을 늘어뜨렸다.

늘 그랬듯이 혀가 섞이고, 숨결이 엉켜 들었다. 물기 어린 타액을 교환하고, 서로의 욕망을 나누었다. 음탕한 물소리가 들릴 때마다 머리끝에서 발끝까지 질퍽질퍽한 쾌감으로 얼룩지는 느낌이었다.

입술을 비집고 터져 나온 가느다란 한숨이 코끝을 떠돌았다. 삽시간에 달아오른 공기가 전신을 감싸고 체온을 상승시켰다.

"주혁 씨……."

"응."

"사랑해요."

"나도."

잠깐잠깐 떨어지는 입술은 이미 질펀하게 젖어 있었다. 그 틈으로 사랑을 속삭이고 또 속삭였다. 주혁은 한층 격정적인 입맞춤을 퍼부으며 혜수의 어깨를 와락 끌어안았다.

입술이 질척하게 맞닿는 순간순간, 눈앞이 희어졌다.

아찔했다. 아득했다. 쉴 새 없이 얽히다 못해 끝끝내 터져 버릴 것 같은 온기가. 폭발하기 직전까지 차올라, 마침내 가장 깊은 곳으로 파고드는 감정의 덩어리가.

……사랑이었다.

처음부터, 줄곧.

* * *

오랜만에 맛본 일상은 무척이나 사소했다. 정말로 별것 아니라서 순간적으로 픽, 하고 웃음이 터질 만큼.

아침에 눈을 뜨면 따스한 온기가 어깨를 감싸고 있었다. 머리 위에서 울려 퍼지는 나지막한 인사는 눈꼬리에 매달린 잠을 완벽하게 몰아냈다.

한쪽 팔밖에 쓸 수 없는 주혁의 출근 준비를 돕고, 간단하게 아침을 차렸다. 커다란 식탁에 단둘이 앉아 이런저런 이야기를 나누며 밥을 먹고 나면 금세 출근 시간이었다.

주혁은 꼭 학교 앞까지 데려다주었다. 조심히 잘 다녀오라는 부드러운 속삭임과 함께.

그의 뒷모습을 좇으며 일상의 행복을 곱씹다 보면 오래지 않아 왁자지껄한 소리가 온 교정을 채웠다. 커다란 가방을 메고 삼삼오오 걸어오는 학생들에게 신경을 쏟다 보면 시간이 훌쩍 지나갔다.

'오늘은 공장에 다녀온다고 했는데, 지금쯤 돌아왔을까?'

그래도 순간순간 주혁을 떠올리고, 그가 지금 어떤 일을 하고 있을지 상상하며 미소 지을 만한 여유는 있었다.

주혁을 생각할 때마다 고된 업무를 견딜 의욕이 샘솟았다. 평범한 일상이 이토록 소중하고 기쁜 것임은 그를 통해 처음 깨달았다.

'언제까지나 이랬으면 좋겠어.'

빡빡하게 흘러가는 하루 때문에 몸은 힘들어도 정신은 그렇지 않았다. 매일같이 정점을 찍는 행복감은 마치 마취제처럼 모든 자극을 무력화시켰다. 영원히 이 아무것도 아닌 일상에, 한없이 시답잖은 이 즐거움에 취해 있고 싶다고 한다면 너무 과한 바람이려나.

현관문 앞에 선 혜수는 빠르게 도어 록의 버튼을 눌렀다. 모처럼 정시에 퇴근한 만큼 공들여 저녁을 준비해 볼 심산이었다. 요 며칠간 야근하느라 그와 저녁 식사를 함께하지 못했다.

'오늘은 주혁 씨가 좋아하는 거로 할까?'

주혁은 생선 요리를 즐기는 편이었다. 원래도 그 점을 잘 알고 있었지만, 이 집에서 살기 시작한 후부터는 어째서인지 그가 생선 요리를 찾는 빈도가 늘어났다.

그 바람에 비서가 챙겨다 준 굴비는 하루가 다르게 줄어 가고 있었다. 조만간 바닥을 드러낼 것 같으니 비서에게 다시 부탁해야 할 듯싶었다.

"……."

하여간 묘하게 어린아이 같은 면이 있다니까. 혜수는 웃음을 삼키며 냉동고의 문을 열었다.

얼마 후, 노릇노릇하게 구워진 굴비가 몇 마리나 접시에 놓였다. 굴비는 물론이거니와 식탁을 채운 밑반찬들은 제법 먹음직스러웠다.

부엌을 꽉 채운 생선 냄새에 한동안 창문을 열어 놓은 채 환기를 시키고 있을 무렵이었다. 드디어 현관문 쪽에서 익숙한 소리가 들려왔다.

이 시간, 도어 록을 해제할 만한 인물은 딱 한 명밖에 없었다. 예상보다 이른 귀가에 반가워진 혜수는 서둘러 현관으로 다가갔다.

"왔어요?"

구두를 벗고 천천히 마루에 올라선 주혁은 한 치의 흐트러짐도 없었다. 왼팔을 감싼 붕대만 아니라면 지난 몇 년간 봐 왔던 모습 그대로였다.

"일찍 왔네."

아니, 달라진 게 하나 있었다. 입꼬리에 선명히 맺힌 미소였다. 단 한 사람만을 위해 지어지는 미소를 본 찰나, 저절로 심장이 두근거렸다.

정처 없이 뛰기 시작한 가슴을 진정시키며 혜수는 그에게서 재킷을 받아

들었다. 품에 꼭 안은 재킷에서는 주혁 특유의 향기가 풍겼다. 언제 맡아도 빠짐없이 기분이 좋아지는 향기였다.

"마침 다 됐으니까 밥부터 먹을래요?"

"그러지."

"당신이 좋아하는 굴비 구워 놨어요."

주혁은 순순히 의자에 앉았다. 그러나 식탁 한가운데에 놓인 굴비를 봤음에도 그의 손은 쉽사리 움직이지 않았다.

"왜 그래요?"

"나 혼자 먹게 할 셈이야?"

보란 듯이 왼팔을 들어 보이는 그의 눈동자에는 짓궂은 빛이 한가득 떠돌았다. 틈날 때마다 애정과 관심을 갈구하는 모습이 귀엽기도 하고, 우습기도 했다.

"깁스를 한 건 왼팔이잖아요. 혼자서 충분히 먹을 수 있는 거 아니에요?"

"당신이 주는 게 더 맛있어서."

"그럴 리가 없잖아요."

"아니, 그렇더라고."

혜수는 대답하는 대신 젓가락을 들어 정성껏 가시를 발라냈다. 그리고 자못 진지한 기색으로 밥을 한 숟갈 펐다. 잘 발라진 생선 살과 흰 쌀밥의 조합은 언뜻 보기에도 군침이 돌았다.

"자요."

"응."

주혁은 일말의 망설임도 없이 입을 벌렸다. 곧이어 툭 불거진 목울대가 두어 번 움직였다.

"맛있네."

"다행이에요."

"다 먹었어."

"또 달라고요?"

"아직 밥이 이만큼이나 남았잖아."

"……."

그 뒤로도 밥 한 공기를 비울 때까지 몇 번이나 똑같은 행동을 반복했다. 그렇지만 하나도 지겹지 않았다. 오히려 입가가 실룩거릴 뿐이었다.

이 남자가 부리는 응석조차도 너무나 사랑스러워서, 둘이 같이 있는 이 순간이 너무도 행복해서.

'꿈같아.'

예전에는 감히 꿈도 꾸지 못했던 일이었다. 상상조차 할 수 없었던 상황이었다. 지금처럼 아무렇지도 않게 마주 앉아 서로의 일상을 공유하고, 서로에 대한 마음을 확인하는 것은.

그래서일까, 매일같이 겪고 있건만 이상할 정도로 현실감이 희박했다. 절대로 깨고 싶지 않은 꿈에 젖어 있는 느낌이었다.

식사를 마친 주혁은 성큼성큼 욕실로 향했다. 갈아입을 옷을 챙겨 든 혜수는 차분하게 그의 뒤를 따랐다.

거의 나았다고는 해도 그는 아직 깁스 중이었다. 혼자서는 불편할 것 같아서 여태껏 샤워를 도와주었는데, 오늘은 틀린 선택인 모양이었다. 셔츠를 둘둘 말아 바구니에 내려놓던 혜수는 저도 모르게 흠칫했다. 늘어졌던 주혁의 오른팔이 문득 그녀의 허리에 감겼다.

"윤혜수."

"네?"

"남자 옷 벗기면서 너무 무방비한 거 아니야?"

"무슨 소리예요? 이건 그냥……."

느닷없이 행해진 스킨십의 끝은 가벼운 입맞춤이었다. 단숨에 그녀의 입술을 빼앗은 주혁은 사뭇 난처한 목소리로 중얼거렸다.

"곤란해."

이유를 물어볼 필요는 없었다. 단단한 손가락이 티셔츠 속으로 파고든 탓이었다. 혜수는 무심코 움찔거리는 어깨를 억눌렀다. 예고 없이 등줄기를 훑어 올리는 손끝은 짙은 열기로 물들어 있었다.

부드러운 감촉이 살갗에 닿을 때마다 신열이 오르는 듯 눈앞이 아찔했다. 얼마간 그의 손길을 받아 내던 혜수는 한 발짝 물러났다.

"물 받을게요. 잠깐만 기다려요."

어렵사리 들이민 핑계는 통하지 않았다. 혜수를 그의 품으로 끌어들이는 주혁은 욕조 따위는 어찌 되어도 좋다는 눈치였다.

근육이 잘 잡힌 탄탄한 가슴팍에는 손만큼이나 강한 열이 감돌고 있었다. 맨살과 맨살이 빈틈없이 접촉하면서 머릿속의 경고등이 반짝, 하고 켜졌다.

그의 대담한 작태는 당연히 여기에서 끝이 아니었다. 한쪽 팔만으로도 혜수를 옴짝달싹하지 못하게 만든 주혁은 나긋하게 속삭였다.

"아니, 이대로 안고 싶은데."

귓불을 간지럽히는 숨결은 은밀한 유혹을 품고 있었다. 서서히 깨어나는 쾌감에 혜수는 속눈썹을 치켜들었다. 침실도 아니고 욕실, 그것도 세면대 근처에서 하고 싶다니.

맞닿은 맨살의 감촉이 한결 뚜렷해지는 것과 함께 머릿속에서 울리고 있던 위험 신호가 절정에 달했다.

"주혁 씨, 여기에서는 좀……."

고개를 살짝 비틀면 거울 속의 자신과 정통으로 눈이 마주칠 것 같았다. 머리끝까지 차오르는 민망함에 혜수는 그대로 숨을 삼켰다.

"왜?"

"당신 팔이……."

"그런 거라면 괜찮아."

하지만 선택권은 없었다. 이미 답은 정해졌다는 듯 티셔츠가 목까지 끌어 올려졌다. 순식간에 가슴과 등이 허전해진 이유는 완전히 풀린 브래지어 때문이었다. 양어깨로 흘러내리는 브래지어의 가느다란 끈은 위기감과 스릴감을 동시에 부추겼다.

능숙한 솜씨로 티셔츠를 벗겨 바닥에 던진 주혁은 그대로 고개를 숙였다. 오래도록 참았다는 것처럼 목덜미에 내리눌린 입술은 뜨겁기 그지없었다.

훤히 드러난 목덜미를 탐하던 입술은 이윽고 쇄골로, 가슴팍으로 목적지를 바꾸었다. 흰 살결을 뒤덮은 붉은 흔적을 통해 입술의 존재감을 다시 한번 실감할 수 있었다.

"으읏!"

혜수는 가느다란 신음을 흘리며 그의 어깨를 끌어안았다. 그것이 흡사 신호탄이라도 된 듯 주혁은 그녀를 벽에 밀어붙이고 키스를 퍼부었다.

매끈거리는 타일 하나하나에 온기가 스며들었다. 뭉근하게 차오른 욕망은 그와 닿아 있는 부분을 통해 바깥으로 뚝뚝 떨어지기 시작했다.

"여기서 해."

단 한마디의 유혹은 그대로 현실이 되었다. 격하게 휘감기는 혀를 느끼고 있을 동안, 완전히 전라가 되고 말았다. 아슬아슬한 스릴감에 휩싸인 하반신이 살짝살짝 떨렸다.

혜수를 들어 올려 세면대에 앉힌 주혁은 본격적인 애무에 돌입했다. 엉덩이를 타고 전해지는 생소한 감각에 취해 있을 겨를은 없었다. 한쪽 다리를 벌려 세운 그가 둔덕을 헤집으며 훤히 벌어진 꽃잎 안쪽으로 침입했다.

단단한 손끝이 여린 살을 더듬고, 입구를 문지를 때마다 안쪽에서부터 질편하게 젖어 들기 시작했다. 굳이 제 눈으로 확인하지 않아도 알 수 있었다. 다리 사이에서 연거푸 들리는 물소리는 확신을 뒷받침했다.

"아응……."

입술 사이로 슬며시 흘려보낸 교성이 욕실을 울렸다. 평상시라면 금방 스러지기 마련이었지만, 욕실의 특성상 소리가 좀 더 길게 느껴졌다.

물 흐르듯 유려하게 행해지는 애무에 눈앞이 핑핑 도는 느낌이었다. 차츰

차츰 빨라지는 손길을 느끼고 혜수는 미간에 힘을 실었다. 질 안쪽으로 출입을 반복하는 기다란 손가락 때문에 사타구니가 부들부들 떨렸다.

"……흐읏, 윽……!"

그와 동시에 열로 듬뿍 물든 입술이 가슴팍을 빠짐없이 훑었다. 꼿꼿하게 선 유두를 연이어 깨물리는 찰나, 찌르르한 전율이 전신을 강타했다. 주혁의 등을 껴안고 있던 혜수는 무의식적으로 손톱을 세웠다. 살이 따끔거렸는지 그가 잠깐 흠칫했다.

"미안해요."

"괜찮아, 불가항력이잖아? 그리고 내 거라는 표시는 내 쪽이 더 남겼고."

"네?"

"온통 키스 마크뿐이니까."

"……!"

그 말처럼 가슴팍과 쇄골에는 울긋불긋한 흔적이 난립했다. 그래도 모자란다는 듯 잔뜩 흐트러진 숨결이 목덜미에 재차 부딪혔다. 솜털마저 바짝 솟아오르게 하는 강렬한 감각이 살갗을 끝없이 자극했다.

한참이나 그녀의 성기를 어루만지던 주혁은 아쉽다는 표정을 머금고 손가락을 빼내었다. 애액과 땀으로 질척해진 음모가 성기 주변에 어지럽게 들러붙었다.

물론 여기에서 끝이 아니라는 점은 너무나도 잘 아는 바였다. 그와의 섹스는 이제 시작이었으니까. 주혁은 다시 한번 그녀에게 입술을 맞추며 바지의 버클을 끌렀다.

중력을 거스르고 고개를 쳐든 거대한 성기의 위용은 오늘도 압도적이었다. 그러면서 망설임 없이 두 다리를 벌리게 하는 통에 민망함이 등줄기를 간지럽혔다.

입 안에 고인 타액을 목 안으로 막 넘기자마자 주혁이 안쪽 깊이 성기를 박아 넣었다. 순간적으로 확 들뜨는 몸에 혜수는 재빨리 그의 팔을 붙잡아

중심을 유지했다.

"당신 안은 항상 뜨거워."

낮게 가라앉은 감상은 매우 낯뜨거웠지만, 부끄러워할 만한 여유는 주어지지 않았다. 푸욱, 하는 소리와 함께 성기에서 옮겨진 화끈화끈한 열은 금세 아랫배 전체를 달아오르게 했다.

성기와 성기가 맞부딪친 곳에서부터 뿜어져 나오는 기운 때문인지 주변의 온도가 몇 도는 올라간 것 같았다. 혜수는 짧은 신음을 뱉으며 허리를 세웠다.

거침없는 삽입 다음에는 격렬한 허릿짓이 이어졌다. 질 내부를 완벽하게 점령한 성기를 따라 애액이 흘러넘쳤다. 사타구니를 적시고, 때로는 세면대로 질질 흐르는 희멀건 액체에서는 그 특유의 비릿한 향이 풍겼다.

"하읏……! 주혁 씨, 응……."

최고조로 달아오른 분위기를 방증하듯 딱딱하게 부푼 귀두가 내벽을 마구 찔렀다. 그때마다 형언할 수 없는 쾌감이 몰려오면서 정신이 혼미해졌다. 하지만 흐늘흐늘하게 녹아내리는 몸에도 아랑곳하지 않고 주혁은 거듭 허리를 움직였다.

주혁의 움직임에 맞추어 점점 숨쉬기가 힘겨워지는 것은 당연한 반응이었다. 가쁜 숨결이 코앞에서 여기저기로 퍼져 나갔다. 혜수는 입술을 꽉 깨물고 전신을 옭아매는 쾌감을 받아들였다. 있는 대로 성이 난 불덩어리가 배 안쪽을 짓이기고, 또 짓이기는 것 같았다.

집요하게 따라붙는 욕망을 방증하듯 가슴팍이 연신 들썩였다. 머리카락 또한 마찬가지로, 잦아들 만하면 공중에 어지러이 나풀거렸다.

"……."

하늘 높이 치솟은 쾌감은 도통 가라앉을 기미가 없었다. 이렇게까지 격정적으로 몸을 섞고 있는 데에는 욕실이라는 점이 한몫했다. 시야에 비치는 풍경은 새로우면서도 외설적이었다.

정신없이 움찔거리는 허리에 뜨뜻미지근한 감촉이 몇 번이나 닿았다가 떨어졌다. 두 사람의 열기로 익어 버린 벽이었다.

"윤혜수."

"으읏…… 조금, 천천히……!"

이미 새하얗게 물들어 버린 눈앞으로 쾌락의 물결이 밀려들었다. 걷잡을 수 없이 몰아치는 물결을 견딜 수 있을 만큼의 이성이 남아 있을 리는 만무했다.

금방이라도 세면대에서 미끄러질 것 같은 위기감에 혜수는 달뜬 숨을 내쉬며 그에게 매달렸다. 그 바람에 자세가 한결 야해졌어도 주혁은 만족하지 않았다. 고작 이 정도로는 모자란다는 듯 다급하게 그녀의 입술을 찾을 뿐이었다.

또다시 물기가 섞이고, 열기가 뒤엉켰다. 뿌리 끝까지 휘감기는 쾌감은 언제 겪어도 아쉽고, 아찔했다. 기다렸다는 것처럼 뒤따르는 향은 지독히도 섹시했다.

"주혁, 씨……."

혜수는 젖을 대로 젖은 속눈썹을 반쯤 치켜올렸다. 잠깐잠깐 허락된 틈을 빌려 주혁을 불렀는데도 전혀 지겹지 않았다. 도리어 간절해질 뿐이었다.

이제야 겨우 손에 쥔 쾌감을 놓치고 싶지 않아서. 몸 안쪽까지 꽉 찬 그의 존재감을 다시 한번 실감하고 싶어서.

살갗부터 시작해 가장 깊은 곳까지 농락하는 그에게서 벗어나고 싶지 않았다. 시간이 허락하는 한, 영원히.

* * *

뜨겁고도 강렬했던 밤이 물러간 다음 날에도 평상시와 같은 아침이 도래했다.

"으음……."

귓불과 콧잔등을 더불어 간지럽히는 숨결에 혜수는 조심스럽게 눈꺼풀을 들어 올렸다. 갓 깨어난 공기가 하루의 시작을 알렸다. 두꺼운 커튼 뒤쪽은 노란 햇빛으로 가득 차 있었다.

어느덧 열 손가락이 모자랄 만큼 겪어 본 아침이었지만, 눈을 뜰 때마다 매번 신선한 느낌이었다. 좀처럼 익숙해지지 않는 이유는 역시 눈앞의 이 남자 때문이겠지.

주혁과 닿아 있는 부분에서부터 시작된 기분 좋은 떨림이 전신을 집어삼켰다. 그것의 정체는 비로소 손에 쥔 사랑이었다. 두 번 다시 놓치고 싶지 않은 행복이었다.

"……."

오른팔로 그녀의 어깨를 감싼 주혁은 곤히 잠들어 있었다. 항상 먼저 깨어나 있었다는 사실이 무색하게 그의 두 눈은 꽉 감긴 채였다.

물론 살다 보면 이런저런 경우가 있는 법이라고 해도, 보기 드문 광경에 관심이 가는 것은 당연했다. 주혁을 빤히 쳐다보던 혜수는 손끝으로 살며시 그의 뺨을 쓸었다.

"주혁 씨……."

혜수의 손길에 무심코 반응했는지 기다란 속눈썹이 위아래로 흔들렸다. 하지만 끝내 언제 그랬냐는 것처럼 제자리로 돌아가고 말았다.

'계속 잘 건가?'

의문을 뒷받침하듯 어깨에 가해지는 무게감 또한 그대로였다. 손아귀의 힘은 여전히 줄어들 기미가 없었다.

오늘이 휴일이라면 실컷 자게끔 내버려 둘 수 있을 텐데. 유감스럽게도 주말까지는 아직 한참 남았다. 침대에서 뭉그적대며 여운을 즐길 시간은 그리 길지 않았다.

그런 것 따위는 모른다는 듯 미동도 없는 손에 혜수는 고개를 살짝 들었다.

곧이어 맞닿은 입술을 타고 간밤의 열기가 오롯이 전해졌다.

쪽, 하는 귀여운 소리가 연달아 귓가를 울린 후에야 주혁은 잠을 떨쳐 냈다. 몽롱한 기운이 잠식한 눈동자가 느른하게 혜수를 훑었다.

“벌써 일어났어?”

“여유 부릴 때가 아니에요. 얼른 일어나요.”

“조금만 더 이렇게 있어.”

“지금 일어나지 않으면 곤란해질 텐데요?”

“당신과 떨어지는 게 더 곤란해.”

“출근 안 할 거예요?”

“……하기 싫군.”

출근하고 싶지 않다니, 정말로 그답지 않은 발언이었다. 나날이 강도를 더해 가는 어리광에 어떻게 반응해야 할지 알 수가 없었다. 간신히 눌러 두었던 웃음이 튀어나올 것 같은 느낌에 혜수는 핀잔을 주었다.

“당신이 안 오면 회사에 난리가 난다고요.”

“요즘 지나치게 평화롭기는 했지.”

농담을 중얼거리는 주혁은 꿈쩍도 하지 않았다. 미묘하게 구김이 간 주혁의 이마에 입술을 누르며 혜수는 다시 한번 그를 재촉했다.

“알았어.”

그제야 마지못한 수긍이 입술에서 흘러나왔다. 바스락거리는 소리와 함께 주혁은 혜수를 그의 품에서 해방했다.

그다음부터는 여느 때와 같은 일상의 쳇바퀴에 몸을 내맡겼다. 도란도란 이야기를 나누며 아침을 먹었고, 나란히 서서 옷을 갈아입었으며, 각자의 짐을 챙겨 주차장으로 함께 내려갔다.

주차장 구석에 서 있던 비서는 두 사람이 나타나자 허리를 깊이 숙였다. 그의 인사를 받으며 주혁은 묵묵히 뒷좌석의 문을 열었다.

“내일부터는 데려다주지 않아도 괜찮아요.”

차에 올라탄 혜수는 멋쩍게 미소 지었다. 사실 버스를 타지 않아도 된다는 점은 편했지만, 계속해서 신세 질 수는 없었다.

"버스 타면 늦잖아."

"좀 더 일찍 나오면 돼요."

"그 시간만큼 같이 있자는 뜻이야."

"그러지 않아도 저번에 선생님들이 물어보시더라고요. 이제 매일 남편이 데려다주는 거냐고."

"상관없잖아. 내 아내, 내가 데려다준다는데."

주혁은 대수롭지 않다는 어투로 답했다. 달착지근한 현실에 취해 깜빡 잊고 있는 것 같은데, 그는 대현 그룹의 부사장이었다.

주혁의 얼굴은 이미 언론을 통해 대중에 많이 알려진 상태였다. 조만간 그룹 총수의 자리에 오르게 되면 그를 알아보는 사람들이 더더욱 늘어날 터였다.

차기 총수의 부인이 기간제 교사로 근무하고 있다는 사실이 알려지면 어떻게 될까. 아주 잠시 상상만 해도 진땀이 나는 상황이 아닐 수 없었다.

"그러다가 들키면 어떡해요?"

"들키는 게 싫으면 먼저 공표할까?"

"그게 아니라, 그렇게 되면 학교는 어떻게 다녀요……."

"달라지는 건 없어. 그렇다고 그만두지도 않을 거잖아?"

"그렇긴 하지만……. 당신은 괜찮아요?"

"나는 당신이 뭘 하든 응원할 거야."

"주혁 씨……."

"내가 곁에 있는데, 그래도 불안해?"

"아뇨, 고마워요."

혜수가 안절부절못하는 마음을 누르는 사이, 그녀를 태운 차는 정문 앞에 도착했다. 언제나처럼 펼쳐진 익숙한 풍경에 혜수는 습관적으로 주위의 기척을 살폈다. 다행히 정문 근처에는 아무도 없었다. 그 점에 안심하고 문고리를 잡으려는 찰나, 주혁은 뜻밖에도 고개를 기울였다.

"잠깐만."

"……?"

의문의 답은 짧디짧은 입맞춤이었다. 아침의 키스에 대한 답례라도 하듯 주혁은 슬며시 그녀의 뺨에 입술을 가져다 대었다.

살갗을 간질이는 따뜻한 촉감은 착각이 아니라 진짜였다. 갑작스러운 키스에 당황한 혜수의 눈이 동그랗게 변했다. 비서와 운전기사가 바로 앞에 있건만, 그는 그런 것 따위는 조금도 신경 쓰지 않는 모양새였다.

얼마간 멍해 있던 혜수는 재빨리 정신을 추스르고 뺨을 쓰다듬었다. 한순간에 불과한 키스의 여파는 꽤 컸다. 뺨과 닿은 손끝에서 조그마한 불꽃이 튀어 오르는 것 같은 느낌이었다.

"오늘은 회식이 있다고 했나?"

귓전으로 날아드는 목소리는 지극히 태연했다.

"네? 네……."

"언제 끝나? 데리러 갈게."

"택시 타고 들어가면 돼요. 그러니까……."

신경 쓸 필요 없다는 뒷말은 끝끝내 입술 밖을 넘지 못했다. 간단하게 말허리를 잡아챈 주혁은 혜수의 귀에 다시금 입술을 맞추었다. 귓불에서부터 시작된 야릇한 전율이 혈관을 통해 몸 곳곳으로 흘러들었다.

"아니, 내가 못 기다릴 것 같아서 그래."

* * *

하루는 금방 지나갔다. 오늘의 회식 장소는 학교에서 상당히 떨어진 곳에 위치한 고깃집이었다. 근처의 가게들을 놔두고 굳이 이곳까지 온 이유는 교무

부장의 추천 때문이었다. 꼭 한번 가 보라고 칭찬을 아끼지 않았던 터라 다들 기대가 상당했다.

사람들과 함께 가게로 들어서던 혜수는 고개를 갸웃거렸다. 눈앞에 어른거리는 광경은 꽤 뜻밖이었다.

"또 실수했어요? 이게 몇 번째야? 아무리 나라도 이번에는 그냥 못 넘어가요!"

"죄송합니다. 아직 손에 안 익어서……."

"그래도 그렇지, 말이 돼요?"

신경질이 듬뿍 섞인 비난이 가게 안을 가로질렀다. 주인인 듯한 여자가 오만상을 찌푸린 채 누군가에게 삿대질하는 중이었다. 바닥에 주저앉아 힐난을 듣고 있는 여자는 도통 얼굴을 들지 못했다. 그녀의 주변에는 커다란 쟁반과 하얀 그릇 조각들이 나뒹굴고 있었다.

물론 소란은 오래가지 않았다. 혜수 일행을 발견한 주인은 아무 일도 없었다는 듯이 표정을 싹 바꾸었다.

"아유, 손님들 오셨네. 시끄럽게 해서 죄송해요."

"아닙니다, 어디에 앉으면 되나요?"

"이쪽으로 오세요."

사람들이 테이블로 향하는 틈을 타 직원은 황급히 일어섰다. 비틀거리는 그녀의 뒷모습은 묘하게 낯이 익었다. 직원이 몸을 돌리면서 설움을 눌러 참는 옆얼굴이 혜수의 시야로 들어왔다. 그 순간, 혜수는 그대로 굳어 버렸다.

"……!"

틀림없었다. 착각한 것도, 잘못 본 것도 아니었다. 주인에게 또 혼날세라 슬그머니 바깥으로 사라지는 그녀의 정체는 계모, 경화였다.

경화가 어째서 이곳에 있단 말인가. 그것도 저렇게 굽실거리는 모습으로. 생전 처음 보는 광경에 머리를 망치로 한 대 얻어맞은 것 같은 충격이 뒤따랐다.

"왜 그래요?"

그 자리에 못 박힌 것처럼 선 모습이 이상했는지 누군가가 질문했다. 그 바람에 넋 놓고 경화를 좇던 눈길을 잠시나마 거둘 수 있었다.

"아무것도 아니에요. 잠깐 화장실 좀……."

"먼저 시켜 놓고 있을게요. 천천히 다녀와요."

"네."

핑계를 대고 자리를 뜨는 혜수의 미간은 이미 구겨질 대로 구겨져 있었다.

빠른 걸음으로 가게를 빠져나온 혜수는 주위를 둘러보았다. 아무리 생각해도 이상했다. 경화는 궂은일을 자처하는 성격이 아니었고, 그럴 일도 없었다.

10억 원이라는 거액을 챙겼으면 충분히 호의호식하며 살 수 있었을 터였다. 그런데도 왜 이곳에서 일하고 있는 것일까. 지난 6개월간 대체 무슨 일이 있었기에.

경화의 행방은 어렵지 않게 찾을 수 있었다. 가게 뒤쪽에 있는 자그마한 공터였다. 음식물 쓰레기통을 정리하던 그녀는 제 처지가 서러운지 몇 번이나 한숨을 쉬어 댔다.

"어머니."

"응……?"

혜수를 발견한 경화의 눈동자가 거칠게 흔들렸다. 마치 보지 말아야 할 존재를 맞닥뜨린 것 같은 반응이었다.

"네, 네가 어떻게……!"

경악에 찬 목소리가 허공으로 퍼져 나갔다. 손에 들고 있던 봉투를 내팽개친 경화는 앞치마로 완전히 사색이 된 얼굴을 가렸다. 바닥에 부딪히면서 귀퉁이가 찢어졌는지 봉투에서는 역겨운 냄새가 풍겼다.

"저리 가요, 사람 잘못 봤어요!"

"잘못 볼 리가……."

자못 황당한 부인이었다. 그렇지만 애타게 소리치는 경화에게서는 엄청난 절박감이 느껴졌다. 어떻게든 이 상황을 피하고 싶었는지 경화는 급기야 어딘가로 달려가기 시작했다. 혜수는 서둘러 그녀를 따라갔다.

"잠시만요, 기다리세요!"

"아니야, 나 아니라고! 쫓아오지 마!"

"어머니……!"

어처구니없이 시작된 추격전은 얼마 못 가 끝이 났다. 숨이 턱에 닿도록 달음박질치던 경화는 이윽고 외마디의 비명과 함께 바닥에 넘어지고 말았다.

"아야앗!"

뜻하지 않게 찾아온 고통에 경화가 날카로운 비명을 질렀다. 그녀의 무릎에서는 검붉은 피가 뚝뚝 떨어지고 있었다.

그러기에 누가 도망치라고 했는가. 혜수는 당혹감을 감추지 못하며 경화에게로 다가갔다. 무릎을 감싸 쥐고 신음하던 경화는 필사적으로 혜수의 시선을 피했다.

허공을 맴도는 눈빛에 서린 낭패감은 진짜였다. 흡사 맹수를 두려워하는 먹잇감 같다고 해야 할까. 무턱대고 억지부터 부렸던 지난날이 떠오르지 않을 만큼 수세에 몰린 모습이었다.

"괜찮으세요?"

"으응……."

"어떻게 된 거예요? 갑자기 모르는 척하면서 도망가신 이유는 또 뭐고요."

"……."

대답은 들려오지 않았다. 경화는 그저 아랫입술만 몇 번이고 짓깨물 뿐이었다. 잠자코 그녀를 내려다보던 혜수는 주머니를 뒤져 티슈를 꺼냈다.

"우선 피부터 닦으세요."

"……."

"안 받으실 거예요?"

연이은 권유를 이기지 못한 경화가 주변을 두리번거렸다. 아무도 없음을 확인한 후에야 그녀는 마지못해 티슈를 받아 들고 무릎에 고인 피를 훔쳤다.

찰나의 틈을 타 혜수는 경화를 꼼꼼하게 살폈다. 눈에 띄게 수척해진 낯빛은 물론이거니와 그간의 고생을 방증하듯 옷소매가 반들반들했다. 뒤축을 대강 꺾어 신은 운동화에는 때가 거뭇하게 묻었고, 항상 곱게 세팅되어 있던 머리카락은 축 늘어져 있었다. 어디를 보든지 간에 정말로 경화답지 않았다.

"혜수야……."

처음에 내비쳤던 경계심은 어디 가고, 그새 경화는 태도를 바꾸었다. 동정심을 유발하려는 것처럼 붉어진 눈시울에는 어느 틈엔가 커다란 눈물방울이 맺혔다.

"얘, 우리 쫄딱 망했다……."

힘겹게 뱉어 낸 첫마디는 사뭇 충격적이었다. 어렴풋이 짐작했던 사실이 현실로 완벽하게 드러난 지금, 혜수의 눈이 몰라보게 커졌다.

"이게 다 그 망할 놈 때문이야! 으흑……. 아이고, 그 자식만 아니었더라도 내가 이 꼴이 되지는 않았겠지……!"

"그게 무슨 말씀이세요?"

"예은이가 결혼하고 싶다면서 데려온 그놈, 사기꾼이었어. 아버지가 학장이라고 했던 거, 사업한다고 했던 거, 죄다 새빨간 거짓말이었다!"

"네……?"

사기꾼이라니. 느닷없이 들이닥친 하소연에 눈앞이 살짝 얼떨떨했지만, 거짓말은 아닌 것 같았다. 어지간히 한이 맺혔는지 경화는 손에 쥐고 있던 티슈를 찢으며 신세 한탄을 늘어놓았다.

"아무것도 없는 거지 새끼가 어쩜 그렇게 감쪽같이 속일 수가 있다니? 하나부터 열까지 전부 가짜였어. 우리 다 속았던 거라고……!"

"……."

"네가 안 받겠다고 했던 가방 있지? 그것마저도 가짜였어. 하……. 좋은 데에 시집보낸다고 내가 미쳤지, 미쳤어! 그 많은 돈을, 으윽……."

"그럼 제 위자료로 받으셨던 돈을……."

"그래, 한 푼도 남김없이 날렸어! 그 빌어먹을 자식이 바닥까지 싹싹 긁어 갔다."

경화의 이마에 굵은 주름이 쉴 새 없이 그려졌다가 사라졌다. 가만히 있어도 울화통이 터지는지 눈가에 고여 있던 눈물은 굵은 줄기가 되어 턱으로 흘러내렸다.

사기꾼의 대범한 행각에 혀를 차면서도, 한편으로는 선뜻 이해가 가지 않았다. 태석과 경화가 가지고 있던 재산은 고작 그 정도가 아니었으니까.

"그건 그렇다 쳐도 아파트가 있잖아요. 그거라면……."

근방에서 가장 비싸게 거래되던 아파트였다. 아파트를 팔고 다른 곳으로 옮기면 충분히 먹고살 돈은 챙길 수 있었을 것이었다.

혜수의 질문에 경화의 울음은 한층 커졌다.

"……흐윽, 수익률이 무려 삼십 프로라고, 장모님한테만 특별히 알려 주는 거라면서……."

"그것마저도 사기당하셨어요?"

"난들 당하고 싶었겠어? 친환경 도시가 어쩌고저쩌고, 진짜 같았단 말이야!"

"……."

"그뿐인 줄 알아? 예은이 명의로 사채까지 썼어……. 어떻게 인간의 탈을 쓰고 그럴 수가 있다니? 그놈의 목을 확 비틀어 죽여도 시원찮아……!"

경화의 피맺힌 절규에 혜수는 깊은 한숨을 내쉬었다. 그렇게 아득바득 돈을 탐내더니, 탐욕의 말로는 너무나도 비참했다.

물론 자업자득이니 동정할 필요도, 이유도 없었다. 고작 돈 따위에 눈이 멀어 맏딸의 인생을 시궁창에 처박고도 아무런 양심의 가책을 느끼지 못한 대가였다.

한동안 소리 높여 통곡하던 경화는 옷소매로 눈물을 훔치며 중얼거렸다.

"그래도 권 서방 아니었으면 맨몸으로 나앉을 판이었어. 그나마 다행이지."

"주혁 씨요?"

"앗……!"

방금 발언은 실언인 듯했다. 재빠르게 입을 막은 경화의 눈동자는 마치 바람을 만난 촛불처럼 이리저리 흔들렸다. 수상쩍은 반응에 혜수는 단호히 캐물었다.

"주혁 씨가 왜요? 말해 보세요."

"그게……."

"설마 주혁 씨 찾아갔어요? 염치도 없이?"

또다시 주혁에게 매달렸다면 이 얼마나 끔찍한 족속들인가. 이쯤 되면 어머니라고 부르고 싶지도 않았다. 혜수의 냉정한 추궁에 경화는 손부터 내저었다.

"아니야! 오해하지 마. 권 서방이 우리를 찾아온 거야! 소식 들었다면서."

"……."

"이건 진짜 말하지 말랬는데…… 권 서방이 남은 빚도 막아 주고, 살 곳도 구해 줬다. 내가 사위 하나는 참 잘 뒀지. 너랑 그렇게 깨지고도 장모 위하는 사위가 어디 있겠어?"

"……."

"그 대신, 네 앞에 절대로 나타나지도 말고, 연락도 하지 말라고 했어. 아, 지금 이건 내가 연락한 게 아니니까 괜찮지? 응?"

귓가를 울리는 경화의 호소를 무시하며 혜수는 침묵에 빠져들었다. 어쩐지 그동안 경화나 예은에게서 아무런 연락이 없었다 싶었는데, 주혁이 뒤에서 손을 썼을 줄은 몰랐다.

두 번 다시 가족들과 주혁을 엮이게 하고 싶지 않았다. 민폐를 끼치고 싶지 않았건만, 굳은 결심은 어느 틈엔가 물거품처럼 스러져 있었다. 심지어 그때는 별거 중이 아니었던가. 남몰래 방패가 되어 주고, 보호막을 자처한 그가 고마우면서도 미안했다.

'왜 나한테 아무 말도 안 한 거야.'

복잡해지다 못해 뒤엉킨 그녀의 머릿속을 아는지, 모르는지 경화의 태세는 이제 완벽하게 바뀌었다. 마지막 동아줄이라도 만났다는 것처럼 경화는 혜수에게 매달리기 시작했다.

"우리 어떻게 사는지 아니? 내 꼴은 지금 봐서 알 거고, 네 아버지는 아직도 정신 못 차리고 싸돌아다녀. 예은이는 밤낮없이 울기만 해. 그 곱고 예쁘던 애가 얼마나 마음의 상처를 입었으면……."

"……."

"어쩌다가 내 처지가 이렇게 됐는지 모르겠다."

넋두리 겸 근황을 전하던 그녀의 본심은 아니나 다를까, 따로 있었다. 묵묵히 듣고 있던 혜수를 향해 경화는 다시 눈물을 글썽였다.

"그러니…… 혜수 네가 권 서방한테 잘 말해 주면 안 되겠니?"

"뭐라고요?"

"지금 우리가 어디 사는 줄 알아? 우리 예전에 살던 집 알지? 반지하라 벽에 곰팡이가 말도 못 하게 피었던 것도 기억나?"

"그곳에 다시 가셨어요……?"

"그래! 솔직히 거기에서는 더 이상 못 살겠어. 요즘 같은 세상에 세 식구가 그 코딱지만 한 집에서 사는 게 말이 돼? 답답해서 죽을 것 같다."

"이미 주혁 씨 도움받으셨다면서요."

"그렇긴 한데, 권 서방 입장에서 그 정도는 아무것도 아니지 않겠어? 너도 우리가 이렇게 사는 거 보고 느끼는 거 없니? 우리, 가족이잖아……."

최대한 자신의 양심을 자극하고자 일부러 고른 단어는 무참히 실패했다.

언제나 필요할 때만 가족이고, 딸이었다. 본인들의 목적만 달성하면 언제든지 도외시할 준비가 되어 있으면서도.

예전 같았으면 그 실낱같은 관심이라도 받고 싶어서 망설였을 것이었다. 어떻게 해야 할지 몰라 전전긍긍하며 속을 끓였을 터였다.

아무리 돈에 혈안이 된 자들이라도 피로 맺어진 가족이니까. 어떻게든 제 손으로 책임져야 하는 가족이라서. 그들의 애타는 눈빛을, 간절한 손길을 뿌리칠 수가 없었다.

그러나 가족이라는 울타리는 무너졌고, 허울만 남은 지 오래였다. 경화의 시선을 정면으로 맞받아치며 혜수는 실소를 흘렸다. 냉랭하게 비틀린 입꼬리에는 결코 숨길 수 없는 감정이 묻어나 있었다.

"느끼는 거라……. 네, 있네요."

"그렇지? 역시……."

"분수에 안 맞는 걸 욕심내면 어떻게 되는지 알겠어요."

"뭐?"

"저한테 다시 연락 안 하시기로 하고 돈 받으셨다면서요. 제가 알면 그마저도 없어질 텐데요."

"그, 그건……."

"그러니 오늘은 만나지 않은 거로 해요. 당연히 어머니 부탁도 못 들은 거고요."

"얘, 혜수야!"

매몰차게 돌아서는 모습에 당황한 모양이었다. 경화는 다짜고짜 혜수의 앞으로 뛰어들었다. 그녀를 막아 세우듯 벌려진 경화의 양팔에 혜수는 가늘게 눈살을 찌푸렸다.

"이게 다 나 혼자만 좋자고 그러는 거야?"

"뭐가요?"

"대현 그룹 사돈이 식당에서 일하고 있는 걸 알면 사람들이 뭐라고 하겠어.

부끄럽지도 않아? 이런 망신살이 또 어디 있니?"

끝까지 대현 그룹을 들먹이며 어떻게든 제 발목을 붙잡으려고 애쓰고 있었다. 역겹고, 어이없었다. 그 핑계로 어떤 짓을 저질렀는지 그새 까맣게 잊어버린 듯했다. 한 사람의 자존감을 바닥까지 무너뜨리고, 벌레만도 못한 처지로 격하시키지 않았나.

그 바람에 아무것도 대꾸하지 않고 지나치려던 마음이 꺾여 버렸다. 경화의 팔을 비틀어 공간을 확보하며 혜수는 차갑게 쏘아붙였다.

"뭔가 착각하고 계시는 것 같은데, 식당 일은 부끄러운 게 아니에요."

"그게 무슨 소리야……?"

"탐욕을 부리다가 사기당한 게 부끄러운 거죠. 뿌린 만큼 거둔 거니 더는 드릴 말씀이 없네요."

"뭐, 뭣?"

"이만 갈게요. 이제는 우연히 마주쳐도 모르는 척할 거니까, 어머니도 그래 주세요."

완전히 얼이 빠진 경화를 내버려 둔 채 혜수는 가게로 돌아왔다. 급한 집안일이 생겼다고 둘러대자 사람들은 아쉬워하면서도 그녀를 보내 주었다.

가방을 챙겨 가게를 빠져나온 혜수는 가장 먼저 핸드폰부터 꺼내 들었다. 엉망진창이 된 기분을 다스려 줄 최고의 안정제는 역시 그밖에 없었다. 영원에 가까울 만큼 길고 길었던 대기음이 끝나고, 주혁이 드디어 전화를 받았다.

"주혁 씨, 어디예요?"

—회사야. 벌써 끝났어?

의아한 듯 들이닥친 질문에 혜수는 숨도 쉬지 않고 고했다.

"보고 싶어요. 지금 당장요."

심경을 솔직하게 토로했기 때문일까. 어디 있는지 답하자마자 주혁은 곧바로 전화를 끊었다.

그로부터 정확히 이십 분 후, 눈앞에 주혁의 차가 멈추었다. 그 순간, 안도감이 전신에 파도처럼 밀어닥쳤다. 터지기 직전의 시한폭탄처럼 요동치던 심장도 어느 정도 가라앉았다.

운전석의 문이 열리는 것과 동시에 혜수는 그에게로 달려갔다. 왜 이러는지 자세하게 설명하거나, 느닷없는 부름에 대해 사과할 여유가 있을 리 만무했다.

지금은 단지 그 따스한 품에 안기고 싶었다. 폐부까지 밀려드는 체향에 아무 생각 없이 취하고 싶었다. 그래야만 미친 듯이 엉켜 버린 머릿속을 풀 수 있을 것 같았다.

"무슨 일이야?"

"……."

갑작스럽게 허리를 끌어안는 손길에 주혁은 살짝 놀란 눈치였다. 혜수는 대답 없이 그의 가슴팍에 얼굴을 묻었다. 차갑게 식은 옷자락이 뺨을 스쳤다.

얼마 지나지 않아 어깨에 단단한 감촉이 닿았다. 주혁의 손이었다. 최고의 안정제답게 옷 속으로 스며든 온기는 예민해질 대로 예민해진 신경을 단번에 누그러뜨렸다. 혜수의 동그스름한 어깨를 꽉 감싸 안은 주혁은 나직하게 속삭였다.

"당신이 이러면 불안한데."

"네……?"

"내가 모르는 곳에서 또 혼자 아파했을까 봐."

돌발 행동이 쓰라린 기억을 상기시킨 모양이었다. 혜수는 그것이 아니라는 뜻으로 그의 재킷을 가볍게 잡아당겼다.

"어째서 말 안 했어요?"

"뭐를?"

"부모님 말이에요. 당신한테 또……."

"……아."

불현듯 주혁의 입술을 비집고 튀어나온 감탄사가 뒷말을 끊었다. 이제야 사정을 파악했는지 어깨를 껴안은 손에 힘이 실렸다.

혜수는 조심스레 고개를 들었다. 눈이 마주친 즉시, 주혁의 검은 눈동자에는 곤란한 빛이 넘실거렸다. 사뭇 어색한 미소는 경화의 말이 거짓이 아니라는 점을 여실히 증명하고 있었다.

"어떻게 알았어?"

"회식하러 간 곳에서 어머니가 일하고 계시더라고요."

"서울도 은근히 좁군."

맞는 말이었다. 악연도 인연인지, 이 넓은 서울 한복판에서 경화와 마주칠 날이 오리라고는 꿈에도 상상 못 했다. 현실의 무게감을 인지한 탓인지 반쯤 내려앉은 속눈썹이 파들거렸다. 혜수는 그에 질세라 입술을 달싹였다.

"말하지 그랬어요. 주혁 씨랑은 상관없는 일인데……."

"그건 아니야. 당신 일인데, 당연히 상관있어."

"……."

"다만, 아무것도 신경 쓰게 하고 싶지 않았어. 행복한 것만, 기분 좋은 것만 보여 주고 싶었거든."

그러니 괜찮다는 듯 커다란 손이 뒷머리를 가만가만 쓰다듬었다. 곪아 터지고, 부스러진 것은 감추고 싶었다는 고백은 정말로 달콤했다.

그의 배려와 사랑에 가슴 한구석이 뭉클했지만, 마냥 두근거릴 수는 없었다. 주혁이 자의로 찾아갔든 아니든, 가족들 때문에 또다시 손해를 본 것은 사실이었으니까.

"그래도요……. 얼마예요? 이번에는 얼마나 준 거예요……."

다시는 돈을 빌미로 주혁과 가족들이 만나는 일은 없었으면 했다. 그들을 둘러싼 악연의 고리가 그 악몽 같았던 순간을 끝으로 완벽하게 끊어지기를 바랐다. 물론 부질없는 바람이었지만.

희미하게 흐려지는 말끝에 주혁은 작게 웃었다. 그것은 마치 조금도 걱정할 필요가 없다는 위로처럼 들렸다.

"반대야. 오히려 돌려받았지."

"돌려받았다고요?"

뜻밖의 반전에 그만 두 귀가 곤두섰다. 경화는 분명 사기를 당해 온 가족이 길거리에 나앉을 뻔했다고 털어놓았다. 그녀의 남루한 차림새와 식당에서 일하고 있던 모습으로 짐작했을 때, 거짓말은 아니었다. 비참한 처지를 연기할 이유 또한 없었다.

한 푼도 없어서 주혁에게 빌붙어야 했던 그들이 무슨 수로 그 큰돈을 돌려줄 수 있었나. 전혀 짐작할 길이 없었다. 순식간에 치솟아 오른 의문을 해결하듯 주혁이 그녀의 머리카락을 손에 얽었다. 사르륵, 하는 소리와 함께 따스한 온기가 사방으로 퍼졌다.

"이혼하지도 않았는데, 위자료를 줘야 할 이유가 없잖아?"

17. 사랑이란 것

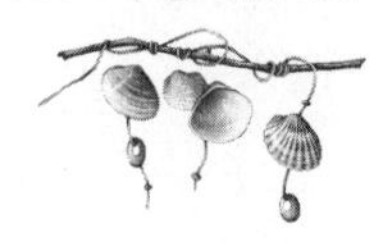

8개월 전.

“그 전주에 관장님 개인 계좌에서 전액 현금으로 10억 원이 인출된 것을 확인했습니다.”

“…….”

“그런데…….”

차분하게 그간의 일을 설명하던 비서는 문득 입술을 다물었다. 언뜻 보기에도 난처한 기색이 그 얼굴에 스며들어 있었다.

방금 들은 보고에 의하면 명희는 이혼 위자료 명목으로 경화에게 10억 원이라는 거액을 건네었다. 비밀리에 이혼을 추진하고 있었던 두 사람 때문에 혜수는 크게 상처 입었고, 오늘과 같은 결과로 이어졌다.

운명은 언제나 가장 맞닥뜨리고 싶지 않았던 방향으로 나아가기 마련이었다. 하지만 충격은 그것에서 끝이 아니었다. 주혁은 흐트러진 앞 머리카락을 손끝으로 쓸어 넘기며 비서를 재촉했다.

"뭐지? 계속해."

"알겠습니다. 사모님께서 받으신 10억 원의 용도는 대부분 윤예은 양의 결혼 자금으로 추정됩니다만, 이상한 점이 있었습니다."

"이상하다고?"

"네. 약혼자의 이름은 정성호이고, 강남에서 꽤 규모가 큰 사업체를 운영한다고 합니다. 이곳저곳에서 투자받고 있는 모양인데, 그 사업체의 실체를 도저히 파악할 수가 없었습니다."

비서의 능력을 의심하는 것은 아니었다. 그는 유능했고, 지금껏 한 번도 실망하게 만든 적이 없었으니까. 지금 이 말이 완벽한 사실이라는 가정하에 내릴 수 있는 결론은 하나뿐이었다.

"사기일 수도 있다는 건가."

"좀 더 알아보도록 하겠지만, 현재로서는 그 가능성밖에 존재하지 않습니다."

경화와 태석은 원래도 돈이라면 물불 가리지 않고 덤벼들곤 했다. 도박 빚에 허덕이는 와중, 결혼 자금까지 구해야 했다면 혜수에게 먼저 손을 벌렸을 것이 틀림없었다.

'윤혜수야 당연히 거절했을 거고…….'

돈 나올 구석만 간절하게 찾았을 그들에게 명희의 존재는 마지막 동아줄처럼 느껴졌을 터였다. 비록 거짓과 타락으로 점철되었어도 그 손에 막대한 돈이 쥐어져 있다면 마다할 이유가 없었다.

그런데 그토록 간절하게 원했던 돈을 구멍이 뚫린 독 안에 쏟아붓고 있었을지도 모른다니. 어이가 없는 한편, 우습기도 했다. 그깟 돈이 뭐라고 이렇게까지 하는 것인가.

"……그렇군."

여기까지라는 표정과 함께 비서가 조심스레 물었다.

"어떻게 할까요?"

"……."

주혁은 잠시간 입을 다물었다. 눈앞에는 두 개의 카드가 놓여 있었다. 알리느냐, 마느냐.

만약 혜수의 가족들이 평범한 행복을 누릴 줄 아는 자들이었다면 당연히 전자를 택했을 것이었다. 그러나 그들은 그런 행복 따위는 까맣게 몰랐다.

선택의 기준은 혜수였다. 그녀는 가족이라는 공고한 울타리에 갇혀 그 누구보다도 힘들어하고, 괴로워했다. 혜수가 또 한 번 절망하는 모습은 절대로 보고 싶지 않았다.

그러니 그동안의 죗값을 치를 기회를 선사해야 하지 않을까. 물론 10억 원으로는 한참 부족할지 몰라도 말이었다. 지그시 허공을 노려보는 주혁의 입꼬리에는 서늘한 조소가 맺혔다.

"그냥 내버려 둬."

"네, 그렇게 하겠습니다."

비서에게 지시를 내린 주혁은 테이블로 시선을 돌렸다. 볼품없이 나뒹구는 술병들 사이에서 단 하나, 눈에 띌 만큼 반짝이는 존재가 있었다. 반지 케이스였다.

그날, 반지를 돌려주던 혜수의 얼굴은 평생 잊을 수 없는 것 중 하나였다. 금방이라도 눈물을 터뜨릴 것처럼 발갛게 물든 눈가, 바들바들 떨리던 가느다란 속눈썹, 몇 번이나 깨문 흔적이 역력했던 입술.

그때 그녀는 어떤 기분이었을까. 감히 상상조차 할 수 없는 절망의 수렁을 건너는 느낌이었을까.

'고작 이런 것 때문에…….'

하지만 혜수는 아무것도 말하지 않았다. 그저 침묵의 힘을 빌려 이 고된 가시밭길을 홀로 걸어 나갔을 뿐이었다. 그 가녀린 어깨에 모든 것을 짊어진 채.

그녀가 그래야만 했던 이유는 단 한 가지로 귀결될 수밖에 없었다. 자신,

권주혁을 위해서. 그 사실을 새삼스레 실감하는 지금, 입맛이 지독하게 썼다. 잇새로 흘러나오는 조그마한 한숨조차도 쓴 향기를 풍기는 것 같았다.

"바보같이……."

"……부사장님?"

허공으로 흩어지는 한숨에 기대어 혼잣말을 내뱉은 것을 들어 버린 모양이었다. 곧장 반응하는 비서를 향해 주혁은 차갑게 식은 눈빛을 보냈다. 마치 주변을 얼려 버릴 것처럼 싸늘한 기운이 그의 주변을 맴돌고 있었다.

"새로운 지시를 내리도록 하지."

"네? 네! 말씀하십시오."

"전에 조사했던 대현 아트 센터 비자금 세탁 건, 바로 추진하도록 해."

"명심하겠습니다."

"그리고 정성호라는 남자, 자세히 조사하고 보고하도록. ……최대한 은밀하게."

비서는 마땅히 그러겠다는 듯 비장한 태도로 고개를 주억거렸다. 그들이 다시금 혜수 앞에 나타나, 그녀를 뒤흔드는 경우는 결코 일어나서는 안 되었다. 그리고 자신 또한 다시는 똑같은 실수를 반복하지 않으리라. 이것은 인생을 건 다짐이기도 했다.

주혁은 줄곧 걸터앉아 있던 소파에서 몸을 일으켰다. 며칠간 필사적으로 외면했던 현실을 정면으로 돌파할 순간이 왔다. 다소 늦었지만.

＊ ＊ ＊

명확하지 않으면 앞으로 나아갈 수가 없었다. 오랜 습관이었다. 그랬기에 확실한 지침이 세워진 지금, 한순간도 망설일 여유가 없었다.

명희의 문제는 어렵지 않게 처리할 수 있었다. 비자금을 함구하는 대가를 말미암아 미국의 별장으로 조용히 떠날 것. 하나뿐인 선택지에 그녀는 눈물을 머금고 고개를 끄덕였다.
"……그럼 그 문제는 말씀하신 대로 처리하겠습니다."
"그래."
"그리고 관장님께서 플로리다 별장 인테리어를 바꾸시길 원하십니다. 어떻게 하시겠습니까?"
비서의 물음에 주혁은 만년필을 쥔 손을 잠시 멈추었다. 명희가 인테리어 공사에 착수하든, 별장의 가구를 바꾸든 상관없었다. 모든 것을 내려놓으라는 명령에 순응했으니 그 정도 보상은 해야 할 터였다.
그 자리까지 허투루 올라간 게 아니었는지 명희의 계산은 빨랐다. 끝까지 가지 않겠다고 버텼으면 최후의 카드를 내밀었겠지만, 그녀는 아슬아슬하게 마지노선을 넘지 않았다.
그 좋은 판단력이 어째서 혜수에게만큼은 적용되지 않았을까. 물론 의문을 가져도 소용없는 터라 주혁은 다시금 만년필을 놀리기 시작했다. 잉크가 듬뿍 묻은 펜촉이 사각사각, 하고 종이를 갈기는 소리는 꽤 듣기 좋았다.
"그러시라고 해. 그 대신, 출국 일정에는 지장 없도록 하고."
"네, 곧바로 업체를 선정해서 이번 달 안에 공사를 끝내도록 하겠습니다."
"다음은?"
"아, 예전에 접촉했던……."
"오빠!"
문 쪽에서 들려온 카랑카랑한 외침이 막 이어지려던 보고를 그대로 끊어버렸다. 수연이었다. 갑작스럽게 부사장실 문을 열어젖힌 것도 모자라 수연은 책상 앞으로 뛰어들다시피 했다. 한없이 막무가내로 구는 모습에 당황한 비서는 재빨리 그녀를 막아 세웠다.
"죄송합니다만, 이렇게 함부로 들어오시면 안 됩니다."
"뭐어?"
허공에 멈춘 비서의 두 손은 명백한 저지의 뜻을 담고 있었다. 네까짓 게 감히 방해하느냐는 듯 수연의 두 눈에서는 시퍼런 불꽃이 튀었다.

“시끄러워! 할 말 있다잖아! 그리고 내가 내 오빠 만나겠다는데, 뭐가 문제야?”

“아가씨, 그게…….”

“안 비켜?”

수연의 입술을 거세게 비집고 나온 고함이 부사장실을 울렸다. 점점 험악해지는 분위기를 감지한 주혁의 미간은 눈에 띄게 좁아졌다. 일개 비서에게 고삐 풀린 망아지처럼 날뛰는 수연을 저지할 수단이 있을 리 없었다.

주혁은 나지막한 한숨과 함께 만년필을 내려놓았다. 원래 수연의 문제는 명희가 미국으로 떠난 후에 해결하려고 했다. 그런데 이렇게 자진해서 나서 주니 실행을 굳이 미룰 이유는 없었다.

“내가 상대하지. 나가 봐도 좋아.”

“알겠습니다…….”

비서가 문을 닫고 나가자마자 수연은 주먹을 쥐고 주혁을 쏘아보았다. 그녀의 눈시울은 마치 붉은 물감을 칠해 놓은 듯 새빨갰다.

“오빠가 어떻게 엄마한테 그럴 수 있어?”

기어이 회사로 찾아온 이유는 역시나 명희의 미국행을 따지기 위해서였다. 예상 그대로의 반응에 주혁은 건조하게 답했다.

“무슨 말을 하는지 모르겠군.”

“시치미 떼지 마! 엄마 내쫓는다는 거 다 들었어.”

“…….”

“설마 윤혜수 때문이야? 걔가 그러래? 하, 진짜 미쳤나 봐!”

한껏 높아진 수연의 목소리에는 혜수에 대한 악감정이 짙게 묻어나 있었다.

“말조심하라고 했을 텐데.”

“으윽…….”

단 한 마디에 불과한 경고였지만 사정없이 치솟은 수연의 노기를 가라앉히기에는 충분했다. 대체 언제 화를 냈냐는 표정과 함께 그녀는 빠르게 태도를 바꾸었다.

"……아무리 그래도 엄마를 내쫓는 건 아니잖아."

"내쫓는 거 아니야. 어디까지나 요양이지."

"엄마 입맛 까다로운 거 몰라? 낯선 곳에서 어떻게 엄마 혼자 살라고 그런 결정을 했어?"

"일하는 사람 둘 텐데도 뭐가 문제지?"

"우리 엄마, 오빠랑 나밖에 없는 거 잘 알잖아. 아빠 돌아가시고 엄마가 얼마나 힘들어했는데……. 오빠마저 엄마 버리면 어떡해, 응?"

동정심을 자극하기로 선회했는지 수연의 입가가 묘하게 실룩거렸다. 살짝 치켜 올라간 눈꼬리에는 투명한 눈물방울이 어렸다. 하지만 시야에 비치는 그 어떤 것도 주혁에게는 와닿지 않았다.

수연과는 그렇게까지 사이가 좋은 편이 아니었다. 둘의 성격이 아주 달랐던 터라 어려서부터 데면데면했고, 그녀와 대화다운 대화는 거의 나누어 본 적이 없었다.

그래도 권수연은 하나밖에 없는 여동생이었다. 가족이었고, 핏줄이었다. 아무리 수연에게 무관심했어도 그 점을 잊지는 않았는데, 그녀는 천진난만하게 배신의 칼을 꽂았다.

명희의 경우와 마찬가지로 수연의 추악한 면모에 치를 떨며 분노할 만큼의 감정이 남아 있지 않았다. 가슴속을 잠식한 것은 그저 싸늘한 냉기뿐이었다.

"혼자 가는 게 아니면 되나……."

"혼자가 아니면?"

"너도 같이 가면 되겠군."

"내가?"

분위기에 맞지 않는 농담이라고 판단했는지 수연은 어색한 웃음을 터뜨렸다.

"아하하, 그게 뭐야……. 오빠, 하나도 재미없어. 나보고 같이 가라니, 말이 돼?"

태평하게 반문하는 그녀는 사안의 심각성을 전혀 모르고 있었다.

"유학 가."

간결하면서도 명확한 통보는 엄포나 허풍이 아니었다. 느닷없이 들이닥친 명령에 수연의 두 눈이 휘둥그레졌다.

"뭐? 나 영어 못하는 거 알면서 무슨 소리야?"

"이참에 영어, 제대로 배워."

"마, 말도 안 돼……! 이렇게 갑자기 유학 가라고?"

"어머니 일 정리되면 통보하려고 했어. 최소한 3년…… 아니, 5년은 한국에 들어올 생각하지 마."

"진짜……로?"

"응."

"어떻게, 그런……."

"……."

숨 막히는 정적이 공간을 뒤덮은 후에야 드디어 진심임을 느낀 모양이었다. 사시나무 떨듯 떨던 수연은 결국 바닥에 주저앉고 말았다. 가방에 달린 장식품이 바닥과 부딪치면서 쩔그럭거리는 소리가 났다.

충격에 파묻힌 그녀를 흘끗거리던 주혁은 이내 서류로 시선을 주었다. 수연이 어떤 저항을 하든지, 어떻게 반발하든지 번복은 없었다. 절대로.

한껏 수그러졌던 수연의 고개는 한참 뒤에나 제자리로 돌아왔다. 커다란 눈망울은 정처 없이 흔들리고 있었지만, 주혁은 그것을 매몰차게 외면했다.

현재 그녀의 전신을 지배하고 있는 감정은 걷잡을 수 없는 공포감과 배신감이었다. 도저히 현실을 받아들일 수 없다는 듯 수연은 어금니를 악물었다.

"정말 나까지 버릴 생각이야……? 우리, 가족이잖아……. 나 오빠 동생이야. 하나뿐인 동생한테 이래도 돼?"

"……."

"친구도 없고, 말도 안 통하는 곳에서 어떻게 살아? 너무해……!"

"……."

"주혁 오빠! 흐윽, 내 말 좀 들어 줘……."

무시를 견디다 못한 수연은 마침내 어깨를 들썩이며 흐느끼기 시작했다. 하루아침에 쫓겨 가게 된 처지가 억울하고 분한지 뺨을 적시는 눈물은 쉬이 그칠 줄 몰랐다.

수연은 본인이 직접 겪지 않으면 실감을 전혀 하지 못하는 타입이었다. 낯선 곳에 방치되어 무시당하다 보면 혜수의 심정을 아주 조금은 이해할 수 있을 것이었다.

서글픈 울음소리가 귓전에 몇 번이나 맴돌았지만, 아무것도 신경 쓰고 싶지 않았다. 여전히 서류에 시선을 둔 채로 주혁은 무심하게 명령했다.

"할 말 다 했으니 이만 나가."

"오빠……?"

"아니면, 끌어낼까?"

"……."

멍청한 얼굴로 서 있던 수연은 눈물범벅이 된 뺨을 닦으며 부사장실 문을 거칠게 열어젖혔다. 이로써 가족들의 문제는 일단락되었다. 비록 한참 늦었지만.

홀로 남은 부사장실 안에는 또다시 침묵이 존재감을 발산했다. 태생적으로 시끌벅적하거나 소란스러운 것은 질색이라 차라리 이게 편했다.

"윤혜수……."

주혁은 그녀의 이름을 낮게 읊조렸다. 주인을 잃은 이름은 얼마 못 가 허공으로 스며들어 자취조차 남지 않았다.

그날 이후, 어떻게든 혜수를 붙잡으려던 시도는 하나같이 실패로 돌아갔다. 그녀는 자신의 연락을 철저하게 무시했고, 영원히 계속될 것 같은 통화 연결음만이 귓전을 메울 뿐이었다.

슬그머니 치미는 씁쓸함은 눈 깜짝할 사이에 입 안을 넘어 전신을 집어 삼켰다.

조금만 더 빨리 알았다면, 지금처럼 적극적으로 나섰다면 미래는 과연 어떻게 변했을까. 어쩌면 혜수가 상처받고 돌아서는 것을 막을 수 있었을지도 몰랐다.

"……."

하기야 이제 와서 뼈저리게 후회한들 소용없다는 점을 그 누구보다도 잘 알고 있지 않은가. 잡을 수 없는 물처럼 흘러가 버린 시간은 아무도 되돌릴 수 없었다.

정처 없이 허공을 더듬던 주혁은 책상 서랍으로 손을 뻗었다. 서랍 안에는 비행기 티켓이 들어 있었다. 선명하게 프린팅된 출발 날짜는 바로 내일이었다.

원래 해외 출장이 잦은 편이었는데도 이번만큼 길게 느껴졌던 적은 없었다. 물리적으로도, 체감적으로도.

내일 출국하면 최소한 몇 개월은 외국에 머물러야 할 터였다. 그러니 마지막으로 딱 한 번만 덤벼 보고 싶어졌다. 확인하고 싶어졌다.

'이번에도 안 되면…….'

당장 떠나야 하는 몸인 만큼 어쩔 수 없이 물러나야겠지만, 포기하고 싶지는 않았다. 너무 이기적이지 않으냐고 비판받아도 상관없었다.

윤혜수는 그만큼의 가치가 있는 존재였다. 앞으로의 인생을 전부 걸어서라도 손에 넣어야 하는 단 한 사람이었다. 문득 뻥 뚫린 가슴 한구석이 시려왔다.

혜수가 너무나 보고 싶었다. 그녀의 사랑스러운 얼굴을 마주하고, 부드러운 목소리를 듣고 싶었다. 붉고 도톰한 입술을 탐하고 싶었고, 머리카락이 하늘거리는 귓가에 중얼거리고 싶었다.

……사랑한다고.

* * *

3개월 후.

주혁은 그가 예상했던 대로 눈코 뜰 새 없이 바쁜 나날을 보내고 있었다. 오랜 인내를 바탕으로 가장 높은 곳에 올라선 만큼 당연한 일이었다.

눈덩이처럼 불어나는 업무들을 처리하고 있자니 하루가, 한 달이 쏜살같이 흘러갔다. 너무나 빠른 나머지 실감조차 할 수 없을 정도로.

온종일 펼쳐지는 서류와 보고의 향연에 취해 있다 보면 상념에 사로잡힐 겨를이 없었다. 그래도 그러는 편이 나았다. 한가한 일상 속에서는 틀림없이 혜수를 그리워하며 침울해할 것이 뻔했으니까.

그래서 일부러 그녀의 근황도 전해 듣지 않았다. 그 대신, 틈틈이 다른 것에 매달렸다. 혜수의 내면을 줄곧 헤집어 놓았던 문제의 근원에 대해서.

"정성호가 지난주에 필리핀으로 출국했다고?"

뜻밖의 보고라는 듯 주혁의 눈썹이 가볍게 꿈틀거렸다. 물론 언젠가는 그렇게 될 줄 알았는데, 예상했던 것보다도 훨씬 빠른 전개였다.

윤예은의 약혼자, 정성호는 무려 전과 16범의 사기꾼이었다. 훤칠한 외모를 바탕으로 10대 시절부터 능숙하게 사기 행각을 저질러 경찰관들 사이에서는 악명이 높은 인물이었다.

미국 유수의 명문대 졸업, K대학교 학장과 부속 의료원 부원장 출신의 부모, 몇백억 원에 달하는 부동산 등 화려한 스펙은 하나부터 열까지 거짓말이었다. 성황리에 경영 중이라던 사업체 또한 자금을 끌어들이기 위한 페이퍼 컴퍼니에 불과했다.

작정하고 접근한 만큼 예은이 성호의 실체를 꿰뚫어 보는 것은 불가능했다. 의심만 많지, 의외로 허술한 성격의 경화와 태석도 마찬가지였다.

그러나 6개월간의 사기 행각도 어느덧 종막을 향해 달려간 모양이었다. 갑작스러운 출국은 그가 혜수의 가족들로부터 만족할 만큼 돈을 뜯어냈다는 것을 의미했다.

"화요일 저녁 비행기로 출국했습니다. 더 이상 건질 게 없다고 판단한 모양입니다."

"생각보다 손절이 빠른데……. 하긴, 아파트 담보 대출금까지 챙겼으니 별다른 미련은 없겠군."

성호는 월 삼십 프로라는 기적적인 수익률을 내세워 경화와 태석을 현혹했다. 돈의 노예가 된 지 오래인 두 사람이 그 달콤한 덫에 걸려들지 않을 수는 없었다.

하지만 예비 사위가 처가의 돈을 끌어다 쓰면서까지 심혈을 기울여 추진한 사업은 가짜였다. 마치 사막의 신기루 같은 허상이었다.

아파트는 그들이 지닌 유일한 재산이자 최후의 보루라고 해도 과언이 아니었다. 그럼에도 불구하고 덤벼든 데에는 상상할 수 없는 탐욕이 존재했다.

"……원래도 빚을 지고 있었던 터라 슬슬 이자 상환이 벅찬 상황으로 판단됩니다. 게다가……."

"뭐지?"

"윤예은 양의 명의를 도용해 사채까지 끌어다 쓴 것 같더군요."

"그렇군."

여태껏 세 치 혓바닥에 농락당했다는 것도 모자라 성호가 야반도주했다는 사실을 안다면 그들은 과연 어떤 반응을 보일까.

성호의 목표는 본래 5억 원뿐이었다. 명희가 준 돈은 10억 원이었고, 아파트는 그 이상의 가치가 있었다. 그만큼만 잃었어도 먹고사는 데에는 지장이 없을 터였는데, 끝없이 욕심을 부린 대가는 매우 참혹했다.

물론 그동안 저질렀던 죗값을 톡톡히 치르는 셈이니 동정할 이유도, 가치도 없었다. 오히려 그들을 향해 직접 경고하고 싶어졌을 뿐이었다.

"부사장님, 어떻게 하시겠습니까? 정성호의 행방을 추적해 볼까요?"

"됐어."

"그럼 슬슬 호텔로 돌아가시겠습니까? 막 귀국하신 참이라 피곤하실 텐데, 조금이나마 눈을 붙이시는 게……."

"아니, 처가로 가지. 지금 당장."

"알겠습니다."

수주 문제 때문에 잠깐 한국에 들어왔는데, 절호의 타이밍이었다. 주혁의 명령에 비서는 운전기사에게 연락했다. 주차장에서 대기하고 있던 그는 곧바로 차를 가지고 나타났다.

말없이 뒷좌석에 올라탄 주혁의 눈은 서늘하게 빛나고 있었다. 마치 숨죽여 기다리던 먹잇감에 발톱을 휘두르는 맹수의 눈빛과도 같았다.

결혼식을 치른 직후, 의례적으로 했던 방문 이후로 경화와 태석의 집에 온 것은 처음이었다. 그들을 직접 만났던 적은 세 손가락 안에 꼽을 수 있을 만큼 적었다. 필요한 것이 있으면 비서에게 지시했고, 그들 또한 돈만 받으면 성가시게 굴지 않았던 터라 대면할 일이 없었다.

아마도 오늘이 마지막일 듯싶었다. 퍽 어려운 걸음을 했다는 점을 증명하듯 난데없이 이루어진 방문에도 세 사람은 무척 반가워했다.

"어머, 어머! 이게 누구야? 어서 와, 권 서방."

"잘 왔네. 어서 앉게나."

"형부!"

환영의 기색이 가득한 인사를 한 귀로 듣고 한 귀로 흘리며 주혁은 소파에 앉았다. 반가움이 물러간 자리는 금세 의아함으로 채워졌다.

방문의 목적을 알아내기 위해 소리 없이 눈치만 살피는 그들은 아무것도 몰랐다. 그 모습은 흡사 천천히 끓기 시작한 물에 자진해서 들어간 개구리와 비슷했다.

'태평하군.'

남부럽지 않은 둘째 사위를 맞아들였고, 꼬박꼬박 거액의 수익이 들어오고 있었으며, 눈앞에는 엄청난 부가 어른거렸다. 어느 모로 보나 행복하지 않을 이유가 없었다.

그러나 그것은 전부 거짓된 꿈이었다. 허황에 찬 욕심이었다. 물이 펄펄 끓기 시작하고, 살이 바짝 익어 간 후에야 이자들은 힘겹게 그 사실을 깨달을 터였다.

죽음의 위기가 턱밑까지 차올랐을 때 발버둥 치며 살려달라고 비명을 지른들 이미 늦었다. 그들을 기다리고 있는 것은 오직 깊고 깊은 절망뿐이었다.

그때까지 차분하게 기다리는 것도 썩 괜찮은 선택지였지만, 그러면 처음의 목적과 어긋났다. 애당초 사기당하고 말고는 중요한 문제가 아니었다. 그것이 불러일으킬 파장이었다.

막다른 골목에 몰렸다는 사실을 깨달은 순간, 원망과 절망의 화살이 꽂힐 곳은 단 하나뿐이었다. 윤혜수.

세 사람은 또다시 혜수에게 손을 뻗을 것이 자명했다. 구해 달라고, 도와 달라며 필사적으로 매달리며 울부짖을 터였다. 그녀의 감정이나 의사는 깨끗이 무시한 채로.

'그렇게 되도록 내버려 둘 수는 없지.'

처음부터 그것만을 경계했고, 그렇게 되는 것을 막고자 성호를 지켜봐 왔다. 이제는 지겹도록 되풀이되는 악연의 고리를 제 손으로 끊어 낼 때였다.

주혁은 비스듬히 시선을 내렸다. 가장 먼저 눈을 마주친 경화가 마지못해 운을 떼었다.

"잘 지냈나, 권 서방? 그나저나 어쩐 일로 왔어? 미리 말을 했으면 청소라도 해 두는 건데……. 미안해, 집이 좀 어수선하지?"

"그렇군요."

"어쩔 수가 없었어. 알다시피 예은이가 이번에 결혼하거든. 결혼 준비하느라 어찌나 정신이 없는지 몰라. 오호호!"

"결혼이라……."

지그시 흐려지는 말끝에 경화는 뾰로통한 기색을 내비쳤다.

"혜수가 아무것도 전달 안 했나 보네? 당연히 권 서방 바쁜 건 알지만, 혜수 얘도 참……. 가족 일인데 어째 입을 꾹 다물고 있었다니?"

"……."

"아, 권 서방 원망하는 건 아니야. 알지? 이제라도 알았으니 다행이라는 뜻이었어."

사족을 덧붙이는 경화의 태도는 참으로 뻔뻔했다. 그녀에게 동조하는 예은과 태석 또한 마찬가지였다. 돈과 혜수를 맞바꿨으면서도 일말의 죄책감조차 없이 그녀의 이야기를 입에 올렸다.

이들은 피를 나눈 가족도, 하나뿐인 울타리도 아니었다. 그저 욕망의 결정체일 뿐이었다. 아무것도 아닌 자들 때문에 혜수가 상처받았다고 생각하니 머리끝까지 짜증이 치밀었다. 무심결에 좁아지는 미간을 느끼며 주혁은 간신히 분노를 삭였다.

굳이 화를 냄으로써 감정을 소모하고, 기력을 쏟을 필요는 없었다. 세 사람은 오래지 않아 어깨에 짊어진 죄의 무게를 실감할 것이었다. 그것도, 가장 뼈아픈 방법으로.

"혹시 언제 시간 돼? 우리 둘째 사위가 권 서방을 되게 보고 싶어 하거든."

"만나는 거야 어렵지 않죠."

"정말? 둘 다 사업하는 사람이라 대화가 잘 통할 거야. 그럼 다다음 주……."

"만날 수 있으면요."

"응? 그게 무슨 말이야?"

경화를 당황하게 만든 것은 느닷없이 잘려 나간 말허리만이 아니었다.

주혁의 차가운 목소리가 품고 있는 내용이었다. 어쩔 줄 몰라 하며 눈만 깜빡이는 그녀를 향해 주혁은 나직하게 경고했다.

"그 둘째 사위가 다시는 한국에 돌아오지 않을 거라는 뜻입니다."

"어, 음…… 방금 뭐라고 했는지 잘 모르겠네……? 지금 출장을 가서 한국에 없긴 한데, 고작 2주인걸. 그런데 왜……."

"출장이 확실합니까? 출국하고 연락한 적 있고요?"

"그거야 당연히…… 예은아, 네가 대신 답해 봐라. 권 서방이 뭔가 오해를 한 모양이야."

"……."

대수롭지 않게 여기는 경화와 달리 예은의 낯빛은 어느새 어두워져 있었다. 성호와 제일 가까웠던 사이인 만큼 무언가 짐작되는 구석이 있는 듯했다.

믿었던 도끼에 발등을 찍히는 것만큼 충격적인 경우는 없었다. 갑작스럽게 일어난 변화를 이해하지 못하겠는지 경화는 거듭 채근했다.

"왜 아무 말도 없어?"

"……."

"예은아?"

그들 사이를 가로지르는 카랑카랑한 부름에 예은은 그제야 정신을 차린 것 같았다. 느릿느릿하게 달싹여지는 예은의 입술은 납득 불가능한 의문에 휩싸인 지 오래였다.

"그게, 성호 오빠가…… 일하느라 바빠서 통화가 어려울 수도 있다고 했어……."

"뭐? 설마 정 서방이랑 한 번도 전화 안 했어?"

"으응……."

"아무리 바빠도 그렇지, 말이 되는 소리니? 예은이 넌 그걸 가만히 보고 앉았고?"

"그럼 어떡해? 오빠가 워낙 바쁜 사람이잖아. 그래서……,"

예은은 차마 뒷말을 잇지 못하고 주저했다. 그 모습에서 그녀가 그간 얼마나 성호를 신뢰하고 있었는지 똑똑히 엿볼 수 있었다. 물론 지금은 아니겠지만. 주혁은 그 틈을 놓치지 않고 힘을 실었다.

"받을 리 없죠. 출장이 아니라 도주니까요."

"……!"

내내 숨겨져 있던 진실이 베일을 벗은 직후, 거실에는 차가운 정적이 흘렀다. 주위를 떠돌던 모든 소리가 일거에 얼어붙은 것 같았다. 숨소리조차도. 다들 넋이 나가 버린 와중에 주혁은 잠자코 그들의 모습을 지켜보았다.

한동안 멍하니 앉아 있던 세 사람 중, 경화가 가장 먼저 이성을 되찾았다. 하지만 그녀의 얼굴빛은 이미 새파랗게 변해 있었다.

"권 서방, 그게…… 사실인가?"

"네, 사기꾼다운 결말 아닙니까."

"사기꾼? 세상에……!"

단 한마디로 성호의 정체를 정의해 주자 예은의 날카로운 비명이 거실을 가로질렀다. 어찌나 충격적이었는지 그녀는 소파에서 벌떡 일어서기까지 했다.

"마, 말도 안 돼……. 오빠가 그럴 리가 없어요! 도주라니, 그냥 바빠서 연락이 안 되는 것뿐이라고요……."

"그래, 아무래도 권 서방이 뭔가 착각하고 있는 것 같아……. 대체 어디에서 그런 소리를 들었는지 모르겠는데, 다른 사람이랑 헷갈린 거 아니야?"

"그러게, 자네 장모 말이 맞네. 사람이 참 착하고 괜찮았어."

절대로 믿고 싶지 않은 현실을 피부로 맞닥뜨렸을 때, 대개 부정부터 하기 마련이었다. 그만큼 충격적이니까. 하지만 눈앞에 드리워진 것은 명백한 진실이었다.

칠면조처럼 모래 구덩이에 고개를 파묻고 외면한다고 한들, 그들을 둘러싼 현실이 변할 리 없었다. 오히려 그럴수록 칼날처럼 예리하게 파고들 터였다. 그 점에 실소를 흘리며 주혁은 손에 들고 있던 서류 봉투를 경화에게 건네었다.

"CI 홀딩스 정성호 대표 이사."

"……!"

"그에 대한 정보입니다. 직접 읽어 보시죠."

경화는 퍽 다급한 손길로 봉투 속에 자리한 자료를 꺼내었다. 두툼한 종이 뭉치가 드러나자마자 예은과 태석은 눈에 불을 켜고 경화에게로 달려들었다.

복잡한 용어가 많은 터라 이들이 얼마나 이해할 수 있는지는 확신할 수 없었다. 그래도 끝부분에 뚜렷하게 적힌 '해당 사항 없음'이나 '존재하지 않음' 등을 보고도 가만히 있을 리는 만무했다.

경악에 찬 예은의 눈빛이 서류를 떠나 주혁을 향하기까지는 그다지 오래 걸리지 않았다. 그녀는 당황하다 못해 울음을 터뜨릴 것 같은 표정을 짓고 있었다.

"전부…… 가짜였다고? 정말이에요, 형부?"

"이게 말이 되는 소리야? 응? 어떻게 이런 일이……."

"이, 이게 틀렸을 가능성은 없나……?"

"지금으로는 없다고 보셔도 됩니다."

"……!"

마지막 남은 기대를 산산이 부수는 한마디에 예은의 몸이 휘청였다. 바닥에 힘없이 내려앉으면서 소파 모서리에 무릎을 세게 부딪혔지만, 예은은 전혀 신경 쓰지 않았다. 단지 충격을 이기지 못하고 바들바들 떨 뿐이었다.

"엄마, 이제 어떡해? 명문대 출신? 유망한 사업가? 으읏, 그게 다 거짓말이었다니, 나 이제 어떻게 살아……?"

"아이고, 이게 웬일이라니? 어디서 빌어먹다 온 줄도 모르는 놈이 굴러들어와서……!"

"어떡해, 흑……."

"예은이 넌 제대로 알아보지도 않고 그딴 놈을 사위랍시고……! 잠깐, 그럼 우리 돈은? 네 혼수 자금이랑 정 서방 사업에 투자했던 거 있잖아!"

"……!"

경화의 관심사는 이내 상처받은 둘째 딸을 떠나 돈으로 옮겨 갔다. 평생 일해도 벌기 힘든 큰돈을 잃었다는 데 대한 충격은 상상 이상이었다.

"안 되겠다, 당장 쫓아가서 돈 찾아와야지!"

"엄마, 가능할 것 같아? 미국이 얼마나 넓은데."

"그렇다고 손 놓고 있는 게 말이 돼? 이러고 있을 때가 아니야. 얼른 비행기표 구해야지!"

"예은이 말이 맞아. 그놈이 어디로 갔는지도 모르잖아? 이자 많이 준다고 덥석 덤벼들더니, 내 이럴 줄 알았다."

"당신, 말 다 했어? 허구한 날 술 퍼먹으면서 돈 날린 건 생각도 안 나나 봐? 그래, 당신한테는 천만 원이 우습지? 응?"

눈앞에서 펼쳐지는 실랑이는 점점 거칠어졌다. 아수라장 속에서 홀로 평정을 지키고 있는 이는 주혁뿐이었다.

성호가 달아난 곳은 미국이 아니라 필리핀이었지만, 일부러 정보를 흘릴 필요는 없었다. 어디로 도망쳤는지는 사실 중요한 문제가 아니었다. 그들의 미력한 힘으로 성호를 붙잡을 수도 없거니와, 설령 성공한다고 한들 돈을 돌려받을 수 있을지도 희박했다. 어떤 선택을 하든지 간에 미래는 이미 결정되었다.

힘껏 쥐어진 경화의 주먹이 파들파들 떨었다. 완벽하게 당했다는 절망감은 삽시간에 그녀의 전신을 옭아맸다. 바람에 흔들리는 갈대처럼 비틀거리던 경화는 문득 생각났다는 듯 고개를 쳐들었다.

"권 서방, 권 서방이 좀 도와주면 안 되나? 대현 그룹이라면 어떻게 되지 않겠어?"

"그래요, 형부. 딱 한 번만 도와주면 안 돼요? 형부는 할 수 있잖아요."

"무조건 잡아야 해! 그놈한테 간 돈이 얼만데."

"……죄송하지만 그건 어려울 것 같습니다."

냉혹한 거절에 경화는 급기야 주혁의 바짓가랑이를 붙잡고 늘어졌다. 예은도 덩달아 거들며 어떻게든 그를 설득하기 위해 발버둥 치고 있었다.

자존심이고, 체면이고 전부 버려 버린 그녀들에게 남은 것은 이제 아무것도 없어 보였다. 벼랑 끝으로 내몰린 현실에서 살아남으려는 생존 본능을 제외하고는.

역겹고 혐오스러웠다. 이 경멸스러운 광경을 혜수가 꼼짝없이 견뎌야 했으리라고 상상하니 참으로 다행이었다. 그녀를 위해 기꺼이 선수를 친 보람이 조금 느껴졌다.

"아니, 그 망할 후레자식이 사기꾼이라는 것도 알았잖아. 그럼 어디 있는지 알아내는 것도 가능하지 않겠어? 그렇지 않나?"

"맞아! 심지어 이 집 담보 대출까지 받았어. 은행 이자가 얼마인 줄 알아? 이자 못 내면 우리 길거리에 나앉는다고……."

"범인을 잡는 건 경찰의 영역이니까요."

"권 서방!"

한기가 뚝뚝 떨어지는 거절에 경화의 동공이 격렬하게 흔들렸다.

"어떻게 그렇게 아무 상관 없는 남처럼 말하나? 권 서방, 우리가 남이야?"

"……."

"자네가 아무리 무시해도 난 자네 장모야. 세상천지에 장모를 이렇게 홀대하는 사위가 어디 있는가? 야박하게 굴지 말고 한 번만 도와주게. 한 번만……."

제법 거슬리는 호칭이었지만 굳이 막지는 않았다. 어차피 이 순간 이후로 다시는 입에 담을 수도, 귀에 들려오는 일도 없을 테니까.

"이혼하면 남 아닙니까."

"뭐, 뭣……?"

"이혼 위자료, 받으신 거로 아는데요."

"아니, 그건……! 사부인께서 받으라고 하시니까 어쩔 수 없이 ……."

"……."

절대로 떳떳하지 않은 돈이라는 사실은 그들이 더욱 잘 알고 있을 터였다. 분수에 맞지 않는 허영과 욕망의 대가로 이 정도는 매우 값쌌다.

"권 서방, 멋대로 받아서 미안해……. 우리 식구들 좀 살려 줘! 제발, 제발……. 난 이대로 억울해서 못 사네, 응?"

모멸을 불사하고 싹싹 빌던 경화의 노력은 통하지 않았다. 계속해서 이어지는 그의 차가운 눈빛에 예은과 태석 또한 묵묵히 시선을 내렸다.

다시금 퍼지는 스산한 침묵 속에서 주혁은 차분히 턱 끝을 쓸었다. 사소한 손짓 하나, 눈짓 하나에도 세 사람은 목을 빼고 처분을 기다리는 죄수들처럼 초조해했다.

우스우면서도 한편으로는 거슬렸다. 강자에게는 한없이 저자세로 굴종하면서, 약자에게는 그 누구보다도 모질게 구는 모습이. 그들의 사고방식을 지배하고 있는 단 하나의 존재가 돈이라는 사실이.

"……."

불현듯 엉뚱한 생각이 일었다. 어쩌면 그들에게 주제넘는 욕심을 길러 준 것은 자신이, 대현 그룹이 아니었을까. 처음부터 가지지 않았다면 욕심내지 않았을 텐데.

그 품에 상상하기 힘든 거액을 안겨 주었던 것은 행운이 아니라 불행의 시작이었다. 돈을 대가로 딸을 팔아넘겼을 때부터 그들의 운명은 정해지고 말았다. 크나큰 절망의 구렁텅이로 굴러떨어지는 것.

"……어쩔 수 없죠. 혜수를 봐서 살 곳 정도는 마련해 드리겠습니다."

굳이 혜수를 언급한 이유는 그들에게 제대로 일러 주기 위함이었다. 이렇게 찾아온 것도, 한 줄기 구원의 빛을 내려주는 것도 전부 그녀 덕분이라고. 주혁의 통보에 다들 반색했다.

"형부……!"

"그렇지? 그래, 그럴 줄 알았어! 역시 권 서방밖에 없다니까?"

"고맙네, 고마워……!"

이제야 안도했는지 경화가 가슴을 쓸어내리며 소파로 돌아갔다. 흙빛으로 물든 그녀의 뺨에 아주 살짝 혈색이 돌아왔다.

"이 집만 지킬 수 있게 해 주면 절대로 귀찮게 하지 않겠네. 약속이야."

약속은 무슨, 그들은 단단히 착각하고 있었다. 주혁은 무표정한 얼굴로 대꾸했다.

"이 집? 제가 설명이 부족했던 것 같군요. 그게 아닙니다."

"그럼……?"

의도를 이해하지 못하겠다는 듯 경화의 이마에 주름이 그려졌다. 그들에게 윤혜수는 얼마의 가치로 환산할 수 있는 존재일까. 문득 물어보고 싶어졌지만, 호기심은 오래지 않아 허공에 부서져 내렸다. 이것은 애당초 답을 들을 수 없는 문제였다.

"예전에 살던 집으로 돌아가실 수 있게 해 드린다는 뜻이었습니다."

"네? 예전에 살던 집이라면…… 그 반지하 빌라요? 싫어요!"

예은이 먼저 질색했다. 태석의 도박 빚에 짓눌리던 그들은 혜수가 결혼하기 전까지 반지하 빌라에서 살고 있었다.

표면적으로나마 대현 그룹의 사돈이 되면서 곰팡이가 핀 집은 번듯한 아파트로 변했다. 어깨를 펴고 살게 된 것이 고작해야 3년 전인데, 그들에게는 너무나도 오래된 기억이 되어 버린 듯했다.

"그래, 예은이 말이 맞아. 권 서방, 예전 집은 좀……."

"혜수가 없었다면 계속 사셨을 게 아닙니까."

"그건……."

"아쉽지 않으시면 어쩔 수 없습니다."

주혁이 아무런 미련 없이 소파에서 몸을 일으키려고 할 때였다. 경화는 혼비백산하며 그의 팔을 붙잡았다.

"아니, 아니야……! 그 정도도 감지덕지지. 내가 실언했네."

"엄마……!"

"이것아, 넌 가만히 있어!"

"진짜 그 집으로 돌아가는 건 싫단 말이야! 나 차라리 미국 돌아갈래. 미국 가서……."

"어쩜 그렇게 철이 없니? 입 다물지 못해? 이렇게 된 처지에 유학 갈 돈이 어디 있어?"

"형부, 정말 안 돼요. 거기만큼은 죽어도 안 된다고요. 너무 싫어……!"

"윤예은!"

무슨 일이 있어도 그 집만큼은 거부하겠다는 듯 예은의 입에서 연거푸 쇳소리가 터져 나왔다. 그녀의 얼굴에는 짙게 물든 절망이 머물러 있었다.

그 즉시 눈을 부라리는 경화뿐만 아니라 태석까지 끼어들어 예은을 말리기 시작했다. 혹여나 그사이에 주혁의 마음이 바뀔까 봐 단단히 겁을 먹은 것 같았다. 얼마간의 정적을 흘려보낸 후, 주혁은 천천히 입을 열었다.

"그 대신, 조건이 하나 있습니다."

"조건?"

"다시는 윤혜수 앞에 나타나지 마세요."

"……!"

"혜수에게 알려지는 순간, 이마저도 없었던 일이 될 겁니다."

* * *

주혁이 들려준 이야기는 문자 그대로 반전의 연속이었다. 홀린 듯이 귀를 기울이던 혜수는 이윽고 정신을 차렸다.

"그랬군요……."

"진작 말하지 않아서 미안해."

"아니에요. 나야말로 신경 쓰게 해서 미안해요."

가족들은 제대로 죗값을 치르고 있는 셈이었다. 언젠가는 본인들의 행동을 진심으로 반성하며 눈물 흘릴 날이 올까. 경화는 아직 사기당했다는 사실에 마냥 억울해하고 있을 뿐이었다.

혜수를 물끄러미 내려다보던 주혁은 그녀의 어깨에서 손을 떼어냈다.

"혹시 가족들이 걱정되는 거면……."

"아니에요. 그냥 그곳에 살게 둬요."

"괜찮겠어?"

"네, 이게 좋은 것 같아요. 나한테도, 가족들한테도……."

어쭙잖은 동정심과 애정은 최악의 결과를 빚어냈다. 이렇게 될 것이었으면 차라리 눈 딱 감고 외면하는 편이 나았을지도 몰랐다.

주혁이 친히 나서서 상황을 정리해 준 이상, 더는 말려들고 싶지 않았다. 지금부터는 아무것도 관여하지 않고 그와 단둘이서 살아가고 싶었다. 겨우 찾아온 행복을 허무하게 떠나보낼 수는 없었다.

"그나저나 이득을 봤다고 하지 않았어요?"

"당신 부모님이 살던 아파트, 결국 내가 인수하게 됐어. 그런데 그 이후에 시세가 꽤 많이 올랐지."

"갑자기요?"

"응, 십 년째 미뤄지던 사업이 드디어 추진된 모양이야. 그 덕분에 지금도 가격이 계속 오르고 있다더군."

아이러니한 현실이었다. 욕심부리지 않고 아파트까지 손대지 않았다면 불과 몇 개월 뒤에 행운이 찾아왔을 텐데. 탐욕은 행운을 재앙으로 바꾸어 놓았다.

조만간 이 사실을 알게 될 가족들은 한층 깊은 절망에 빠질 터였다. 다시는 돌아가지 못할 과거를 그리워하며 분노에 찬 울음을 터뜨려도 이미 늦었다.

"그럼 이만 갈까."

"네."

시간의 흐름을 알리듯 차 안은 싸늘하게 식어 있었다. 안전벨트를 맨 혜수는 편안하게 시트에 기대었다. 늘 그랬듯이 푹신푹신한 감촉이 뒷머리에 전해졌다.

창밖의 풍경은 빠르게 바뀌었다. 잠깐 한눈팔았다가는 그대로 놓쳐 버릴 만큼. 오래지 않아 시야를 덮은 건물은 눈에 익은 아파트가 아니었다. 하늘을 찌를 듯 높이 솟은 호텔이었다. 외벽에 장식된 화려한 조명들이 호텔의 위엄을 온 사방에 과시했다.

"여기는……?"

"아직 저녁 안 먹었잖아. 먹고 가지."

주혁이 이끈 곳은 다름 아닌 최상층의 레스토랑이었다. 지배인은 당연히 그래야 한다는 것처럼 창가석으로 안내해 주었다.

드넓은 통창을 통해 야경이 마치 밤바다의 물결처럼 밀려 들어왔다. 꼬리에 꼬리를 물고 늘어선 차들이 움직일 때마다 빨갛고 노란빛이 주르륵 흘러내렸다.

'봐도 봐도 눈을 뗄 수 없네.'

물론 시선을 잡아끄는 대상은 황홀한 아름다움을 뽐내는 야경뿐만이 아니었다. 가벼운 미소로 만족감을 표시하는 이 남자도 마찬가지였다. 혜수는 웃음을 삼키며 고개를 돌렸다. 야경에 관심을 준 틈을 타 주혁은 이미 주문까지 완료한 상태였다.

"스테이크가 유명한 곳이라고 해서."

지배인에게 메뉴판을 돌려준 그가 굳이 덧붙였다.

"이러니저러니 해도 오늘은 고기를 먹어야 하는 날이었네요."

"그랬어?"

"오늘 회식 메뉴도 고기였거든요. 삼겹살."

"삼겹살 좋아해?"

"네. 그렇지만 결혼하고 나서는 거의 못 먹은 것 같아요. 아니, 한 번도 없었나……."

명희의 허락이 없이는 함부로 나다닐 수 없었다. 시시콜콜한 것까지 전부 보고해야 했고, 경멸 어린 눈초리를 감내해야 했다. 누구도 찾지 않는 투명 인간으로, 아무도 돌아보지 않는 정물로 전락하는 것은 순식간이었다.

그래 봤자 일 년도 되지 않은 과거였지만, 이제는 까마득한 옛일 같았다. 혜수는 머릿속을 떠돌기 시작한 기억을 지웠다.

"삼겹살 먹어 본 적 있어요?"

"아니."

"그럴 줄 알았어요. 나중에 먹으러 가 봐요."

"기대되는데."

"스테이크와는 또 다른 맛일 거예요."

주혁은 잠자코 혜수의 앞에 놓여 있던 와인 잔을 밀어냈다. 영문 모를 행동의 이유는 곧바로 알아챌 수 있었다.

와인 잔 대신 눈앞을 점령한 것은 다름 아닌 반지 케이스였다. 윤기가 흐르는 벨벳 천은 처음 봤을 때 그대로였다. 케이스 안쪽의 반지 또한 변함없이 반짝이고 있을 것 같았다.

"이건……."

"당신이 돌려줬던 반지야."

"알아요. 그런데……."

하필 이 순간에 다시 건네는 목적은 무엇일까.

슬그머니 흐려진 말을 이어 가듯 주혁이 손을 내밀었다. 손등을 덮고, 손가락으로 스며드는 온기는 그때나 지금이나 한결같이 심금을 울렸다.

"이제야 끼워 줄 수 있게 됐군. 공교롭게도 왼손을 다치는 바람에 늦어졌어."

"……."

조심스럽게 약지를 매만지는 손끝은 더할 나위 없이 부드러웠다. 주혁은 곧이어 케이스를 열고 반지를 하나 꺼냈다. 그녀의 것이었다.

텅 비어 있던 곳에 미묘한 압박감이 가해지면서 마음 한구석이 세차게 요동쳤다. 마디 끝까지 끼워진 반지의 존재감은 상상할 수 없을 정도로 컸다.

결혼식에서 반지를 끼워 주던 그의 모습이 불현듯 뇌리를 스쳤다. 무감하게 내리꽂힌 시선, 단 한마디의 약속도 흘리지 않는 입술, 한없이 의례적일 뿐인 손길.

그러나 눈앞의 이 남자에게서는 그때와 달리 감정이 흘러넘쳤다. 의심도, 의문도 품을 수 없게끔 확신에 찬 감정이. 그 사실을 증명하듯 주혁의 검은 눈동자에는 윤기가 돌았다.

"다시는 돌려주지 마."

"……."

혜수는 대답하는 대신 반지를 응시했다. 다이아몬드에서 뿜어져 나오는 오색찬란한 광채는 어둠이 깊어져도 영원히 계속될 것 같았다.

변치 않는 아름다움. 그것은 사랑이었다. 단 한 순간도 손에서 떼어 놓고 싶지 않은.

"잘 어울리네."

"……고마워요."

한 템포 늦은 감사 인사와 함께 혜수는 남은 반지를 집어 들었다. 무의미하게 흘러갔던 결혼 서약을 다시금 재생시킬 순간이 찾아왔다.

이제는 알고 있다. 아니, 알게 되었다. 사랑이란 무엇인지, 결혼이란 어떤 것인지. 그리고 이 행위가 품고 있는 진정한 의미에 대해서도.

새삼스러운 감상이나 3년이란 시간은 정말로 많은 것을 바꾸어 놓았다. 그도, 자신도.

곧게 뻗은 손가락을 장식한 반지는 무척 아름다웠다. 감회에 젖은 눈빛으로 그의 왼손을 내려다보던 주혁은 이윽고 나직하게 속삭였다.

"……사랑해."

* * *

집으로 돌아오자마자 주혁은 본색을 드러냈다. 구두를 벗기도 전에 덮쳐오는 입술에서는 형언할 수 없는 열망이 느껴졌다.

한없이 능숙하게 입 안을 휘젓는 혀는 언제나 그랬던 것처럼 짜릿한 쾌감을 불어넣었다. 냉기가 감돌던 주변이 순식간에 후끈하게 달아올랐다. 그에게서 느껴지는 강렬한 열기에 문득 눈앞이 어질어질했다.

빈틈없이 뒤엉킨 혀를 타고 안쪽 깊은 곳까지 쾌감이 전해질 때마다 다리에 힘이 풀렸다. 어느새 주혁을 붙잡은 손길은 그와 반대로 야릇한 긴장감에 휩싸였다.

깊게 맞물려 있던 입술이 잠시간 떨어진 틈을 타 혜수는 조그맣게 속삭였다.

"침대로…… 가요."

"좋아."

"앗!"

갑작스럽게 허공으로 몸이 들어 올려졌다. 드디어 양팔이 자유로워진 만큼 퍽 대담한 행동이었다. 숨김없이 드러내는 저돌적인 면모에 그만 가벼운 웃음이 머금어졌다.

이래서야 꼭 신혼 첫날에 침실로 안겨 들어가는 새신부가 된 것 같은 기분이었다. 허리와 어깨를 감싸는 부드러운 손길에는 그 특유의 섹시한 향이 묻어 있었다.

"이제 겨우 팔 나은 참이잖아요. 괜찮아요?"

"주치의가 그러더군. 적당한 운동을 해 주면 회복에 도움이 된다고."

"그렇지만 무리하면 안 돼요."

"그건 장담 못 하겠는데."

능청스러운 덧붙임과 함께 주혁은 일말의 지체도 없이 성큼성큼 발을 떼었다. 꽉 닫혀 있던 침실 문이 열리는 것과 동시에 전신에 맴돌고 있던 기대감이 한층 강해졌다.

침대에 혜수를 내려놓은 그가 다시 한번 고개를 기울였다. 그와 동시에 재킷을 벗어 바닥으로 던지는 손은 제법 급했다. 질척하게 젖은 숨결이 콧잔등을 간질이고, 그 안으로 스며들었다.

쉼 없이 열기를 나누고, 또 나누었다. 물기를 머금은 혀끝이 목덜미를 핥을 때마다, 가장 깊은 곳을 몇 번이나 관통당할 때마다 헤아릴 수 없을 만큼 엄청난 욕망이 솟아올랐다.

"하응……!"

주혁을 원한다. 그의 모든 것을 가지고 싶다. 손에 닿는 것, 살갗으로 스며드는 것, 안쪽 깊이 파고드는 것 모두. 하나도 빠짐없이 제 것이 되었으면 했다. 찰나의 순간조차도 놓치고 싶지 않았다. 모조리 제 품 안에 밀어 넣고 싶었다.

몸 전체로 퍼지는 기분 좋은 감각을 따라 허덕이는 숨이 잇새로 흘러나왔다. 혜수는 고개를 뒤로 젖히고 가늘게 교성을 터뜨렸다. 에로틱한 마찰음이 귓전을 끊임없이 자극했다.

"읏, 흐……."

하지만 주혁은 좀처럼 멈출 기미가 없었다. 지금이야말로 숨겨 왔던 야성을 드러낼 적기라는 듯 밀어붙이는 그의 이마에서는 땀방울이 뚝뚝 떨어졌다.

무자비한 쾌락이 하반신을 잇달아 침범하면서 다리의 힘이 저절로 빠져나갔다. 그 단단한 가슴팍에 매달리다시피 하던 혜수는 맞잡은 손에 힘을 실었다.

저도 모르게 맺힌 눈물이 어느덧 귓불로, 뺨으로 미끄러져 내렸다. 살갗을 훑으며 눈물의 자취를 빠짐없이 좇는 입술은 여느 때처럼 뜨거웠다.

밀착한 두 손에서는 반지가 영롱하게 반짝이고 있었다. 영원히 꺼지지 않을 것 같은 빛이 뿜어져 나오는 반지는 진심으로 아름다웠다.

* * *

폭풍처럼 격렬했던 섹스의 끝은 언제나 그랬듯이 평온한 아침이었다. 손끝을 간지럽히는 부드러운 촉감에 혜수는 줄곧 매달려 있던 잠기운을 떨쳐냈다.

빠르게 뚜렷해지는 시야 속 그는 희미한 미소를 띠고 있었다. 살짝 흐트러진 검은 머리카락조차 사랑스러운 통에 덩달아 입꼬리가 들썩거렸다.

"일어났어?"

귓불을 어르는 낮은 목소리는 무척 듣기 좋았다. 어린아이 같은 어리광을 부릴 때도, 지금처럼 먼저 깨어나 지켜보고 있을 때도 한결같이 두근거렸다.

"오늘은 좀 더 자도 되는데……. 아직 여유 있어요."

"그래?"

그 단정한 얼굴을 채우고 있던 미소의 종류가 바뀌는 것은 순식간이었다. 풀썩, 하는 야릇한 소리와 함께 침대에 완벽하게 눕혀져 버렸다.

혜수가 잠시 당황한 틈을 타 주혁은 그녀의 몸 위에 올라탔다. 아무것도 걸치지 않은 나신이 적나라하게 겹쳐지면서 자연스레 어젯밤의 일이 떠올랐다.

바짝 맞닿은 살갗을 타고 전해지는 주혁의 욕망에 혜수는 귀를 붉혔다. 아침부터 이렇게 덤벼들다니, 너무 저돌적이지 않은가. 그러나 그 눈가에 또렷이 어린 유혹적인 기운은 사라질 기미가 없었다.

“지금 뭐 하는 거예요…….”

“방금 여유 있다고 했잖아.”

고개만 끄덕인다면 그는 언제든지 파고들 기세였다. 휴일이면 못 이기는 척 어울려 주었겠지만, 오늘은 안타깝게도 평일이었다. 마냥 침대에서 뒹굴 시간이 부족했다.

“그런 뜻이 아니에요. 어제 무리했으니까 좀 더 쉬자는 뜻이라고요.”

“무리, 했나? 난 좋았던 기억밖에 없어서.”

이대로 물러나기에는 아쉽다는 듯 주혁이 그녀의 귓불을 살며시 깨물었다. 갑작스레 치미는 따끔따끔한 고통은 상당 부분 쾌감을 닮아 있었다. 혜수는 반사적으로 어깨를 비틀었다.

“흣……. 아무튼 팔은 괜찮아요?”

“응, 보다시피 문제없어.”

“…….”

주혁은 왼쪽 팔을 허공에 들어 올려 보였다. 그에게서는 새벽까지 몸을 섞어 지친 기색 따위는 엿보이지 않았다. 녹초가 된 쪽은 오늘도 자신뿐인 모양이었다.

혜수는 살며시 그의 팔에 시선을 주었다. 근육이 잘 잡힌 팔 끝에는 반지가 하나 존재했다. 어제도, 오늘도, 그리고 헤아릴 수 없을 만큼 오랜 시간이 지나도 반짝일 것 같은.

잠자코 응시하자니 묘하게 가슴 한구석이 요동쳤다. 또다시 찾아온 설렘으로, 부풀어 오를 대로 부푼 기대로.

“그래도 무리하지 마요. 또 다치면 안 되니까.”

차분하게 그의 팔을 어루만지자 주혁이 가볍게 피식거렸다.

“왜 웃어요?”

“당신이 걱정해 주는 게 좋아서.”

“당연한걸요.”

"그러니 괜찮아. 지금껏 그랬던 것처럼 보살펴 줄 거잖아?"

"그건 그렇지만……."

"솔직하게 말하자면 깨끗이 나아서 좀 아쉬워."

이 남자는 나날이 농담 실력이 늘어가고 있었다. 아니, 정확하게는 농담을 빙자해 음흉한 본심을 내비친다고 해야 하나. 살짝 어이없어진 혜수도 짓궂게 응수했다.

"그렇게 되면 밤새 이러는 건 힘들 텐데요."

"그러게, 당장 취소하도록 하지, 당신을 안는 건 포기 못 하니까."

되로 주고 말로 받는 격이 되어 버렸다. 잦아든 줄 알았던 욕정은 금세 눈앞으로 닥쳐왔다.

농염하게 파고드는 입술은 간밤의 열기를 그대로 간직하고 있었다. 무심코 만들어진 틈으로 침입한 혀는 마땅한 순서를 밟는다는 듯 그녀의 것을 감아올렸다.

뿌리 끝에서부터 시작된 쾌감은 눈 깜짝할 사이에 입 안을 넘어 목으로 퍼졌다. 혀가 진하게 얽힐 때마다 난잡한 감각이 상체를 짓밟았다.

"으음, 주혁 씨……."

기분 탓이 아니었다. 키스를 퍼붓는 것과 동시에 그는 훤히 드러난 몸을 쓰다듬는 데 열중하고 있었다. 손끝이 스치고 간 곳마다 돋아난 소름은 오래지 않아 쾌감으로 바뀌었다.

오래도록 탐닉하던 입술을 벗어난 주혁은 그녀의 목덜미에, 가슴팍에 새겨진 키스 마크를 더듬기 시작했다. 질척하게 젖은 입술의 감촉은 간밤의 기억을 고스란히 이끌어 냈다.

상체를 넘어 하체까지 번지는 미묘한 감각 때문에 등줄기가 바짝 곤두섰다. 무의식중에 꿈틀거리는 발가락은 부정할 수 없는 쾌감의 산물이었다.

'기분 좋아…….'

이대로 안겨 있고 싶은 마음 반, 그를 밀어내고 싶은 마음 반이 치열하게 다투었다. 이성과 본능의 싸움은 아슬아슬하게 전자의 승리로 끝이 났다.

얼마간 그 아찔한 손길을 견디던 혜수는 끝끝내 주혁의 가슴팍을 짚었다. 뚜렷하게 파인 가슴 근육은 뜻밖의 제지에 대한 항의라도 하듯 움찔거렸다.

"이제, 그만……! 출근해야 해요."

"……알고 있어."

좀처럼 떨어질 생각을 하지 않는 몸을 밀어내는 것은 제법 어려운 일이었다. 재차 거부의 뜻을 밝힌 후에야 가까스로 그 품에서 벗어날 수 있었다.

하지만 반항은 거기까지였다. 혜수가 바닥으로 흘러내린 시트에 손을 대자마자 주혁은 그녀를 번쩍 들어 올렸다. 힘없이 손에서 빠져나간 시트는 또 한 번 바닥을 덮었다.

어리둥절해하던 혜수는 서둘러 그와 눈을 맞추었다. 어제와 완벽하게 똑같은 상황에 기시감이 차올랐다.

"뭐 하는 거예요?"

"내가 팔 다쳤을 때, 당신이 씻는 거 도와줬잖아."

"그런데요……?"

귓가로 다가온 입술은 유혹 그 자체였다. 귀 안쪽으로 슬며시 불어 넣어지는 숨결은 뜨겁기 그지없었다.

"이번에는 내가 해 줄게."

* * *

행복이란 무엇일까.

그와 함께 살게 된 뒤부터 절실하게 실감하고, 온몸으로 깨달은 것이었다. 아주 작고 사소한 것에도 행복은 빠짐없이 묻어 있었고, 분주한 일상 속에서 끊임없이 향기를 뿜어냈다.

3년 전에는 이 감정을 몰랐다. 사실 어렴풋이라도 알고 싶었는데, 그럴 기회가 전혀 없었다. 하루하루 버티기 바빠서, 칼날 같은 현실을 살아내는 데 급급한 나머지 아무것도 보이지 않았다.

그때나 지금이나 다람쥐 쳇바퀴 돌듯 똑같은 일상이 반복되었지만, 현실은 백팔십도 달라졌다. 별것 아닌 일상에는 더할 나위 없는 행복이 존재했다. 너무나 기쁜 나머지 순간순간 착각이 아닌가 싶을 만큼.

눈을 뜨면 주혁이 있었고, 눈을 감을 때에도 마찬가지였다. 하루의 시작과 끝에는 언제나 그가 존재했다. 손안을 채운 행복감을 만끽하다 보면 어느 틈엔가 시간이 훌쩍 지나가 있었다.

「…….」

오늘은 오랜만에 꿈을 꾸었다. 정확하게는 이 집에 돌아온 후, 처음으로 꾸는 꿈이었다.

혜수가 발을 디디고 선 곳은 사방이 탁 트여 있는 벌판이었다. 구름 한 점 없는 하늘은 눈이 부시도록 파랬고, 무성한 나무들은 가지에 초록빛 잎사귀를 빽빽하게 매달고 있었다.

싱그러운 바람에 실려 오는 향기는 매우 기분 좋았다. 혜수는 간간이 휘날리는 머리카락을 양손으로 감쌌다. 언뜻 보기에도 제법 아름다운 풍경이었다.

「예쁘다…….」

바람을 맞으며 우두커니 서 있자니 문득 묘한 충동이 일었다. 이 벌판의 끝에는 과연 무엇이 존재할까. 어떤 것이 기다리고 있을까.

어딘지도 모르는 목적지를 향해 발을 뗄 때마다 노랗게 물든 햇빛이 따라붙었다. 혜수가 걸음을 빨리하자 빛의 움직임도 빨라졌다. 마침내 따라잡을 수 없을 정도로.

'뭐지?'

아득하게 먼 곳에 멈춘 빛무리는 이윽고 어지럽게 흔들리기 시작했다. 마치 얼른 이곳으로 오라는 신호처럼 느껴졌다.

유혹을 이기지 못하고 달려간 보람은 없었다. 한시라도 빨리 도달하고 싶은 마음과 다르게 빛이 있는 곳은 멀고도 멀었다. 쉼 없이 뜀박질하는 혜수의 이마에는 구슬땀이 방울방울 매달렸다.

그때였다. 빛 속에서 무언가가 뛰쳐나왔다. 주변에 존재하는 소리란 소리는 송두리째 삼켜 버릴 듯 엄청난 포효와 함께.

「……!」

혜수가 발을 멈추는 것과 동시에 그녀의 눈앞으로 거대한 것이 덤벼들었다. 그 누구도 대적할 수 없을 것 같은 예리한 송곳니 한 쌍, 보석을 박아 넣은 듯한 푸른 눈동자, 윤기가 흐르는 흰 털, 그리고 날카롭게 벼려진 발톱까지.

「백호……?」

과장을 살짝 섞는다면 집채만 한 백호였다. 정체를 들킨 게 삐아팠는지 백호가 갑자기 그녀를 쓰러뜨렸다. 커다란 앞발이 가슴팍을 짓누르면서 속절없이 바닥으로 밀려나고 말았다.

그러나 쿵, 하는 소리가 났음에도 불구하고 전혀 아프지 않았다. 오히려…….

전신을 덮친 기묘한 감각을 실감하는 찰나, 혜수는 두 눈을 번쩍 떴다.

"어라……?"

자그마한 탄성이 스러진 후, 커튼 사이로 새어 들어온 햇살이 그녀의 손을 비추었다. 얼떨결에 쥐었던 앞발의 감촉이 유달리 생생했지만, 손안에는 아무것도 없었다.

정말로 기이한 꿈이었다. 근래 들어 이렇게까지 또렷한 꿈을 꾸었던 적이 있었나. 머릿속을 완전히 사로잡은 꿈의 여운은 꽤 길었다.

"……."

혜수는 멀거니 천장을 올려다보았다. 아무 무늬 없는 흰 천장은 마치 스크린처럼 눈앞에 꿈속의 장면을 펼쳐 보였다.

숨소리조차 들리지 않는 정적 속에서 하나하나 꼼꼼하게 되짚고 있을 무렵이었다. 어서 꿈에서 빠져나와 현실로 돌아오라는 듯 귀 옆에서 새근거리는 숨소리가 들려왔다.

곁에 누운 주혁은 미동도 없이 잠들어 있었다. 간간이 떨리는 속눈썹만이 그가 아직도 꿈을 헤매고 있다는 사실을 알려주었다. 사랑스러움을 가득 담은 눈길로 그를 훑던 혜수는 천천히 몸을 일으켰다. 꿈의 여파일까, 목 안에서부터 일어나는 갈증이 심상치 않았다.

'어쩐지 피곤하네…….'

부엌을 향해 한 발짝, 한 발짝씩 내딛는 다리는 묘하게 후들거렸다. 아무리 어제 야근했다고 하더라도 원래 이 정도까지 힘들지 않았는데, 이상했다.

그러고 보니 요 며칠간은 자도 자도 졸음을 떨치기 힘들었다. 학교에서 꾸벅꾸벅 조는 일이 다반사였다. 심지어 오늘은 열까지 있는지 관자놀이가 지끈거렸다.

'감기인가?'

확신할 수는 없지만, 예방 차원에서 간단한 약이라도 먹어 두는 편이 좋을 듯싶었다. 주혁에게 감기를 옮기기라도 한다면 큰일이었다.

서랍을 열고 감기약을 집어 들던 혜수는 순간적으로 멈칫했다. 느닷없이 시야를 빼앗은 물체는 다름 아닌 진통제였다. 유산한 이후로 생리통이 심해져서 사 둔 것이었다.

"잠깐……."

공교롭게도 이번 달은 생리가 없었다. 왜 이제야 그 사실을 깨달았을까. 새삼스러운 후회가 치밀었다. 규칙적이었던 생리가 끊어지는 것은 흔한 경우가 아니었다.

"설마……?"

바르르 떨리는 손끝은 단 하나의 가능성 때문이었다. 임신. 예기치 않은 현실을 맞닥뜨린 순간, 그대로 서 있을 수가 없었다. 혜수는 비틀거리며 의자의 등받이를 잡았다. 쓰러지듯 의자에 걸터앉는 그녀의 얼굴은 이미

하얗게 물들어 있었다.

'그래, 아닐 수도 있잖아?'

컨디션이 나쁘면 예정일이 늦어지거나 아예 한두 달씩 생리를 건너뛰는 것도 가능했다. 요즘은 지필평가 문제 출제 기간이었고, 그로 인해 피로와 스트레스가 누적되었다면 컨디션에 영향을 끼쳤을 터였다.

최대한 침착하게 여러 가지 가능성을 떠올려 봤지만, 좀처럼 두근거림이 멎지 않았다. 본능적으로 단 하나를 제외하고 전부 아닐 것이라는 직감이 가슴 한구석을 거칠게 두드렸다.

'만약에 진짜로 임신한 거면…….'

갑작스러운 동요에 휩싸인 심장은 미친 듯이 뛰기 시작했다. 아이를 허무하게 떠나보낸 이후, 언제인가부터 임신이란 단어는 일종의 금기어가 되었다. 그 단어를 떠올리면 필연적으로 잃어버린 아이가 따라오기 마련이었으니까.

다시는 되돌아오지 못하는 아이에게 미안해서라도 반쯤 포기하고 있었는데, 임신이라니. 머리를 한 대 얻어맞은 것 같은 충격이 뒤늦게 따라왔다.

빠르게 시큰해지는 눈시울을 느끼고 혜수는 앞니로 아랫입술을 살짝 짓눌렀다. 입술 전체로 번지는 가벼운 아픔을 느끼고 있자니 문득 등 뒤에서 부스럭거리는 소리가 들려왔다. 주혁의 발소리였다.

"무슨 일이야?"

"주혁 씨……?"

그에게 아무것도 들키지 않기를 바랐는데, 역시나 현실은 그리 녹록지 않았다. 주혁은 헝클어진 머리카락을 손으로 빗어 넘기며 혜수의 곁으로 다가갔다.

언제나 그랬듯이 혜수를 살피던 그의 시선은 오래지 않아 감기약으로 옮겨졌다.

"감기약? 어디 안 좋은 거야?"

"아……."

예리한 지적에 뒤늦게 감기약을 숨겨 봤지만 소용없는 저항이었다. 심상치 않은 낌새를 눈치챘는지 주혁은 그대로 그녀를 품에 안았다.

"열이 좀 있는 것 같은데."

부드럽게 붙잡은 팔을 통해서도, 맞닿은 가슴팍을 통해서도 몸의 열이 감지되는 듯했다. 귓가로 날아드는 주혁의 질문에는 걱정이 듬뿍 어려 있었다. 감기 기운이 있는 것은 사실이나, 이렇게까지 과민 반응을 보일 필요는 없었다. 혜수는 얼른 고개를 흔들었다.

"괜찮아요, 별거 아니에요."

"당신은 조금만 한눈팔아도 무리하니까 걱정돼."

"내가 어린앤가요? 그렇게 염려할 필요 없어요."

일부러 밝게 답했는데도 그의 태도는 변함이 없었다. 아니, 좀 더 완강해졌다. 혜수를 품 안에 가두다시피 하며 주혁은 낮게 중얼거렸다.

"안 되겠어. 당신, 나랑 오늘 주치의한테 가. 수액을 맞든지, 약을 짓든지 하자고."

"병원이요……?"

"어린애 아니라면서. 설마 병원이 무서워서 가기 싫다고 하는 건 아니지?"

"……."

"바로 연락해서 약속을 잡아야겠군."

고작해야 두 번 쓰러졌을 뿐인데도 상당한 트라우마가 된 것 같았다. 지나칠 정도로 과보호하는 모습에 잠깐 쓴웃음이 났지만, 멋대로 하게끔 내버려 둘 수는 없었다.

"잠깐만요."

"왜?"

"그게……."

무심코 예상한 바를 늘어놓으려던 혜수는 아차, 하고 뒷말을 삼켰다.

정황상 임신 같다고 해도, 만일 임신이 아니라면 걷잡을 수 없이 밀려올 실망감은 어찌할 것인가.

상실감이 깃든 그의 눈동자를 상상하자 입이 선뜻 열리지 않았다. 기대하고, 배신당하고, 절망하는 경험은 한 번으로 족했다.

"무슨 일인데. 말 안 해 줄 거야?"

"……."

"윤혜수."

"별것 아닐 수도 있어서요……."

"뭐든 괜찮아. 당신과 관련됐다면 아무리 사소한 거라도 나한테는 중요하지 않은 게 없어."

"주혁 씨……."

어떻게 해야 할까 망설이는 마음을 다독이고, 불안감을 녹여 버리는 속삭임이었다. 주혁은 그때와 같지 않았고, 자신 또한 마찬가지였다.

이미 모든 것은 너무도 많이 변했는데, 이 문제만은 계속 그 자리에 둘 수는 없는 노릇이었다. 자꾸만 흔들리는 어깨에 확신을 실어 주는 것처럼 상냥한 눈빛이 내리꽂혔다.

그래서일까, 아주 조금 맞부딪쳐 볼 용기가 생겼다. 다시 한번 마음속에 일말의 기대감을 품어 보고 싶어졌다. 설령 그 결과가 어떻든지 간에 상관없이.

"생리를…… 안 해요."

"……!"

별다른 설명을 덧붙이지 않았는데도 주혁의 동공이 일순간 요동쳤다. 어떤 뜻을 품고 있는지 단박에 알아차린 모양이었다.

"……테스트는."

주위에 나직하게 깔리는 목소리는 눈동자보다도 흔들리고 있었다.

"아직이에요."

"그렇군……."

약간의 정적을 끝으로 주혁은 혜수의 손을 붙잡았다. 크고 기다란 손가락에는 여느 때처럼 보드라운 온기가 맴돌았다. 마치 괜찮다고 위로하는 듯한 손길에 혜수는 그의 가슴에 얼굴을 묻었다. 눈물이 핑 돌 만큼 따뜻했다.

"괜찮아. 나는 욕심 안 부려."

"주혁 씨……."

"지금도 충분히 행복하니까."

* * *

"……."

세면대의 거울에 비친 얼굴은 살짝 상기되어 있었다. 거울 속의 자신을 쏘아보듯 하던 혜수는 조심스럽게 비닐 포장을 뜯었다. 그녀의 손에 들린 것은 주혁이 손수 사 온 임신 테스트기였다.

굉장히 새삼스러운 감상이지만, 첫 임신 때와는 백팔십도 달랐다. 처음으로 임신 테스트기를 써 본 날, 명희나 고용인들에게 들킬까 봐 얼마나 가슴을 졸였던가.

임신 사실을 알게 되고 어찌나 막막했던지, 지금도 그날의 처량했던 심정을 잊을 수 없었다. 머릿속에는 온갖 생각이 교차했다.

'그때랑은 달라…….'

욕실 문밖에서 초조하게 기다리고 있을 주혁을 위해서라도 빨리 확인해 보고 싶었다. 혜수는 찬찬히 심호흡하며 변기에 앉았다.

테스트기에 확인 선이 그어지기까지는 사실 얼마 걸리지 않았지만, 영원에 가까울 정도로 길었다. 눈을 감은 채 기다리던 혜수는 살그머니 실눈을 떴다.

"……!"

눈앞을 채운 것은 붉디붉은 두 줄의 선이었다. 약간의 의심조차 띠지 않을 만큼 뚜렷한 선을 보고도 가만히 있을 수는 없었다.

급격하게 아릿해진 눈가에는 뜨뜻미지근한 이슬이 고였다. 금방이라도 흘러내릴 것 같은 눈물에 혜수는 다른 손으로 욕실 문을 밀었다. 문이 열리자마자 주혁은 그녀와 테스트기를 번갈아 응시했다.

"어떻게 됐어……?"

"……."

"왜 그래?"

주혁의 앞에 선 이상, 도저히 감정을 억누를 수가 없었다. 혜수는 대답하는 대신 그의 가슴팍으로 뛰어들었다. 기다렸다는 듯이 쏟아지는 눈물은 금세 턱으로, 목으로 흘러들었다.

이 기분을 대체 뭐라고 표현할 수 있을까. 어떻게 드러낼 수 있을까. 아무것도 생각나지 않았다. 그 어떤 것도 떠오르지 않았다. 지금은 그저 하염없이 눈물만 흐를 뿐이었다.

"흐윽, 윽……."

"……."

"우리 아기가…… 나한테, 나도 엄마라고……."

죄 많은 어미였는데, 그 작은 생명을 제 손으로 지키지 못했는데, 그래도 또다시 찾아와 주었다. 엄마가 되어 달라고 손을 내밀어 주었다. 이번에야말로 실패하지 말라는 것처럼.

엄마.

그 단어를 머릿속에 떠올린 순간, 형언할 수 없는 감정이 혈관을 떠돌며 눈물을 부추겼다. 기쁨과 미안함이 엇갈렸고, 행복과 막막함이 마구 섞였다. 벅차면서도 슬펐고, 감동적이면서도 한편으로는 회한에 젖었다.

그의 품에 안겨서 얼마나 울었을까. 평생 흘릴 눈물을 다 흘렸다고 느꼈을 때에야 겨우겨우 고개를 들 수 있었다. 말없이 그녀의 어깨를 토닥이던 주혁은 부드럽게 말을 걸었다.

"이제 좀 진정됐어?"

"네……."

"편하게 앉지."

눈가에 고인 눈물을 털어내 준 주혁이 턱짓으로 소파를 가리켰다. 의식하지 못하는 사이에 테스트기는 그의 손으로 자리를 옮긴 상태였다.

테스트기를 뚫어져라 쳐다보던 주혁은 오래지 않아 소파에 앉은 혜수의 배를 어루만졌다. 신기한 듯, 감격스러운 듯 여러 가지 의미를 띤 눈길이 그 뒤를 이었다.

"여기에 우리 아이가 있는 건가."

옷자락을 가만가만 쓰다듬는 손끝은 눈길만큼이나 다채로운 감정에 차 있었다. 혜수는 그의 손등에 자신의 손을 살포시 얹었다. 온기가 더해지면서 마음이 한결 가라앉았다.

"이번에는 내가 지킬 거야. 당신도, 우리 아이도."

"주혁 씨……."

다시는 잃지 않겠다는, 실수하지 않겠다는 다짐은 매우 든든했다. 귓가로 스며든 약속을 곱씹던 혜수는 아, 하고 짧은 탄성을 터뜨렸다.

"이름은 뭐가 좋을까요?"

"이름?"

"네, 그게 제일 후회됐거든요. 부르고 싶어도 이름이 없어서……."

꿈속에서도, 현실에서도 오직 아가라고밖에 부르지 못했다. 제대로 된 이름이 있었다면 조금은 답답함이 덜했을 텐데. 그러나 주혁은 엉뚱한 방향으로 받아들인 듯했다.

"짓자. 당장 작명소부터 알아보라고 하지."

제법 진지한 말투에 혜수는 작게 실소했다.

"진짜 이름 말고, 태명이요. 아직 성별도 모르는걸요."

"태명이라……."

그런 경우는 생각지도 못했는지 주혁이 그답지 않게 머뭇거렸다. 딱딱하게 굳어졌던 입술이 다시 움직이기까지는 생각 외로 오랜 시간이 걸렸다.

"태명은……."

귓가에 속삭여지는 태명은 매우 인상적이었다. 오랜 기다림과 역경을 딛고 찾아온 아이에게 정말로 잘 어울렸다. 이 아름다운 태명을 가진 아이라면 평생 행복하기만 할 것 같았다. 사랑으로 가득 찬 삶을 살 수 있을 것 같았다.

"……어때?"

"좋아요. 멋지네요. ……구나."

조그마한 칭찬과 함께 혜수는 그의 어깨에 머리를 기대었다. 물론 여전히 손은 꼭 맞잡은 채였다.

조만간 새롭게 탈바꿈할 일상이 너무나 기대되었다. 둘에서 셋으로 늘어난 일상은 과연 어떤 풍경일까.

틀림없이 사랑스럽고 행복할 터였다. 믿을 수 없을 만큼.

〈完〉